Christoph Huwyler

Das Problem
der Interkommunion

Dargestellt anhand kirchlicher
Verlautbarungen, ökumenischer Dokumente
und der theologischen Diskussion

Band II

1984

BOCK + HERCHEN

BX
9.5
.I5
H89
1984
v.2

CIP-Kurztitelaufnahme der Deutschen Bibliothek

Huwyler, Christoph:
Das Problem der Interkommunion : dargestellt
anhand kirchlicher Verlautbarungen, ökumenischer
Dokumente und der theologischen Diskussion /
Christoph Huwyler. — Bad Honnef:
Bock und Herchen, 1984.
    ISBN 3-88347-127-5

Band II — 1984

ISBN 3-88347-127-5
© 1984 by BOCK + HERCHEN Verlag, 5340 Bad Honnef
Alle Rechte vorbehalten
Herstellung: Boscolo & Mohr, Karlsruhe
Printed in Germany

3. Kapitel

DAS GEMEINSAME VERSTÄNDNIS DER EUCHARISTIE

Die Eucharistie ist das zentrale Geschehen im Leben
der Kirche. Die meisten der heute getrennten christlichen
Kirchen betrachten sie als das zentrale Geschehen ihres
Gottesdienstes:

> "Es gab keinen Augenblick der Kirchengeschichte, da das
> Herrenmahl n i c h t als entscheidende Mitte des Glau-
> bens angesehen wurde, und in d i e s e r Tradition
> stehen Gott sei Dank noch alle christlichen Kirchen."[1]

Durch die Trennung im Glauben zerbrach die Kirchen- und damit auch die Abendmahlsgemeinschaft. Durch die Unmöglichkeit
des gemeinsamen Hinzutretens zum Tisch des Herrn ist die Eucharistie, gestiftet als Zeichen der Einheit und Band der
Liebe, getrennt gefeiert, heute deutlichster und tiefster
Ausdruck der Spaltung in der Kirche Christi. Wenn wir nun bereits Einheit in Christus haben, dann muß das gerade in der
Eucharistie, in der Abendmahlsgemeinschaft, zum Ausdruck kommen.[2]

Wenn aber die fehlende Glaubenseinheit zur Aufkündigung
der Abendmahlsgemeinschaft geführt hat, dann ist bei der Suche
nach der sichtbaren Einheit der Kirche die grundsätzliche
Übereinstimmung im Verständnis der Eucharistie eine der wichtigsten Voraussetzungen.[3] Von diesem Bewußtsein getragen, finden seit langem bilaterale und multilaterale Gespräche zwischen

---

1 Alois Müller, Ökumene des Abendmahls?: Anfragen eines
  Katholiken, in: Ref. 28 (1979), 602.

2 Vgl. L. Vischer, Eucharistie - Zeichen der Einheit, 1.

3 Vgl. William Lazareth u. Nikos Nissiotis, Vorwort, in:
  Taufe, Eucharistie und Amt: Konvergenzerklärungen der Kommission für Glauben und Kirchenverfassung des Ökumenischen
  Rates der Kirchen, ("Lima-Dokument") 1982, in: Dokumente
  wachsender Übereinstimmung, 546. Im folgenden wird das
  Lima-Dokument über die Taufe (a.a.O. 549-557) mit Lima
  1982 I, das Dokument über die Eucharistie (a.a.O. 557-
  567) mit Lima 1982 II und das Dokument über das Amt (a.a.O.
  567-585) mit Lima 1982 III zitiert. Vgl. auch Günther Gaßmann, Taufe-Eucharistie-Amt: Überblick über einen ökumenischen Studienprozeß, in: ÖR 24 (1975), 181f.; U.Wilckens,
  Eucharistie und Einheit der Kirche, 81.

den Konfessionen statt. Der Weg und der Stand der Suche nach einem gemeinsamen Eucharistieverständnis soll in diesem Kapitel kurz nachgezeichnet werden. Dabei ist es in diesem Rahmen nicht möglich, die Theologie der Eucharistie in den einzelnen Konfessionen darzustellen. Der Hauptakzent dieses Kapitels liegt auf der ökumenischen Diskussion über die Eucharistie. Die verschiedenen Überzeugungen der Kirchen werden aber in der Darlegung der Konsense, der Dissense und der theologischen Diskussion deutlich werden.

In der Diskussion um die Interkommunion und die Eucharistie wird immer wieder auf den Zusammenhang von Taufe und Eucharistie verwiesen. Daher soll zunächst ein einleitender Paragraph kurz auf dieses Problem eingehen.

§ 10 TAUFE UND EUCHARISTIE

I. Die Bedeutung der Taufe für die Einheit der Kirche

1. Die Taufe als Eingliederung in den Leib Christi

Unbesehen der heutigen Spaltungen innerhalb der einen Kirche Christi anerkennen die meisten Kirchen grundsätzlich die in der anderen Kirche gespendete Taufe.[4] Bald nach dem Aufkommen der ökumenischen Bewegung wurde deutliche,

"daß die von allen anerkannte Taufe das Fundament ist, das allem kirchlichen Einheitsstreben vorgegeben ist und von dem alle ökumenische Bewegung ausgehen muß".[5]

Die eine Taufe wird als vorzügliches Element gesehen, das die Einheit, wie sie den Christen in Jesus Christus gegeben ist, sichtbar zum Ausdruck bringt.[6] Diese Bedeutung ergibt sich aus dem gemeinsamen Verständnis vom Wesen der Taufe als Eingliederung in den Leib Christi. Das Zweite Vatikanische Konzil hat die

---

4   Auch die katholische Kirche hat die Taufe der anderen Kirchen immer als gültig und unwiederholbar anerkannt (vgl. Peter Bläser, Ökumenische Bedeutung der Taufe: Die Diskussion um die Taufe in der heutigen evangelischen Theologie, in: KNA, Konzil-Kirche-Welt Nr. 9/ 1970, 5. Vgl. auch Interkommunion heute, Nr. 11).

5   P. Bläser, Ökumenische Bedeutung der Taufe, 5.

6   Vgl. Zur Frage der Taufe, hg. Schweizerischer Evangelischer Kirchenbund, Römisch-katholische Kirche der Schweiz u. Christkatholische Kirche der Schweiz, Oktober 1971, Nr. 1.

ökumenische Bedeutung der Taufe folgendermassen beschrieben:

> "Der Mensch wird durch das Sakrament der Taufe,
> wenn es gemäß der Einsetzung des Herrn recht ge-
> spendet und in der gebührenden Geistesverfassung
> empfangen wird, in Wahrheit dem gekreuzigten und
> verherrlichten Christus eingegliedert und wieder-
> geboren zur Teilhabe am göttlichen Leben...Die
> Taufe begründet also ein sakramentales Band der
> Einheit zwischen allen, die durch sie wiederge-
> boren sind" (UR, Nr. 22).[7]

Ähnlich wird im Lima-Dokument der Kommission für
Glauben und Kirchenverfassung (1982) über die Taufe
formuliert:

> "Vollzogen im Gehorsam gegenüber unserem Herrn,
> ist die Taufe ein Zeichen und Siegel unserer ge-
> meinsamen Jüngerschaft. Durch ihre eigene Taufe
> werden Christen in die Gemeinschaft mit Christus,
> miteinander und mit der Kirche aller Zeiten und
> Orte geführt. Unsere gemeinsame Taufe, die uns
> mit Christus im Glauben vereint, ist so ein grund-
> legendes Band der Einheit..."(Nr.6).[8]

Insofern nun alle gültig Getauften zur einen Kirche
Christi gehören, werden die Grenzen der einzelnen Kirchen gewissermaßen gesprengt und wird die Taufe zum
Urgrund aller kirchlichen Einheit. Dieser einen Taufe
als Band der Einheit steht die heutige Trennung als
deutlicher Widerspruch gegenüber.[9] Die gemeinsame Teilhabe an der Einheit mit Christus durch die Taufe trägt
dann auch eine große Verpflichtung in sich:

---

7   Vgl. auch UR, Nr. 3; LG, Nr. 15; ÖkDir I, Nr. 5-20.

8   Zur Übereinstimmung in der Lehre von der Taufe vgl.
    auch Konsensustexte über die Taufe, das Wort Gottes
    und die Heilige Schrift sowie über das Herrenmahl,
    in: Auf dem Weg II: Gemeinschaft der reformatori-
    schen Kirchen, 153-157.

9   Vgl. Athanasios Basdekis, Bemerkungen zu den Konsen-
    sustexten über die Taufe und Eucharistie, besonders
    aus der Sicht der Orthodoxie, in: ÖR 25 (1976), 66.
    Vgl. auch Lima 1982 I, Nr. 6, Kommentar.

"Unsere Taufgemeinschaft in Jesus Christus ist
...ein Ruf an die Kirchen, ihre Trennungen zu
überwinden und volle sichtbare Einheit zu erlangen."10

2. Die Frage der gegenseitigen Taufanerkennung

Wenn eingangs gesagt wurde, daß die Kirchen
die Taufe gegenseitig anerkennen, so muß das hier
noch kurz eingeschränkt werden.

Die Kirchen verstehen die Taufe, in welcher
Kirche auch immer vollzogen, als Gabe und Einladung
Gottes. Sie sind der Überzeugung, daß die Taufe
eine einzigartige und nicht wiederholbare Handlung
ist.

"Sie glauben daher, daß im Prinzip eine, von einer
anderen Kirche vollzogene Taufe als diese einzigartige und nicht wiederholbare Handlung respek-
tiert werden muß."11

Insofern betrachten sie die Taufe als deutlichen Ausdruck der Einheit zwischen den Kirchen.

Einmütigkeit besteht im Verständnis der grundlegenden Bedeutung der Taufe, wie sie z.B. in den Dokumenten der Kommission für Glauben und Kirchenverfassung 1974 in Accra und 1982 in Lima vorgelegt wor-

---

10 Die Taufe, in: Accra 1974, Nr. 5. Die hier (ÖR.B 27
[1975]) veröffentlichten und von der Kommission für
Glauben und Kirchenverfassung autorisierten Erklärungen werden im weiteren wie folgt zitiert: das Dokument über die Taufe (a.a.O. 94-100) mit Accra 1974 I,
das Dokument über die Eucharistie (a.a.O. 101-108)
mit Accra 1974 II und das Dokument über das Amt
(a.a.O. 109-136) mit Accra 1974 III.

11 Taufe, Konfirmation und Eucharistie: Auf dem Weg zur
Gemeinschaft in den Sakramenten (Studien über Taufe,
Eucharistie und Amt), in: Löwen 1971, 44.

den ist[12] und dem auch die katholische Kirche voll
zustimmen kann.[13] Diese Übereinstimmung läßt sich
folgendermaßen zusammenfassen:

"- Die zentrale Bedeutung der Taufe liegt in
der Eingliederung in den Leib Christi und
der Teilhabe an seinem Tod und seiner Auf-

---

12 Lima 1982 I behandelt die Einsetzung der Taufe (Nr.
    1), die Bedeutung der Taufe als Teilhabe an Tod und
    Auferstehung Christi, als Bekehrung, Vergebung,
    Waschung, als Gabe Gottes, als Eingliederung in den
    Leib Christi und als Zeichen des Gottesreiches (Nr.
    2-7), das Verhältnis von Taufe und Glaube (Nr. 8-10),
    die Taufpraxis (Nr. 11-16) und die Feier der Taufe
    (Nr. 17-23). Dieses Dokument bildet den vorläufigen
    Abschluß eines Studienprozesses, der vor allem seit
    der dritten Weltkonferenz der Kommission für Glauben
    und Kirchenverfassung 1952 in Lund eingesetzt hat.
    Nach einem ersten zusammenfassenden Bericht auf der
    vierten Weltkonferenz 1963 in Montreal (vgl. Montreal
    1963, Nr. 110-115) kam eine zweite Etappe 1971 auf
    der Studienkonferenz in Löwen mit dem Dokument "Taufe,
    Konfirmation und Eucharistie" zum Abschluß. 1974 wurde
    auf der Studiensitzung in Accra eine Zusammenfassung
    aller bisheriger Ergebnisse erarbeitet und den Kirchen
    zur Stellungnahme unterbreitet. Das Lima-Dokument
    bietet den aufgrund der eingegangenen Stellungnahmen
    (vgl. Daniel F. Martensen, Zum Konsensus gefordert:
    Eine erste Analyse lutherischer und anderer Stellung-
    nahmen zu den Erklärungen der ÖRK-Kommission für Glau-
    ben und Kirchenverfassung über Taufe, Eucharistie und
    Amt, LWB-Report 8, Genf 1980) revidierten Konsensustext
    über die Taufe (vgl. Eine Taufe, eine Eucharistie,
    ein Amt: Drei Erklärungen erarbeitet und autorisiert
    von der Kommission für Glauben und Kirchenverfassung,
    hg. Geiko Müller-Fahrenholz, 4. Aufl., Frankfurt a.M.
    1979, 48f.). Zum allgemeinen Gesprächsverlauf im ÖRK
    und in der Kommission für Glauben und Kirchenverfas-
    sung vgl. G. Gaßmann, Taufe-Eucharistie-Amt, 181-192.
    Vgl. auch Lewis S. Mudge, Konvergenz über die Taufe,
    in: M. Thurian (Hg.), Ökumenische Perspektiven von
    Taufe, Eucharistie und Amt, 30-42.

13 Vgl. Walter Kasper, Rückkehr zu den klassischen Fragen
    ökumenischer Theologie: Bericht über die Vollversamm-
    lung von "Glauben und Kirchenverfassung" in Lima, in:
    US 37 (1982), 9.

erstehung.

- In der Taufe ist es der Geist von Pfingsten, der, indem er sich gibt, der Gebende ist, auf dass wir mit Christus und untereinander eins werden.

- Die Taufe ist elementar und konstitutiv für die Gliedschaft im Leibe Christi und lässt sich nicht ohne Glauben, persönliche Verpflichtung und ein das ganze Leben währendes Wachstum erfassen."[14]

Die Hauptdifferenzen bezüglich der Taufe betreffen die Fragen der Taufpraxis, der Kinder- und/oder Erwachsenentaufe, der Konfirmation und der Konsequenzen für die Zulassung zum Abendmahl, bzw. für die Abendmahlsgemeinschaft.[15] Angesichts dieser Differenzen, die bis anhin konkret weiterführende Schritte zur kirchlichen Einheit mit verhindert haben, angesichts der zum Teil noch geübten Konditionaltaufe[16] und der Tatsache, daß evangelische Christen ihre Kinder nicht in der katholischen Kirche taufen lassen können und umgekehrt[17], was gerade die Gefahr der Konfessionalisierung der Taufe in sich birgt[18], ist die allgemeine Rede von der Anerkennung der Taufe oder gar der Taufgemeinschaft vorsichtig aufzunehmen. So spricht auch das Lima-Dokument vom Weg der Kirchen, die zur vollen Taufanerkennung noch unterwegs sind

---

14 Taufe, Eucharistie und Amt: Auf dem Wege zu einem ökumenischen Konsensus, eine Antwort an die Kirchen, Faith and Order Paper No. 84, Genf 1977, 8.

15 Vgl. a.a.O. 8ff.; Taufe, Konfirmation und Eucharistie, 35; 44ff.; P. Bläser, Ökumenische Bedeutung der Taufe, 6f.; Zur Frage der Taufe, 3f.

16 Vgl. P. Bläser, Ökumenische Bedeutung der Taufe, 5f.

17 Vgl. L. Scheffczyk, Dogmatische Erwägungen, 134.

18 Bericht der theologischen Kommission von "Glauben und Kirchenverfassung": Eine Taufe-Eine Eucharistie-Ein Amt, hg. Schweizer Evangelischer Kirchenbund, Biel 1976, 8.

und formuliert:

> "Gegenseitige Anerkennung der Taufe wird als
> ein bedeutsames Zeichen und Mittel angesehen,
> die in Christus gegebene Einheit in der Taufe
> zum Ausdruck zu bringen. Wo immer möglich,
> sollten die Kirchen die gegenseitige Anerkennung
> ausdrücklich erklären" (Lima 1982 I, Nr. 15).

Solche offizielle Anerkennungen werden zunehmend
vereinbart.[19] Diese Anerkennungen lösen zwar nicht
alle bestehenden Differenzen, bereinigen aber vor
allem die Unsicherheit über die Gültigkeit der Spendung.[20]

---

19 Zu zwischenkirchlichen Taufanerkennungen vgl. die
    Vereinbarungen in Belgien und auf den Philippinen,
    in: LR 23 (1973) 84 ff.; 88-91.

20 Dem Ziel der Taufanerkennung dient auch das schwei-
    zerische Dokument "Zur Frage der Taufe", welchem fol-
    gendes Modell einer gegenseitigen Anerkennung beige-
    fügt ist: "In gemeinsamer Verantwortung und im Be-
    wusstsein, dieselbe Hoffnung und denselben Auftrag
    für den sinnvollen Vollzug der einen christlichen Taufe
    zu haben, beschliessen der Vorstand des Schweizerischen
    Evangelischen Kirchenbundes, die Schweizerische Bi-
    schofskonferenz, der Bischof der Christkatholischen
    Kirche in der Schweiz 1. die mit Wasser, im Namen des
    Vaters und des Sohnes und des heiligen Geistes gespen-
    dete Taufe gegenseitig anzuerkennen; 2. alle jene Fälle,
    in denen die Art der Spendung oder die Person des Tau-
    fenden für die Anerkennung Schwierigkeiten bereiten,
    gemeinsam zu prüfen; 3. die gemeinsame Arbeit an den
    theologischen und pastoralen Problemen, welche sich
    heute allen Kirchen bezüglich der Taufe stellen, zu
    fördern" (a.a.O. 15). Zu den Konsensdokumenten über
    die Taufe vgl. auch Sigisbert Regli, Ökumenische Kon-
    senserklärungen mit römisch-katholischer Beteiligung
    über die Taufe, Eucharistie und Amt: Ergebnisse, in:
    Theologische Berichte 9, hg. Josef Pfammatter u. Franz
    Furger, Zürich 1980, 134-139.

II. Zum Problem der Zuordnung von Taufe und Eucharistie

1. Der Zusammenhang von Taufe und Eucharistie

Nach dem Neuen Testament ist es selbstverständlich, daß alle Gläubigen getauft sind und nur die Getauften an der Eucharistie teilnehmen können. Daher folgert P. Bläser für die Abendmahlsgemeinschaft:

> "die erste und notwendigste Voraussetzung ist die Taufe, die als Eingliederung in den Leib Christi die fundamentale Einheit aller Gläubigen schafft."[21]

Daher ergibt sich ein wesentlicher Zusammenhang von Taufe und Eucharistie, von der grundlegenden und bereits geschenkten Einheit in der Taufe und der noch ausstehenden Gemeinschaft in der Eucharistie.[22] So ist dann auch die Nicht-Zulassung von Getauften zur Eucharistie ein eigentliches Dilemma.[23]

Wenn mit der Taufe der Glaube und das Bekenntnis untrennbar verbunden sind[24], dann bedarf die einmalige Initiation der ständigen Förderung und Stärkung.

> "Die Taufe muß ständig wieder bekräftigt werden. Und die offenkundigste Form einer solchen erneuten Bestätigung ist die Feier der Eucharistie."[25]

Die Taufe als Einverleibung in den Leib Christi weist von ihrem innersten Wesen her auf die eucharistische

---

21 P. Bläser, Das Problem "Interkommunion", II, 7. Vgl. auch W. Boelens, Erwägungen zur Interkommunion, 239; V. Vajta, Interkommunion - mit Rom?, 47; ÖKDIR I, Nr. 11.

22 Vgl. V. Vajta, Kirche und Abendmahl, 321.

23 Vgl. P. Bläser, Das Problem "Interkommunion", II, 7.

24 So formuliert z.B. Lima 1982 I: "Die Notwendigkeit des Glaubens für den Empfang des Heils, wie es in der Taufe verkörpert und dargestellt ist, wird von allen Kirchen anerkannt. Persönliche Verpflichtung ist notwendig für eine verantwortliche Gliedschaft am Leibe Christi" (Nr. 8).

25 Lima 1982 I, Nr. 14, Kommentar.

Teilhabe an Leib und Blut Christi.

Entsteht in der Taufe das grundlegende Band der Einheit, dann findet es in der Eucharistie seine Weiterführung, Intensivierung und Bekräftigung. Taufe und Eucharistie sind so für die Einheit der Gläubigen ergänzende Beziehungspunkte: nimmt die Einheit in der Taufe ihren Anfang, so kommt sie in der Eucharistie zur Vollendung. In der Eucharistie wird immer neu gegenwärtig, was in der Taufe ein für allemal begründet worden ist.[26]

2. Folgerungen für die Abendmahlsgemeinschaft

Über die Konsequenzen aus diesem allgemein anerkannten Zusammenhang von Taufe und Eucharistie hinsichtlich der Interkommunion gehen die Meinungen auseinander.

Die einen (meist evangelische Kreise) leiten aufgrund des untrennbaren Zusammenhanges von Taufe und Eucharistie und daher aus der bereits bestehenden Taufanerkennung eine (wenigstens) teilweise Abendmahlsgemeinschaft ab und fordern bei voller Taufanerkennung dann die volle Kirchen- und Abendmahlsgemein-

---

26 Vgl. Oskar Saier, "Communio" in der Lehre des 2. vatikanischen Konzils: Eine rechtsbegriffliche Untersuchung, München 1973, 85; K. Lehmann, Dogmatische Vorüberlegungen, 91f.; V. Vajta, Kirche und Abendmahl, 321.

schaft.[27] So heißt es in der Studie der Kommission
für Glauben und Kirchenverfassung:

> "Der einmalige Charakter der Taufe fordert die
> unmittelbare Zulassung zur Eucharistie. Wenn die
> Zulassung verschoben wird, entsteht der Eindruck,
> daß die Einverleibung in den Leib Christi noch
> nicht im vollen Sinne geschehen ist. Sollte nicht
> die Taufe das Tor zur eucharistischen Gemeinschaft
> sein?"[28]

Die anderen (vor allem die katholische Kirche),
die den Zusammenhang ebenfalls betonen, können dem
nicht zustimmen. Die Taufe begründet eine Einheit,
die der Vervollkommnung bedarf. Sie tendiert erst auf
die vollkommene Einheit hin, bewirkt diese aber noch
nicht automatisch, wie sie in der Abendmahlsgemeinschaft zum Ausdruck kommen würde. Aus der Taufe, die
die Einheit unter den Christen begründet, kann also
die Abendmahlsgemeinschaft nicht abgeleitet werden.[29]
So hat das Zweite Vatikanische Konzil formuliert: Die
Taufe ist

> "nur ein Anfang und Ausgangspunkt, da sie ihrem
> ganzen Wesen nach hinzielt auf die Erlangung der
> Fülle des Lebens in Christus. Daher ist die Taufe
> hingeordnet auf das vollständige Bekenntnis des
> Glaubens, auf die völlige Eingliederung in die

---

27 Vgl. z.B. E. Schlink, Das Problem der Abendmahlsge-
    meinschaft zwischen der evangelisch-lutherischen und
    der römisch-katholischen Kirche, 165ff.; V. Vajta,
    Interkommunion - mit Rom?, 48; ders., Kirche und Abend-
    mahl, 323f. V. Vajta warnt aber auch vor einer unbe-
    sehenen Abendmahlsgemeinschaft aus der Taufanerken-
    nung und weist auf die Notwendigkeit eines Lebens aus
    dem Glauben und der Sündenvergebung als Zulassungs-
    kriterien hin (vgl. Interkommunion - mit Rom?, 49;
    Kirche und Abendmahl, 322).

28 Taufe, Konfirmation und Eucharistie, 47f.

29 Vgl. K. Lehmann, Dogmatische Vorüberlegungen, 99;
    Memorandum des Ökumenischen Ausschusses der Vereinig-
    ten Evanglisch-Lutherischen Kirche Deutschlands zum
    Verhältnis von Kirchengemeinschaft und Abendmahlsge-
    meinschaft, vom 18. September 1954, in: Koinonia, 10.

Heilsveranstaltung, wie Christus sie gewollt
hat, schließlich auf die vollständige Einfügung
in die eucharistische Gemeinschaft" (UR, Nr. 22).

Zwar ist die Eingliederung in den Leib Christi durch
die Taufe unbestritten, aber nach katholischer Auffassung ist sie nicht der umfassende Prozeß der Eingliederung nach allen Dimensionen. Daher erhalten
Taufe und Eucharistie, die zwar aufeinander bezogen
sind, einen unterschiedlichen Stellenwert. Die Taufe
ist das einmalige Initiationssakrament. Zu dem hier
ergangenen Indikativ gehört aber immer auch der ethische Imperativ. Die Eucharistie ist dann die je neue
und wiederholbare Aktualisierung der in der Taufe als
Gabe und Aufgabe verliehenen Gnade.[30]

"Diese Grundstruktur gibt der Eucharistie ein eigenes Gepräge, das der zwischenzeitlichen Existenz
des Christen in besonderer Weise Rechnung trägt,
indem sie durch ihre Wiederholbarkeit 'neu' gegenwärtig setzt, was die Taufe auf ihre Weise einmalig, aber auch ein für allemal gegründet hat."[31]

Weiter kann hier nur kurz bemerkt werden, daß Kirchengliedschaft nach katholischem Verständnis nur im wei-
ten Umfang der umfassenden Heilswirklichkeit gesehen
werden kann und die Taufe als Eingliederung in den
Leib Christi erst im Zusammenhang mit dieser umfassenden Heilswirklichkeit die Zulassung zur Eucharistie
bedeutet.[32] Damit wird wieder die Frage aktuell, welche

30 Vgl. K. Lehmann, Dogmatische Vorüberlegungen, 90ff.;
    L. Scheffczyk, Dogmatische Erwägungen, 134; O. Saier,
    "Communio" in der Lehre des 2. vatikanischen Konzils,
    85.

31 K. Lehmann, Dogmatische Vorüberlegungen, 92. Vgl.
    auch P. Bläser, Das Problem "Interkommunion", II, 6.
    Ausführlicher dazu und zum Unterschied zum lutheri-
    schen Verständnis vgl. K. Lehmann, Dogmatische Vorüber-
    legungen, 115ff.; L. Scheffczyk, Dogmatische Erwägungen,
    135.

32 Ausführlicher vgl. dazu K. Lehmann, Dogmatische
    Vorüberlegungen, 94ff.

Übereinstimmung im Glauben und in der Kirchenverfassung notwendig ist, damit von der Gliedschaft
in der einen Kirche gesprochen werden kann.[33] Die
sakramentale Grunddifferenz von Taufe und Eucharistie also und damit zusammenhängend die Forderung
nach der umfassenden Eingliederung in die eine
sichtbare Kirche durch die Einheit im Glauben und
Bekenntnis läßt für die katholische Kirche die Ab-
leitung der Abendmahlsgemeinschaft aus der Anerkennung der Taufe nicht zu. Was sich bereits bei
der Frage nach der kirchlichen Einheit gezeigt hat,
wird also auch hier wieder deutlich: die Klärung
der Möglichkeit von Abendmahlsgemeinschaft hängt
stark von der Klärung des ekklesiologischen Gesamtzusammenhanges ab.[34]

Soweit diese kurzen Ausführungen zum Verhältnis
von Taufe und Eucharistie als Einleitung zur Darstellung des gemeinsamen Verständnisses der Eucharistie.

---

33 Vgl. oben, 351ff.

34 Zur ausführlichen Begründung vgl. A. Gerken, Theo-
    logie der Eucharistie, 234; K. Lehmann, Dogmatische
    Vorüberlegungen, 96ff.; 115ff.; ders., Abendmahls-
    gemeinschaft und die Wirklichkeit der einen Kirche,
    in: Christen wollen das eine Abendmahl, 63f.;
    L. Scheffczyk, Dogmatische Erwägungen, 134f.

§ 11 DOKUMENTE MIT BETEILIGUNG DER KATHOLISCHEN KIRCHE

Bei diesen Dokumenten handelt es sich um die wichtigsten Arbeiten aus dem katholisch-anglikanischen, dem katholisch-reformierten und dem katholisch-lutherischen Gespräch.[1]

Um die Position der katholischen Kirche, die in der
Frage der Abendmahlsgemeinschaft sehr zurückhaltend ist und
für eine solche einen breiten Glaubenskonsens voraussetzt,
deutlich zu machen, soll einleitend kurz auf das grundlegende Eucharistieverständnis des Zweiten Vatikanischen Konzils
und der Enzyklika "Mysterium fidei" von Papst Paul VI. (1965)
hingewiesen werden.

---

1 Wenn es hier um ökumenische Gespräche mit katholischer
   Beteiligung geht, dann sind hier die meisten offiziellen
   Gespräche gemeint. Eine indirekte Beteiligung gibt es
   auch in der Kommission für Glauben und Kirchenverfassung,
   in der katholische Theologen nicht nur einen Beobachter-,
   sondern einen offiziellen Mitarbeiterstatus haben.

I. Die Eucharistie im Verständnis der katholischen Kirche

1. Das Zweite Vatikanische Konzil

a) Die ekklesiologische Bedeutung der Eucharistie

Über die Eucharistie handelt das Konzil unter
anderem in der Dogmatischen Konstitution über die
Kirche. Nach ihrem eigenen Verständnis, das Wesen
der Kirche "und ihre universale Sendung ihren Gläubigen und aller Welt eingehender" (LG, Nr. 1) zu erklären, bietet sie aber keine eigene und ausführliche Eucharistielehre. Bedeutend an den Ausführungen
über die Eucharistie ist ihre Einbettung in den ekklesiologischen Gesamtzusammenhang. Anders als auf dem
Ersten Vatikanischen Konzil, auf dem die Kirche juridisch beschrieben wurde, wird hier das Wesen der
Kirche wesentlich eucharistisch bestimmt. Auf die Eucharistie wird nicht mehr nur hingewiesen, sie wird
zum Angelpunkt der Darlegungen über das Wesen der Kirche.[2] Deutlich wird dies bereits in der Einleitung zur
Liturgiekonstitution (SC):

> "In der Liturgie, besonders im heiligen Opfer der
> Eucharistie, 'vollzieht sich''das Werk unserer Er-
> lösung', und so trägt sie in höchstem Maße dazu
> bei, daß das Leben der Gläubigen Ausdruck und
> Offenbarung des Mysteriums Christi und des eigent-
> lichen Wesens der wahren Kirche wird..." (Nr. 2).

Die Eucharistie wird also als vornehmlichster Ausdruck
dessen gesehen, was wahre Kirche ist, sie ist die Kirche in nuce. Diese Kirche ist nach den Worten von Lumen Gentium in Christus

> "gleichsam das Sakrament, das heißt Zeichen und
> Werkzeug für die innigste Vereinigung mit Gott wie
> für die Einheit der ganzen Menschheit" (Nr. 1).

---

2   Vgl. Helmut Riedlinger, Die Eucharistie in der Ekkle-
    siologie des zweiten vatikanischen Konzils, in: Eu-
    charistie, Zeichen der Einheit, 75f.; J. Pruisken,
    Interkommunion im Prozeß, 37.

Die Eucharistie dann ist als

> "das Sakrament huldvollen Erbarmens, das Zei-
> chen der Einheit,, das Band der Liebe" (SC, Nr.
> 47)

tiefster Ausdruck dieser innigen Gemeinschaft des
Leibes Christi.

Sie ist aber nicht nur Ausdruck dieser Einheit,
sondern auch ständige Verwirklichung derselben:
"...durch das Sakrament des eucharistischen Brotes"
wird "die Einheit der Gläubigen, die einen Leib in
Christus bilden, dargestellt und verwirklicht (1 Kor
10,17)" (LG, Nr. 3). Diese gemeinschaftsstiftende
Funktion der Eucharistie kommt auch in der näheren
Umschreibung der Kirche als Leib Christi nochmals
zur Sprache:

> "Beim Brechen des eucharistischen Brotes erhalten
> wir wirklich Anteil am Leib des Herrn und werden
> zur Gemeinschaft mit ihm und untereinander erho-
> ben" (LG, Nr. 7).

b) **Die Bedeutung der Eucharistie für die Einheit des**
   Volkes Gottes

Noch deutlicher wird die Identifikation der Eucharistie mit der Kirche im zweiten Kapitel von Lumen
Gentium, in dem die Kirche als Volk Gottes beschrieben wird. In diesem Zusammenhang wird deutlich,

> "daß das Wesen der Kirche am ursprünglichsten und
> vollkommensten in der Eucharistiegemeinschaft Wirk-
> lichkeit wird".[3]

Zunächst wird das Volk Gottes als der neue Bund
gedeutet, den Christus in seinem Blut gestiftet hat.
Es soll als Kirche allen das sichtbare Sakrament der
Gemeinschaft mit Gott sein (Nr. 9). Danach geht es um
das organische Zusammenwirken des Volkes Gottes

---

3   H. Riedlinger, Die Eucharistie in der Ekklesiologie
    des zweiten vatikanischen Konzils, 78.

als heiliges Priestertum (Nr. 10). Hierbei wird
der wesensmäßige Unterschied von gemeinsamem und
speziellem Priestertum betont. Hinsichtlich der
Eucharistie wird die zwar unterschiedliche aber
doch gemeinsame Funktion von gemeinsamem und speziellem Priestertum folgendermaßen formuliert:

> "Der Amtspriester...bildet kraft seiner heiligen
> Gewalt, die er innehat, das priesterliche Volk
> heran und leitet es; er vollzieht in der Person
> Christi das eucharistische Opfer und bringt es
> im Namen des ganzen Volkes dar; die Gläubigen
> hingegen wirken kraft ihres königlichen Priester-
> tums an der eucharistischen Darbringung mit und
> üben ihr Priestertum aus im Empfang der Sakramen-
> te, im Gebet, in der Danksagung, im Zeugnis eines
> heiligen Lebens, durch Selbstverleugnung und tä-
> tige Liebe" (Nr. 10).

Nach der Würdigung der Taufe als Eingliederung
in die Kirche und der Ermahnung, den empfangenen Glauben vor den Menschen zu bekennen, wird dann die große
ekklesiologische Bedeutung der Eucharistie mit folgenden Worten hervorgehoben: Indem die Gläubigen am eucharistischen Opfer teilnehmen, das die Quelle und der
Höhepunkt des ganzen christlichen Lebens ist,

> "bringen sie das göttliche Opferlamm Gott dar und
> sich selbst mit ihm; so übernehmen alle bei der
> liturgischen Handlung ihren je eigenen Teil, so-
> wohl in der Darbringung wie in der heiligen Kom-
> munion, nicht unterschiedslos, sondern jeder auf
> seine Art. Durch den Leib Christi in der heiligen
> Eucharistiefeier gestärkt, stellen sie sodann die
> Einheit des Volkes Gottes, die durch dieses hoch-
> erhabene Sakrament sinnvoll bezeichnet und wunder-
> bar bewirkt wird, auf anschauliche Weise dar"
> (Nr. 11).

Die Eucharistie wird also nicht nur als Äußerung dessen gesehen, was Kirche ist, sondern auch als die Ur-
sache, "aus der die Totalität des kirchlichen Lebens
herkommt..."[4] Nach dem Verständnis des Konzils ist die

---

4 H. Riedlinger, Die Eucharistie in der Ekklesiologie
   des zweiten vatikanischen Konzils, 78.

Eucharistie somit konstitutiv für die Gemeinschaft
der Kirche. Zusammenfassend kann hier geschlossen
werden:

> "Die Anteilnahme an Leib und Blut Christi in der
> Eucharistiefeier steht im engsten Zusammenhang
> mit der Gemeinschaft im mystischen Leib Christi,
> indem die Eucharistie diese bezeichnet und be-
> wirkt. Sie ist Zeichen und Mittel der Einheit."[5]

c) Die Grenzen der Identifikation von Eucharistie und
   Kirche

Der Gedanke, daß die Eucharistie die Gemeinschaft
des Leibes Christi, die Einheit der Kirche auch bewirkt, legt die Möglichkeit nahe, daß sie als einheitsstiftende Größe, unbesehen der Trennung gemeinsam gefeiert, bestes Instrument wäre, das Ende der
Spaltungen unter den Kirchen herbeizuführen.[6] Dieser
Ansicht aber wird immer wieder mit dem Hinweis auf
das Konzil widersprochen.[7] Grundlegend für diesen
Einspruch ist der Hinweis von Lumen Gentium, daß
Christen, auch wenn sie die Eucharistie feiern, aber

---

5   J. Pruisken, Interkommunion im Prozeß, 41.

6   Vgl. oben, 248f.

7   Vgl. z.B. H. Bacht, Zum Problem der Interkommunion,
    283; E. Iserloh, Die Interkommunion, 56; L. Scheffc-
    zyk, Dogmatische Erwägungen, 138. Kardinal Höffner
    betont aufgrund von UR, Nr. 8: "Die Eucharistie ist
    Zeichen der Einheit der Gläubigen und sie bleibt es
    auch angesichts der Spaltung. Aber sie ist kein Mit-
    tel der Wiedervereinigung" (J. Höffner, 12 Fragen
    und 12 Antworten zur Interkommunion, 13). Zur Dis-
    kussion um die Eucharistie als Zeichen und Mittel in
    ökumenischer Relevanz vgl. auch P. Bläser, Das Pro-
    blem "Interkommunion", 116; H. Fries, Ein Glaube,
    eine Taufe, getrennt beim Abendmahl?, 65ff.; A. Ger-
    ken, Theologie der Eucharistie, 253; J.-J. Leuba,
    Aktuelle Aussichten der Interkommunion, 45; J. Pruis-
    ken, Interkommunion im Prozeß, 91ff.; H. Reissner,
    Interkommunion - Weg oder Ziel?, 31ff.; E. Stakemeier,
    Theologische Realitäten, 32f.; H. Vorgrimler, Inter-
    kommunion - Hoffnungen und Bedenken, 21f.

nicht den ganzen Glauben nach dem Verständnis der
katholischen Kirche bekennen und nicht in der Gemeinschaft unter dem Papst stehen, nicht voll in
die sichtbare Kirche Christi eingegliedert sind
(Nr. 15). Die Eucharistie bewirkt also immer neu
nur die Einheit und Gemeinschaft, die bereits vorgegeben ist: die Einheit im gleichen Glauben und
in der hierarchischen Verfassung, an dessen Spitze
der Papst steht.

Aus der Sicht von Lumen Gentium erscheint die
einheitsstiftende Funktion der Eucharistie vor allem
im Hinblick auf die Gesamtkirche. Die Eucharistiefeier am Ort als konstitutives Moment der Ortskirche
tritt unter diesem Aspekt zurück.[8] Nach dem Verständnis des Konzils entsteht die Einheit nicht nur durch
die Feier der Eucharistie auf Ortsebene, sondern wesentlich durch ihre Verknüpfung mit dem Weihepriester-
tum, vor allem mit dem Amt des Bischofs.[9]

> "Vom Gesichtspunkt der Kircheneinheit aus tritt
> der Vollzug der Eucharistie in dem Maß zurück,
> als die den Vollzug leitenden, durch das Weihe-
> sakrament bevollmächtigten Personen hervortreten."[10]

Während in Nr. 3 und 11 von Lumen Gentium das wesent-

---

8   Vgl. H. Riedlinger, Die Eucharistie in der Ekklesio-
    logie des zweiten vatikanischen Konzils, 79. Das Kon-
    zil erwähnt die Bedeutung der Eucharistie für die
    Ortskirche in Lumen Gentium Nr. 26: "In jedweder Al-
    targemeinschaft erscheint unter dem heiligen Dienst-
    amt des Bischofs das Symbol jener Liebe und jener
    'Einheit des mystischen Leibes, ohne die es kein Heil
    geben kann'. In diesen Gemeinden, auch wenn sie oft
    klein und arm sind oder in der Diaspora leben, ist
    Christus gegenwärtig, durch dessen Kraft die eine,
    heilige, katholische und apostolische Kirche geeint
    wird."

9   Vgl. LG, Nr. 21. Vgl. auch UR, Nr. 22; LG, Nr. 10.

10 H. Riedlinger, Die Eucharistie in der Ekklesiologie
    des zweiten vatikanischen Konzils, 79f.

liche Kriterium der Einheit der Kirche die Eucharistie ist, repräsentiert im dritten Kapitel ("Die
hierarchische Verfassung der Kirche, insbesondere
das Bischofsamt") der Papst die Einheit der Kirche:

"Der Bischof von Rom ist als Nachfolger Petri
das immerwährende, sichtbare Prinzip und Fundament für die Einheit der Vielheit von Bischöfen
und Gläubigen" (Nr. 23).

Auf die Beschreibung des Primats als Repräsentant
der kirchlichen Einheit hat die wesentliche ekklesiologische Bedeutung der Eucharistie keinen Einfluß
gehabt. Ein möglicher Ansatz, um diesen Einfluß zu
verstärken oder neu auszubilden, bildet das Verständnis des Bischofsamtes, das die einzelnen Ortskirchen
darstellt und unter dem die Eucharistie in dieser
Ortskirche gefeiert, die Einheit der einen Kirche
auferbaut.[11] Auf diesem Weg würde die eucharistische
Dimension der Einheit auch in der Beschreibung des
Primates einfließen können, da alle Bischöfe zusammen
mit diesem "die ganze Kirche im Band des Friedens,
der Liebe und der Einheit" darstellen (Nr. 23).[12]
Trotzdem kann man zusammenfassend sagen: Die Kirche
wird vom Konzil wesentlich eucharistisch verstanden.
Die Kirche als Sakrament, als Leib Christi und als
Volk Gottes ist von der Eucharistie her und auf die
Eucharistie hin gedeutet.[13] Die Eucharistie ist tiefster Ausdruck der Einheit der Kirche und Sakrament
der je neuen Vereinigung der Menschen mit Gott und
untereinander.

---

11 Vgl. LG, Nr. 26.

12 Vgl. H. Riedlinger, Die Eucharistie in der Ekklesiologie des zweiten vatikanischen Konzils, 81.

13 Vgl. a.a.O. 82; K. Rahner u. H. Vorgrimler, Kleines
Konzilskompendium, 106.

2. Die Enzyklika "Mysterium fidei" von 1965[14]

Angeregt durch die innerevangelische Abendmahlsdiskussion und durch den sich abzeichnenden
Aufbruch des Konzils, erfuhr auch die innerkatho-
lische Eucharistiediskussion eine erhebliche Intensivierung. Immer deutlicher ins Bewußtsein kam

> "die Interdependenz zwischen dem Ringen um ein
> tieferes Verständnis der Eucharistie als Stif-
> tung Jesu und Kernstück kirchlichen Selbstvoll-
> zugs und der ökumenischen Bewegung".[15]

In diese Diskussion, die in ihrer ökumenischen Ausfaltung später ausführlicher darzulegen sein wird,
griff dann Papst Paul VI. am 3. September 1965 mit
seiner Enzyklika "Mysterium fidei" lehramtlich ein.
Mit dieser Verlautbarung sollte das katholische Verständnis der Eucharistie deutlich in Erinnerung gerufen werden. Anlaß für das Schreiben war die Be-
fürchtung, daß eben dieses Verständnis in der neuen
Diskussion abgeschwächt und die Gläubigen im Zuge
der Liturgiereform verunsichert werden könnten.[16]

Die Enzyklika geht (neben den Problemen der
Privatmesse und der eucharistischen Frömmigkeit) vor
allem auf die Hauptkontroversen in der ökumenischen
Eucharistiediskussion ein: die Eucharistie als Opfer
und die Realpräsenz. Nachdem das Zweite Vatikanische
Konzil keine konkreten Lehraussagen zur Eucharistie
gemacht hat, greift die Enzyklika in ihrer Begründung

---

14 Rundschreiben unseres Heiligen Vaters Paul VI. über
    die Lehre und den Kult der hl. Eucharistie vom
    3. September 1965, in: Kirchlicher Anzeiger für die
    Erzdiözese Köln 105 (1965), 478-491 (zit. Mysterium
    fidei).

15 Die Eucharistie im katholischen und ökumenischen Dis-
    put, in: HerKorr 22 (1968), 125.

16 Vgl. Mysterium fidei, 479.

auf die Aussagen des Konzils von Trient und die Kirchenväter zurück.

Die kurze theologische Beschreibung der Eucharistie in der Liturgiekonstitution wird von der Enzyklika "Synthese der Wahrheit" genannt[17] und an den Anfang der Ausführungen gestellt. Der Passus am Anfang des zweiten Kapitels der Liturgiekonstitution hat folgenden Wortlaut:

> "Unser Erlöser hat beim letzten Abendmahl in der Nacht, da er überliefert wurde, das eucharistische Opfer seines Leibes und Blutes eingesetzt, um dadurch das Opfer des Kreuzes durch die Zeiten hindurch bis zu seiner Wiederkunft fortdauern zu lassen und so der Kirche, seiner geliebten Braut, eine Gedächtnisfeier seines Todes und seiner Auferstehung anzuvertrauen: das Sakrament huldvollen Erbarmens, das Zeichen der Einheit, das Band der Liebe, das Ostermahl, in dem Christus genossen, das Herz mit Gnade erfüllt und uns das Unterpfand der künftigen Herrlichkeit gegeben wird" (SC, Nr. 47).

Die Wortwahl im Titel und in der Synthese hat ökumenische Bedeutsamkeit: das Konzil spricht im Titel vom "Geheimnis der Eucharistie" um Opfer und Sakrament in einem zu bezeichnen und im theologischen Abriß hinsichtlich des Kreuzesopfers gegenüber von Trient, das vom "Vergegenwärtigen" handelt, vom "Fortdauernlassen" und schließlich von der Eucharistie als "Gedächtnisfeier", was sich stark an das "Memorial" aus der evangelischen Diskussion anlehnt.[18]

Nach einem Abschnitt mit der Darlegung der Eucharistie als Geheimnis und der Bestätigung der Dogmen und der kirchlichen Lehraussagen, dieses Geheimnis am zutreffendsten zu umschreiben[19], kommt die Enzyklika

---

17 Vgl. Mysterium fidei, 478.

18 Vgl. K. Rahner u. H. Vorgrimler, Kleines Konzilskompendium, 43.

19 Vgl. Mysterium fidei, 80f.

in drei Schritten näher auf die Eucharistie zu
sprechen: auf die Eucharistie als Opfer, als
Sakrament und auf die Frage der Transsubstantiation.

a) Die Eucharistie als Opfer

Über den Opfercharakter der Eucharistie äußert
sich die Enzyklika nur kurz und eher ermahnend.

Höhepunkt der Lehre von der Eucharistie ist
der Glaube, daß

"im Eucharistischen Mysterium auf wunderbare
Weise das Kreuzesopfer vergegenwärtigt ist,
das ein für allemal auf Kalvaria vollbracht
wurde; hier wird es immer wieder ins Gedächtnis zurückgerufen, und es kommt seine heil-
bringende Kraft zur Wirkung in der Vergebung
der Sünden, die täglich begangen werden."[20]

Dieses Kreuzesopfer ist das Opfer des neuen Bundes,
das aufgrund des Wiederholungsbefehls im eucharistischen Mysterium unblutig "immerdar zu erneuern"
ist.[21] Dieses Opfer hat die Kirche immer dargebracht
nicht nur für die Sünden der lebenden, sondern auch
für alle verstorbenen Gläubigen.

Anschließend wird die Bedeutung des Meßopfers
für den Bezug Christus - Kirche wiederholt, wie er
in der Tradition und dem Zweiten Vatikanischen Konzil[22] dargelegt worden ist. Dieser Bezug geht daraus
hervor,

"daß die Kirche, die mit Christus zusammen das
Amt des Priesters und Opfers ausübt, das ganze
Meßopfer darbringt und in ihm auch selbst darge-
bracht wird".[23]

---

20 Vgl. Mysterium fidei, 482.

21 A.a.O. 482.

22 Vgl. LG, Nr. 11.

23 Mysterium fidei, 483.

Damit verbunden wird dann die Mahnung, nicht nur
den gradmäßigen, sondern auch den wesensmäßigen
Unterschied zwischen dem allgemeinen und dem hierarchischen Priestertum zur Förderung der eucharistischen Frömmigkeit zu lehren.

Ein dritter Aspekt besteht in der Betonung
des Heilsaspektes des Opfers für die ganze Welt:
Die Kirche lernt

> "im Opfer, das sie darbringt, sich selbst als
> ein universales Opfer darzubringen, und sie
> wendet die einzige und unendlich erlösende
> Kraft des Opfers des Kreuzes der ganzen Welt
> zum Heile zu. Denn jede Messe, die zelebriert
> wird, wird nicht nur für unser Heil, sondern
> auch für das Heil der ganzen Welt dargebracht".[24,]

Diese Gnade nun wird auch in jeder Privatmesse wirksam. Aus einer Privatmesse

> "kommt nämlich kein geringes, sondern ein großes
> Maß von Gnaden zum Heil sowohl für den Priester
> selbst, als auch für das gläubige Volk und die
> ganze Kirche und auch für die ganze Welt..."[25]

b) Die Eucharistie als Sakrament

Einleitend wird der untrennbare Zusammenhang von
Opfer und Sakrament hervorgehoben:

> "Der Herr opfert sich unblutig im Meßopfer, in dem
> er das Kreuzopfer vergegenwärtigt und seine heil-
> bringende Kraft zuwendet, wenn er kraft der Wand-
> lungsworte beginnt, sakramental gegenwärtig zu
> werden als geistliche Speise der Gläubigen unter
> den Gestalten von Brot und Wein."[26]

In der Eucharistie dauert das Kreuzesopfer fort. Indem der Herr selber es ist, der es durch die Wandlungs-
worte des geweihten Priesters fortdauern läßt, ist er
real gegenwärtig und wird unter den Gestalten von Brot
und Wein den Gläubigen zur geistlichen Nahrung.

---

24 Mysterium fidei, 483.

25 A.a.O. 483.

26 A.a.O. 484.

Die Gegenwart Christi in seiner Kirche geschieht
auf vielfältige Weise: wenn sie betet, Werke der
Barmherzigkeit ausübt, predigt und das Volk regiert
und führt.[27] Auf sublimere Weise ist er aber bei der
Kirche, wenn sie die Sakramente spendet. Am vorzüg-
lichsten hierbei im Sakrament der Eucharistie:

> "es enthält nämlich Christus selbst und ist 'ge-
> wissermaßen die Vollendung des geistlichen Lebens
> und das Ziel aller Sakramente'..."[28]

Diese hervorragende Bedeutung der Eucharistie, in
der der Herr wirklich gegenwärtig ist, kommt daher,
weil die Gegenwart zum einen "substantiell" und zum
anderen "die Gegenwart des ganzen und vollständigen
Christus" mit sich bringt.[29] Daher verwirft die Enzyklika dann die Deutung der Gegenwart als pneumatisch
und die der Eucharistie als reines Symbol.

Den Symbolcharakter, den die Eucharistie auch
hat, sieht die Verlautbarung vor allem hinsichtlich
der Einheit der Kirche. Diese eucharistische Symbolik
kann zum Verständnis der Wirkung des Sakramentes, der
Einheit des mystischen Leibes, hinführen,

> "dennoch erklärt sie nicht das Wesen des Sakra-
> mentes, wodurch es sich von anderen unterscheidet,
> noch drückt sie es aus".[30]

Dieses grundlegende Wesen der Eucharistie drückt sich
nach der Lehre des Konzils von Trient darin aus, daß

> "nach der Verwandlung des Brotes und Weines unser
> Herr Jesus Christus wahrer Gott und Mensch wirk-
> lich, real und substantiell unter der Gestalt jener
> sinnfälligen Dinge enthalten ist".[31]

---

27 Vgl. Mysterium fidei, 484.

28 A.a.O. 485.

29 A.a.O. 485.

30 A.a.O. 485.

31 A.a.O. 486.

c) Zur Lehre von der Transsubstantiation

In einem kurzen Abschnitt geht die Enzyklika,
um allfällige Irrtümer abzuwehren, auf die Art und
Weise der Gegenwart Christi in der Eucharistie ein.
Das Gegenwärtigwerden geschieht durch die Wesensver-
wandlung (Transsubstantiation). Die Kirche lehrt,
daß Christus in der Eucharistie

> "nicht anders gegenwärtig wird als durch die Ver-
> wandlung der ganzen Substanz des Brotes in seinen
> Leib und der ganzen Substanz des Weines in sein
> Blut".[32]

Da die anschließende Deutung des Transsubstantiations-
verständnisses eine knappe Zusammenfassung der traditionellen katholischen Lehre darstellt, soll sie hier
in der Formulierung von "Mysterium fidei" wiedergegeben werden:

> "Nach der Wesensverwandlung haben die Gestalten
> des Brotes und Weines ohne Zweifel eine neue Be-
> deutung und einen neuen Zweck, da sie nicht weiter
> gewöhnliches Brot und gewöhnlicher Trank sind,
> sondern Zeichen einer heiligen Sache und Zeichen
> geistlicher Speise, aber sie bekommen d e s h a l b
> eine neue Bedeutung und einen neuen Zweck, weil
> sie eine neue 'Wirklichkeit' oder Realität ent-
> halten, die wir mit Recht ontologisch nennen, denn
> unter den vorhingenannten Gestalten ist nicht mehr
> das verborgen, was vorher war, sondern etwas ganz
> Neues; und zwar nicht nur auf Grund des Urteils
> des Glaubens der Kirche, sondern durch die objek-
> tive Realität, da nach der Verwandlung der Substanz
> oder des Wesens des Brotes und Weines in den Leib
> und das Blut Christi von Brot und Wein nichts
> bleibt als die Gestalten, unter denen der ganze
> und vollständige Christus da ist und in seiner
> physischen 'Realität' auch körperlich gegenwärtig,
> wenn auch nicht auf die Weise, in der sonst körper-
> liche Gegenstände sich an ihrem Ort befinden."[33]

Bereits in der Einleitung hat die Enzyklika zu neuen

---

32 Mysterium fidei, 486.

33 A.a.O. 486.

(aus Holland stammenden[34]) Deutungsversuchen der
Transsubstantiation als Transsignifikation und
Transfinalisation Stellung genommen und diese zwar
als ergänzende Deutungsversuche gewürdigt, aber
mit folgenden Worten auf ihre Grenzen hingewiesen:
Es ist nicht gestattet

> "über das Geheimnis der Transsubstantiation zu
> sprechen, ohne die wunderbare Verwandlung der
> ganzen Substanz des Brotes in den Leib und der
> ganzen Substanz des Weines in das Blut Christi
> zu erwähnen, von der das Konzil von Trient
> spricht, so daß sie sich nur, wie sie sagen,
> auf die 'Transsignification' oder 'Transfinali-
> sation' beschränken".[35]

Wesentlich also ist die ontologische Wandlung von
Brot und Wein in Leib und Blut Christi. Ausschlaggebend ist dann nicht mehr, was wir mit den Augen erkennen, nämlich Brot und Wein, sondern was wir aufgrund der Worte Christi und der Lehre der Kirche im
Glauben wissen: die reale Gegenwart Christi mit Leib
und Blut unter den Gestalten dieser beiden Elemente.
Das Dokument schließt mit einer Darlegung über den
Kult der eucharistischen Anbetung und der Ermahnung
zu seiner Förderung.[36]

Soweit kurz die lehramtlichen Äußerungen zur
katholischen Eucharistielehre. Präzisere Charakte-
risierungen dieses Verständnisses werden sich in
den anschließenden Erörterungen innerhalb der ökumenischen Diskussion ergeben.

---

34 Vgl. unten, 566f.

35 Mysterium fidei, 479.

36 Vgl. a.a.O. 488-491.

II. Der anglikanisch-katholische Dialog

1. Die gemeinsame Erklärung der Internationalen Angli-
   kanisch/Römisch-katholischen Kommission über die
   Lehre von der Eucharistie (1971)[37]

   Dieses Dokument vom 7. September 1971, von der
   Kommission in Windsor formuliert, war das erste in
   einer Reihe von Konsensustexten, deren Ausarbeitung
   beim Treffen vom Erzbischof von Canterbury und Papst
   Paul VI. in Rom beschlossen wurden.[38] Größtes Hindernis zwischen den beiden Kirchen ist die Frage der
   Gültigkeit der anglikanischen Weihen.[39] Diese Frage
   zu klären ist das Ziel der gemeinsamen Arbeitsgruppe.
   Das Dokument über die Eucharistie stellt eine erste
   Grundlage dar, aufgrund derer man sich dann der Weihe-
   frage nähern will. Ansatzpunkt für das gemeinsame Gespräch war nicht die Diskussion über die Lehren der
   einzelnen Kirchen (die 39 Artikel der Kirche von
   England und die Aussagen des Konzils von Trient),
   sondern das Zurückgehen auf die Bibel und die älteste
   gemeinsame Tradition, was sich dann unter anderem in
   einem neuen Vokabular ausdrückt.[40]

---

37 Vom Dialog zur Gemeinschaft, 129-135 (zit. Windsor
    1971). Zum anglikanischen Eucharistieverständnis
    vgl. auch Interkommunion heute, Nr. 13-18.

38 Vgl. oben, 95.

39 Vgl. UR, Nr. 22: hier wird das Fehlen des Weihesakra-
    mentes als Grund für die unvollständige Wirklichkeit
    des eucharistischen Mysteriums angegeben. Dem Sprach-
    gebrauch der ökumenischen Dokumente folgend, werden
    in dieser Arbeit die Bezeichnungen Eucharistie, Abend-
    mahl, Herrenmahl gleichberechtigt und abwechselnd ver-
    wandt.

40 Vgl. Windsor 1971, Nr. 1; Anglikanisch-katholischer
    Konsens über die Eucharistie, in: HerKorr 26 (1972),
    59ff.

418

Das Dokument gliedert sich nach einer kurzen
Einleitung in drei Abschnitte: Das Geheimnis der
Eucharistie, die Eucharistie und das Opfer Christi
und die Gegenwart Christi in der Eucharistie.

Einleitend wird eine kurze Zusammenfassung
des Heilshandelns Gottes dargelegt: durch das Werk
Christi, sein Leben, seinen Tod und seine Auferstehung hat Gott die Menschen mit sich versöhnt und
ruft sie in Christus zur Einheit der ganzen Mensch-
heit.Durch sein rufendes Wort entsteht ein neues
Verhältnis der Menschen zu ihm und untereinander.
Es ist

> "ein Verhältnis, das durch die in Christus durch
> den Heiligen Geist geschehende Taufe eröffnet,
> durch die Eucharistie genährt und vertieft und
> durch das Bekenntnis eines Glaubens und ein ge-
> meinsames Leben liebenden Dienstes ausgedrückt
> wird" (Nr. 2).

a) Das Geheimnis der Eucharistie (Nr. 3-4)

Zentraler Ausgangspunkt ist das Handeln Christi:
er ist es, der in der Eucharistie aktiv wird:

Die Eucharistie ist ein Gedächtnis. Indem wir
Gläubigen des Heilshandelns zu unserer Erlösung gedenken,

> "macht er unter uns die ewigen Wohltaten seines
> Sieges wirksam und bringt unsere Antwort in Glau-
> ben, Dankbarkeit und Selbsthingabe ans Licht und
> erneuert sie" (Nr. 3).

In der Eucharistie schafft Christus im heiligen
Geist die Kirche, erhält sie in der Einheit und bestärkt sie in der Sendung. Durch den Mittelpunkt der
Kirche im Leib und Blut Christi und ihren Anteil daran, wird ihre Identität mit dem Leib Christi deutlich ausgedrückt und verkündet.

> "In der ganzen Handlung der Eucharistie und in
> und durch seine sakramentale Gegenwart, die mittels
> Brot und Wein gegeben ist, bringt sich der ge-
> kreuzigte und auferstandene Herr seiner Verheißung
> gemäß seinem Volke dar" (Nr. 3).

Weiter bedeutet die Eucharistie die Verkündigung
des Todes Christi, bis er kommt. Im Vorgeschmack
der künftigen Königsherrschaft blicken die Gläubigen auf das, was der Herr für sie getan hat,
heute wirkt und hoffen auf das Kommen des Herrn in
Fülle. Im Teilhaben am einen Brot auf Einladung
des einen Herrn wissen sie sich eins in der Hingabe
an den Herrn, zueinander und an die Sendung der Kirche in der Welt (Nr. 4).

Zunächst also ist die Eucharistie das Gedächtnis und die Verkündigung des Heilshandelns Gottes.
Indem wir uns um den einen Tisch versammeln, wissen
wir uns eins in Christus, untereinander und in
unserer Sendung.

b) Die Eucharistie und das Opfer Christi (Nr. 5)

Der Erlösungstod Christi und seine Auferstehung
sind einmalige geschichtliche Ereignisse. Zu der nun
folgenden Deutung des Opfers Christi bemerkt das Dokument in einer Anmerkung, daß die alte Kirche in
Anlehnung an jüdisches Denken die Opferterminologie
verwendet hat, um die Bedeutung des Todes und der
Auferstehung Christi deutlich zu machen.[41] Zu Christi
Opfer wird dann folgendes gesagt:

> "Christi Tod am Kreuz als Höhepunkt seines gesam-
> ten Lebens im Gehorsam war das eine, vollkommene
> und voll genügende Opfer für die Sünden der Welt.
> Was Christus damals ein für allemal vollbrachte,
> kann weder wiederholt noch kann etwas hinzuge-
> fügt werden."

Diese Tatsache, so betont das Dokument, darf bei allen
Versuchen zwischen Eucharistie und Opfer eine Verbin-
dung herzustellen, niemals mißachtet werden: Christi
Opfer ist einmalig, unwiederholbar und bedarf keiner
Ergänzung.

---

41 Vgl. Windsor 1971, 135, Anm. 1.

Der Bezug von Eucharistie und Opfer wird dann
anhand des jüdischen Verständnisses von Gedächtnis
beschrieben: in der Eucharistie wird das Opfer
Christi verkündet und wirksam gemacht. Das eucharistische Gedächtnis (anamnesis) des Heilshandelns
Christi ist nicht nur eine Erinnerung an vergangene
Ereignisse

> "sondern die wirkungsvolle Verkündigung der
> großen Taten Gottes durch die Kirche".

Christus selber hat die Eucharistie als Gedächtnis
des gesamten Versöhnungshandelns Gottes, das durch
ihn geschehen ist, eingesetzt. Die Kirche vollzieht
im eucharistischen Gebet das Gedächtnis des Todes
Christi je neu und die in der Eucharistie vereinten
Gläubigen

> "danken für alle seine Gnadengaben, erbitten die
> Wohltaten seines Leidens für die ganze Kirche,
> haben an diesen Wohltaten Anteil und treten in
> die Bewegung seiner Selbsthingabe ein".

Das Opfer Christi ist einmalig und wird in der Eucharistie nicht wiederholt, sondern durch das Gedächtnis der eucharistiefeiernden Gemeinde wirksam
gegenwärtig. In diesem eucharistischen Gedächtnis
bringen die Gläubigen sich auch selber Gott dar.

c) <u>Die Gegenwart Christi (Nr. 6-11)</u>

Um in der Eucharistie mit Christus Gemeinschaft
zu haben, ist seine Gegenwart Voraussetzung: es ist
die durch Brot und Wein seinen Leib und sein Blut
wirksam bezeichnete, wahre Gegenwart. An dieser Stelle
geht das Dokument in einer weiteren Anmerkung kurz auf
das katholische Verständnis der "Transsubstantiation"
ein. Diese besagt, so das Dokument, die Veränderung
in der inneren Wirklichkeit der Elemente und ist Ausdruck der Tatsache der Gegenwart Christi und des radikalen Wandels, der geschieht, aber keine Erklärung

des "Wie" dieses Wandels.[42] So wird dann weiterhin
auch nicht die Verwandlung behandelt, sondern die
Gegenwart Christi gedeutet. Diese wird im Zusammenhang mit seinem Erlösungshandeln gesehen: Christus
schenkt sich in der Eucharistie den Gläubigen und
schafft so unter ihnen Versöhnung, Frieden und Leben. In der Eucharistie scheint so zum einen das bereits geschenkte Heil auf und zum anderen dient sie
der immer größeren Einheit der Menschen mit Christus
und untereinander (Nr. 6).

Christus ist in der gesamten Eucharistiefeier
gegenwärtig, aber auf verschiedene Weise: im verkündigten Wort, als Gastgeber durch seinen Diener am
Altar und sakramental als Gabe in Leib und Blut.

> "Es ist der zur Rechten des Vaters gegenwärtige
> und der deshalb die sakramentale Ordnung trans-
> zendierende Herr, der auf diese Weise seiner
> Kirche in den eucharistischen Zeichen die be-
> sondere Gabe seines eigenen Selbst darbringt"
> (Nr. 7).

Diese Gegenwart Christi ist eine Gabe an die Gläubigen, die die Annahme durch sie im Glauben erwartet.
Erst so wird sie dann zur lebensspendenden Begegnung.
Christi Gegenwart hängt nicht an der Annahme durch
den Menschen, aber durch diese wird sie

> "nicht mehr nur eine Gegenwart f ü r den
> Gläubigen, sondern auch eine Gegenwart m i t
> ihm" (Nr. 8).

Die eucharistische Gabe ist auf das sakramentale
Essen hin angelegt und nicht davon zu trennen, denn
die Elemente sind nicht nur Zeichen, sondern Leib und
Blut werden real gegenwärtig und gegeben,

> "damit die Gläubigen, indem sie sie empfangen, zur
> Gemeinschaft mit dem Herrn Jesus Christus vereinigt
> werden" (Nr. 9).

---

42 Vgl. Windsor 1971, 135, Anm. 2.

Zur Kommunion der Gläubigen führt das Konsekra-
tionsgebet (anaphora). Durch dieses Dankgebet an
den Vater als Wort des Glaubens werden im Wirken
des heiligen Geistes Brot und Wein zu Leib und
Blut Christi, die die Gläubigen in der Kommunion
sakramental zu sich nehmen (Nr. 10). Dieses Mahl
dann ist das eschatologische Mahl für den im Glauben gewandelten Menschen. Die Elemente sind Unterpfand und Erstlingsfrucht des zukünftigen Zeit-
alters, an dessen Freude wir in der Eucharistie
vorausnehmend teilhaben (Nr. 11).

Das Dokument schließt mit der Überzeugung,
mit diesen Aussagen einen wesentlichen Konsens in
der Lehre von der Eucharistie gefunden zu haben,
der eine Grundlage bietet, um verbleibende kleinere
Dissense (die hier allerdings nicht genannt werden)
zu klären. Dieses gemeinsame Fundament läßt dann
den Schluß zu, daß die Lehre von der Eucharistie
kein Hindernis für die Einheit der beiden Kirchen
darstellt und unterschiedliche Traditionen und
theologische Ansätze der legitimen Vielfalt zuge-
rechnet werden können (Nr. 12).

Da dieses Dokument das erste Ergebnis in einer
Reihe von weiteren spezifischen Untersuchungen darstellt, die den Weg zur Gemeinschaft der beiden Kirchen ebnen soll, bleibt hier die Amtsfrage und die
Frage nach der Verbindung von Eucharistie und Amt ausgeklammert.[43] Als solches Ausgangsdokument dann kann
es auch keine Interkommunion empfehlen.

---

43 Allerdings wird die Bedeutung des Amtes in Nr. 7
erwähnt: Christus ist "durch seinen Diener" Gastgeber am Altar.

2. Die Erläuterungen von 1979

Aufgrund der eingegangenen Stellungnahmen von verschiedenen Kirchen und Gremien verfaßte die Kommission 1979 auf ihrer Sitzung in Salisbury ein Ergänzungsdokument über die Lehre von der Eucharistie.[44] Mit diesem Dokument wird versucht, die vorgebrachten Befürchtungen, Zweifel und Kritiken aufzunehmen und die Aussagen des Eucharistiedokumentes aus dem Jahre 1971 zu verdeutlichen (Nr. 5-9). Das Hauptproblem hinter all den geäußerten Befürchtungen ist nach der Meinung der Kommission die Verwendung einer neuen theologischen Sprache, die in den Augen der Kritiker unbewältigte Unterschiede zu umgehen scheint. Das Dokument vermag hier nicht auf das Problem einzutreten und läßt die Frage offen, ob "die Sprache der Kommission...eine sprachliche Zweideutigkeit" verbirgt,

"die es den Mitgliedern der beiden Kirchen möglich macht, in der gemeinsamen Erklärung ihren eigenen Glauben zu erkennen, ohne wirklich einen echten Konsens erreicht zu haben" (Nr.4)?[45]

Wie oben bemerkt, konnte die Kommission in ihrem ersten Dokument keine Empfehlungen hinsichtlich der Interkommunion machen. Auf die Tatsache angesprochen, daß solche trotz einer behaupteten substantiellen Übereinstimmung im eucharistischen Glauben fehlen, legen nun die Kommissionsmitglieder in ihren Erläuterungen folgendes dar: Der Grund für das Ausbleiben liegt darin,

"daß wir gemeinsam der Auffassung sind, ein verantwortbares Urteil in dieser Frage könne nicht auf der Grundlage dieser Erklärung allein gefällt werden, da die Interkommunion auch Fragen bezgl.

---

44 Die Lehre von der Eucharistie: Erläuterung Salisbury 1979, in: Dokumente wachsender Übereinstimmung, 143-148.

45 Vgl. oben, 417.

der Autorität und der gegenseitigen Anerkennung der Ämter einschließt" (Nr. 10).

Die beiden hier angesprochenen Themenkreise sind dann, wie später darzulegen sein wird[46], Gegenstände weiterer Untersuchungen dieser Kommission.[47]

---

46 Vgl. unten, 629-641.

47 Zum anglikanisch/römisch-katholischen Dialog über die Lehre von der Eucharistie vgl. auch Wo steht der anglikanisch-katholische Dialog?: Eine Stellungnahme der Glaubenskongregation, in: HerKorr 36 (1982), 289f.

III. Der reformiert - katholische Dialog

      Bei den hier anstehenden Dokumenten handelt es
sich um die Studienergebnisse 1. der offiziellen Gesprächskommission zwischen dem römisch-katholischen
Einheitssekretariat und dem Reformierten Weltbund
(RWB), 2. der Gruppe von Dombes (mit lutherischer Beteiligung) und 3. der schweizerischen ökumenischen
Gesprächskommission (mit alt-katholischer Beteiligung).

1. Aus dem Schlußbericht der katholisch-reformierten
   Gesprächskommission von 1977

      Der Schlußbericht "Die Gegenwart Christi in
Kirche und Welt" der vom Einheitssekretariat und
dem RWB bestellten Kommission vom März 1977 bildet
die Zusammenfassung der in diesem Gremium zwischen
1970 und 1977 geführten Gespräche und enthält u.a.
den revidierten Bericht der Diskussion über die
Eucharistie von 1974.[48]

      Das Dokument hält folgende Ergebnisse fest:

a) Das biblische Fundament

      Die biblische Basis beruht auf der Besinnung
auf die Eucharistie als Herrenmahl der Urgemeinde
und als letztes Abendmahl Jesu auf dem alttestamentlichen Hintergrund des jüdischen Pascha-Mahles[49]:
Wenn sich die Gemeinde zusammenfand, dann

> "beging sie das Gedächtnis des Todes und der
> Auferstehung Jesu, sie erlebte seine Gegenwart
> als des erhöhten Herrn in seinem Pneuma und er-

---

48 Die Gegenwart Christi in Kirche und Welt, Nr. 67-92.

49 Die Schreibweise von "Pascha" wird in den verschie-
    denen Dokumenten unterschiedlich gehandhabt. In die-
    ser Arbeit richte ich mich außer bei Zitaten nach
    der Schreibweise in: BL, 1312.

wartete voll Sehnsucht sein Wiederkommen in
Herrlichkeit" (Nr. 68).

Als solche Gemeinde verstand sie sich als das
wandernde Gottesvolk.

Einheitlich an allen überlieferten Abendmahls-
worten Jesu ist die Erinnerung daran, daß Jesus
durch seinen Tod den neuen Bund Gottes mit seinem
Volk gestiftet hat, welcher die Fortdauer der Verheißung Gottes durch die neue Heilsgabe dieses
Todes bedeutet (Nr. 69).

Aus diesem Grundverständnis ergeben sich dann
neue Möglichkeiten, um alte Kontroversen zwischen
den Konfessionen anzugehen. Das Dokument nennt folgende Ansatzpunkte (Nr. 70):

- Die Einsetzungsworte betonen das Faktum der persönlichen Gegenwart in der Eucharistie und nicht
  das "Wie" ihres Zustandekommens.
- Der Begriff "Gedächtnis" bedeutet mehr als ein
  bloßes mentales Erinnern.
- Der Begriff "Leib" umfaßt die ganze Person Jesu,
  die in der Eucharistie heilshandelnd erfahren wird.

Eine solche Rückbesinnung auf das Neue Testament
ermöglicht auch ein tieferes Verstehen des Geschehens-
charakters der Eucharistie und hilft, die aus einer
dualistischen Sehweise entstandenen traditionellen
Alternativen (Realismus/Symbolismus, Sakramentalis-
mus/Spiritualismus, Substanz/Form, Subjekt/Objekt)
zu überwinden (Nr. 71).

Weiter ist der verklärte Leib des Herrn, mit dem
die neutestamentliche Gemeinde in der Eucharistie Gemeinschaft hatte, in zweierlei Hinsicht zu verstehen:
als "ein durch den Geist bestimmter Leib...und Leben
schaffender Geist..." (Nr. 72).

Diese Gemeinschaft wird dann nicht nur die Gemeinschaft mit dem erhöhten Herrn, sondern dadurch

wesentlich auch die Gemeinschaft aller,

> "die am Mahl teilnehmen und zur Gemeinde des
> Herrn zusammengerufen sind..." (Nr. 73).

Aus der Betrachtung der Eucharistie in der ur-
christlichen Gemeinde, die nicht der Beschaulich-
keit oder der Restauration dienen soll, ergibt
sich ein wesentlicher Impetus für die eucharistiefeiernde Kirche heute: die Offenheit und Freiheit
nämlich

> "für einen neuen priesterlichen Dienst...,
> den die Gemeinde an der Welt von heute zu leisten
> hat" (Nr. 74).

Das gemeinsame biblische Fundament lautet kurz zusammengefaßt: im Abendmahl hat die urchristliche Gemeinde den im Geist anwesenden, heilshandelnden
Christus erfahren, der sie so in die Gemeinschaft
mit sich und untereinander führte und zum Dienst in
der Welt berief und befähigte.

Im folgenden nun wird dieses Grundverständnis
näher gedeutet:

b) Das Pascha-Mysterium Christi und die Eucharistie

Ausgangspunkt ist auch in diesem Dokument wiederum das einzigartige Handeln Christi: er ist es,
der uns als neue Gemeinschaft in die Welt sendet, er
bezeugt sich in unserem Reden und Handeln, er bewahrt
diese Gemeinschaft in seinem Evangelium, er ruft die
Gemeinde zum Gedächtnis seines Todes und seiner Auferstehung und tritt durch sein Wort als der Lebendige
in diese Gemeinschaft und läßt es im Abendmahl Gestalt
werden, im Abendmahl,

> "in welchem er seine Gemeinschaft mit uns ver-
> tieft und besiegelt...und in dem sich die neue
> Lebensgemeinschaft der Christenheit der Welt ge-
> genüber darstellt..." (Nr. 75).

Mit diesen Aussagen über das Handeln Christi verbindet
das Dokument ein kurzes Wort zur Bedeutung des kirchlichen Amtes:

"Der Vorsitz des beauftragten kirchlichen Amtsträgers bei der Feier des Mahles bringt diese
einzigartige Rolle Christi als des Herrn und
Gastgebers zur Geltung" (Nr. 75).

Dem Amt ist es aufgetragen, der Gemeinde deutlich
zu machen, daß nicht die Kirche über die Eucharistie
verfügt, sondern daß sie im Gehorsam tut, was ihr
von Christus aufgetragen ist.

Gemeinschaft und Zeugnis der Kirche beruhen auf
Gottes Sendung des heiligen Geistes: er offenbart
den verborgenen Christus und bezeugt in der Eucharistie, daß Gott seine Verheißungen wahr macht. Im
Geist vollzieht sich die gnädige Gegenwart des Herrn
bei seiner Kirche: durch ihn schafft Christus

"in sich und in uns die Möglichkeit, ihn zu erkennen und zu empfangen und heiligt die Mittel,
mit denen er uns seine Gegenwart einprägt, seine
Gaben spendet und uns ausrüstet zu seinem Dienst"
(Nr. 76).

In der Mahlfeier erfährt und bekennt die Gemeinde die
Verbindung mit dem verklärten Herrn, dem Grund, der
Mitte und dem Ziel des Heilswerkes Gottes, welche die
Wirklichkeit realisiert, "die er uns durch sein Leben
und Sterben eröffnet hat" (Nr. 78).

Durch das, was Christus getan hat, erwirkte er
für uns das Heil. Er ist der gottgesandte Mittler:

"In Ihm und durch Ihn vollendet sich die Selbsthingabe Gottes an uns Menschen, in Ihm und durch
Ihn die Hingabe der Menschheit an Gott" (Nr. 79).

Sein Leben und Sterben ist das Opfer, das er für unsere Sünden und für die Sünden der ganzen Welt bringt
und diese seine Selbsthingabe führt er kraft seiner
Auferstehung in Ewigkeit weiter (Nr. 80). Wenn die
Kirche im Dankgebet, der "Eucharistie", dieses Handelns
gedenkt, dann ist Christus selber gegenwärtig. Die Kirche selber wird zum lebendigen Dankopfer, indem sie
sich im heiligen Geist durch, mit und in Christus dem
Vater darbringt.

Das Kreuz Christi und seine lebendige Gegenwart im heiligen Geist machen die Gültigkeit, die
Kraft und die Wirkung des Abendmahles aus, welche
sich dann in unserem Glauben, Leben und Dienst
vollenden. So ist die Eucharistie Kristallisations-
punkt der Verkündigung und der Gemeinschaft der
Kirche: in ihr nimmt Gott dank und durch Christus
die Welt an und erneuert sie im heiligen Geist
(Nr. 81).[50]

c) Die Gegenwart Christi in der Eucharistie

Christus ist in der Kirche gegenwärtig, wenn
sie seinem Wort gehorchend zusammenkommt:

> "Das ist die Gegenwart des Sohnes Gottes, der
> für uns Menschen und um unseres Heiles willen
> Mensch geworden ist und Fleisch angenommen hat.
> Durch die Darbringung Seines Leibes sind wir
> geheiligt worden und werden Gottes teilhaftig"
> (Nr. 82).

Durch die Gegenwart Christi in seiner Kirche wird
diese in der Eucharistie durch die Teilhabe an ihm,
an seinem Leib und seinem Blut (indem wir über Brot
und Wein den Segen sprechen), zum Leib Christi auferbaut. Die Verwirklichung der Gegenwart Christi
für uns und unsere Eingliederung in ihn ist das Werk
des heiligen Geistes, das in der Eucharistie durch
seine Anrufung zur Heiligung der Gemeinde und des
Brotes und Weines vollzogen wird.

Christi Gegenwart in der Eucharistie hat zugleich zwei Aspekte: sie ist zum einen sakramental,

---

50 H. Haag formuliert zum Gedächtnischarakter des alt-
und neutestamentlichen Paschamahles: es ist die "sakramentale Vergegenwärtigung der einmaligen historischen Heilstat Gottes und ihre Aneignung durch die
Kultgemeinde, aber auch Hinleitung auf ihre künftige
Vollendung (Lk 11,16 1Kor 11,26)" (Herbert Haag,
Pascha, in: BL, 1315).

"insofern sie die konkrete Form ist, welche
das Geheimnis Christi in der eucharistischen
Kommunion seines Leibes und Blutes annimmt";

zum anderen ist sie personal,

"weil Jesus Christus in seiner eigenen Person
unmittelbar gegenwärtig ist und sich uns in
seiner Wirklichkeit als wahrer Mensch und wahrer
Gott gibt" (Nr. 83).

In der Eucharistie teilt sich Christus so in seiner
ganzen Realität mit: in seiner Menschheit in Leib,
Geist und Wille und in seiner Gottheit als derjenige, der zu Rechten seines Vaters sitzt.

Reformierte und Katholiken erachten diese
christologische Grundlegung der Eucharistie als
zentral: die Realpräsenz Christi in der Eucharistie
wird gedeutet als konsubstantiell mit den Menschen
in der leiblichen Existenz und konsubstantiell mit
dem Vater und dem heiligen Geist. Dem Dokument ist
so neben der christologischen Grundlegung der trinitarische Kontext wichtig, in dessen Verständnis es
keine grundlegenden Unterschiede zwischen der reformierten und der katholischen Tradition gibt (Nr. 84).

Durch die Einheit mit Christus in der Eucharistie, die durch diese immer weiter aufrecht erhalten
wird, ist die Kirche auch befähigt, an der universalen Sendung Christi in die Welt teilzunehmen. Diese
Sendung beinhaltet die Verkündigung des verheißenen
Friedens und der verheißenen Freude, deren Erstlingsfrucht die durch die Eucharistie konstituierte Kirche
als Gemeinschaft der Liebe ist (Nr. 86).

d) Folgerungen und Zusammenfassung

Das gemeinsame Verständnis der Eucharistie heute
sollte nach der Meinung des Dokumentes folgende Konsequenzen haben (Nr. 88-90):

- die Erneuerung der Kirche und der Feier der Eucharistie in Richtung einer eucharistischen Gemeinschaft;

- die Überprüfung liturgischer und dogmatischer
  Formeln;
- die Überprüfung der Organisation der Kirche
  (vor allem des Kirchenrechts) aufgrund der Dy-
  namik der Eucharistie.

Die Kommission kommt abschließend zum Ergebnis, daß das Gespräch über die Eucharistie zu einer größeren Wertschätzung der Lehre und Praxis
der je anderen Kirche geführt hat. Weiter wird gesagt:

> "Wir glauben, über den Sinn, den Zweck und das
> Grundlegende in der Lehre der Eucharistie ein
> gemeinsames Verständnis erreicht zu haben, das
> mit dem Wort Gottes und der universalen Tradi-
> tion der Kirche in Übereinstimmung steht"
> (Nr. 91).

Grundlegende Übereinstimmung besteht:

- wesentlich im Glauben an die Realpräsenz Christi
  in der Eucharistie und weiter darin, daß die Eucharistie
- ein Gedächtnis des Todes und der Auferstehung
  Christi,
- eine Quelle der Liebesgemeinschaft mit ihm kraft
  des heiligen Geistes und
- eine Quelle der eschatologischen Hoffnung ist.

Folgende Punkte bedürfen der weiteren Klärung: die
Frage nach

- den konstitutiven Elementen des eucharistischen
  Gottesdienstes,
- dem Gebrauch der Eucharistie,
- der eucharistischen Gastfreundschaft.

Bei dieser weiteren Klärung muß dann vor allem beachtet werden:

- die Dichte des Begriffes "Gedächtnis",
- die biblischen und patristischen Kategorien anstelle der dualistischen,

- die falschen Antinomien, vor allem im Zusammenhang mit dem Verständnis von "Leib", "Person",
  "Gegenwart",
- die Frage nach der Rolle des ordinierten Amtsträgers in der Eucharistie (Nr. 92).

Genau wie das anglikanisch-katholische Dokument geht auch dieser Bericht vom gemeinsamen Erbe
der Bibel und der Väter aus, weshalb dann auch die
aktuellen Kontroversen (Opfer, Realpräsenz, Transsubstantiation) nicht von den konfessionellen Traditionen her beleuchtet werden.

Das Dokument enthält eine manchmal etwas ver-
wirrende Fülle von Aussagen, die eine umfassende
systematische Darstellung streckenweise ziemlich
erschweren. Diese Darstellungsart war zum einen von
der Kommission bewußt gewählt worden, um die Viel-
seitigkeit der Diskussionsergebnisse zu bewahren,
zum anderen aufgrund des Arbeitsstiles und des Zieles (nämlich nach vorne offene Aufbauarbeit zu leisten), kaum zu verhindern (Nr. 11).

Wichtig ist auch hier, daß mit dem Aufweis der
Konsense (die zu einer gemeinsamen intensiven Behandlung noch bestehender Unterschiede hinführen und
ermutigen) ein großes gemeinsames Verständnis in der
Lehre von der Eucharistie konstatiert werden kann,
was allerdings in diesem Gremium nicht zu der Feststellung führt, die Lehre von der Eucharistie sei
kein kirchtrennendes Hindernis mehr.

2. Die Studienergebnisse der Gruppe von Dombes von 1971

Das Konsensdokument über die Eucharistie bildet
den Abschluß vieler Diskussionen innerhalb der Gruppe
von Dombes, die mit der Behandlung des Interkommunion-
problems ihren Anfang und im September 1971 mit diesem
zusammenfassenden Papier ein vorläufiges Ende gefunden

haben.[51] Das Dokument gliedert sich in zwei Teile: einen Lehrkonsens (Dombes I) und einen pastoralen Konsens (Dombes II). Da der pastorale Anhang eine praktische Verdeutlichung des Lehrkonsenses darstellt, genügt hier die Darstellung des Lehrkonsenses. In ihrem Dokument "Auf dem Wege zu ein und demselben eucharistischen Glauben?" geht die Gruppe von Dombes davon aus, daß für die gemeinsame Teilnahme konfessionsverschiedener Christen am Tisch des Herrn Klarheit und wesentliche Übereinstimmung im Verständnis des Wesens der Eucharistie bestehen muß. Ihr Gespräch gründet sich auf ein Konsensdokument der Kommission für Glauben und Kirchenverfassung von 1968 und hat die Klärung dieser Übereinstimmung und die Adaptation der Übereinstimmung auf die Situation in Frankreich zum Ziel (Nr. 3).[52]

a) Die Eucharistie als Mahl, Danksagung, Gedächtnis und Gabe (Nr. 4-16)

Die Eucharistie ist sakramentales Mahl und neues Paschamahl des Volkes Gottes. Christus hat es seinen Jüngern gegeben, damit sie es im Wissen um seine Auferstehung feiern bis er wiederkommt.

"Dieses Mahl ist das wirksame Zeichen für die Gabe, zu der Christus als Brot des Lebens sich selbst macht durch das Opfer seines Lebens und seines Todes und durch seine Auferstehung" (Nr. 5).

In diesem Mahl findet die Verheißung Christi besondere Erfüllung, daß er bei denen ist, die sich in seinem Namen versammeln.

---

51 Zur Gruppe von Dombes vgl. oben, 119f.

52 Bei dem Dokument des ÖRK handelt es sich um das Papier Die Eucharistie im ökumenischen Denken: Ein Dokument der Kommission für Glauben und Kirchenverfassung, in ÖD Bd. IV (1968), 152-157. Vgl. auch unten, 532.

Die Eucharistie ist die große Danksagung an
den Vater für sein Heilshandeln in der Vergangenheit, Gegenwart und Zukunft. Durch sie preist die
Kirche Gott für alle seine Wohltaten.

"Die Eucharistie ist das große Lobopfer, in dem
die Kirche im Namen der ganzen Schöpfung spricht"
(Nr. 8).

Gott hat durch Christus die ganze Welt mit sich
versöhnt. Sie ist in jeder Eucharistiefeier im Brot,
im Wein, in den Gläubigen und in den Gebeten anwesend. In der Eucharistie wird so der Welt der Weg zu
ihrer Verwandlung eröffnet.

Christus hat die Eucharistie als Gedächtnis
(Memorial, Anamnese) seines Lebens, vor allem seines
Todes und seiner Auferstehung eingesetzt und ist
selber mit seiner ganzen Person, von der sein Handeln
nicht zu trennen ist, darin gegenwärtig. Dieses Gedächtnis ist auch ein Vorgeschmack seines Reiches.
Vergegenwärtigung und Vorwegnahme sind im Gedächtnis
selber mit inbegriffen, wodurch dieses mehr bedeutet
als nur die Erinnerung an vergangenes Geschehen.

"Das Memorial ist die wirksame Verkündigung des
großen Werkes Gottes durch die Kirche. Durch die
Gemeinschaft mit Christus nimmt die Kirche an
dieser Wirklichkeit, aus der sie lebt, teil"
(Nr. 9).

In Danksagung und Fürbitte wird dieses Memorial
gelebt. Durch seine Feier brigt die Kirche dem Vater
das einmalige und vollkommene Opfer seines Sohnes
dar und bittet ihn, die Erlösung jedem Menschen zuteil werden zu lassen. So bieten wir uns selber in
Gemeinschaft mit dem Herrn und der universalen Kirche
"in einem lebendigen und heiligen Opfer dar" (Nr. 11).

Das Gedächtnis ist der wesentliche Inhalt der
Eucharistie und des verkündigten Wortes, die aufein-
ander bezogen und daher untrennbar verbunden sind.
Voraussetzung für das Memorial im Vollsinn ist nach

dem Vorbild Christi die Anrufung des heiligen
Geistes (Epiklese) um die Führung in der Wahrheit und die Stärkung für die Sendung in der
Welt. Der Geist setzt durch seine Anrufung über
die Versammlung, über Brot und Wein Christus wirklich gegenwärtig. Anamnese und Epiklese haben
unsere Einigung mit Christus im Auge und können
daher nicht von der Kommunion getrennt werden.
Durch die Gabe des Geistes erhalten wir einen Vorgeschmack des Reiches Gottes:

> "Die Kirche empfängt das Leben der neuen Schöp-
> fung und die Zusicherung der Wiederkunft des
> Herrn" (Nr. 15).

b) **Die sakramentale Gegenwart Christi in der Eucharistie (Nr. 17-20)**

Die Eucharistie ist die Gabe der Person Christi
in Leib und Blut. Einmütig bekennen die beteiligten
Konfessionen gemäß den Einsetzungsworten

> "die wirkliche, lebendige und wirkende Gegenwart
> Christi in diesem Sakrament" (Nr. 17).

Die Gegenwart Christi ist auf die Annahme im Glauben
gerichtet, hängt aber nicht vom Glauben des einzelnen Gläubigen ab, da sich Christus selber

> "durch seine Worte und im Geiste an das sakra-
> mentale Ereignis als Zeichen seiner geschenkten
> Gegenwart"

bindet (Nr. 18). Diese Bindung wird dann näher erläutert: Christus hat sich selbst mit Leib und Blut
hingegeben und diese Hingabe mit den Zeichen von
Brot und Wein verknüpft. Daher

> "ist die unter den Zeichen von Brot und Wein ge-
> gebene Realität sein Leib und sein Blut" (Nr. 19).

Durch Christi schöpferisches Wort und die Macht des
Geistes werden die Elemente Sakrament und so Teilhabe an Leib und Blut Christi. Die Elemente sind nun
unter Wahrung des äußeren Zeichens die gegebene Wirklichkeit und bleiben es im Hinblick auf den Verzehr.

Anschließend weist das Dokument auf die unterschiedliche Behandlung von Brot und Wein außerhalb des Gottesdienstes hin. Grundsätzlich gilt:
was einmal Leib und Blut Christi geworden ist,
bleibt es. Im Hinblick auf die Aufbewahrung wird
hinsichtlich der katholischen Kirche ihre ursprüngliche und vornehmliche Bedeutung als Krankenkommu-
nion und hinsichtlich der protestantischen Kirche
der Brauch der respektvollen Aufbewahrung gemahnt.

c) Die Eucharistie als Gemeinschaft mit dem Leib
   Christi (Nr. 21-24)

In der Eucharistie schenkt sich Christus den
Kommunizierenden und führt sie so zur Einheit seines
Leibes, welcher die Kirche ist, zusammen:

"Wenn die Kirche die Eucharistie vollzieht,
vollzieht die Eucharistie die Kirche" (Nr. 21).
Diese Einheit meint die Einheit mit dem ganzen Christus, untereinander und mit allen Kommunizierenden
zu jeder Zeit und überall. In der Teilhabe am selben
Brot zeigt sich die Katholizität der Kirche, offenbart sich das Geheimnis der Erlösung und wächst der
Leib in der Gnade.

"Die Kommunion ist daher die Quelle und die Kraft
jedes Gemeinschaftslebens unter Christen" (Nr. 21).
Diese Gemeinschaft dann hat Auswirkungen für die ganze Kirche und den einzelnen Gläubigen:

- Konflikte aller Art müssen abgebaut werden um die
  Gemeinschaft mit Christus wahr sein zu lassen.
- Jeder Gläubige empfängt in der Eucharistie die Vergebung der Sünden, das ewige Leben und die Stärkung
  im Glauben, in der Hoffnung und in der Liebe.
- Die Solidarität mit dem Leib Christi in der eucharistischen Gemeinschaft und die Sorge der Christen
  füreinander und für die Welt müssen in der Liturgie
  zum Ausdruck kommen (z.B. durch gegenseitige Sünden-

vergebung, Friedensgruß, Gabendarbringung, gegenseitiges brüderliches Annehmen).

d) Die Eucharistie als Sendung und Festmahl des
   Reiches (Nr. 25-31)

Zum wahren Wesen der Kirche gehört untrennbar
die Sendung (Mission) in die Welt. In der Eucharistie, wo die Kirche ganz sich selber ist, weiß sie
sich in ihrer Sendung mit Christus vereint. Die Welt
ist in der Eucharistie durch die Danksagung, das Gedächtnis und die Anrufung des Geistes bereits gegenwärtig. Die Christen, versöhnt in der Eucharistie,
werden zu Dienern der Versöhnung unter den Menschen
und zu Zeugen der Freude der Auferstehung. Ihr Dienst
heißt Solidarität im Leiden und in der Hoffnung aller
Menschen. Christus hat die Eucharistie für die Zeit
zwischen seiner Himmelfahrt und seiner Wiederkunft
eingesetzt.

> "Dies ist die Zeit der Hoffnung, deshalb richtet
> uns die Feier der Eucharistie auf die Ankunft des
> Herrn aus und bringt ihn uns nahe. Sie ist eine
> freudige Vorwegnahme des himmlischen Festmahles,
> wenn die Erlösung vollkommen vollendet und die
> gesamte Schöpfung von aller Knechtschaft befreit
> sein wird" (Nr. 29).

Daher wird die Eucharistie zur Quelle des Mutes, alle
Entbehrungen durchzustehen und zur Quelle der Erkenntnis, daß es trotz aller Spaltungen zu einer
eschatologischen Zusammenkunft kommt, die eine ökumenische Zusammenkunft sein wird.

e) Der Vorsitz bei der Eucharistie (Nr. 32-35)

Hier wird einleitend betont, daß es Christus
ist, der zum Mahl einlädt und selber den Vorsitz innehat. Diesen Vorsitz, so das Dokument, stellt der Amtsträger durch seinen Vorsitz bei der Eucharistie zeichenhaft dar. Diese Amtsträger sind berufen und gesen-
det durch Christus. Ursprung und Sendung ist die Sendung der Apostel und wird durch Handauflegung und An-

rufung des Geistes übertragen.

> "Diese Übertragung schließt in sich die Konti-
> nuität des Dienstauftrages, die Treue zur Lehre
> der Apostel und die Gleichförmigkeit des Lebens
> mit dem Evangelium" (Nr. 33).

Aufgabe des kirchlichen Amtsträgers bei der eucharistischen Feier ist das Deutlichmachen der Unverfügbarkeit der Eucharistie durch die Kirche. Der
Amtsträger stellt, obwohl Glied der Gemeinde, zeichenhaft die Initiative Gottes und die Verbindung
der Ortsgemeinde mit allen anderen Gemeinden innerhalb der einen Kirche dar. Gemeinde und Amtsträger
stehen in ihrem eucharistischen Tun in Beziehung
zueinander und in Abhängigkeit von Christus.

> "In ihrer Beziehung zum Amtsträger vollzieht die
> Versammlung ihr königliches Priestertum als eine
> Gabe des Priesters Christus. In seiner Beziehung
> zur Versammlung lebt der Amtsträger seinen Vor-
> sitz als einen Dienst Christi des Hirten" (Nr. 35).

f) Zusammenfassung

Das Dokument stellt abschließend fest, daß mit
diesem Konsens die grundlegenden Probleme in der Frage des eucharistischen Glaubens behoben sind. Einer
weiteren Verständigung bedürfen noch die Fragen der
Dauer der sakramentalen Gegenwart und die genaue Form
der apostolischen Sukzession. Doch, so das Dokument,
wird das Geheimnis der Eucharistie durch die Lehre nie
voll ausgelotet werden, sondern nur in der glaubenden
Annahme erfahren werden können. Aufgrund dieses gemeinsamen eucharistischen Glaubens soll nach Auffassung
des Dokumentes, wer ihn teilt, aus Gründen des Eucha-
ristieverständnisses nicht mehr von der Eucharistie
einer anderen Kirche ausgeschlossen werden (Nr. 39).

Damit hat das Dokument seine im Titel gestellte
Frage ziemlich genau beantwortet: durch den festgestellten Konsens ist eine Gemeinschaft im Eucharistieglauben in einem breiten Ansatz gegeben und rechtfer-

tigt bereits eine teilweise Abendmahlsgemeinschaft im Sinne einer gegenseitigen Zulassung. Insofern weitere Fragen noch der Klärung bedürfen, sind die Kirchen noch auf dem Weg, aber sie sind mittlerweile gemeinsam unterwegs, die Weichen für die volle Abendmahlsgemeinschaft sind positiv gestellt.

Das Dokument besticht durch seine klaren Aussagen. Der Schwerpunkt liegt auf der ganzheitlichen Darstellung des Wesens der Eucharistie in ihren verschiedenen Aspekten. In diesem Rahmen kommt dann das Dokument auf die Kontroversen zu sprechen ohne sie als solche zu benennen. Aus diesem Grund wird auch die Eucharistie als Opfer nur kurz gestreift und nicht schwerpunktmäßig behandelt. Ganz deutlich wird der Zusammenhang zwischen der Eucharistie als Gabe und deren Annahme durch die Gläubigen in der Kommunion im Hinblick auf die Einheit und das Heil des einzelnen herausgestellt.

Zusammen mit dem pastoralen Anhang fand das Dokument als Hilfe vor allem für Mischehegruppen allgemein großen Anklang und hat den pastoralen Weisungen von Bischof Elchinger als Grundlage gedient.[53]

3. Das Konsensdokument der schweizerischen ökumenischen Gesprächskommissionen (1973)

Dieses Dokument trägt den Titel "Die Eucharistie im gemeinsamen Verständnis der Kirchen" und bildet den zweiten Teil des bereits erwähnten Dokumentes "Für ein gemeinsames eucharistisches Zeugnis der Kirchen" aus dem Jahre 1973.[54] Das Dokument behandelt sehr aus-

---

53 Vgl. Um Amt und Herrenmahl, 103.

54 Für ein gemeinsames eucharistisches Zeugnis der Kirchen, Nr. 39-74. Zum ersten Teil vgl. oben, 114-119.

führlich allgemeine Gesichtspunkte und besondere
Fragen. Bei den allgemeinen Gesichtspunkten handelt
es sich um Aspekte, die die Kirchen relativ problem-
los gemeinsam aussagen können. Mit den besonderen
Fragen sind jene Aspekte gemeint, die seit der Trennung als Kontroversen zwischen den Kirchen standen
und die gemeinsame Teilnahme an der Eucharistie verhindert haben. Da sich das Dokument auf die Ergebnisse der Kommission für Glauben und Kirchenverfassung und der Gruppe von Dombes stützt und diese an-
derweitig zur Sprache gekommen sind oder noch kommen
werden, kann hier eine kürzere Darstellung genügen.

a) Allgemeine Gesichtspunkte (Nr. 41-55)

Zunächst werden die Eucharistie als unbestritte-
ner Mittelpunkt des christlichen Gottesdienstes und
die Zusammengehörigkeit aller ihrer sich in der Tradition entfalteten Aspekte hervorgehoben und betont,
daß die Feier des Herrenmahles nur dann ihren vollen
Sinn erreicht,

"wenn sie sowohl auf das Gekommen-sein als auch
auf die Gegenwart und auf die Zukunft des Herrn
verweist" (Nr. 42).

Das einmütige Grundbekenntnis der Kirchen besteht darin,

"dass sie bei der Feier der Eucharistie dem Auferstandenen begegnen, und dass diese Begegnung
und Gemeinschaft mit dem Herrn die Gemeinschaft
der Glaubenden untereinander begründet, vertieft
und lebendig hält" (Nr. 43).

Ebenso läßt sich dieses Grundbekenntnis nach der
Überzeugung der ungeteilten Christenheit in die folgenden bekannten Teile aufgliedern (die der Struktur
des eucharistischen Gebetes folgen): Danksagung, Gedächtnis, Anrufung des Geistes und die Bitte um das
Kommen des Herrn und seines Reiches.

Hier nun eine kurze Zusammenfassung des Verständnisses der Eucharistie als:

- Danksagung für die Taten Gottes, für seine
  Schöpfung und sein Heilshandeln in Christus. Als
  Annahme der Gaben Gottes durch die Danksagung
  wird die Eucharistie zur Quelle der gläubigen
  Existenz. Die mit Gott versöhnte Welt ist in der
  Eucharistie anwesend und erfährt durch die Dank-
  sagung, was sie werden soll.

- Gedächtnismahl, das in der Tradition der Mahlzeiten Jesu mit seinen Jüngern (vor allem des
  letzten Abendmahles) und des jüdischen Pascha-
  mahles steht. In diesem Mahl wird nicht nur an
  Vergangenes erinnert, sondern Gottes Heilshandeln
  in Wort und Zeichen gegenwärtig gesetzt. Die Einsetzungsworte selber machen den Sinn der Eucharistie deutlich und ebenso, daß die Eucharistie
  nicht auf menschliche Initiative hin zustandekommt, sondern auf der Anordnung des Herrn beruht.
  Der Herr selbst ist es auch, der zur Eucharistiefeier einlädt und in ihr den Vorsitz innehat.

- Gabe des heiligen Geistes, der in der im Namen Jesu
  versammelten Gemeinde wirksam ist. Der Geist ist
  es, der die Gemeinde zur Danksagung und zum Gedächtnis zusammenruft, dem Wort des Glaubens Kraft verleiht, die Gegenwart des Auferstandenen verwirklicht
  und die Gemeinde zum Zeugnis und zum Dienst sendet.

- Bitte um das Kommen des Herrn und seines Reiches
  wie sie im ältesten christlichen Gebet, dem "Marana
  tha" und dem Vaterunser zum Ausdruck kommt und so
  die Sehnsucht und die Hoffnung auf dieses Kommen in
  der Kirche wach hält. In diesem Zusammenhang dann
  ist der Ruf zur Umkehr zu verstehen, der sich sowohl an den einzelnen als auch an die ganze Gemeinde

richtet.

> "Glaubhaft wird das Herrenmahl nur dann, wenn
> die Feiernden gemeinsam ihren Auftrag vom
> Herrn als Diener Gottes und der Welt wahr-
> nehmen" (Nr. 55).

b) Besondere Fragen (Nr. 56-74)   .

In diesem Abschnitt soll kurz die Behandlung
der kontroversen Fragen der Epiklese, der Realpräsenz, des Opfers und des Vorsitzes bei der Eucharistie vorgestellt werden.

aa) Die Anrufung des heiligen Geistes (Nr. 57-61)

Die ganze Eucharistie steht unter dem Wirken
des Geistes. Diesem Glauben wird in Gebeten Ausdruck gegeben, in denen der Geist um sein Kommen
und sein Wirksamwerden gebeten wird. Diese Gebete
kennen alle Kirchen (besonderes Gewicht haben sie
in den orientalischen). Die Unterschiede im Verständnis liegen hier in den zum Teil verschiedenen
Richtungen, auf die sich die Herabrufung bezieht:

> "Die orientalischen und katholischen Kirchen
> rufen den Geist auf die Gaben und die Gemeinde
> herab, die evangelischen Kirchen auf die Ge-
> meinde, die sich zum Empfang des Mahles vorbe-
> reitet (Nr. 57).[55]

Die Bitte um den Geist wird dann in dreierlei
Hinsicht näher entfaltet:

- Der Geist ist der Beistand für die gesamte eucharistische Feier. Die Bitte um sein Kommen soll zum
Ausdruck bringen, daß die Gemeinschaft mit Christus
in Leib und Blut nur in der Gemeinschaft mit dem
Geist vollzogen und vollendet wird.

- Kontrovers ist die Herabrufung des Geistes zur

---

55 Interessant ist, daß diese Unterscheidung in den Gesprächen der Gruppe von Dombes keine Rolle spielt
(vgl. oben, 433ff.).

Wandlung der eucharistischen Gaben, die die
evangelische Kirche nicht kennt. Einig sind
sich alle Kirchen darin, daß die Eucharistie
nicht nur eine Erinnerung, sondern aktuelles
Geschehen ist und

> "dass der Segensspruch über Brot und Wein
> kraft des im Auftrag Jesu gesprochenen Got-
> teswortes schöpferische und heiligende Wirk-
> samkeit entfaltet" (Nr. 59).

Durch die Anrufung des Geistes wird die Einheit
zwischen Wort und Wirksamkeit des Geistes bezeugt.

- Zur Förderung der ökumenischen Verständigung
  hält das Dokument ein an den Geist gerichtetes
  Gebet für den Vorsteher der eucharistischen Gemeinde für erwägenswert. Ein solches Gebet würde
  verdeutlichen, daß seine

> "an Christi Stelle ausgeübte Funktion nur kraft
> seines Geistes sich zur Auferbauung der Gemein-
> de entfaltet" (Nr. 60).

Allgemein würde eine stärkere Betonung der Herabrufung des Geistes in der Eucharistiefeier, so schließt
hier das Dokument, deutlich machen, daß das Herrenmahl
seine Gabe ist, und Brot und Wein, Wort und Geste immer
die reinigende Kraft des göttlichen Beistandes nötig
hat.

bb) Die Realpräsenz (Nr. 62-65)

Christus ist auf vielfältige Weise in seiner Kirche gegenwärtig: im einzelnen Glaubenden, in der Versammlung der Glaubenden, in der Verkündigung und in
allen sakramentalen Handlungen. Alle Christen aber
glauben in der Eucharistie an eine besondere Gegenwart Christi in seiner Kirche. Diese Vorrangstellung
der Eucharistie ergibt sich daraus, daß

> "alle anderen Arten der Gegenwart zu ihr hinfüh-
> ren und die Kirche hier den tiefsten Ausdruck
> ihrer Verbundenheit mit Christus und den Brüdern
> findet" (Nr. 62).

In allen Kirchen ist man sich darüber einig,
daß die Eucharistie nicht nur Symbol oder Zeichen,
sondern wahrhaftige und wirkliche Teilhabe am Leib
und Blut Christi ist. Der Unterschied liegt hier
also nicht im grundsätzlichen Glauben an die Realpräsenz, sondern in der Interpretation des realen
Geschehens. Die katholische Kirche des Ostens und
des Westens glauben an eine Wandlung der Elemente
durch den Geist, der im eucharistischen Gebet (Anaphora) angerufen wird. Die protestantische Kirche
glaubt, daß der Gläubige aufgrund der Einsetzungsworte und der Verheißung Christi durch die Spendung
und den Empfang von Brot und Wein teilhat am Leib
und Blut Christi. Übereinstimmung besteht darin, daß
der auferstandene Christus in seiner durch den Geist
verwandelten Leiblichkeit real gegenwärtig ist (was
aber nicht materiell-fleischlich gedeutet werden
darf) und daß diese Gegenwart auf die sichtbare Gestalt von Brot und Wein angewiesen ist.

An dieser Stelle geht das Dokument kurz auf das
ebenfalls kontroverse Problem der Dauer der eucharistischen Gegenwart und damit auf die Aufbewahrung
der eucharistischen Gaben ein. Das Ziel der Gegenwart Christi ist die Kommunion, welche der Auferbauung
der Kirche dient. Aufbewahrt wurden und werden die
Gaben, um sie den an der Eucharistiefeier verhinder-
ten, aber auch zur Gemeinde gehörenden Gläubigen ver-
teilen zu können. Abgelehnt werden hier abschließend
zum einen die einem einseitigen Sakramentenverständ-
nis Vorschub leistende Verehrung der eucharistischen
Gaben und zum anderen der respektlose, nicht-liturgi-
sche Umgang mit ihnen.

cc) Das Opfer (Nr. 66-68)

Einleitend wird der Opferfrage der richtige
Stellenwert zugewiesen, indem die Eucharistie vor-

nehmlich als Danksagung und Gedächtnis des Todes,
der Auferstehung und der Erhöhung betont wird, was
keine einseitige Gewichtung des Kreuzesopfers mehr
zuläßt:

> "Vielmehr begegnet die glaubende Gemeinde in
> der Feier des 'Herrenmahles' dem Auferstandenen
> und Lebenden und erwartet in Hoffnung sein Kom-
> men" (Nr. 66).

Trotzdem gibt es zwischen der Eucharistie und
dem Kreuzesopfer einen engen Zusammenhang, da Christi
Gegenwart unter den Gestalten von Brot und Wein auf
das Kreuzesopfer hinweist.

Alle Kirchen anerkennen die Einmaligkeit und
Unwiederholbarkeit des Erlösungshandelns Christi am
Kreuz. Es gibt also kein Opfer der Kirche neben dem
einmaligen Kreuzesopfer Christi. Wenn trotzdem in
gewissen Liturgien von "Darbringung" der Opfergaben
die Rede ist, dann ist damit ein Zeichen der Bereitschaft zur brüderlichen Gemeinschaft gemeint.

> "Das Entscheidende liegt darin, dass die versam-
> melte Gemeinde durch die Feier und das Gedächtnis
> der Eucharistie in das Kreuzesopfer hineingenom-
> men und von Christus dem Vater dargebracht wird..."
> (Nr. 68).

In der Eucharistie wird das Opfer Christi gegenwärtig,
damit die Gläubigen an dieser Hingabe Christi teilhaben und sie nachvollziehen können, was Christus an
ihrer Statt schon getan hat. Nach der Meinung des Dokumentes sind mit dieser gemeinsamen Überzeugung alle
ehemaligen Kontroversen um dieses Thema hinfällig geworden.

dd) Die Ermächtigung zur Eucharistiefeier (Nr. 69-71)

Zunächst wird hier die Einbettung der Eucharistie in die Kirche beschrieben: Die Feier der Eucharistie geschieht im Gehorsam gegenüber dem Willen
und dem Auftrag Christi, wie sie uns durch die Apostel
überliefert sind. Die Gemeinde muß daher zunächst

einmal in der Gemeinschaft mit dem Glauben der
Apostel stehen. Sichtbares Zeichen dafür ist die
Taufe, die dann zur Teilnahme an der Eucharistiefeier berechtigt, welche somit nicht dem Gutdün-
ken des einzelnen überlassen ist:

> "Taufe und Eucharistie sind Anfang und Voll-
> endung kirchlicher Gemeinschaft. Ausserhalb
> dieser Gemeinschaft verliert die Eucharistie
> den von Christus gewollten Sinn" (Nr. 69).

An diesen allgemeinen ekklesiologischen Gesamtzusammenhang anschließend bekennt das Dokument, daß
das Problem des Vorsitzes in der Eucharistie eine
noch nicht überwundene Divergenz zwischen den hier
beteiligten Kirchen darstellt, da nach katholischem
Verständnis für die Abendmahlsgemeinschaft nicht
nur eine Übereinstimmung im Eucharistieverständnis,
sondern auch eine solche hinsichtlich der Wesenszüge des kirchlichen Amtes notwendig ist.

Auf die Frage nach dem kirchlichen Amt geht
das Dokument hier nicht weiter ein, verweist aber
auf die diesbezüglichen Gespräche zwischen den Kirchen, die durchaus von Lösungsansätzen zeugen. Das
Dokument betont lediglich die wesentliche Bedeutung
des kirchlichen Amtes für die Eucharistiefeier und
nennt als kleinsten gemeinsamen Nenner aller Kirchen
den Brauch, daß die Eucharistie

> "faktisch in allen Kirchen von einem besonders
> ausgewiesenen, von der Gemeinde anerkannten
> Vorsteher geleitet wird" (Nr. 71).

Alles in allem, so kommt das Dokument allmählich
zum Schluß, ist die Eucharistie nicht nur ein anver-
trautes Vermächtnis, sondern auch Veranschaulichung
des Bandes der Liebe. Und diese Liebe gründet auf
der Liebe des Herrn, tendiert auf alle Brüder und
darf nicht durch getrennte Konfessionen behindert
werden.

Abschließend würdigt das Dokument seine Aussagen als "gegenseitig bereichernden Konsens" (Nr.
73) und wertet die Überwindung der vierhundertjäh-
rigen Geringschätzung der Eucharistie in den anderen Kirchen als hoffnungsvollen Ansatz für den ab
nun gemeinsamen Weg. Als konkrete Konsequenz aus
dem festgestellten Konsens empfiehlt es (in Frageform) in Anwendung des Ökonomieprinzips[56] die
Prüfung der Zulassung zur Eucharistiefeier in außer-
ordentlichen Fällen.

Das Dokument der schweizerischen ökumenischen
Gesprächskommission zeichnet sich durch eine klare
Darlegung der Konsense aber auch der Dissense aus.
Es ist zunächst ein Feststellungspapier, das nüchtern die gegenwärtige Situation kennzeichnet. Diese
Situation ist ob der Konsense sehr hoffnungsvoll,
verheißt ein weiteres Zusammenkommen und ermöglicht
ein gemeinsames Weitergehen. Die noch vorhandenen
Dissense, die genannt und ansatzhaft behandelt werden, führen zu einer ziemlich großen Zurückhaltung
in den Folgerungen und Empfehlungen für eine mögliche Abendmahlsgemeinschaft. Diese Zurückhaltung
wird bewußt geübt um nicht kontraproduktiv den ökumenischen Fortschritt durch äußeren Druck oder Mißachtung von Glaubensüberzeugungen zu hindern.

Das Dokument stellt, da es die Ergebnisse anderer ökumenischer Gespräche mitverarbeitet, eine gute
Zusammenfassung der Eucharistiegespräche im römisch-
katholisch/evangelisch-reformierten Bereich dar.
Übereinstimmung besteht zwischen den Kirchen somit
im Verständnis des Herrenmahles in seiner eucharistischen, anamnetischen, epikletischen und eschatolo-

---

56 Vgl. oben, 20.

gischen Dimension. Ebenso ist die traditionelle
Kontroverse über den Opfercharakter der Eucharistie weitgehend behoben. Der weiteren Aufarbeitung
bedürfen noch die Fragen, über wen der Geist angerufen wird, über die Auslegung der Realpräsenz und
über das Wesen des kirchlichen Amtes.

IV. Der lutherisch - katholische Dialog

In diesem Abschnitt sollen zwei Dokumente zur
Sprache kommen: "Das Herrenmahl", ein Papier der vom
römisch-katholischen Einheitssekretariat und dem
Lutherischen Weltbund offiziell eingesetzten Gesprächskommission auf Weltebene aus dem Jahre 1978 und "Die
Eucharistie", ein Papier der offiziellen Gesprächskommission in den USA aus dem Jahre 1967 (USA I).

Auf Weltebene begann der offizielle Dialog zwischen
Lutheranern und Katholiken allgemein 1965 und fand 1972
einen ersten Abschluß mit dem Dokument "Das Evangelium
und die Kirche"[57]. Der Gesprächsrahmen damals war so
umfassend gesteckt, daß die Behandlung spezifischer Fragen (nach dem Wesen der Eucharistie und dem kirchlichen
Amt) ausgeklammert werden mußte. Die Auseinandersetzung
mit der Eucharistie begann die Kommission in Fortführung der offiziellen Gespräche und wurde 1978 mit dem
Dokument "Das Herrenmahl" zum Abschluß gebracht. Für
dieses und manch anderes Dokument bildeten die Ergebnisse der Eucharistiediskussion in den USA (die hier
bereits 1966 aufgenommen wurden) eine wichtige Grundlage, weshalb dieses Dokument an erster Stelle vorgestellt werden soll.

1. Das Eucharistiegespräch in den USA: "Die Eucharistie".
Eine lutherisch/römisch-katholische Stellungnahme
(1967)

Anders als die bis anhin besprochenen Dokumente
will das amerikanische Papier keine möglichst umfassende Darstellung eines gemeinsamen Eucharistieverständ-
nisses bieten, sondern wendet sich bewußt den beiden
Aspekten zu, die sich in der Vergangenheit besonders

---

57 Vgl. oben, 104f.

trennend ausgewirkt haben: dem Opfercharakter der
Eucharistie und der Realpräsenz.[58]

Einleitend rücken die Teilnehmer an den Gesprächen ihre Ergebnisse ins rechte Licht:

"Was wir zu berichten haben, sind nicht so sehr
eigene Erkenntnisse als vielmehr ein Ausdruck
eines wachsenden Konsensus über das Abendmahl
unter vielen christlichen Traditionen."[59]

Was hier zusammengestellt ist, entspricht also
nicht nur der Meinung eines einzelnen Gremiums,
sondern weist auf einen allgemeinen Trend hin.

a) Die Eucharistie als Opfer[60]

In knapper und präziser Form werden hier zwei
Tatsachen genannt, die niemals umstritten und vier
Probleme behandelt, die Anlaß zu Kontroversen waren.

aa) Die alten Konsense[61]

Die Gegenwart des Gekreuzigten in der Eucharistie: Von ihrer Tradition her sprechen die Lutheraner mit mehr Zurückhaltung von der Eucharistie als
einem Opfer. Trotzdem bekennen sie gemeinsam mit den
Katholiken: in der Eucharistie ist Christus der Gekreuzigte gegenwärtig. Es ist die Gegenwart dessen,
der für unsere Sünden gestorben und für unsere Rechtfertigung wieder auferstanden ist. Christus ist gegenwärtig als das ein für allemal dargebrachte Opfer
für die Sünden der Welt und er selber schenkt sich
hier den Glaubenden.

---

58 Vgl. USA I, 97f. Vgl. auch H. Meyer, Luthertum und
    Katholizismus im Gespräch, 57.

59 USA I, 97.

60 Vgl. USA I, 98-103.

61 Vgl. a.a.O. 99.

Die Eucharistie als Lobopfer der Kirche: Eins
ist man sich in der Überzeugung, daß die Eucharistie das Lob- und Dankopfer der Gemeinde ist: durch,
mit und in Christus bringt die Kirche in der Kraft
des Geistes den Lobpreis, die Danksagung und die Fürbitte dar. Die Gläubigen bringen sich selbst als ein
heiliges und lebendiges Opfer dar, das dann im täglichen Leben seinen Ausdruck finden muß.

bb) Die Behandlung der alten Kontroversen[62]

Der Kernpunkt hier war die Frage, ob die gottesdienstliche Gemeinde im Meßopfer "Christus opfert".
Die Lutheraner haben sich gegen eine solche Vorstellung gewehrt, weil sie die Tatsache der Einmaligkeit
und die Endgültigkeit des Opfers Christi gefährdet
sahen und so eine Deutung als menschliche Ergänzung
zu Gottes Heilswerk befürchteten. Dazu wird dann im
Dokument zweierlei bekräftigt:

- Zum einmaligen Opfer Christi:
  Gottes Heilshandeln in Christus in der Inkarnation,
  im Leben, im Tod, in der Auferstehung und in der
  Erhöhung ist einmalig. In der Eucharistie wird das
  Kreuzesopfer nicht wiederholt, sondern es werden
  alle diese Ereignisse im Gedächtnis durch den Geist
  sakramental gegenwärtig. Diese gemeinsame Aussage
  ist möglich geworden, nachdem katholische Theologie
  das tridentinische Opferverständnis in Lehre und
  Praxis neu verdeutlicht hat.
- Zum Opfer der Kirche:
  Die Einheit im Leibe Christi läßt die Glieder zu
  Teilhabern an der Anbetung, Selbsthingabe und am
  Opfer Christi für den Vater werden. In dieser Ein-

---

62 Vgl. USA I, 99-103.

heit mit Christus willigen sie in der Eucharistie
ein, durch den Geist dem Vater dargebracht zu
werden.

> "Außer Christus haben wir keine Gaben, keine
> Anbetung, kein Opfer, das wir von uns aus
> Gott darbringen könnten. Wir können nichts
> anderes vorbringen als Christus, das Opferlamm
> und Opfer, das der Vater uns selbst gegeben
> hat."[63]

Die Kirche wiederholt also das einmalige Opfer
Christi nicht, sondern partizipiert an ihm.

Im weiteren werden noch die Frage der Eucharistie
als "Sühnopfer" und das Problem der Privatmessen kurz
angesprochen.

- Die Frage des Sühnopfers:

  Die Lutheraner anerkennen heute die katholische In-
  terpretation des Sühnopfers als wirksame Gegenwart
  des einmaligen Kreuzesopfers in der Eucharistie zur
  Vergebung der Sünden für das Leben dieser Welt.[64]
  Abgelehnt jedoch wird von ihnen das Verständnis der
  Eucharistie als Sühnopfer für Lebende und Verstor-
  bene. Dieses Problem bedarf noch der Klärung. (Ein
  Ansatzpunkt dafür ist auf lutherischer Seite die
  Haltung Luthers, der das Sühnopfer für die Toten
  nicht ausdrücklich verbietet.)

- Das Problem der Privatmessen:

  Die katholische Praxis der Privatmessen, der Meßintentionen und der Meßstipendien, die wiederum die

---

63 USA I, 100f.

64 H. Meyer formuliert in seiner Zusammenfassung zum
    Sühnopfer: "In der Bezeichnung des eucharistischen
    Opfers als 'S ü h n e o p f e r' geht es darum, den
    'e f f e k t i v e n' d.h. den heilswirkenden Cha-
    rakter des eucharistischen Sakramentes mit Nachdruck
    herauszustellen im Gegensatz zu einem nur zeichen-
    haften Verständnis vom Sakrament" (H. Meyer, Luther-
    tum und Katholizismus im Gespräch, 58).

Gefahr der Mißachtung der Allgenügsamkeit des
Opfers Christi in sich bergen, sind hier ein
letzter Kontroverspunkt. Dieser allerdings wird
durch die sich allmählich einbürgernde liturgische Eucharistieerneuerung aufgrund des Verständnisses des Zweiten Vatikanischen Konzils, die
Gemeinschaftsmesse der Privatmesse vorzuziehen[65],
behoben werden.

Ursprünglich war beabsichtigt, sich nur mit
der Frage des Meßopfers auseinanderzusetzen, die
als eigentlich kontroverses Problem erachtet wurde.
Im Verlauf der Diskussionen aber stellte es sich
heraus, daß das Verständnis der Eucharistie als
Opfer nicht von der eucharistischen Gegenwart Christi
getrennt werden kann, ja, daß hier der Kern der Kontroverse über das eucharistische Opfer liege. So
stellte sich die Kommission die Frage: "Begegnen wir
im Abendmahl wirklich Christus in der vollen Realität
seiner Person und seines opfernden Handelns?"[66]

---

65 Vgl. SC, Nr. 26; 27. Nr. 27 der Liturgiekonstitution
    hat folgenden Wortlaut: "Wenn Riten gemäß ihrer
    Eigenart auf gemeinschaftliche Feier mit Beteiligung
    und tätiger Teilnahme der Gläubigen angelegt sind,
    dann soll nachdrücklich betont werden, daß ihre Feier
    in Gemeinschaft - im Rahmen des Möglichen - der vom
    Einzelnen gleichsam privat vollzogenen vorzuziehen
    ist. Das gilt vor allem für die Feier der Messe -
    wobei bestehen bleibt, daß die Messe in jedem Fall
    öffentlichen und sozialen Charakter hat - und für
    die Spendung der Sakramente."

66 USA I, 103. Diese Wendung kam für manche Gesprächs-
    teilnehmer unerwartet, da die Frage der Realpräsenz
    historisch gesehen kaum kontrovers war (vgl. H. Meyer,
    Luthertum und Katholizismus im Gespräch, 60).

454

b) Die Gegenwart Christi im Abendmahl[67]

aa) Die Konsense

Fünf Aspekte der Realpräsenz können gemeinsam ausgesagt werden:

- Christus ist auf vielfältige Weise in der Welt
  gegenwärtig: in seiner Kirche, in der Taufe, im
  Verlesen der heiligen Schrift, in der Verkündigung
  des Evangeliums und im Abendmahl.

- "Wir bezeugen, daß Jesus Christus, wahrer Gott
  und wahrer Mensch, im Sakrament des Abendmahls
  voll und ganz mit seinem Leib und seinem Blut
  unter dem Zeichen von Brot und Wein gegenwärtig
  ist."[68]

- Gemeinsam anerkennen also beide Teilnehmerkreise
  das "Daß" der Gegenwart Christi in der Eucharistie
  als real, wahrhaftig und substantiell. Die Art und
  Weise dieser Gegenwart zu deuten wird positiv wohl
  kaum in Worte zu fassen sein und wird so offen
  bleiben. Die traditionell unterschiedlichen Versuche dieses "Wie" zu umschreiben (als sakramental,
  übernatürlich, geistlich), haben eines gemeinsam:

  "...sie wenden sich gemeinsam gegen eine räum-
  liche oder naturhafte Art der Gegenwart und
  gegen ein rein erinnerndes oder figuratives
  Verständnis des Sakraments."[69]

  In diesem Zusammenhang dann wird auch der ehemals
  suspekte Ausdruck "Zeichen" für die Gegenwart Christi
  aufgewertet als "wirksames Zeichen", das vermittelt,
  was es verheißt.

- Die Gegenwart Christi kommt nicht durch menschliches
  Handeln oder durch den Glauben der Gläubigen zustande, "sondern durch die Kraft des Heiligen Geistes

---

67 Vgl. USA I, 103-109

68 A.a.O. 103.

69 A.a.O. 104.

durch das Wort".[70] Trotzdem ist die Feier der
Eucharistie in der glaubenden Gemeinde eine wesentliche Voraussetzung für die Bestimmung dieses Sakramentes.

- Abschließend wird die Dauer der sakramentalen
Gegenwart nicht nur beim Empfang von Brot und
Wein, sondern während der ganzen eucharistischen
Handlung bekannt.

Zentral in dieser gemeinsamen Überzeugung ist
der gemeinsame Glauben an das "Daß" der Realpräsenz, die durch den Geist gewirkt, während der ganzen Eucharistiefeier gegenwärtig ist. Bedeutsam ist
die Tatsache, daß von katholischer Seite die Frage
nach der Aufbewahrung "nicht zu einer Testfrage für
das Bekenntnis zur Realpräsenz Christi aufgewertet"
wurde[71], somit dem Bereich des "Wie" und nicht des
"Daß" zugeordnet wurde.

bb) Ungeklärte Fragen[72]

Diese gibt es noch hinsichtlich:

- der Dauer der Realpräsenz (die über den Gottesdienst hinaus von den Lutheranern abgelehnt wird)
und der Aufbewahrung der konsekrierten Elemente.
Bei letzterer Frage allerdings handelt es sich
nicht um eine direkten Gegensatz, da auch die Lutheraner die Austeilung der konsekrierten Elemente
an die Kranken kennen (dabei allerdings, wenn diese
nicht in der Fortsetzung des Gottesdienstes geschieht, die Einsetzungsworte noch einmal sprechen);
- der Gegenwart Christi unter beiden Gestalten und
der Kommunion, die nach der Meinung der Lutheraner

---

70 USA I, 104.

71 H. Meyer. Luthertum und Katholizismus im Gespräch, 62.

72 Vgl. USA I, 105-109.

aufgrund der Stiftung Christi auch unter beiden
Gestalten empfangen werden soll. Diese Frage
wird mit der Ermöglichung der Kommunion unter
beiden Gestalten (wenigstens für bestimmte Per-
sonenkreise) durch das Zweite Vatikanische Konzil in der katholischen Kirche[73] allmählich
weitgehend überwunden. (Zudem sprechen die Lutheraner dem Abendmahl, das nur unter einer Gestalt
gereicht wird, den sakramentalen Charakter nicht
ab[74]);

- der Transsubstantiation: hier anerkennen die Lutheraner das Verständnis der Transsubstantiation
als

> "nachdrückliche Bejahung der Gegenwart von
> Christi Leib und Blut im Sakrament"

und als

> "eine Bekräftigung, daß Gott in der Eucharis-
> tie handelt und in den Elementen eine Wand-
> lung bewirkt".[75]

Abgelehnt wurde von ihnen der mit dem Begriff der
"Transsubstantiation" gemachte rationalistische
Versuch einer Erklärung des Geheimnisses der Gegenwart Christi in der Eucharistie und die unauf-
gebbare Bindung an diese Begrifflichkeit, um damit
die Wandlung in den Elementen auszudrücken. Es war
also nicht das "Daß" der Realpräsenz umstritten,
sondern das "Wie". Heute wird in der katholischen
Theologie immer deutlicher,

> "daß das Dogma der Transsubstantiation das Fak-
> tum der Gegenwart Christi und der Wandlung, die
> geschieht, bekräftigen möchte und nicht erklä-
> ren will, wie Christus gegenwärtig wird".[76]

---

73 Vgl. SC, Nr. 55.

74 Vgl. USA I, 107.

75 A.a.O. 108.

76 A.a.O. 108f.

Eine solche Deutung dann können Lutheraner als legitimen Versuch anerkennen, dem Geheimnis Ausdruck zu geben, auch wenn sie weiterhin den Begriff "Transsubstantiation" als irreführend betrachten und ihn meiden möchten.[77]

Die abschließende Bilanz (nach einem Hinweis auf die wichtigen und noch nicht behandelten Fragen zum einen nach der Rolle des gemeinsamen und des speziellen Priestertums bei der Eucharistiefeier[78] und zum anderen nach den Möglichkeiten von Interkommunion ohne volle lehrmäßige und kirchliche Gemeinschaft) lautet mit den Worten des Dokumentes hinsichtlich der beiden Konfessionen:

> "Wir sind überzeugt, daß die gegenwärtigen theologischen Tendenzen in beiden Traditionen sehr verheißungsvoll sind für eine zunehmende Konvergenz und für ein vertieftes Verständnis des eucharistischen Geheimnisses."[79]

Und hinsichtlich des Zusammenwachsens:

> "Trotz aller verbleibenden Unterschiede in der Art und Weise unseres Redens und Denkens über das eucharistische Opfer und die Gegenwart unseres Herrn in seinem Mahl können wir uns in diesen beiden Punkten nicht mehr als getrennt in dem einen heiligen katholischen und apostolischen Glauben betrachten."[80]

Durch die Beschränkung des Dokumentes auf zwei ehemalige Hauptkontroversen ist ihm eine deutliche Bestimmung und theologische Grundlegung der Konsense, der neuen Sicht ehemaliger Dissense und verbleibender

---

77 Vgl. USA I, 107ff.

78 Die Diskussion um das kirchliche Amt wurde 1970 mit folgendem Dokument zum Abschluß gebracht: Eucharistie und Amt: Eine lutherisch/römisch-katholische Stellungnahme, in: H. Meyer, Luthertum und Katholizismus im Gespräch, 111-142 (zit. USA II) (vgl. unten, 668-680).

79 USA I, 109.

80 A.a.O. 110.

Unklarheiten zu danken. Die ausführlichen Querver-
weise zum einen auf katholische und lutherische
Quellen und zum anderen auf Ergebnisse anderer ökumenischer Gespräche geben den Aussagen eine große
Transparenz und machen ihren Wert als Fundament für
die weiteren Gespräche deutlich. Ganz deutlich wird
festgestellt, daß in den hier formulierten Aussagen
über Opfer und Realpräsenz keine kirchentrennende
Aspekte mehr liegen.

Weder in diesem noch im Nachfolgedokument dieser
Kommission über das kirchliche Amt[81] aber kann die
Kommission empfehlende Aussagen hinsichtlich der In-
terkommunion machen.

2. "Das Herrenmahl" (1978)

Das Dokument der offiziellen lutherisch-katholischen Gesprächskommission auf Weltebene berücksichtigt in seinen Aussagen alle wichtigen Ergebnisse der Gespräche über die Eucharistie wie sie im
ÖRK, in der Gruppe von Dombes, mit den Anglikanern
und in den USA geführt wurden.[82] Insofern "bringt
dieser Text nichts wesentlich Neues im Vergleich zu
früheren ökumenischen Dokumenten zur Eucharistie".[83]
Der große Wert des Dokumentes liegt aber gerade in
dieser breiten Zusammenschau wichtiger Ergebnisse
(die sich nicht nur auf den lutherisch-katholischen

---

81 Vgl. USA, II, Nr. 33.

82 Vgl. Das Herrenmahl, 10f., Anm. 3.

83 Joseph Hoffmann, Erwartung und Verpflichtung, in:
    US 35 (1980), 215. Zum Entstehen und zum Umfeld des
    Dokumentes vgl. a.a.O. 203f.; Hans-Christoph Schmidt-
    Lauber, Das Herrenmahl: Zum evangelisch-lutherisch/
    römisch-katholischen Dialog auf Weltebene. D. Ger-
    hard Gülzow zum 75. Geburtstag, in: KuD 26 (1980),
    70ff.

Dialog beziehen) und deren klaren Darstellung zum
einen und zum anderen in der offiziellen Beschik-
kung der Kommission durch das Einheitssekretariat
und den LWB.[84] Der Hauptteil des Dokumentes gliedert
sich in zwei Teile: das gemeinsame Zeugnis und die
gemeinsamen Aufgaben. Im weiteren sind ihm zwei An-
hänge beigefügt, wobei der erste Texte der eucharistischen Liturgie der beiden Kirchen bietet und im
zweiten ein lutherischer (Harding Meyer) und ein
katholischer (Vinzenz Pfnür) Theologe in einigen
Exkursen zu inzwischen teilweise aufgearbeiteten
Kontroversen Stellung nehmen.[85] Hier sollen nun kurz
die beiden Bereiche des Hauptteiles vorgestellt werden.

a) Das gemeinsame Zeugnis (Nr. 6-45)

     In diesem Abschnitt wird sehr ausführlich dar-
gelegt, was Lutheraner und Katholiken gemeinsam bekennen können.

---

84 Trotz dieses offiziellen Status der Kommission ist
    das Dokument kein offizielles kirchliches Papier,
    denn es hat "zunächst keine andere Autorität als die
    ihrer Verfasser" (H.-Ch. Schmidt-Lauber, das Herren-
    mahl, 70). Damit ist das Problem der Rezeption und
    des Stellenwertes in der kirchlichen Praxis ange-
    schnitten. Mehr dazu vgl. oben, 376-379.

85 Die liturgische Feier des Herrenmahls, in: Das Her-
    renmahl, 48-84. Die Exkurse: Harding Meyer u. Vinzenz
    Pfnür, Die Gegenwart Christi in der Eucharistie
    (a.a.O. 85-90); Harding Meyer, Eucharistie - Wort -
    Verkündigung (a.a.O. 90ff.); Vinzenz Pfnür, Die Wirk-
    samkeit der Sakramente sola fide und ex opere operato
    (a.a.O. 93-100); ders., Die Messe als Sühnopfer für
    Lebende und Verstorbene ex opere operato (a.a.O. 101-
    105); Harding Meyer, Die Eucharistie als Gemeinschafts-
    mahl (a.a.O. 105-108); Vinzenz Pfnür, Eucharistie -
    Mahl der Sünder? (a.a.O. 109-114).

aa) Die Eucharistie als Vermächtnis und als Geheimnis
des Glaubens (Nr. 6-12)

Zu Beginn wird die Eucharistie als Vermächtnis
Jesu gemäß der Schrift, wie es in den liturgischen
Traditionen der Kirchen zum Ausdruck kommt, geschildert. Die Eucharistie ist das neue Paschamahl, in
dem Christus sich selber den Gläubigen zur Speise
gibt und sie so teilhaben läßt an seinem Wirken,
Leiden und Leben. Wenn immer die Christen die Eucharistie nach seinem Willen und zu seinem Gedächtnis
feiern, erhalten sie je neu Gemeinschaft mit Christus
und dadurch Vergebung der Sünden, Leben und Selig-
keit.

Anschließend wird der Geheimnischarakter der
Eucharistie umrissen:

"Das Herrenmahl ist ein Geheimnis des Glaubens
im vollsten Sinn des Wortes. Es gehört zu dem
einen umfassenden und unfaßbaren Heilsmysterium
und hat teil an dessen Geheimnischarakter: Gott
muß sich mitteilen, wenn der Mensch das Mysterium
erkennen soll, und nur in dem Maße, wie der Herr
es will und wirkt, tritt es in unseren Gesichts-
kreis. Die Eucharistie ist uns daher nur durch
das Gottesgeschenk des Glaubens zugänglich" (Nr. 7).

Dieser von Gott geschenkte Glaube ist der Glaube der
vom Geist gewirkten Gemeinschaft der Glaubenden. Daher dann ist die Eucharistie "Sache der Gemeinschaft
und in ihr Sache des einzelnen" (Nr. 9). Mit der Gegenwart Christi in der Eucharistie ist alle Gnade und
Wahrheit gegeben, wodurch die Eucharistie alle wesentlichen Aspekte der Glaubenswahrheit umfaßt.

Abschließend hier wird dann die trinitarische
Grundlage des gesamten Heilsmysteriums, wie es konzentriert in der Eucharistie zum Ausdruck kommt, hervorgehoben (Nr. 11):

"Der himmlische Vater ist der erste Ursprung und
das letzte Ziel des eucharistischen Geschehens.

Der menschgewordene Gottessohn, durch den,
mit dem und in dem es sich vollzieht, ist
dessen lebendige Mitte.
Der Heilige Geist ist die unermeßliche Liebes-
kraft, die es bewirkt und weiterhin wirksam
werden läßt."

Den Abschluß bildet die Schlußdoxolgie des Eu-
charistiegebetes, an dessen Struktur sich dann in
Inhalt und Form die weiteren Ausführungen ausrichten.

bb) Die christologische Dimension der Eucharistie
     (Nr. 13-20)

Nur durch Christus kann es die Eucharistie geben: er hat sie gestiftet, er lädt dazu ein und er
steht ihr vor. Er beruft und sendet die Diener, die
in seinem Namen der Eucharistie vorstehen. Dadurch
wird die Unverfügbarkeit der Eucharistie durch die
Menschen deutlich.

Von ihm ermöglicht und aufgrund seines Ver-
sprechens, in der Kirche gegenwärtig zu sein, können
wir mit ihm Eucharistie feiern.

"Nicht aufgrund menschlicher Verdienste noch
durch menschliche Tüchtigkeit, sondern allein
kraft seiner Gnade ereignet sich das Wunder
seiner Gegenwart" (Nr. 14).

Mit dieser Aussage kommt das Dokument auf die beon-
dere Gegenwart Christi in der Eucharistie zu sprechen[86] und hält fest:

"Im Sakrament des Abendmahls ist Jesus Christus,
wahrer Gott und wahrer Mensch, voll und ganz mit
seinem Leib und seinem Blut unter dem Zeichen
von Brot und Wein gegenwärtig" (Nr. 16).

Damit ist auch wiederum die volle Übereinstimmung im
"Daß" der Realpräsenz festgehalten.

---

86 In den Ausführungen stütz sich das Dokument auf die
    Aussagen von Windsor 1971 und USA I.

Daran anknüpfend folgt ein erstes Wort zum
eucharistischen Opfer: die Eucharistie ist das
Gedächtnis des ganzen Versöhnungshandelns (mit
der '"Konzentration auf das Kreuz und die Auferstehung"'[Nr. 17]) Gottes in Christus. Mit
allem, was Christus für uns getan hat, ist er im
Gedächtnis anwesend, genauso auch ein Vorgeschmack
seines Kommens und des Gottesreiches. Dieses Gedächtnis ist ein dynamisches Geschehen:

> "Der in unserer Mitte gegenwärtige Herr will
> uns in seine Lebensbewegung hineinnehmen"
> (Nr. 18).

In der Eucharistie nehmen wir teil an seinem Opfer
und bieten uns selber so dem Vater als Opfer dar.
Von Opfer kann nur in Verbindung mit dem einmaligen
Opfer Christi die Rede sein:

> "So wenig wir aus eigener Kraft Gott ein wirk-
> liches Opfer darbringen können, so sehr sollen
> wir durch die Kraft Christi in sein Opfer hin-
> eingenommen werden" (Nr. 18).

Mit Christus können wir sein, weil er mit uns
sein will. Er selber bietet sich uns unter den Zeichen von Brot und Wein als Speise an. Wer diese
Speise im Glauben empfängt, gelangt in die Gemeinschaft mit Christus, welche seiner Gemeinschaft mit
dem Vater ähnlich ist. Wer diese Speise empfängt,
gewinnt neues und ewiges Leben. Durch diese Gabe
Christi werden alle, die an seinem Mahle teilnehmen,
im Geist geeint und zum einen Volk Gottes auferbaut:

> "So ist das eucharistische Mahl die Quelle des
> täglich neuen Lebens des Gottesvolkes, das hier
> versammelt und im einen Glauben erhalten wird"
> (Nr. 20).

cc) Die pneumatologische Dimension der Eucharistie
(Nr. 21-28)

Zwei Aspekte kommen hier zur Sprache: der Geist
und die Eucharistie und die Eucharistie und die Kirche.

Genauso wie Christus all sein Leben und Werk
im Geist vollbracht hat, so geschieht auch heute
alles in ihm. Durch den Geist und in ihm bleiben
die Gläubigen mit Christus verbunden und nehmen an
seinem Werk teil. Auch die Feier der Eucharistie
geschieht durch sein Wirken:

> "Alles, was der Herr uns gibt, und alles, was
> uns dazu befähigt, es uns zu eigen zu machen,
> wird uns durch den Heiligen Geist zuteil"
> (Nr. 21).

Deutlicher Ausdruck dieses Glaubens ist die
Epiklese, die untrennbar mit der Anamnese verbunden
ist. Im Gedächtnis bittet die Gemeinde um den Geist
zu ihrer Erneuerung und Stärkung durch die eucharistischen Gaben. Durch das Wirken des Geistes werden
Brot und Wein zu Leib und Blut Christi; durch ihn
kommt die Gemeinde zum Glauben und wird erst so fähig zur Feier der Eucharistie; durch den Geist erfährt die Gemeinde in seinen Früchten einen Vorgeschmack des Gottesreiches. Die Epiklese wird so auch
zur Bitte um das Kommen der zukünftigen Welt.

Pneumatologisch ausgerichtet ist dann auch die
Verbindung von Kirche und Eucharistie und ihre intensive Wechselbeziehung: durch die Taufe gelangen
wir im Geist in den Leib Christi und werden durch
die Eucharistie immer neu gestärkt durch ihn immer
mehr zum einen Leib. Aus der Gemeinschaft mit Christus entsteht die Gemeinschaft der Kirche. Die Eucharistie ist Quelle und Höhepunkt kirchlichen Lebens. Deutlich betont daher das Dokument:

> "Ohne Eucharistiegemeinschaft gibt es keine
> volle kirchliche Gemeinschaft, ohne kirchliche
> Gemeinschaft keine wahrhafte eucharistische
> Gemeinschaft" (Nr. 26).

Diese Einheit betrifft zunächst alle, die am
Ort am Mahl teilnehmen, dann aber auch alle, die an
allen anderen Orten mit Christus Gemeinschaft haben
und schließlich auch alle verstorbenen Gläubigen.

Abschließend hier beklagt das Dokument die
Trennungen der Kirchen und der Menschen und ruft
dazu auf, die konkreten Konsequenzen aus der
Christusgemeinschaft im Alltag zu ziehen.

dd) <u>Die Eucharistie als Verherrlichung des Vaters</u>
<u>(Nr. 29-37)</u>

Gott hat seinen Sohn gesandt, um die Menschen
mit sich zu versöhnen, um uns in der Einheit mit
seinem Sohn mit sich zu vereinen.

> "Die Christusgemeinschaft, in die wir in der
> Eucharistie kraft des Heiligen Geistes hinein-
> genommen werden, führt letztlich hin zum ewigen
> Vater" (Nr. 29).

Diese Bewegung zum Vater hin geschieht auf vielfältige Weise:

- durch die Verkündigung der Größe Gottes und seines
  Erbarmens;
- damit zusammenhängend durch den Dank für alles, was
  er in der Schöpfung, Erlösung und Heiligung vollbracht hat, heute an uns wirkt und noch an uns voll-
  bringen wird;
- durch die Fürbitte für die Anliegen der Menschen
  und der Welt, in der sich die Gemeinde mit der Fürbitte Christi vereint weiß und
- durch den Lobpreis, womit die Eucharistie auch zum
  großen Lobopfer wird, in dem die Kirche für die ganze Schöpfung spricht.

Als letzter Ausdruck der Bewegung zum Vater hin
schließt hier das Dokument die "Hingabe" an und verbindet damit wesentliche Aussagen über das Verständnis der Eucharistie als Opfer.

Christus ist in der Eucharistie als der Hingege-
bene und als der sich Hingebende gegenwärtig und als
solcher will er weiter wirken. Auf diesen Christus
soll sich die Gemeinde einlassen und sich in seine

Hingabe hineinnehmen lassen.

"Im Mitsterben mit ihrem Herrn soll sie
bereitet werden für das Mitauferstehen"
(Nr. 34).

Durch das Gedächtnis als wirkungsvollem Erinnern[87] kommt die Kirche je neu in Kontakt mit
dem Opfer Christi, empfängt daraus neues Leben
und die Kraft, mit Christus zu sterben. Durch den
je neuen Anruf Gottes, den die Gemeinde in der
Eucharistie erfährt, wird sein vergangenes Heilshandeln gegenwärtiges Heilsangebot und Heilszu-
sage für die Zukunft.

"Alle die zu seinem Gedächtnis Eucharistie
feiern, werden in Christi Leben, Leiden, Sterben und Auferstehen einbezogen. Sie empfangen
die Früchte des Lebensopfers Christi und damit
des gesamten versöhnenden Heilshandelns Gottes.
Im Passah-Mahl des Neuen Bundes werden sie befreit und mit Gott und untereinander geeint"
(Nr. 36).

So geeint gelangen die Gläubigen in die Bewegung
seiner Selbsthingabe, seines versöhnenden Opfers.
Sie werden dadurch ausgerüstet, sich selber hinzu-
geben und in Christus geistliche Opfer für die Welt
darzubringen.

Abschließend hier macht das Dokument folgende
wichtige Aussage:

"Übereinstimmend verstehen unsere beiden Traditionen die Eucharistie als O p f e r   d e s
L o b e s . Dieses ist weder bloß verbales Lob
Gottes, noch ist es ein Zusatz oder eine Ergänzung, die Menschen aus eigener Kraft dem Lob-
und Dankopfer hinzufügen, das Christus dem Vater
dargebracht hat. Das eucharistische Opfer des

---

87 Hier greift das Dokument auf den Begriff "Memorial"
    zurück, wie er in Windsor 1971 umrissen wurde (vgl.
    oben,418f.) und der seitdem "den Weg zu einem klare-
    ren Verständnis des Verhältnisses zwischen dem
    Opfer Christi und der Eucharistie eröffnet" hat
    (Windsor 1971, Nr. 5).

Lobes ist durch das Kreuzesopfer Christi überhaupt erst möglich geworden; deshalb bleibt
dieses selbst der primäre Inhalt des kirchlichen Lobopfers" (Nr. 37).

Allein durch, mit und in Christus bringt die Kirche dem Vater in der Kraft des Geistes den Lobpreis, die Danksagung und die Fürbitte dar.

Mit diesen Aussagen bekennen sich beide Kirchen
zum Opfercharakter der Eucharistie: im Gedächtnis
wird Christi einmalige Hingabe am Kreuz neu gegenwärtig. Sie wird gegenwärtig, damit sich die Gläubigen mit dem Opfer Christi vereinigen können. Anders
als z.B. in den Aussagen von Dombes bringt hier die
Kirche Christi Opfer nicht dem Vater dar.[88] Christus
selber bleibt der Handelnde, er ermöglicht im Geist
die Vereinigung mit seinem Opfer.

ee) Die Eucharistie im Kontext der ganzen Welt und ihre
eschatologische Dimension (Nr. 38-45)

In zwei weiteren Abschnitten wird die Bedeutung
der Eucharistie für das Leben der Welt und ihre eschatologische Bedeutung beschrieben. Da darin bereits
gemachte Aussagen entfaltet werden, sollen die beiden
Aspekte nur ganz kurz erwähnt werden.

In der Eucharistie ist in Brot und Wein die gesamte Welt schon immer anwesend, in ihr sind alle
Dimensionen geschichtlichen Werdens konzentriert.
Christus als Haupt der Kirche auch das Haupt der gesamten erlösten Menschheit, hat die Kirche und die
Eucharistie gestiftet, um das Heil allen Menschen zukommen zu lassen. Dies ist die Sendung der Kirche im
Dienste Christi. An ihr haben alle in der Christusgemeinschaft Anteil und sind durch sie "befähigt und
verpflichtet zum Einsatz für alle Menschen" (Nr. 40).

---

88 Vgl. oben, 433f.

Die durch Christus Versöhnten werden so zu Dienern der Versöhnung.

Schließlich wird in der Eucharistie, in der
die Gemeinde den Tod des Herrn verkündet bis er
wiederkommt,

> "die künftige Herrlichkeit verheißen sowie
> anfanghaft erschlossen und vermittelt" (Nr. 42).

Dieser erste Teil unternimmt den Versuch, eine
Gesamtschau der Eucharistie zu bieten. Ausgangs-
und Mittelpunkt sind also nicht ehemalige Kontroversen, sondern die Rückbesinnung auf das gemeinsame
Fundament, was dann zur Darstellung des Abendmahls
in seiner eucharistischen, anamnetischen, epikletischen, gemeinschaftsstiftenden und eschatologischen
Dimension führt. Betont wird Christus, seine Person
und sein Handeln als Mittelpunkt der Eucharistie, die
trinitarische Struktur der Eucharistie und ihre ethischen Implikationen.[89]

b) **Die gemeinsamen Aufgaben (Nr. 46-77)**

Hier ist einleitend zu vermerken, daß die

> "Lehre vom Herrenmahl... - trotz aller gegen-
> seitigen Polemik und mancher Unterschiede in
> der Akzentsetzung und Praxis - zwischen der rö-
> misch-katholischen und den evangelisch-lutheri-
> schen Kirchen nie trennend gewesen"

ist.[90] Bereits der Titel gibt daher die Art und
Weise des Vorgehens an: es geht nicht darum, sich
gegenseitig abzugrenzen und sich selber darzustellen.
Es kann nur darum gehen, verbleibende Unklarheiten
gemeinsam aufzuarbeiten um sie so zu überwinden. Dabei ist es notwendig abzuklären, welche ehemals trennenden Fragen heute überwunden sind und welche Aspekte

---

89 Vgl. auch J. Hoffmann, Erwartung und Verpflichtung,
208; H.-Ch. Schmidt-Lauber, Das Herrenmahl, 76.

90 H.-Ch. Schmidt-Lauber, Das Herrenmahl, 74.

einer vollen Gemeinschaft entgegenstehen. Weiter
muß die eucharistische Liturgie dem gemeinsamen
Glauben angepaßt werden und schließlich sollten die
hier zutagegetretenen Übereinstimmungen von allen
Gläubigen rezipiert werden.

Gleich einleitend hält das Dokument fest, daß
es wohl verbleibende Differenzen gibt, diese sich
aber im Bereich der Gemeinsamkeit befinden (Nr. 47).
Folgende Themenkreise bedürfen der Überwindung unterschiedlicher Positionen:

aa) <u>Die eucharistische Gegenwart (Nr. 48-55)</u>

Hierbei handelt es sich um die Probleme der
Weise der Realpräsenz und ihre Dauer.

Lutheraner und Katholiken bekennen gemeinsam
die wahre und wirkliche Gegenwart Christi in der
Eucharistie.

Die katholische Kirche beschreibt die Wirklichkeit der Realpräsenz als Transsubstantiation[91], was
lutherischerseits als rationalistischer und naturali-
stischer Deutungsversuch abgelehnt wurde.

Die Lutheraner glauben in Analogie zur Mensch-
werdung an eine sakramentale Einheit

"aus Christi Leib und Blut einerseits und Brot
und Wein andererseits",indem Leib und Blut Christi
"in, mit und unter Brot und Wein" gegenwärtig
ist (Nr. 50).

Damit aber, so meinen die Katholiken, sei weder diese
Einheit noch die Wirkmacht von Jesu Wort "Das ist
mein Leib" genügend zum Ausdruck gebracht.

In der ökumenischen Diskussion wurde mittlerweile deutlich, daß es sich bei diesen Deutungen

---

91 Vgl. oben, 415f.

nicht mehr um kirchentrennende Gegensätze handelt.

> "Die lutherische Tradition bejaht mit der ka-
> tholischen Tradition, daß die konsekrierten
> Elemente nicht schlechthin Brot und Wein blei-
> ben, sondern kraft des schöpferischen Wortes
> als Leib und Blut Christi geschenkt werden"
> (Nr. 51).[92]

Damit besteht Übereinstimmung in der Tatsache der
Wandlung, aber Verschiedenheit in ihrer Beschreibung.

Hinsichtlich der Dauer der eucharistischen Gegenwart wird das gemeinsame Bekenntnis festgestellt,

> "daß die eucharistische Gegenwart des Herrn Jesus
> Christus auf den gläubigen Empfang ausgerichtet
> ist, daß sie gleichwohl nicht nur auf den Augen-
> blick des Empfangs beschränkt ist und daß sie
> ebenso nicht vom Glauben des Empfangenden ab-
> hängt, so sehr sie auf diesen hingeordnet ist"
> (Nr. 52).

Die katholische Kirche glaubt an diese Gegenwart,
solange Brot und Wein bestehen und verbindet damit
die Anbetung auch außerhalb der Eucharistiefeier.

Die Lutheraner kritisieren daran die Abtrennung
vom Mahlgeschehen, doch stößt ihre Praxis im Umgang
mit den übriggebliebenen Elementen katholischerseits
auf Ablehnung.

Indem sich die katholische Kirche wieder mehr
auf die ursprüngliche Bedeutung der Aufbewahrung
der Elemente als Gaben an die Kranken und Abwesenden
besinnt und Formen der Anbetung schafft, die dem
Mahlcharakter der Eucharistie nicht widersprechen
und die Lutheraner Möglichkeiten zur respektvollen
Aufbewahrung der eucharistischen Gaben zum oben genannten Zweck ins Auge fassen, kann in diesem Punkte
Abhilfe geschaffen werden. Dennoch bedarf die Frage

---

92 Vgl. mehr dazu bei Windsor 1971, 6, Anm. 2.

der Dauer der sakramentalen Gegenwart noch der weiteren Reflexion.[93]

bb) Das eucharistische Opfer (Nr. 56-61)

Zunächst wird das gemeinsame Verständnis noch einmal kurz zusammengefaßt: Christus ist in der Eucharistie als Gekreuzigter gegenwärtig. Er ist für unsere Sünden gestorben und für unsere Rechtfertigung wieder auferstanden. Er ist als Opfer gegenwärtig, das ein für allemal für die Sünden der Welt dargebracht worden ist. Dieses Opfer "kann und soll ...je neu in der Mitte der Gemeinde wirksam werden", nicht aber kann es "fortgesetzt, noch wiederholt, noch ersetzt, noch ergänzt werden" (Nr. 56). Die Unterschiede hier beziehen sich auf die Art und das Maß der Wirkung und werden nachfolgend genannt:

Die katholische Kirche glaubt mit dem Tridentinum an ein wirkliches und eigentliches Opfer, das in jeder Eucharistiefeier als Sühnopfer für Lebende und Tote dargebracht wird. Lediglich die Art der Darbringung ist zwischen Christus und der Kirche verschieden. Dieses Opfer ist kein neues oder eigenes Opfer der Kirche. Dem Opfer Christi wird nichts hinzugefügt. Durch das Einssein mit Christus gerät der Gläubige mit dem ganzen Christus in die Bewegung zum Vater hin. Hier ist sein innerer Mitvollzug erforderlich,

> "das Erkennen und Bekennen der eigenen Ohnmacht und der totalen Angewiesenheit auf die Hilfe des Herrn, der Gehorsam seinem Auftrag gegenüber, der Glaube an sein Wort und seine Verheißung" (Nr. 58).

So wird dann das tridentinische Verständnis folgendermaßen gedeutet:

---

93 Vgl. J. Hoffmann, Erwartung und Verpflichtung, 210.

"Dieses die eigene Ohnmacht bekundende, sich ganz auf Christus verlassende und ihn dem Vater vorstellende und darbringende Handeln ist gemeint, wenn die katholische Kirche zu sagen wagt, daß nicht nur Christus sich für die Menschen opfert, sondern daß auch sie ihn 'opfert'" (Nr. 58).

Durch das Einssein mit Christus und im Bewußtsein, nichts anderes als Christus, das Opfer, zu haben, bringen die Gläubigen ihn und mit ihm sich selber Gott dar.

Die evangelische Seite hat in einem solchen Opferverständnis immer die Gefährdung der Einmaligkeit von Christi Opfer gesehen. Nach lutherischem Glauben

"ist die Feier des Herrenmahls ganz darauf ausgerichtet, daß die Gabe des gegenwärtigen Kreuzesopfers als wirksames Heilsmittel an die versammelte Gemeinde ausgeteilt und von ihr im Glauben empfangen wird" (Nr. 59).

In der katholischen Vorstellung der Messe als Sühnopfer sahen die Lutheraner den Grund für das Zurücktreten der Kommunion in der Praxis, welche eine Dispensation vom gläubigen Empfang der eucharistischen Gnade und eine selbstgewaltige Opferkraft des Priesters nahezulegen schien und lehnten daher die Deutung der Eucharistie als Meßopfer ab. Allerdings anerkennen sie die Deutung der Eucharistie "als Dankopfer für das im Sakrament gegenwärtige Kreuzesopfer" (Nr. 60). Ihr Opfer mit Christus drückt sich aus in Lob und Dank und Anrufung Gottes, im Leid und in allen guten Werken der Gläubigen.

Zusammenfassend werden vier Punkte genannt, in denen Konvergenz konstatiert werden kann, was die Zuversicht nährt, auch noch die offenen Fragen klären zu können. Es handelt sich um folgende vier Punkte:

- In der Eucharistie wird das Kreuzesopfer nicht wiederholt, sondern gegenwärtig gesetzt: es wird ihm

nichts hinzugefügt, sondern seine Einzigartigkeit und seine Vollgenügsamkeit betont.

- Das ex opere operato betont die Priorität des
  Handelns Gottes.[94]
- Die gläubige Anteilnahme des einzelnen und der
  ganzen Gemeinde wird nicht ausgeschlossen: Gottes
  Handeln ermöglicht und fordert sie.
- Die gläubige Mitfeier wird nicht durch die Überzeugung beeinträchtigt, daß die Frucht der Eucharistie über die feiernde Gemeinde hinaus fruchtbar wird. Die eucharistiefeiernde Gemeinde kann
  zwar nicht über Christi Gaben verfügen, aber sie
  kann hoffen, daß er sie auch anderen zuteil werden läßt. Fürbitten und Meßintentionen wollen
  Christi Freiheit nicht einschränken.

cc) Die eucharistische Kommunion (Nr. 62-64)

Im wesentlichen geht es in diesem Abschnitt um
die Probleme der Privatmessen und der in der katholischen Kirche gebräuchlichen Kommunion nur unter der
Gestalt des Brotes.

---

94 Beim "ex opere operato" handelt es sich um die Frage
der Wirksamkeit der Sakramente. "Die katholische
Theologie legt vor allem im Anschluß an die Lehrentscheidungen des Konzils von Trient großen Wert auf
die objektive Wirksamkeit der Sakramente, die sie
vor aller personalen Verunsicherung schützen will"
(J. Finkenzeller, Von der Botschaft Jesu Christi zur
Kirche Christi, 73). Diese Wirkung "ex opere operato"
wurde nach Meinung des Konzils von Trient von den
Reformatoren mit der Auffassung der Rechtfertigung
"sola fide" abgelehnt. Heute ist aber in diesem
Punkt Übereinstimmung festzustellen: "Das Gnaden-
angebot Gottes steht und fällt nicht mit dem Glauben
oder Unglauben des Menschen. Die Wirksamkeit der Sakramente beruht nicht auf der Würdigkeit des Amtsträgers" (V. Pfnür, Die Wirksamkeit der Sakramente,
98).

Gemeinsam ist Lutheranern und Katholiken der
Glaube, daß sie in der Eucharistie Leib und Blut
real empfangen. Beide Seiten

> "bekennen, daß der gläubige Empfang des eucha-
> ristischen Brotes und Weines die persönliche
> Vereinigung mit Jesus Christus, unserem Herrn
> und Heiland, schenkt" (Nr. 62).

Ebenso ist beiden Seiten die Überzeugung gemeinsam,
daß die Wirksamkeit der eucharistischen Gaben nicht
mit menschlichen Maßstäben gemessen werden kann,
sondern dem freien und unverfügbaren Handeln Gottes
überlassen ist. Weiter sind beide Seiten eins im
Verständnis der Eucharistie als Gemeinschaftsmahl.
Die evangelische Überzeugung vom untrennbaren Zusammenhang von Eucharistiefeier und Kommunion der
Gemeinde läßt sie den Brauch von Privatmessen ablehnen. Da aber mit dem Zweiten Vatikanischen Konzil
gemeinschaftlichen Feiern vor den individuellen der
Vorzug gegeben wird[95], ist in diesem Punkt eine wichtige Annäherung in der eucharistischen Praxis erreicht.

Beide Seiten sind der Auffassung, "daß zur Vollgestalt der Eucharistie Brot und Wein gehören" (Nr. 64).
Katholischerseits wird aus praktischen Gründen und aus
der Überzeugung, daß Christus in jedem Element voll
gegenwärtig ist, meist die Kommunion nur unter der Gestalt des Brotes gereicht. Für die Kirchen aus der Reformation ist

> "die stiftungsgemäße Vollkommenheit und Ganzheit
> des sakramentalen Zeichens gemäß den Einsetzung-
> worten Christi" (Nr. 64)

nur dann gewährleistet, wenn alle auch den Kelch
empfangen. Trotzdem aber anerkennen auch sie die
volle Gegenwart Christi unter jeder der beiden Ge-

---

95 Vgl. SC, Nr. 27.

stalten und kennen in Ausnahmefällen selber die
katholische Praxis. Durch die erweiterten Möglichkeiten der Kommunion unter beiden Gestalten mit
dem Zweiten Vatikanischen Konzil[96] ist in dieser
Frage in Lehre und Praxis (trotz weiterhin bestehender Unterschiede) kein kirchentrennender Charakter mehr festzustellen.

dd) <u>Das eucharistische Dienstamt (Nr. 65-68)</u>

In diesem kurzen Abschnitt wird angedeutet,
was in einem Nachfolgedokument ausführlich behandelt
werden wird: das kirchliche Amt.[97]

Grundlegend eins wissen sich die beiden Kirchen
nach den Worten des Dokumentes,

"daß zur Eucharistie die Leitung des kirchlicher-
seits dazu bestellten Dienstes gehört" (Nr. 65).

Für die katholische Kirche ist für diesen Diener die sakramentale Ordination notwendig, ohne die
die Fülle des eucharistischen Mysteriums nicht gegeben ist.[98]

Nach lutherischem Verständnis wird die Eucharistie auch vom ordinierten Pfarrer geleitet, dessen
Aufgabe die Verkündigung des Evangeliums und die
evangeliumsgemäße Sakramentenverwaltung ist. Das
kirchliche Amt ist eine göttliche Stiftung, die Ordination aber wird üblicherweise nicht als Sakrament
bezeichnet.

Allgemein anerkennen beide Kirchen eine bereits
große Konvergenz in dieser Frage, empfehlen die Prüfung einer gegenseitigen Anerkennung der Ämter und
nennen die wesentlichen Punkte, die bis dahin noch

---

96   Vgl. SC, Nr. 55.

97   Vgl. unten, 691-714.

98   Vgl. UR, Nr. 22.

geprüft werden müssen. Da all dies später ausführlicher dargelegt wird, können an dieser Stelle
diese kurzen Andeutungen genügen.

ee) Die eucharistische Gemeinschaft (Nr. 69-73)

> "Gemeinsam bekennen katholische und lutherische
> Christen, daß Jesus Christus alle, die mit ihm
> verbunden sind, auch untereinander verbindet"
> (Nr. 69).

Daran anschließend wird noch einmal betont, daß
nach katholischem Verständnis zur eucharistischen
Gemeinschaft auch die Verstorbenen dazugehören,
weshalb es "das fürbittende Gedenken der Verstorbenen" kennt (Nr. 70). Auch für die Lutheraner wird
in der Eucharistie der Zusammenhang von himmlischer
und irdischer Gemeinde ausgedrückt, doch lehnen sie
die Anrufung der Heiligen ab.

In einem weiteren Abschnitt werden noch einmal
kurz die katholischen Regelungen betreffs der Abendmahlsgemeinschaft in Erinnerung gerufen, die eine
bereits heute mögliche Zulassung zur Eucharistie nur
in Notfällen vorsieht[99] und die weitere Zulassungspraxis der lutherischen Kirchen aufgrund der bereits
bestehenden Gemeinsamkeiten und der Taufanerkennung,
die sie die Gültigkeit der Eucharistiefeier der anderen anerkennen lassen, erwähnt. Es wird hier also
lediglich auf die herrschende Praxis in den beiden
Kirchen aufmerksam, aber keine weiterreichende Empfeh-
lung gemacht.

ff) Die liturgische Gestaltung der Eucharistiefeier und
die Rezeption der Gesprächsergebnisse (Nr. 74-77)

Für die liturgische Gestaltung gilt grundsätzlich:

---

99 Vgl. oben, 12-18.

"Die glaubend bejahte Wahrheit über das Herrenmahl muß Gehalt und Gestalt des liturgischen
Tuns bestimmen" (Nr. 74).

Daher wird aufgrund der festgestellten Gemeinsamkeiten in der Eucharistielehre eine Erneuerung der
eucharistischen Liturgie in beiden Kirchen notwendig. Diese Erneuerung hat in der Treue gegenüber
dem Willen des Herrn und mit Rücksicht auf die Mit-
menschen mit ihren Schwierigkeiten und Möglichkeiten
zu erfolgen. Betont wird die Vielfalt der Möglichkeiten in der liturgischen Gestaltung, der jedoch
eine Gemeinsamkeit in einigen Grundvollzügen zugrunde liegen soll.

Neben den in den Kirchen bereits anerkannten
konstitutiven Elementen, die die Ganzheit der eucharistischen Feier zum Ausdruck bringen (Verkündigung,
Danksagung, Anamnese, Einsetzungsworte, Epiklese,
Fürbitte, Vaterunser, Kommunion) haben die Kirchen
folgende Wünsche für die Erneuerung der eucharistischen Liturgie aneinander:

Die Lutheraner an die Katholiken:
- die Vermeidung von Privatmessen,
- die bessere Verwirklichung der Verkündigung,
- die Kommunion unter beiden Gestalten.

Die Katholiken an die Lutheraner:
- der öftere Vollzug des Abendmahls,
- die größere Beteiligung der ganzen Gemeinde,
- die engere Verknüpfung von Wort- und Sakraments-
  gottesdienst.

Abschließend empfiehlt das Dokument diese Diskussionsergebnisse allen Gläubigen zum Studium, damit
diese das gemeinsame Zeugnis über das Herrenmahl beantworten und mitverantworten, denn eine

"theologische Lehre bleibt eine Theorie einzelner,
solange sie nicht vom ganzen Volk Gottes bejaht
und mitgetragen wird. Selbst konziliare Aussagen

kommen erst voll zur Wirkung, wenn sie im
Leben und Denken der Gläubigen Gestalt annehmen" (Nr. 77).

Dieses "Herrenmahl"-Dokument ist wiederum ein
breit angelegtes Beschreibungspapier der derzeiti-
gen Lage im lutherisch-katholischen (und auch dem
darüber hinausreichenden) Eucharistiegespräch und
stellt daher auch eine Zusammenfassung der meisten
in diesem Raum geführten Gespräche dar.

Im ersten Teil wird eine Gesamtschau der Eucharistie geboten, die nicht nur ein theologischer Text
sein will, sondern vielmehr auch ein gemeinsames
Zeugnis (daher dann auch die liturgische Ausrichtung)
der geglaubten Sache. Der bedeutungsvolle Schritt besteht darin, daß das Verständnis der Eucharistie in
einer gemeinsamen Glaubenssprache beschrieben werden
kann und damit unterschiedliche Verstehensmuster zu
großen Teilen überwunden werden konnten. Diesem breiten Konsens werden die zu klärenden Fragen beigefügt, bei denen bereits eine teilweise Übereinstimmung
festgestellt werden konnte. Nähere Reflexion brauchen
weiterhin vor allem die Fragen der Dauer der Realpräsenz, die Wirksamkeit der Sakramente, die Eucharistie
als Sühnopfer für Lebende und Verstorbene, die Privatmesse und der Laienkelch. Indem das Dokument sehr de-
tailliert auch auf kontroverse Fragen eingeht, ist es
in die traditionelle Methode des ökumenischen Gesprächs
einzuordnen; insofern es eine breite gemeinsame Gesamtschau der Eucharistie bietet, ermöglicht es ansatzhaft einen Rahmen, in dem alte Kontroversen und
traditionelle Fragestellungen überwunden und gemeinsame Deutungen gewonnen werden können. Es macht aber,
indem es die Unterschiede lediglich benennt, selber
inhaltlich keine neuen Vorschläge, welche Wege konkret zur Überwindung führen könnten. Daher und aus dem
Bewußtsein um die schwierige Problematik des kirch-

lichen Amtes, ist das Dokument sehr zurückhaltend
mit allgemeinen Aussagen über den nicht mehr kirchentrennenden Charakter der Lehre von der Eucharistie und konkreten Empfehlungen hinsichtlich einer
teilweisen Abendmahlsgemeinschaft.

Das Dokument wird allgemein als großer Schritt
der Kirchen zueinander und als wesentlicher Beitrag
zur theologischen Klärung wesentlicher Fragen zwischen den Kirchen gewertet. In einigen Besprechungen
des Textes wird eine gewisse Enge der Sprache kritisiert und auf die Gefahr hingewiesen, daß durch die
detaillierte Aufzählung alter Kontroversen diese
wiederum zu stark in den Vordergrund treten und so
den großen Konsens in Frage stellen könnten.[100]

---

100 Zu detaillierteren Kommentaren und Würdigungen des
Dokumentes vgl. z.B. Albert Ebneter, Eucharistie und
Ökumene, in: Orien. 44 (1980), 134f.; J. Hoffmann,
Erwartung und Verpflichtung, 215ff.; Peder Højen,
"Das Herrenmahl"-Ein ökumenischer Fortschritt?, in:
US 35 (1980), 243-247; Katholisch-lutherischer Kon-
sens über die Eucharistie, in: HerKorr 32 (1978),
592ff.; Marc Lienhard, Erwartung und Verpflichtung,
in: US 35 (1980), 220ff.; 229; Otto Hermann Pesch,
Ein Stück Rezeption, in: US 35 (1980), 200ff.; Sigis-
bert Regli, Weitgehend eins in der Lehre vom Herren-
mahl, in: SKZ 147 (1979), 547ff.; Paul-Werner Scheele,
"Zeichen der Hoffnung". Weihbischof Paul-Werner
Scheele über das Dokument "Das Herrenmahl", in: KNA,
Dokumentation Nr. 16/1979, 1-5; H.-Ch. Schmidt-Lauber,
Das Herrenmahl, 74ff.; Heinz Schütte, Das Herrenmahl-
dokument: Ein Schritt zur sichtbaren Einheit in einem
Glauben und in einer eucharistischen Gemeinschaft,
in: Was hindert uns?, 105-124; ders., Sakramente und
Kirche: Das Herrenmahl im ökumenischen Dialog, in:
KNA, Ökumenische Information Nr. 27/1979, 5-10 und
Nr. 28/1979, 5-9. Lars Thunberg, "Das Herrenmahl"-
Bewertung einer ökumenischen Bilanz, in: US 35 (1980),
230-242. Vgl. allgemein auch Alexander Gerken, Gemein-
sames und Trennendes im katholischen und evangelischen Abendmalsverständnis, in: Cath(M) 27 (1973),
312-328. - Beachtenswert ist auch das Referat von
A. Backhaus, der ausgehend von gewissen Aussagen des
Herrenmahldokumentes über die Epiklese, die Realpräsenz und das Amt die Aufsplitterung in der Euchari-

stiediskussion in verschiedene Aspekte kritisiert
und demgegenüber die Geschlossenheit des Euchari-
stieverständnisses und Eucharistieglaubens betont,
wie sie in der orthodoxen Liturgie zum Ausdruck
kommt. Daher kann es für die orthodoxen Kirchen
(wie bereits dargelegt) keine teilweise Annäherung
in Einzelfragen und darum auch keine teilweise
Abendmahlszulassung geben (vgl. Ambrosius Backhaus,
Das Herrenmahl: Eine orthodoxe Betrachtung zu dem
gleichnamigen Dokument der römisch-katholischen/
evangelisch-lutherischen Kommission, Ökumenische
Centrale, Materialdienst Nr. 17, November 1980). -
Gespräche, die u.a. auch die Eucharistie behandeln,
finden auch zwischen der katholischen Kirche und
den orthodoxen Kirchen statt. Da aber zwischen diesen Kirchen die Eucharistie gegenseitig anerkannt
ist (vgl. A. Gerken, Theologie der Eucharistie,
229) und daher bereits eine teilweise Sakraments-
gemeinschaft möglich ist, die Abendmahlsgemeinschaft einschließt (vgl. oben, 16f.) sei hier nur
kurz auf ein Dokument hingewiesen: Katholisch-orthodoxe Dialogkommission, Das Geheimnis der Kirche und
der Eucharistie im Licht des Geheimnisses der Heiligen Dreifaltigkeit, in: US 37 (1982), 334-340. -
Vgl. dazu auch Dimitri Salachas, Der theologische
Dialog zwischen der römisch-katholischen und der
orthodoxen Kirche: "Das Mysterium der Kirche und
der Eucharistie im Lichte des Geheimnisses der Heiligen Dreifaltigkeit", in: Cath(M) 37 (1983), 140-
161. Vgl. auch Anastasios Kallis, Gemeinschaft der
Agape: Zum Eucharistieverständnis der Orthodoxie,
in: Was hindert uns?, 79-89; John Meyendorff, Zum
Eucharistieverständnis der orthodoxen Kirchen, in:
Conc(D) 3 (1967), 291-294.

§ 12 DOKUMENTE AUS DEM INNEREVANGELISCHEN RAUM

Die Kirchen der Reformation sind trotz aller Gemeinsamkeiten bis heute gespalten geblieben. Vereinigungen sind
bisher nur teilwese gelungen (z.B. aufgrund der Leuenberger
Konkordie). Die vorhandenen Gemeinsamkeiten jedoch ermög-
lichten in vielen Fällen bereits die gegenseitige Erklärung
von Kanzel- und Abendmahlsgemeinschaft ohne volle Kirchengemeinschaft. Die Mehrzahl lutherischer und reformierter Kirchen leben faktisch in Abendmahlsgemeinschaft.[1]

Die Abendmahlsgemeinschaft dieser Kirchen ist ohne die
volle Übereinstimmung in der Lehre vom Abendmahl möglich. In
den Bemühungen, die verschiedenen Kirchen aus der Reformation
einander näherzubringen, war dann auch die Behandlung der
Abendmahlsfrage ein wesentlicher Punkt, um die unbefriedigen-
de Situation von Abendmahlsgemeinschaft ohne volle Übereinstimmung in der Abendmahlslehre zu lösen.[2]

In diesem Abschnitt werden kurz die Ergebnisse vor allem
lutherisch-reformierter Gesprächskommissionen verschiedener
Länder, aber auch ein Abschnitt aus dem Gespräch zwischen Lutheranern und Anglikanern vorgestellt. Bis auf die Arnoldshainer Abendmahlthesen sind alle diese Aussagen zum Abendmahl
im Zusammenhang mit umfassenderen Konsensdarlegungen und Ge-
sprächsergebnissen gemacht worden[3] und erscheinen daher ge-
raffter als in den bisher vorgestellten Dokumenten.

---

1   Vgl. oben, 21-30.

2   Vgl. M. Lienhard, Lutherisch-reformierte Kirchengemein-
     schaft heute, 89.

3   Vgl. zum allgemeinen Gesprächsverlauf oben, 140-151.

I. Die Arnoldshainer Abendmahlsthesen (1957)

Im Jahre 1957 veröffentlichte die vom Rat der
EKD eingesetzte Kommission für das Abendmahlsgespräch
in der EKD erstmals ihre Thesen zum Abendmahl. Diese
Thesen wurden in der Kommission einstimmig angenommen.
Die Teilnehmer aus den lutherischen, reformierten und
unierten Bekenntnissen waren sich einig, daß sie

"auf die Frage nach Wesen, Gabe und Empfang des
Heiligen Abendmahls gemeinsam antworten können".[4]

Die Thesen fanden nach ihrer Veröffentlichung und
der Bitte nach Stellungnahme eine sehr große Resonanz.
Die Fülle von zustimmenden und kritischen Stimmen ist
immens und kann daher an dieser Stelle nicht voll miteinbezogen werden.[5] Die Kommission der EKD für das
Abendmahlsgespräch hat die eingegangenen Stellungnahmen
geprüft, sah sich aber nicht in der Lage, die 1957 ver-
abschiedeten Thesen zu ändern. Vor allem aufgrund der

---

4   Die Arnoldshainer Thesen, 60.

5   Zu der Diskussion um die Arnoldshainer Thesen vgl.
    z.B. Wim Boelens, Das Abendmahlsgespräch in der
    evangelischen Kirche, in: Conc(D) 3 (1967), 312-321;
    ders., Die Arnoldshainer Abendmahlsthesen, Assen 1964;
    Alfred Haas, Die Abendmahlsgemeinschaft in der EKD,
    in: Theologische Existenz heute 81, München 1960;
    Karl-Hermann Kandler, Luther, Arnoldshain und das
    Abendmahl, Berlin 1970; August Kimme, Der Inhalt der
    Arnoldshainer Abendmahlsthesen, in: Luthertum Heft
    23, Berlin 1960; Johannes Meister, Die Frage der
    Abendmahlsgemeinschaft seit den Arnoldshainer Thesen,
    in LM 3 (1964), 308-312; Gottfried Niemeier (Hg.), Zur
    Lehre vom Heiligen Abendmahl: Bericht über das Abend-
    mahlsgespräch der Evangelischen Kirche in Deutschland
    1947-1962 und Erläuterungen seiner Ergebnisse, Mün-
    chen 1964; ders. (Hg.), Lehrgespräch über das heilige
    Abendmahl: Stimmen und Studien zu den Arnoldshainer
    Thesen der Kommission für das Abendmahlsgespräch der
    EKD, München 1961; A. Peters, Zum Schlußbericht der
    Arnoldshainer Abendmahlskommission, 202-209.

Stellungnahme einer Kommission der VELKD[6] aber be-
schloß die Kommission, den Thesen Erläuterungen beizufügen (die wiederum einstimmig verabschiedet wurden), was dann 1961 zum Schlußbericht der Arnoldshainer
Abendmahlskommission führte.[7] Hier nun eine kurze Vorstellung dieses Schlußdokumentes.

1. Die Stiftung und die eschatologische Ausrichtung des
   Abendmahls (These 1)

a) Die Stiftung

   Für das Dokument gründet das Abendmahl in der
Stiftung und im Befehl Christi, der der für uns ge-
storbene und auferstandene Herr ist. In den Erläuterungen dazu wird dreierlei festgehalten: Diese
Aussagen über Stiftung und Befehl

- schließen eine rein kultgeschichtliche Deutung des
  Abendmahls aus,
- gründen in den Berichten der Urgemeinde über das
  letzte Abendmahl Jesu mit seinen Jüngern und
  schließen den Auftrag mit ein, bis zum Mahl im
  Reich Gottes in der Mahlgemeinschaft zu verbleiben,
- bedürfen an dieser Stelle keiner Behandlung historischer Einzelfragen.

Die abendmahlsfeiernde Gemeinde handelt also nicht
aus sich heraus, sondern auf Befehl und im Auftrag
des Herrn.

---

6   Vgl. Stellungnahme des theologischen Ausschusses
    der Vereinigten Evangelisch-lutherischen Kirche in
    Deutschland, in: LR 10 (1960/61), 69-72. Vgl. hier
    auch Stellungnahme einer Arbeitsgruppe des Aus-
    schusses für Glauben und Kirchenverfassung, in:
    LR 10 (1960/61), 72ff.

7   Der Schlußbericht der Arnoldshainer Abendmahls-
    kommission, in: LM 1 (1962), 132ff. (zit. Schluß-
    bericht).

b) Die eschatologische Dimension

> "Im Abendmahl lädt der erhöhte Herr die Seinen
> an seinen Tisch und gibt ihnen jetzt schon An-
> teil an der zukünftigen Gemeinschaft im Reiche
> Gottes."[8]

Diese wichtige Aussage über die eschatologische
Dimension des Abendmahls ist gegenüber den Lehr-
traditionen neu und beinhaltet den Glauben: das
Abendmahl der Gemeinde ist mehr als die Fortsetzung
einer Handlung des irdischen Jesus. Da er als erhöhter dazu einlädt, ist seine Feier auch schon end-
zeitliches Ereignis.[9]

2. Das Abendmahl als gottesdienstliche Handlung
   (Thesen 2 und 3)

Christus selber ist es, der in dem, was die
Kirche tut, durch sein Wort im Geist als gegenwär-
tiger Herr handelt. Wie in der Predigt, der Taufe
und der Sündenvergebung schenkt er uns im Abendmahl
"die Gaben des rettenden Evangeliums".[10] In der Erläuterung wird dann die besondere Weise des Gnaden-
geschehens im Abendmahl festgehalten: Der Herr, der
sich in der Verkündigung, in der Taufe und im Abendmahl schenkt, ist derselbe, aber er tut es in je verschiedener Weise. Das Besondere im Abendmahl liegt
darin,

> "daß Jesus Christus sich uns in seinem Leib und
> Blut durch sein verheißendes Wort hier in der
> Darreichung von Brot und Wein gibt".[11]

---

8   Schlußbericht, 132. (Auf die Wiedergabe der Thesen
    in Kursivschrift aus der Vorlage wird hier und im
    folgenden verzichtet.)

9   Vgl. M. Lienhard, Lutherisch-reformierte Kirchenge-
    meinschaft heute, 90.

10 Schlußbericht, 132.

11 A.a.O. 132.

Unterschiedliche Überzeugungen bestehen weiterhin darin, ob Christus über diese Gaben hinaus im Abendmahl noch eine spezifische Gabe schenkt.[12]

Im weiteren (These 3) betont das Dokument den Gemeinschaftscharakter des Abendmahls, die untrennbare Verbindung von Abendmahl und Verkündigung des Heilstodes Jesu und schließlich die gottesdienstliche Form:

> "Unter Gebet, Danksagung und Lobpreis werden
> Brot und Wein genommen, die Einsetzungsworte
> des Herrn gesprochen und Brot und Wein der
> Gemeinde zum Essen und Trinken dargereicht."[13]

Die Erläuterungen gehen anschließend etwas näher darauf ein, was durch den Vollzug des Abendmahls geschieht: Brot und Wein werden ausgesondert und in den Dienst des Mahles gestellt. Nach der Überzeugung der Kommission ist ein eigentlicher Konsekrationsakt nicht erforderlich und eine besondere Lehre von der Konsekration nicht wesentlich für das Verständnis von Wesen, Gabe und Empfang des Abendmahles.

Abschließend hier beschreibt das Dokument das Abendmahl als Gedächtnis des Versöhnungstodes Christi,

---

12 Hierbei geht es um die Frage, ob im Wort und im Sakrament dieselbe Gabe oder ob durch die spezifische Gegenwart Christi im Abendmahl auch eine spezifische Heilsgabe geschenkt werde. Vgl. mehr dazu bei M. Lienhard, Lutherisch-reformierte Kirchengemeinschaft heute, 90f.

13 Schlußbericht, 133. Hier treffen sich die evangelischen Bekenntnisse in ihrer Auffassung gegen die katholische Praxis der Privatmesse und der Auffassung der Wirksamkeit des Sakramentes als "opus operatum". Kritisiert wurde allerdings lutherischerseits, daß die Einsetzungsworte nur als Verkündigung und nicht als Konsekrationsworte verstanden werden, da gegenüber der Konkordienformel das "Segnen" entfallen ist. Dieser Kritik dann kommen die Erläuterungen entgegen (vgl. M. Lienhard, Lutherisch-reformierte Kirchengemeinschaft heute, 91f.).

als Bekenntnis der Gegenwart des Auferstandenen
und als Erwartung seiner Wiederkunft.

3. Das Abendmahlsgeschehen (Thesen 4 und 5)

In These 4 wird das Abendmahlsgeschehen geschildert und in These 5 unangemessene Beschreibungen dieses Geschehens aufgezählt.

a) Die Gabe des Abendmahls

Die Einsetzungsworte selber geben darüber Auf-
schluß, was Christus den am Mahl Teilnehmenden
schenkt:

> "Er, der gekreuzigte und auferstandene Herr, läßt
> sich in seinem für alle in den Tod gegebenen und
> seinem für alle vergossenen Blut durch sein ver-
> heißendes Wort mit Brot und Wein von uns nehmen
> und nimmt uns damit kraft des Heiligen Geistes in
> den Sieg seiner Herrschaft, auf daß wir im Glauben
> an seine Verheißung Vergebung der Sünden, Leben
> und Seligkeit haben."[14]

Im Abendmahl macht sich Christus selber real gegenwärtig, um sich allen im Mahl zu schenken. Er selber
ist die Gabe des Abendmahls.[15] Im Abendmahl begegnet
derselbe, der am Kreuz für unsere Sünden gestorben
und auferstanden ist. Die Erläuterungen betonen:

> "Leib und Blut Jesu Christi sind nichts anderes
> als Jesus Christus selbst."[16]

Über das Verhältnis von Brot und Wein zu Leib und Blut
Christi wird nur soviel ausgesagt, als daß Brot und
Wein

---

14 Schlußbericht, 133.

15 Dies bedeutet die Aufgabe der Überzeugung der Existenz des Leibes Christi im Himmel (vgl. M. Lienhard,
Lutherisch-reformierte Kirchengemeinschaft heute, 92).

16 Schlußbericht, 133.

"von Jesus Christus erwählte Mittel für die
Gaben seines Leibes und Blutes sind".[17]

Die Vermittlung der Gaben geschieht durch das verheißende Wort und den Empfang der Elemente. Hierbei
sind unter den verschiedenen evangelischen Bekenntnissen die genaue Bedeutung des Wortes (Verkündigung
und/oder Konsekration) und die Frage, ob der Hauptakzent auf der Handlung des Empfangs liege oder auf
den Elementen, weiterhin nicht restlos geklärt.[18]

Mit dem Hineingenommenwerden in den Sieg von
Christi Herrschaft durch den Empfang der Gaben
schließlich verbinden sich Konsequenzen für unser Handeln, ergeben sich ethische Implikationen.[19]

b) Die Abgrenzungen

Das Dokument lehnt aufgrund des gemeinsam formulierten Verständnisses folgende Deutungen des Abendmahlsgeschehen ab:

- die Verwandlung von Brot und Wein in eine überna-
  türliche Substanz, wodurch Brot und Wein nicht mehr
  Brot und Wein sind;
- die Wiederholung des Heilsgeschehens im Abendmahl;
- die Darreichung eines naturhaften oder übernatür-
  lichen Stoffes im Abendmahl;
- den Parallelismus von leiblichem und seelischem
  Essen;
- das leibliche Essen als seligmachende Speise oder

---

17 Schlußbericht, 133.

18 Vgl. M. Lienhard, Lutherisch-reformierte Kirchenge-
    meinschaft heute, 95f. Dieser Abschnitt war dann
    auch der am meisten diskutierte und anschließend
    der meist kritisierte (vgl. A. Peters, Zum Schluß-
    bericht der Arnoldshainer Abendmahlskommission, 208).

19 Vgl. auch M. Lienhard, Lutherisch-reformierte Kir-
    chengemeinschaft heute, 97.

das Anteilhaben am Leib und Blut Christi als
rein geistigen Vorgang.

4. Der Gemeinschaftscharakter des Abendmahls
   (Thesen 6 und 7)

Durch seine Versöhnungstat ist Christus Anfang
und Haupt einer neuen Schöpfung. Durch den Empfang
seines Leibes und Blutes werden die Gläubigen in
seinem Leib, der Kirche, geeint und so teilhaftig
am neuen Bund, den Christus durch seinen Tod gestiftet hat. Durch die Gemeinschaftserfahrung im Abendmahl wird für die Gemeinde deutlich, daß Leid und
Trennung in Christus durchbrochen wurden

"und der Herr in der Mitte der begnadigten Sünder den Anfang einer neuen Menschheit setzt".[20]

Im Abendmahl also gelangen wir in die Gemeinschaft mit Christus und untereinander und werden so
zum lebendigen Zeichen der in Christus versöhnten,
neuen Menschheit.

Im Abendmahl gelangt die Gemeinde in den Lebens-
weg Christi, der vom Kreuz gekennzeichnet ist. Dieses
Kreuz ist der Gemeinde Wegweiser in die Wirklichkeit
der Welt:

"Wo wir schwach sind, da ist die Gnade Gottes
mächtig. Wenn wir sterben, leben wir mit ihm."[21]
Da der Sieg Christi noch verborgen ist, bedarf die
Kirche der Stärkung in der Sendung und der Abwehr von
Schwärmerei und Schlaffheit. Diese Stärkung empfängt
sie je neu im Abendmahl.

Die Gemeinschaft der Versöhnten ist eine Gemeinschaft der Liebe und verdankt sich allein der Liebe

---

20 Schlußbericht, 133.
21 A.a.O. 133.

des Herrn. In seiner Nachfolge

"sollen auch wir allen denen, die uns nötig
haben, teilgeben an allem, was wir sind und
haben".[22]

Diese beiden Thesen waren unumstritten und erscheinen daher im Schlußdokument ohne ergänzende Anmerkungen.

5. Der gläubige Empfang des Abendmahls (These 8)

"Der Glaube empfängt, was ihm verheißen ist, und
baut auf diese Verheißung und nicht auf die eigene Würdigkeit."[23]

Daher warnt das Dokument vor jedem Mißbrauch und jeder Mißachtung des Abendmahls, um nicht die Würde
der Gaben zu verletzen und so Gottes Gericht zu pro-
vozieren. In der Erläuterung dazu wird betont,

"daß im Abendmahl Jesus Christus sich selbst vor
behaltlos allen, die Brot und Wein empfangen,
gibt, den Glaubenden zum Heil, den Verächtern
zum Gericht".[24]

Diese Aussage verdeutlicht noch einmal, daß die Gabe
allein an Christi Handeln und nicht an menschliches
Tun gebunden ist.

Abschließend betont das Dokument die Universa-
lität der Einladung Christi zum Mahl und hält fest,
daß allen, die nach der Gerechtigkeit Gottes ver-
langen, die Sündenvergebung verheißen ist.

Das Ziel der Arnoldshainer Abendmahlsgespräche
und der daraus hervorgegangenen Thesen war die theologische Fundierung der faktischen Abendmahlsgemeinschaft
und die allmähliche Verwirklichung der Kirchengemein-

---

22 Schlußbericht, 133.

23 A.a.O. 133.

24 A.a.O. 134.

schaft. Dieses Ziel konnte nicht erreicht werden. Das
Dokument selber deutet in der Präambel an:

"Was dieser Ertrag der bisherigen Arbeit für die
Fragen der Abendmahlsgemeinschaft und der Kirchengemeinschaft bedeutet, bedarf weiterer theologischer Bemühungen."[25]

Noch immer besteht also innerhalb der EDK keine volle
Kirchengemeinschaft.[26] Dennoch bedeuten diese Gespräche
einen großen Fortschritt: die Thesen zeugen von einem
breiten Konsens im Abendmahlsverständnis. Es ging in
diesen Gesprächen nicht primär darum, alte Kontroversen aufzuarbeiten,

"sondern neu die Fülle des biblischen Zeugnisses vom
Abendmahl zur Sprache zu bringen".[27]

Aufgrund dieses gemeinsamen Fundamentes ergab sich eine
Erweiterung des traditionellen Abendmahlsverständnisses.
Deutlichster Ausdruck dafür ist die Betonung des eschatologischen Aspektes des Abendmahls.[28] Anders als in den
nachfolgend vorzustellenden Dokumenten fehlt in diesen

---

25 Die Arnoldshainer Thesen, 61.

26 Vgl. J. Meister, Die Frage der Abendmahlsgemein-
    schaft seit den Arnoldshainer Thesen, 311. Die
    Stellungnahme der VELKD meint dazu kritisch: "Es
    zeigt sich aber schon jetzt, daß die Arnoldshainer
    Thesen vielfach als theologische Rechtfertigung ei-
    ner weithin im deutschen Protestantismus bereits
    geübten Abendmahlsgemeinschaft verstanden und als
    kirchliches Bekenntnis gewertet werden" (Stellung-
    nahme des theologischen Ausschusses der Vereinigten
    Evangelisch-lutherischen Kirche in Deutschland, 72).

27 M. Lienhard, Lutherisch-reformierte Kirchengemein-
    schaft heute, 97.

28 Vgl. a.a.O. 97.

Thesen eine Aussage zum Opfercharakter des Abendmahls.[29]

Der hier vorgestellte Konsens in der Abendmahlsfrage kann nicht darüber hinwegtäuschen, daß noch
nicht alle Probleme ausgeräumt sind. Einer weiteren
Klärung in dieser Gesprächsgruppe bedürfen die Fragen nach dem Proprium des Abendmahls, nach dem Verhältnis der Gabe Christi zu den Elementen des Abendmahls und nach der Konsekration. Aufgrund der kritischen Stellungnahmen müssen dabei auch die Fragen nach
dem Verhältnis der Tradition zu dieser neuen gemeinsamen Grundlage, nach der kirchlich verbindlichen Lehre
dieses gemeinsamen Verständnisses und nach der Möglichkeit der Überwindung alter Denkmodelle mitberücksich-
tigt werden.[30] Um diesen Fragen nachzugehen und die
Konsequenzen für die Abendmahlsgemeinschaft zu prüfen,
hat das Dokument die Gründung einer neuen Kommission
angeregt.[31]

---

29 Vgl. Johannes Betz, Der Opfercharakter des Abend-
    mahls im interkonfessionellen Dialog, in: Theologie
    im Wandel, Festschrift zum 150jährigen Bestehen der
    katholisch-theologischen Fakultät an der Universität
    Tübingen, 1817-1967, TThR Bd. I, München-Freiburg
    1967, 478; Otto Karrer, Die Eucharistie im Gespräch
    der Konfessionen, in: US 15 (1960), 249.

30 Vgl. J. Meister, Die Frage der Abendmahlsgemeinschaft
    seit den Arnoldshainer Thesen, 309f.

31 Vgl. Schlußbericht, 132. Vgl. auch Abendmahlsgespräch
    der EKD, in: LR 16 (1966), 407-410; Walther von
    Loewenich, Die Abendmahlskontroverse in der Refor-
    mation: Ein kritischer Bericht, in: Was hindert uns?,
    91-103.

II. Das Verständnis des Abendmahls in der Leuenberger
    Konkordie

    Da sich die Leuenberger Konkordie in ihren Aus-
sagen zum Abendmahl[32] teilweise auf die Arnoldshainer
Abendmahlsthesen stütz, ist es sinnvoll, diese gerade
im Anschluß an deren Vorstellung zu erwähnen.

1. Der Kontext

    Von 1964-1967 haben in Bad Schauenburg (Schweiz)
lutherisch-reformierte Gespräche auf europäischer
Ebene stattgefunden. Hier konnte allgemein festgestellt werden, daß die Unterschiede zwischen den beteiligten Kirchen keinen kirchentrennenden Charakter
mehr aufweisen.[33] In diesen Gesprächen wurde auch
festgehalten, daß trotz der faktischen Abendmahlsgemeinschaft keine Übereinstimmung in der Lehre vom
Abendmahl bestehe.[34] Im Anschluß an diese Gespräche
fanden dann die lutherisch-reformierten Gespräche in
Leuenberg statt, die 1970 schließlich zu einem die
Leuenberger Konkordie vorbereitenden Dokument führ-
ten.[35]

    Während im Dokument der ersten Gesprächsrunde
festgestellt wurde, daß die Frage des Abendmahls noch
ungeklärt sei und der Klärung bedürfe, wird diese

---

32 LK, Nr. 15-16; Nr. 18-20.

33 Vgl. Lutherische und reformierte Kirchen in Europa
   auf dem Wege zueinander, in: Auf dem Weg: lutherisch-
   reformierte Kirchengemeinschaft, 15ff.

34 Vgl. a.a.O. 21f.

35 Kirchengemeinschaft und Kirchentrennung: Bericht der
   lutherisch-reformierten Gespräche in Leuenberg (Schweiz)
   1969/70, in: Auf dem Weg II: Gemeinschaft der reformatorischen Kirchen, 8-21.

Frage im zweiten Dokument in einen weiteren Zusammenhang eingebettet: da die Leuenberger Konkordie
kein neues Bekenntnis ist, keine Loslösung von den
Bekenntnissen fordert und die Erklärung von Kirchengemeinschaft dynamisch als ersten Schritt zum vollen
Zusammenwachsen erachtet, fordert sie auch das kon-
tinuierliche Lehrgespräch. So heißt es im Vorbereitungsdokument:

> "Der Stellenwert, welchen die traditionellen Lehr-
> kontroversen für heutiges theologisches Denken
> und theologische Auseinandersetzung haben, ist
> daher immer neu zu prüfen. Das gilt vor allem für
> den klassischen Gegensatz in der Abendmahlslehre."[36]

Hier wird also die volle Übereinstimmung in der Abendmahlslehre nicht mehr zu einer Voraussetzung für die
Kirchen- und Abendmahlsgemeinschaft gemacht. Das heute
vorhandene gemeinsame Fundament in der Abendmahlslehre
behindert Abendmahls- und Kirchengemeinschaft nicht.
Das Gespräch über das Abendmahl wird im Bereich des
gemeinsamen weiterführenden Gesprächs behandelt werden. Der Grund dafür, daß von einem gemeinsamen Fundament gesprochen werden kann, liegt weiterreichend in
der Übereinstimmung im Verständnis des Evangeliums:

> "Das gemeinsam geglaubte Zeugnis, wie es auch in
> den reformatorischen Bekenntnissen zum Ausdruck
> kommt, ist ausreichende Grundlage, um darin heute
> Übereinstimmung im Verständnis des Evangeliums zu
> finden. Das schließt die Übereinstimmung im Ver-
> ständnis der Sakramente ein, sofern diese gemäß
> dem Evangelium als leibhafte Gestalt der Verheißung,
> die den Glauben weckt und stärkt, empfangen wer-
> den."[37]

Die gegenseitigen Verwerfungen der Reformationszeit betrafen die Abendmahlslehre, die Christologie
und die Prädestinationslehre (LK, Nr. 17). Diese Verwerfungen können heute nicht mehr aufrecht erhalten

---

36 Kirchengemeinschaft und Kirchentrennung, 16.

37 A.a.O. 16f.

werden.[38] So heißt es hinsichtlich des Abendmahls im Vorbereitungsdokument:

> "Die verschiedenen neueren Konsensdokumente zeigen paradigmatisch daß man den reformierten Kirchen nicht mehr vorwerfen kann, sie trennten das Essen von Brot und Wein in illegitimer Weise vom Empfang von Leib und Blut. Auf lutherischer Seite dagegen ist man kritischer geworden gegenüber der Ubiquitätslehre oder einer begrifflich zu stark bestimmten Weise des Verhältnisses zwischen Brot und Wein einerseits und Leib und Blut Christi andererseits."[39]

Zusammen mit der Übereinstimmung in der Christologie und der Prädestinationslehre ist damit ein wesentliches Hindernis für den Vollzug der Kirchengemeinschaft gegenstandslos geworden.[40]

2. Die Aussagen der Leuenberger Konkordie über das Abendmahl

Die Aussagen zum Abendmahl finden sich in zwei

---

38 Vgl. Kirchengemeinschaft und Kirchentrennung, 19; Max Geiger, Unterwegs zur europäischen Kirchengemeinschaft: Überlegungen eines reformierten Theologen zur Leuenberger Konkordie, in: ThZ 28 (1972), 77f. Vgl. hinsichtlich des Abendmahls LK, Nr. 20.

39 Kirchengemeinschaft und Kirchentrennung, 19. Die Ubiquitätslehre Luthers ist für seine gesamte Christologie von Bedeutung. In Abwehr vor allem der Lehre Zwinglis, der aus der Gegenwart Christi im Himmel die Unmöglichkeit seiner Gegenwart im Abendmahl ableitete, betont Luther die leibliche Gegenwart Christi im Abendmahl. Christus ist überall gegenwärtig, aber nicht überall wie im Abendmahl greifbar. Hier bietet er sich uns leiblich an (vgl. H.L. Martensen, Ubiquitätslehre, in: LThK Bd. X [1965], 442f.; Leo Scheffczyk, Die Heilszeichen von Brot und Wein: Eucharistie als Mitte christlichen Lebens, München 1973, 61f.).

40 Vgl. M. Geiger, Unterwegs zur europäischen Kirchengemeinschaft, 78. Diese Kirchengemeinschaft haben sich dann 1971 76 Kirchen erklärt. Das Verzeichnis der der LK zustimmenden Kirchen findet sich in: Konkordie und Kirchengemeinschaft, 23ff.

Abschnitten: bei den Konsensen und den ehemaligen Verwerfungen aus der Reformationszeit:

a) Das gemeinsame Verständnis des Evangeliums

    Dieses gemeinsame Verständnis wird hier nur
beschrieben, soweit es für die Begründung der Kirchengemeinschaft nötig ist zum einen hinsichtlich
der Rechtfertigungsbotschaft und zum anderen hinsichtlich der Verkündigung, der Taufe und des Abendmahls (Nr. 6-16).

    Der Konsens über das Abendmahl lautet:

> "Im Abendmahl schenkt sich der auferstandene
> Jesus Christus in seinem für alle dahingegebe-
> nen Leib und Blut durch sein verheißendes Wort
> mit Brot und Wein. Er gewährt uns dadurch Ver-
> gebung der Sünden und befreit uns zu einem neu-
> en Leben aus Glauben. Er läßt uns neu erfahren,
> daß wir Glieder an seinem Leibe sind. Er stärkt
> uns zum Dienst an den Menschen" (Nr. 15).

Der Ausgangspunkt ist die Christologie: Christus,
der Auferstandene, schenkt sich den Gläubigen unter
den Gestalten von Brot und Wein. Durch die Teilhabe
an seinem Leib und Blut wird unsere Gemeinschaft an
seinem Leib neu verdeutlicht und unsere Sendung in
die Welt bestärkt. Damit ist der gemeinschaftsstiftende Charakter des Abendmahls ausgedrückt. Anders
als in These 4 der Arnoldshainer Kommission, an die
sich diese Aussage anlehnt[41], fehlt hier die Aussage
zum Wirken des Geistes. Das Wirken des Geistes wird
einleitend zu diesem Unterabschnitt ausgesprochen,
wenn es allgemein heißt:

> "In der Verkündigung, Taufe und Abendmahl ist
> Jesus Christus durch den Heiligen Geist gegen-
> wärtig" (Nr. 13).

    Nachfolgend wird der Verkündigungscharakter,
das Bekenntnis zur Realpräsenz und die eschatologi-

---

41 Vgl. Schlußbericht, 133.

sche Dimension betont:

"Wenn wir das Abendmahl feiern, verkündigen wir
den Tod Christi, durch den Gott die Welt mit
sich selbst versöhnt hat. Wir bekennen die Gegenwart des auferstandenen Herrn unter uns. In
der Freude darüber, daß der Herr zu uns gekommen
ist, warten wir auf seine Zukunft in Herrlichkeit" (Nr. 16).

b) Die Präzisierungen angesichts früherer Verwerfungen

Hier wird noch einmal die Gabe des Abendmahls
wiederholt: Christus gibt sich durch sein verheißendes Wort mit Brot und Wein. Präzisiert wird, daß er
sich allen gibt, die Brot und Wein empfangen, den
einen zum Heil, den anderen zum Gericht. Damit ist
die Realpräsenz und die Unverfügbarkeit der Abend-
mahlsgabe bestätigt.

Die zweite Präzisierung betrifft die Untrennbarkeit der Gemeinschaft mit Christus in Leib und
Blut und dem Akt des Empfangs von Brot und Wein. Damit wird der Mahlcharakter des Abendmahls betont.
Christus ist gegenwärtig, um von uns empfangen zu
werden. Das Dokument fügt dann an:

"Ein Interesse an der Art der Gegenwart Christi
im Abendmahl, das von dieser Handlung absieht,
läuft Gefahr, den Sinn des Abendmahls zu verdunkeln" (Nr. 19).

Aufgrund des Konsenses und der Überwindung ehemaliger Streitpunkte formuliert das Dokument zur Abendmahlsfrage abschließend:

"Wo solche Übereinstimmung zwischen Kirchen besteht, betreffen die Verwerfungen der reformatorischen Bekenntnisse nicht den Stand der Lehre
dieser Kirchen" (Nr. 20).

Dem Anliegen der Leuenberger Konkordie entsprechend, wird auch hinsichtlich des Abendmahles
nur ein absolutes Minimum an gemeinsamer Überzeugung
formuliert. Dieses ist möglich aufgrund des gemeinsamen Verständnisses des Evangeliums. Diesem kleinen
gemeinsamen Nenner (der aber trotzdem dazu beiträgt,

daß die Verwirklichung von Abendmahls- und Kirchengemeinschaft für viele Kirchen möglich wurde)
entsprechend, bleiben manche Fragen unbesprochen
(und die Kirchen richten sich darin weiterhin nach
ihren eigenen Bekenntnissen, die ja bewußt nicht
angetastet werden sollen). So z.B. die Frage der
Epiklese, der Anamnese, des Opfers und vor allem
die Frage nach dem Vorsitz bei der Eucharistiefeier,
dem kirchlichen Amt.[42] In der Beurteilung der Leuenberger Konkordie (und hier gerade der Behandlung der
Abendmahlslehre) sehen die einen einen Kompromiß,
der eher verfälscht und die bestehenden Unterschiede
verwässert[43], die anderen aber eine große Chance, um
durch die gelebte Kirchen- und Abendmahlsgemeinschaft

---

42 Zum kirchlichen Amt nimmt die LK nur kurz Stellung:
    durch Christi Gegenwart im heiligen Geist wird dem
    Menschen die Rechtfertigung zuteil und werden die
    Menschen zur Gemeinde des Herrn versammelt: "Er
    wirkt dabei in vielfältigen Ämtern und Diensten
    und im Zeugnis aller Glieder seiner Gemeinde" (LK,
    Nr. 13). Auf die Probleme der Gottesdienstpraxis,
    der Stellung des Amtes und der Ordination macht vor
    allem V. Vajta aufmerksam: Vilmos Vajta, Gottes-
    dienstpraxis überprüfen: Ein unbeachteter Aspekt
    der Leuenberger Konkordie, in: LM 12 (1973), 209f.

43 Vgl. z.B. Albert Brandenburg, Kernfragen der Leuen-
    berger Konkordie: Der Versuch zu einer gewissen Ein-
    heit, in: KNA, Ökumenische Information Nr. 8/9/1974,
    5ff. (I), Nr. 10/1974, 5f. (II); Karl-Hermann Kandler,
    Nur ein Kompromiß?: Kritische Anfragen zum Leuen-
    berger Lehrkonsens, in: LM 12 (1973) 670ff. A. Bran-
    denburg kritisiert aus katholischer Sicht die mangeln-
    de Deutlichkeit der Identifizierung von Brot und Wein
    mit Leib und Blut Christi, den mangelnden Bezug zur
    Ekklesiologie, die fehlende Behandlung des Abendmahls
    unter dem Aspekt des priesterlichen Opfers und befürch-
    tet, daß aufgrund dieser Aussagen das Abendmahlsge-
    spräch mit der katholischen Kirche sehr erschwert
    wird (vgl. A. Brandenburg, Kernfragen der Leuenberger
    Konkordie, I, 7).

und die verpflichtenden Lehrgespräche (LK, Nr. 37)
zu einem gemeinsamen Abendmahlsverständnis zu kommen, das alte Denkmodelle überwindet und zu neuen
Verstehenhorizonten führt.[44] Da die Leuenberger
Konkordie das Bekenntnis unangetastet läßt und auch
nicht hermeneutischer Schlüssel der Bekenntnisse
sein will, konnte ihr auch die VELKD (die zu den
Arnoldshainer Thesen große Bedenken angemeldet hatte[45])
zustimmen. Die VELKD anerkennt die Leuenberger Konkordie als Feststellung der Gemeinsamkeiten, wie sie
sich sowohl aus den geltenden Bekenntnissen als auch
aus dem gegenwärtigen Stand der Lehre der beteiligten
Kirchen ergeben.[46]

---

44 Vgl. Olav Lingner, Das Mögliche ist erreicht: Leuen-
    berg: Spannung bleibt, in: LM 12 (1973) 235f.; Hugo
    Schnell, Vor der Bewährungsprobe, in: LM 12 (1973)
    230.

45 Vgl. oben, 481f.

46 Vgl. VELKD stimmt Leuenberg zu. Dietzfelbinger:
    Stellungnahme der Katholischen Kirche ernstnehmen,
    in KNA, Kritischer Ökumenischer Informationsdienst
    Nr. 46/1973, 10. Da die Gliedkirchen innerhalb
    der VELKD selbständig sind, konnte nicht die VELKD
    als solche die LK mitunterzeichnen, sondern nur die
    einzelnen Gliedkirchen. Zur katholischen Sicht vgl.
    z.B. Karlheinz Schuh, Leuenberg und Straßburg: An-
    fragen an das reformatorische Abendmahlsverständnis,
    in: KNA, Kritischer Ökumenischer Informationsdienst
    Nr. 25/1973, 5ff.

498

III. Dokumente aus Holland, Westfalen, Nordamerika und
Frankreich

Da alle Abendmahlsaussagen der Dokumente aus
diesen Ländern eine große Verwandtschaft zu den Arnoldshainer Abendmahlsthesen aufweisen (ohne deren
Tiefe zu erreichen[47]) werden sie an dieser Stelle
gemeinsam und nur kurz vorgestellt.

1. Der Abendmahlskonsens in Holland[48]

Der hier vorgestellte Konsens in der Abendmahlslehre ist das Ergebnis von Gesprächen einer
von den Synoden der Evanglisch-Lutherischen Kirche
und der Niederländisch Reformierten Kirche 1953
eingesetzten Kommission. Er wurde 1957 von der Kommission vorgelegt und war der erste Lehrkonsens
über das Abendmahl in der Nachkriegszeit.[49] Das Ziel
der Abendmahlsgespräche war die theologische Klärung
von Voraussetzungen für eine engere Gemeinschaft der
Kirchen und die Prüfung praktischer Vorschläge für
deren Verwirklichung.[50] Gemeinsam bekennen die beteiligten Kirchen:

- Kennzeichen der wahren Kirche Christi sind die
  reine Predigt des Evangeliums und die reine Verwaltung der Sakramente nach der Einsetzung durch

---

47 Vgl. M. Lienhard, Lutherisch-reformierte Kirchengemeinschaft heute, 89.

48 Konsensus über das Abendmahl in Holland, in: Auf dem
Weg: Lutherisch-reformierte Kirchengemeinschaft,
49ff. Zum allgemeinen Gesprächsgang und zu den beteiligten Kirchen vgl. M. Lienhard, Lutherisch-reformierte Kirchengemeinschaft heute, 9ff.

49 Vgl. M. Lienhard, Lutherisch-reformierte Kirchengemeinschaft heute, 10.

50 Vgl. Konsensus über das Abendmahl in Holland, 49.

Christus. Unterschiede hier gibt es hinsichtlich
der Kirchenzucht.

- Das Sakrament bewahrt die Predigt vor der spiri-
tualistischen und idealistischen Verflüchtigung.
Die rechte Verwaltung des Wortes und der Sakramente sind "Handlungen Christi mit seiner Gemeinde
in der Kraft des Heiligen Geistes" (Nr. 2). Somit
ist der Herr in der Gemeinde gegenwärtig in und
durch die Verkündigung und durch die Austeilung
der Sakramente. Der Zusammenhang von Wort und Sakrament läßt sich letztlich nicht genau fixieren.

- Das Sakrament verdeutlicht mit den materiellen
Elementen die Fleischwerdung des Wortes. In der
Fleischwerdung des Wortes nahm Gott die ganze
menschliche Existenz mit Ausnahme der Sünde an.
Durch die Sakramente will er die ganze menschliche
Existenz der Menschen annehmen und heiligen.

- Im Abendmahl gedenkt die Gemeinde des Todes des
Herrn. Dieses Gedenken bedeutet "ein Gleichzeitig-
werden mit Christus" (Nr. 4). Durch das Hineingenommenwerden in den Tod Christi wird der Gläubige
auch in seine Auferstehung hineingenommen.

- Im Abendmahl bezeugen die Gläubigen die Suche des
Heiles außer sich allein in Christus.

- Das Abendmahl hier und heute gefeiert, bedeutet die
Verheißung des eschatologischen Mahles.

- Christus ist im und durch das Sakrament des Abendmahls real gegenwärtig. Die bestehenden Unterschiede in der Deutung dieser Realpräsenz bedarf der
theologischen Klärung. Lutheraner glauben an die
Gegenwart Christi im Abendmahl kraft seiner eigenen
Macht, die Reformierten an seine wirkliche Gegenwart
in und durch den Geist.
Lutheraner glauben an die Gegenwart Christi im
Abendmahl

> "unabhängig vom Glauben sowohl dessen, der es
> austeilt, als auch dessen, der es empfängt
> (manducatio impiorum)" (Nr. 9).

500

Die Reformierten dagegen glauben, daß der wahre
Leib und das wahre Blut Christi allein durch den
Glauben empfangen wird. Ein Näherkommen in diesem letzten Punkt bahnt sich allerdings bei der
Betrachtung des historischen Zusammenhangs, in
dem die Reformatoren (Luther und Calvin) ihre Aussagen gemacht haben, an.[51]
- Segen und Früchte des Abendmahlsempfangs sind Werke des heiligen Geistes.

Als Ausdruck eines ersten Lehrkonsenses nach
dem Krieg ist dieses Dokument noch sehr allgemein
gehalten und darum bemüht, eine allgemeine Annäherung anfanghaft über ganz rudimentäre Gemeinsamkeiten zu erreichen. Dieses Ziel wurde dann auch
erreicht. Obwohl sich die Verfasser der Notwendigkeit der Weiterführung des Gesprächs bewußt waren,
empfahlen sie aufgrund des Konsenses Interkommunion,
Interzelebration und die daraus dann resultierende
Kirchengemeinschaft. Diese wurde schließlich auch
als Kanzel- und Abendmahlsgemeinschaft ausgesprochen.[52]

2. Die Abendmahlsdiskussion in der Evangelischen Kirche
von Westfalen

a) Der Kontext

Die Aussagen zum Abendmahl werden hier in einem
umfassenden Konsensdokument gemacht, das den Titel

---

51 Luther wehrte sich gegen die Spiritualisten und
Calvin gegen den römisch-katholischen Sakramentalis-
mus (Nr. 9).

52 Vgl. M. Lienhard, Lutherisch-reformierte Kirchengemeinschaft heute, 10f.

trägt: "Bekenntnis und Einheit der Kirche".[53] Die
Gespräche der von der Landessynode der Evanglischen
Kirche von Westfalen eingesetzten Kommission fanden
zwischen 1953 und 1959 statt. Hier muß vorausge-
schickt werden, daß in Westfalen reformierte, lutherische und unierte Kirchen nicht nur in einer faktischen Abendmahlsgemeinschaft stehen, sondern bereits
vor diesen Gesprächen in voller Kirchengemeinschaft
lebten. Grundlage dieser Kirchengemeinschaft ist
"das gemeinsame Verständnis des Evangeliums und
des Wirkens Jesu Christi in der Kirche".[54]
Demgegenüber haben die Unterschiede nicht nur eine
untergeordnete, sondern eine korrigierende, ermahnen-
de und aufbauende Bedeutung. Das Ziel der Gespräche
bestand daher in der Vertiefung dieses Miteinanders.

Die Aussagen über das Abendmahl sind, wie auch
die anderen Abschnitte des Dokumentes, traditionell
konsens-kontroverstheologisch aufgebaut. Zuerst begegnen gemeinsame Aussagen, mit denen sich die beteiligten Kirchen einerseits von der römisch-katholischen Kirche und andererseits vom Schwärmertum ab-
setzen, danach erfolgt die Aufarbeitung ehemaliger
Kontroversen zwischen den beteiligten Kirchen, abschließend werden die Punkte genannt, die gemeinsam
bekannt werden.

---

53 Bekenntnis und Einheit der Kirche, in: Auf dem Weg:
    Lutherisch-reformierte Kirchengemeinschaft, 66-92.
    Zum allgemeinen Gang der Gespräche vgl. M. Lienhard,
    Lutherisch-reformierte Kirchengemeinschaft heute,
    15f.

54 M. Lienhard, Lutherisch-reformierte Kirchengemein-
    schaft heute, 16.

b) Die Aussagen zum Abendmahl[55]

aa) Die Abgrenzung gegenüber Katholiken und Schwärmern

Gemeinsam wir die katholische Meßopferlehre
als Verachtung des einmaligen Opfers Christi und
die Lehre von der Transsubstantiation als unangemessene Erklärung des Abendmahls abgelehnt. Gemeinsam verstehen die Kirchen hier das Abendmal

> "als das durch das Wort im Heiligen Geist gesche-
> hende Handeln Jesu Christi, in welchem dieser mit
> Brot und Wein seinen Leib und sein Blut gegen-
> wärtig macht".[56]

Ebenso abgelehnt werden die Aufbewahrung und die Verehrung der geweihten Hostien und die Kommunion nur
unter einer Gestalt:

> "Im Abendmahl wird der ganze Christus empfangen,
> die Frucht seines Opfers am Kreuze als Vergebung
> der Sünden angeeignet und das endzeitliche Heil
> eröffnet."[57]

Ziel und Frucht des Abendmahls ist also die Vergebung
der Sünden und der Anbruch des endzeitlichen Gottesreiches. Bei den Schwärmern wird das Abendmahl als
bloßes Symbol oder Zeichen und das Mahl als rein innerer Vorgang abgelehnt und demgegenüber betont:

> "Jesus Christus macht seinen Leib und Blut mit
> Brot und Wein gegenwärtig, d.h. es geht im Abend-
> mahl um die heilvolle Gegenwärtigkeit des mensch-

---

55 Vgl. Bekenntnis und Einheit der Kirche, 84ff.

56 A.a.O. 84.

57 A.a.O. 84.

gewordenen und am Kreuz für uns gestorbenen Gottessohnes."[58]

Damit ist der gemeinsame Glauben an die Realpräsenz Christi im Abendmahl ausgedrückt, die durch sein eigenes Handeln zustandekommt.

bb) Die ehemaligen Kontroversen

Trotz dieser Einigkeit im "Anti" waren sich Lutheraner und Reformierte wiederum uneins in der Deutung der Weise der Gegenwart Christi, darüber nämlich, ob diese

"in, mit und unter den Elementen von Brot und Wein oder durch den Heiligen Geist im Himmel wirklich (realiter) werde".[59]

An dieser Stelle nun wird gegenseitig die Berechtigung der Kritik an der aus dieser Kontroverse entstandenen Einseitigkeiten zugestanden und damit die eigentliche Absicht hinter den Auffassungen verdeutlicht:

Den Lutheranern geht es um die Ganzheit der Person und des Werkes Christi, der im Abendmahl in Leib und Blut mit Brot und Wein empfangen wird. Die hier oft entstandene falsche Auffassung,

"daß mit Brot und Wein zwei Substanzen der menschlichen Leiblichkeit Jesu Christi in übernatürlicher Materialität, losgelöst von seiner Person,

---

58 Vgl. Bekenntnis und Einheit der Kirche, 84. Während die These 4 der Arnoldshainer Abendmahlsthesen in der näheren Bestimmung der Realpräsenz den Akzent auf die Person legt, bietet das westfälische Dokument eine Zusammenschau von Person und Leiblichkeit, auch wenn der Akzent auf der Leiblichkeit liegt, was dann auch im letzten Abschnitt wieder zum Ausdruck kommt (vgl. Bekenntnis und Einheit der Kirche, 86). Die nähere Bestimmung von Leib und Blut Christi ist somit für verschiedene Akzentuierungen und Interpretationen offen (vgl. M. Lienhard, Lutherisch-reformierte Kirchengemeinschaft heute, 93f.).

59 Bekenntnis und Einheit der Kirche, 84.

zugeteilt und genossen werden",[60]
wird auf Seiten der Reformierten zu Recht widersprochen.

Den Reformierten ging es um das Bewahren der
unverkürzten Menschheit Jesu, die durch die Kreuzi-
gung und Auferweckung im Himmel ist und bleibt. Seinen Leib und sein Blut schenkt der Herr durch den
heiligen Geist den Gläubigen. Hier entstand dann oft
die falsche Meinung (die auf Seiten der Lutheraner
zu Recht angefochten wurde),

> "daß nicht die leibliche Gegenwart Christi, son-
> dern nur die Gegenwart des Heiligen Geistes und
> die durch ihn gewirkte persönliche Glaubensüber-
> zeugung das Abendmahl ausmache".[61]

cc) Die neu entstandenen Gemeinsamkeiten

Aus Vorsicht gegenüber ontologischen Denkfor-
men und durch den Wegfall der Zeit des gegenseitigen
Bekämpfens konnte das gemeinsame Anliegen aus der
Reformation neu entdeckt und bekannt werden. Ziel der
reformatorischen Kirchen war es immer, das Abendmahl
als

> "das in dem gekreuzigten Christus begründete Heil
> als reale Gegenwart seiner gekreuzigten Leiblich-
> keit unter den Stiftungsworten mit Brot und Wein
> der Gemeinde offen und rein zu erhalten".[62]

Heute können diese Kirchen gemeinsam von der Heilsgabe des Abendmahls sagen, "daß Geber und Gabe des
Abendmahles der eine Jesus Christus" ist.[63]

Angesichts des Abflauens des Interesses an der
Abendmahlsbeteiligung und Abendmahlslehre in den Gemeinden, dem sich alle Kirchen gegenüber sehen, ist

---

60 Bekenntnis und Einheit der Kirche, 85.

61 A.a.O. 85.

62 A.a.O. 85.

63 A.a.O. 85.

es dem Dokument wichtig, die Begründung des Abendmahls in der einmaligen Stiftung Christi zu betonen.
Dazu wird dreierlei ausgeführt:

- Christus ist auch heute im Abendmahl unter uns
  und handelt mit seiner Gemeinde.
- Unter den verschiedenen Weisen, in denen Christus
  uns das Heil zukommen läßt, nimmt das Abendmahl
  eine Vorrangstellung ein, weil "der auf das Kreuz
  zugehende Jesus dies Mahl uns zum Heil gestiftet
  hat".[64]
- Durch seine Gegenwart versammelt uns Christus im
  Abendmahl durch den Geist zu seinem Leib. Sein
  Stiftungswort ruft uns zur Feier des Abendmahls und
  erschließt uns dessen Sinn.

Dieser Konsens in der Lehre vom Abendmahl hat
mit dazu beigetragen, daß die Kirchengemeinschaft
zwischen den am Gespräch beteiligten Kirchen bestätigt
und vertieft werden konnte. Zwar wird im Vorwort deutlich betont, daß sich Glaubens- und Lehrunterschiede
noch nicht

"erledigt haben, daß sie auch nicht nivelliert
oder wegdisputiert werden dürfen",[65]

doch haben diese Unterschiede keine kirchentrennende
Bedeutung. Im Dokument kommen die weiter bestehenden
Unterschiede, bis auf die Weise der Gegenwart Christi
im Abendmahl, nicht zur Sprache. Alles in allem, so
schließt M. Lienhard, sind diese Aussagen ein gutes
Beispiel dafür, daß auch bei bereits erreichter Kirchengemeinschaft

"das Lehrgespräch als kontinuierliches Geschehen
sinnvoll ist zur Vertiefung der Gemeinschaft in

---

64 Bekenntnis und Einheit der Kirche, 86.
65 A.a.O. 67.

der Orientierung am gemeinsamen Auftrag".[66]

3. Die Ergebnisse der Abendmahlsdiskussion in Nordamerika[67]

Entgegen den ursprünglichen Plänen der nordamerikanischen Gesprächskommission[68], das Abendmahl in ihren Gesprächen zwischen 1962 und 1966 gesondert zu diskutieren, wurde es schließlich zusammen mit der Christologie behandelt und in den zusammenfassenden Erklärungen 1966 auch so veröffentlicht.

Das Dokument geht nicht vom gemeinsamen Zeugnis aus, sondern setzt bei den Problemen aus dem 16. Jahrhundert ein, indem es einleitend das Anliegen der Reformatoren verdeutlicht: ausgehend vom Evangelium versuchten sie das Herrenmahl "im Licht der Erlösungstat Gottes in Christus" zu verstehen.[69] (Aufgrund dieses Ansatzes dann erfolgt im Dokument auch die Verknüpfung mit der Christologie.) Heute kann festgestellt werden, daß die unterschiedlichen Begriffe und Vorstellungen, mit denen dieses Verständnis ausgedrückt wurde, wohl von Unzulänglichkeiten geprägt waren und zu Mißverständnissen geführt haben, daß sie sich aber im tiefsten Kern eher ergänzten als widersprachen.

---

66 M. Lienhard, Lutherisch-reformierte Kirchengemeinschaft heute, 16.

67 Die lutherisch-reformierten Gespräche in Nordamerika, in: Auf dem Weg: Lutherisch-reformierte Kirchengemeinschaft, 113ff. Zum Kontext der Gespräche vgl. M. Lienhard, Lutherisch-reformierte Kirchengemeinschaft heute, 25-30.

68 Diese Kommission umfaßt Vertreter aus den unzähligen und verschiedensten evangelischen Kirchen von Nordamerika. Sie alle hatten keinen offiziellen Auftrag ihrer Kirchen, sondern sprachen in ihrer eigenen Verantwortung (vgl. M. Lienhard, Lutherisch-reformierte Kirchengemeinschaft heute, 26f.).

69 Die lutherisch-reformierten Gespräche in Nordamerika, 113.

Die konkreten Aussagen zum Abendmahl sind
dann kurz folgende:

Im Abendmahl wird keine besondere Gabe geschenkt: im gepredigten Wort und im ausgeteilten Sakrament wird die gleiche Gabe angeboten.

Das Sakrament ist als eine Form des sichtbaren, dargestellten Wortes ein Gnadenmittel,

"durch das Christus und sein Heilshandeln den
Menschen wirksam angeboten werden".[70]

Mit den Einsetzungsworten bestätigt Christus selber
seine Gegenwart im Abendmahl.

"Die Verwirklichung seiner Gegenwart im Sakrament
wird vom Heiligen Geist durch das Wort bewirkt."[71]

Das Sakrament ist für die Weckung von Glauben mit dem
Wort gleichberechtigt und nicht nur eine Verdeutlichung
des durch die Predigt geweckten Glaubens.

Der Glaube des Gläubigen bewirkt nicht die Gegenwart Christi, sondern anerkennt diese. Würdige Teilnahme am Abendmahl bedeutet den gläubigen und bußfer-
tigen Empfang Christi, der sich im Sakrament schenkt.
Unwürdige Teilnahme liegt vor, wenn jemand die Gegenwart Christi im Abendmahl und die Gemeinschaft der
Brüder im gemeinsamen Herrn leugnet.

Anders als in allen bisherigen Dokumenten aus dem
evangelischen Bereich findet sich hier erstmals eine
Aussage zum Opfercharakter:

"Die vollkommene Selbsthingabe des Sohnes Gottes
ist das Sühneopfer, das unsere Selbsthingabe an
Gott im Gottesdienst und im liebenden Geschenk
an den Nächsten möglich und annehmbar macht."[72]

---

70 Die lutherisch-reformierten Gespräche in Nordamerika,
    114.

71 A.a.O. 114.

72 A.a.O. 114.

Die Christologie sichert die Gegenwart des
ganzen Christus als göttlich-menschliche Person
im Abendmahl zu, erklärt aber nicht das "Wie"
dieser seiner Gegenwart.

Abschließend erfolgt ein Wort zur Interkommunion: In der Praxis gibt es noch keine Übereinstimmung, da

"über die Beziehung der Lehre zur Einheit der
Kirche verschiedene Ansichten vertreten"

werden.[73] Dennoch gibt es nach der Meinung der Kommission für eine Kanzel- und Abendmahlsgemeinschaft
keine unüberwindlichen Hindernisse mehr, weshalb
sie den Kirchen intensive Gespräche empfiehlt, um
Interkommunion und Anerkennung der Ämter zu erreichen.[74]

4. Das Abendmahlsgespräch in Frankreich[75]

Die beiden lutherischen und reformierten Kirchen in Frankreich kennen seit der Gründung eines
Kirchenbundes 1905 (dem später auch die elsässischen
Kirchen beigetreten sind) die faktisch bereits praktizierte Kanzel- und Abendmahlsgemeinschaft.[76] Mit den
1952 angeregten Gesprächen sollte auch hier dieses
Miteinander vertieft werden. Nachdem aber weder theologische Ergebnisse noch praktische Empfehlungen die
gewünschte Resonanz fanden, wurde 1960 ein neuer An-

---

73 Die lutherisch-reformierten Gespräche in Nordamerika,
   115.

74 Vgl. a.a.O. 118.

75 Zu der Situation der evangelischen Kirchen in Frankreich und zum allgemeinen Gesprächsverlauf vgl. M.
   Lienhard, Lutherisch-reformierte Kirchengemeinschaft
   heute, 16-20.

76 Trotz Kirchenbund und faktischer Kanzel- und Abend-
   mahlsgmeinschaft handelt es sich hierbei nicht um
   eine organische Union.

lauf genommen, der 1964 mit einer Thesenreihe
über die Taufe, das Abendmahl, das Wort Gottes
und die heilige Schrift vorläufig[77] und nach
einer Überarbeitung aufgrund der eingegangenen
Stellungnahmen 1968 endgültig (was diese Themen
betrifft) beendet wurde.[78]

Hier eine kurze Vorstellung der endgültigen
Fassung:

a) Die Einsetzung des Abendmahls

Das Abendmahl gründet in der Einsetzung durch
Christus mit seinem letzten Abendmahl. Die Kirche
feiert es im Gehorsam gegenüber dem Befehl Christi
bis zu seiner Wiederkunft. Die Kirche muß für die
stiftungsgemäße Verwaltung des Abendmahls sorgen
und vor allem auf den untrennbaren Zusammenhang von
Wortverkündigung und Abendmahl achten.

b) Das Abendmahl als Mahl des neuen Bundes

Im Abendmahl wird die Gemeinschaft derer mit
Gott ausgedrückt und erneuert,

"die durch die Taufe in den Bund seiner durch das
Opfer Christi besiegelten Gnade eingetreten
sind".[79]

Diese Gnade ist in Christus, der Gabe Gottes an die
Menschen, enthalten, kommt im Abendmahl zum Ausdruck
und wird hier aktualisiert. Von Christus empfängt die
Kirche ihn und in ihm, ihrem Haupt, gibt sie sich
Gott hin. Christus ist Geber und Gabe des Abendmahls.

---

77 Die lutherisch-reformierten Gespräche in Frankreich,
    in: Auf dem Weg: Lutherisch-reformierte Kirchenge-
    meinschaft, 104ff.

78 Konsensustexte über die Taufe, das Wort Gottes und
    die Heilige Schrift sowie über das Herrenmahl,
    157-160.

79 A.a.O. 157.

c) Die Gegenwart Christi

Christus ist durch den heiligen Geist im
Abendmahl gegenwärtig und wirkt hier. Brot und
Wein sind von Gott bestimmte Mittel, die Gnade
seiner Gegenwart zu vermitteln. Brot und Wein bleiben, was sie sind, erhalten aber durch die Bestimmung Gottes eine neue Bedeutung: die Vermittlung
der Gabe Gottes durch Christus.

> "Deshalb dürfen wir niemals die Wirklichkeit
> einer Gemeinschaft an Leib und Blut Christi vom
> Akt des Essens und Trinkens trennen."[80]

Der Empfang seiner Gabe erinnert die Kirche an sein
Opfer am Kreuz. Es ist Christus, der gekreuzigte,
auferstandene und erhöhte Herr, der in uns lebt. Er
gibt sich uns zur Vergebung der Sünden, zum Gewinn
des neuen Lebens und zur Stärkung im Zeugnis.

Das Dokument bekennt sich dann zur Wirklichkeit
und souveränen Wirksamkeit der Gegenwart Christi im
Abendmahl und verweist für die Deutung der Art dieser
Gegenwart auf das undefinierbare Geheimnis.

Auch hier wird betont, daß die Gegenwart Christi
im Abendmahl nicht am Glauben des einzelnen Gläubigen
hängt, da sich Christus selbst an diesen Akt bindet.
Wer das Abendmahl im Glauben an diese Gegenwart empfängt, empfängt die Gnade, wer im Unglauben daran,
das Gericht.

d) Der Leib Christi

Im Abendmahl vereinigt Christus die Gläubigen
mit sich und untereinander zu seinem Leib. Er ist das
Haupt der Kirche und wirkt in ihr durch seinen Geist.
In dieser Kirche wird die Wirklichkeit der neuen Welt

---

80 Konsensustexte über die Taufe, das Wort Gottes und
    die Heilige Schrift sowie über das Herrenmahl, 158.

offenbar und entfaltet sich im Zeugnis und im
Dienst der Kirche.

Zum Abschluß hier wird die Verpflichtung zur
Suche nach Einheit aller Christen gemahnt, die im
gemeinsamen Abendmahl ihren Höhepunkt und ihre Erfüllung findet:

"Im Abendmahl bezeugt, stärkt und erneuert Christus die Einheit der brüderlichen Gemeinschaft;
er fordert die Seinen auf, unermüdlich und treu
die Einheit aller Christen zu suchen, damit
alle, die aus demselben Heil leben, das gleiche
Brot und den gleichen Kelch teilen."[81]

e) Die eschatologische Dimension des Abendmahls

Das Abendmahl, gestiftet für die Zeit zwischen
Christi Himmelfahrt und seinem Wiederkommen, ist
als freudige Vorwegnahme des Festmahles im Reiche
Gottes Ausdruck der Hoffnung, Ansporn, mutig in Leiden und Kampf auszuharren und Verheißung der eschatologischen Sammlung Israels und aller Völker über
alle Spaltungen hinweg zum einen Volk Gottes.

f) Das Abendmahl als Danksagung

Auf die empfangene Gnade antwortet die Kirche
mit Christus in der Danksagung. Sie ist als Lobopfer
die Gegenleistung der Kirche für das einzigartige
Opfer Christi am Kreuz. Im Lobopfer

"bringt jeder Gläubige in der Einheit des Leibes
Christi das Opfer seines ganzen Lebens dar, um
dadurch Gott und den Menschen zu dienen".[82]

Dieses Dokument setzt beim biblischen Zeugnis
an und nicht bei den alten Kontroversen, die dann im
Verlauf der Thesen auch nicht zur Sprache kommen.
Wichtig ist dem Dokument die Stiftung des Abendmahls

---

81 Konsensustexte über die Taufe, das Wort Gottes und
die Heilige Schrift sowie über das Herrenmahl, 159.

82 A.a.O. 160.

durch Christus in der Nacht vor seinem Tod[83] und
die Identität zwischen dem gekreuzigten und dem
auferstandenen Herrn. Anders als in anderen Dokumenten fehlt hier eine Aussage zu der besonderen Art,
in der sich Christus den Gläubigen schenkt. Es wird
hier ein Konsenstext geboten, der das Gemeinsame
betont. Mit ihrem Trend zum Bekenntnishaften wollen
diese Thesen, die an manchen Stellen von einem keryg-
matischen und doxologischen Stil geprägt sind, die
Lehre vermehrt in die Liturgie der Kirche hineintra-
gen. Das Ziel, die bestehende Gemeinschaft zu ver-
tiefen, ist insofern gelungen, als daß die Gemeinsamkeiten deutlich formuliert werden konnten. Die an-
gestrebte organische Union allerdings kam auch nach
der Rezeption durch die Synoden nicht zustande.[84]

Zusammenfassung

1. Das innerevangelische Gespräch

Die Gespräche im innerevangelischen Bereich
setzen naturgemäß teilweise andere Akzente in der
Abendmahlsdiskussion als solche mit katholischer Beteiligung. (So wird z.B. der Opfercharakter und der
Zusammenhang mit dem kirchlichen Amt selten erwähnt.)
Der Ausgangspunkt um Abendmahlsdiskussionen aufzunehmen ist zwar letztlich derselbe: das Ziel ist die
volle Kirchen- und Abendmahlsgemeinschaft. Dieser jedoch ergibt sich unter anderen Voraussetzungen: während die katholische Kirche unter anderem die Über-

---

83 Diese genaue Datierung wurde in anderen Dokumenten
    aus historisch kritischen Gründen nicht vorgenommen
    (vgl. M. Lienhard, Lutherisch-reformierte Kirchenge-
    meinschaft heute, 89).

84 Vgl. a.a.O. 18f.

einstimmung in der Abendmahlslehre für Kirchen-
und Abendmahlsgemeinschaft voraussetzt, stehen die
meisten evangelischen Kirchen ohne diese Übereinstimmung
stimmung in einer faktischen oder bereits vollzo-
genen Kirchengemeinschaft, die die Abendmahlsgemeinschaft miteinschließt. Die Anregung zu Abend-
mahlsgesprächen entstammt auch hier dem Bewußtsein
um die Notwendigkeit der Einheit in der Abendmahlslehre und dem untrennbaren Zusammenhang von Kirchen-
und Abendmahlsgemeinschaft. Unter anderem durch die
Übereinstimmung in der Abendmahlslehre (im Zusammenhang mit der Christologie und der Rechtfertigungslehre) soll die faktische Abendmahlsgemeinschaft auf
ein solides Fundament gestellt und dadurch volle
Kirchengemeinschaft ermöglicht werden (wie das dann
für einige Kirchen mit der Unterzeichnung der Leuenberger Konkordie auch der Fall war).[85]

Die Dokumente machen deutlich, daß die Übereinstimmung
stimmung in der Abendmahlslehre sehr groß ist. Das
gilt insbesondere für die ehemals kontroversen Fragen
der Realpräsenz, in der heute gemeinsam gesagt werden
kann, daß der ganze Christus in seiner göttlich-mensch-
lichen Person durch sein verheißendes Wort im Abendmahl mit Brot und Wein gegenwärtig ist und in der Frage
des Gnadenmittels, in der heute gemeinsam gesagt werden
kann, daß Christus der Geber und die Gabe des Abendmahls ist, die wir durch den gläubigen Empfang zu unserem Heil empfangen. Wo es solche Übereinstimmung gibt,

---

85 Daß dieses Unterfangen, wenn danach keine konkreten
    Schritte gemacht werden, durchaus der Rechtfertigung
    des Ist-Zustandes dienen kann, darauf hat die theolo-
    gische Kommission der VELKD in ihrer Stellungnahme zu
    den Arnoldshainer Abendmahlsthesen hingewiesen (vgl.
    Stellungnahme des theologischen Ausschusses der Ver-
    einigten Evangelisch-lutherischen Kirche in Deutsch-
    land, 72).

514

so sagt z.B. die Leuenberger Konkordie deutlich,
da sind die ehemaligen Verwerfungen hinfällig[86]
und Aufgabe weiterer Lehrgespräche wird es sein,
Wesen und Bedeutung des Abendmahls immer besser
erkennen und gemeinsam aussagen zu können.[87]

2. Die Konfrontation mit den Gesprächen mit katholischer Beteiligung

Wie bisher deutlich geworden ist, gibt es sowohl im innerevangelischen Gespräch als auch in den
Gesprächen der Kirchen aus der Reformation mit der
katholischen Kirche große Übereinstimmung in der
Lehre vom Abendmahl. Wieweit verlieren nun solche
Übereinstimmungen im bilateralen Gespräch den ge-
samtökumenischen Rahmen aus den Augen, geraten in
Spannung und Widerspruch zu anderen bilateralen Gesprächen und führen so zu neuen Entfremdungen? Gerät
z.B. nicht die lutherische Kirche durch ihre Annäherung zur katholischen Kirche in ein problematisches
Verhältnis zu den anderen evangelischen Kirchen und
wird durch die Annäherung der katholischen Kirche
an die lutherische Kirche nicht der katholisch-orthodoxe Dialog in Frage gestellt?[88] H. Meyer sieht in
dieser Fragestellung eine "den bilateralen Gesprächen
inhärente Problematik"[89] und fordert ihre gemeinsame,
unvoreingenommene Reflexion. Ebenso hält Kardinal
Willebrands fest:

---

86 Vgl. LK, Nr. 20

87 Zum innerevangelischen Gespräch vgl. auch W. Boelens,
    Das Abendmahlsgespräch in der evangelischen Kirche,
    312-321.

88 H. Meyer, Luthertum und Katholizismus im Gespräch, 30.

89 A.a.O. 30.

"Jede Art von Angst und Verdacht, eine Begegnung zweier christlicher Konfessionen könne
für die anderen eine Gefahr bedeuten oder sie
von anderen entfernen, muß ausgeschaltet werden."[90]

H. Meyer hat im Bewußtsein um diese Problematik
die lutherisch-katholischen und die lutherisch-reformierten Abendmahlsgespräche miteinander vergli-
chen und folgendes festgestellt[91]:

In wesentlichen Punkten stimmen die Aussagen
des lutherisch-katholischen Dialoges mit umfassenderen ökumenischen Dokumenten überein, womit auch
die Übereinstimmung mit den reformierten und anderen
Partnern festgestellt ist:

- In der Eucharistie ist Christus als das ein für
  allemal geschehene Opfer gegenwärtig.
- Die Eucharistie wird verstanden als Lob- und Dankopfer.
- Das Kreuzesopfer ist unwiederholbar; in der Eucharistie wird es gegenwärtig gesetzt.
- Die sakramentalen Zeichen bewirken, was sie bezeichnen.

Weiter ist im katholisch-lutherischen und im
lutherisch-reformierten Gespräch vor allem in der
Frage der Realpräsenz Christi in der Eucharistie eine
so große Deckungsgleichheit festzustellen, "daß es zu
nahezu wörtlichen Übereinstimmungen kommt".[92] Dabei
nennt H. Meyer folgende Aspekte:

---

90 Jan Willebrands, Bericht über die ökumenische Ge-
    samtsituation vom Standpunkt des Einheitssekretariats,
    in: Cath(M) 22 (1967), 123.

91 Vgl. H. Meyer, Luthertum und Katholizismus im Ge-
    spräch, 63-66.

92 A.a.O. 64.

- Die Gegenwart des ganzen Christus mit Leib und
  Blut unter den Gestalten von Brot und Wein.
- Die Gegenwart Christi ist nicht vom Glauben der
  Menschen abhängig, sondern geschieht im Wort
  durch den heiligen Geist.
- Die Übereinstimmung im "Daß" der Realpräsenz.

Auch hinsichtlich des Problems der Dauer der
Realpräsenz kann keine Spannung zwischen den beiden
Gesprächskreisen festgestellt werden: Lutheraner
und Katholiken lassen es in ihren Gesprächen offen
(bekennen sich aber beide zu einer Dauer die weiter-
geht als nur im Moment des Essens und Trinkens[93])
und die Leuenberger Konkordie betont den Mahlcharakter der Eucharistie und warnt vor der Gefahr, diesen
mit einem speziellen Interesse an der genauen Dauer
zu vergessen.[94] Damit macht die Leuenberger Konkordie keine Aussage über die Dauer der Realpräsenz,
sondern stellt die Bedeutung des Essens und Trinkens
in der Eucharistie heraus um dadurch mit Christus Gemeinschaft zu haben.

Somit kann H. Meyer zusammenfassend feststellen,
"daß von einem sachlichen Konflikt der Gespräche
nicht die Rede sein kann".[95]

---

93 Vgl. Das Herrenmahl, Nr. 52
94 Vgl. LK, Nr. 19.
95 H. Meyer, Luthertum und Katholizismus im Gespräch,
    63.

IV. Die Aussagen des lutherisch-anglikanischen Gesprächs
    zum Abendmahl

        Vollständigkeitshalber sei an dieser Stelle
auch kurz auf das lutherisch-anglikanische Gespräch
hingewiesen, wie es auf Weltebene geführt worden ist.[96]
Die kurzen Aussagen zum Abendmahl finden sich in einem
umfassenderen Gesprächsbericht von 1972, der von der
Lambethkonferenz und dem LWB autorisiert wurde.[97]
Dreierlei wird in diesem Dokument festgehalten:

1. Stiftung und Gabe

        Die Kirche feiert das Abendmahl aufgrund des
Gebotes Christi. Im Abendmahl empfängt die Kirche
    "den Leib und das Blut des gekreuzigten und auf-
    erstandenen Christus und in ihm die Vergebung

---

96 Zur Entwicklung des lutherisch-anglikanischen Dia-
    logs vgl. G. Gaßmann, Der anglikanisch-lutherische
    und anglikanisch-katholische Dialog, 9-21. Auch in
    den USA fanden 1969-1972 lutherisch-anglikanische
    Gespräche statt. Das daraus resultierende Dokument:
    Bericht des anglikanisch-lutherischen Dialogs (vgl.
    Vom Dialog zur Gemeinschaft, 82-111) versteht sich
    als ein vorbereitender und vorläufiger Wegbereiter
    für weitere Gespräche. So werden dann zum Abendmahl
    innerhalb des Abschnittes über den christlichen
    Gottesdienst (vgl. a.a.O. 86f.) nur Anregungen für
    das weitere Gespräch gegeben. Die Gespräche inner-
    halb der Kommission über den Opfercharakter, über
    die Konsekration und die Beziehung zwischen dem ge-
    sprochenen Wort und der verliehenen Gnade und ihre
    Ergebnisse kommen im Dokument nicht zur Sprache. Das
    Dokument empfiehlt den beteiligten Kirchen die Inter-
    kommunion unter dem Vorbehalt der Zustimmung der zu-
    ständigen kirchlichen Autoritäten (vgl. a.a.O. 93).

97 Bericht der von der Lambethkonferenz und dem Luthe-
    rischen Weltbund autorisierten Gespräche 1970-1972,
    in: Vom Dialog zur Gemeinschaft, 60f. (Nr. 67-69).

der Sünden und alle anderen guten Gaben seines
Leidens" (Nr. 67).

2. Die Realpräsenz

Beide Kirchen bekennen die wahre Gegenwart
Christi im Abendmahl, ohne aber ihre Weise genau
zu bestimmen.

> "In der eucharistischen Handlung...werden Brot
> und Wein, die Brot und Wein bleiben, zu Mitteln,
> durch die Christus wahrhaft gegenwärtig ist und
> sich den Kommunikanten schenkt" (Nr. 68).[98]

3. Der Opfercharakter

Beide Kirchen anerkennen das ein für allemal
geschehene Opfer Christi für die Sünden der Welt.
Sie anerkennen aber auch,

> "daß die Eucharistie in einem gewissen Sinne
> Opfer mit einschließt" (Nr. 69).

Darunter versteht das Dokument den Lobpreis, die Danksagung, die Selbstdarbringung und das Gedächtnis des
Opfers Christi, welches für unsere Teilhabe gegenwärtig wird. In der Frage, ob in der Eucharistie die
Selbstdarbringung der Kirche in die Hingabe Christi
aufgenommen werde, verlaufen die Grenzen der Zustimmung quer durch die beiden Kirchen hindurch.

Diese kurzen Aussagen deuten die Übereinstimmung
zwischen den beiden Kirchen in der Abendmahlslehre an,
ebenso die Übereinstimmung mit den Aussagen anderer bisher vorgestellter Dokumente.

---

98 Die eucharistische Handlung umfaßt Konsekration und
    Kommunion. Unter Konsekration versteht das Dokument
    die Aussonderung der Elemente, die Danksagung und
    die Epiklese (vgl. Bericht der von der Lambethkon-
    ferenz und dem Lutherischen Weltbund autorisierten
    Gespräche 1970-1972, 60, Anm. 1).

Das Dokument empfiehlt aufgrund des großen
Maßes an gegenseitiger Anerkennung der Apostolizität
und Katholizität abschließend die Interkommunion:

> "Anglikanische und lutherische Kirchen sollten
> Kommunikanten der anderen Kirche willkommen heißen
> und ihre eigenen Glieder ermutigen, das Abendmahl
> in Kirchen der anderen Tradition zu empfangen, wo
> dies angemessen ist und unter den Bedingungen der
> einzelnen Gewissensentscheidung und der Achtung
> vor der Ordnung jeder Kirche."[99]

---

99 Bericht der von der Lambethkonferenz und dem Luthe-
    rischen Weltbund autorisierten Gespräche 1970-1972,
    69 (Nr. 96).

§ 13 DAS ABENDMAHLSGESPRÄCH INNERHALB DER KOMMISSION FÜR GLAUBEN UND KIRCHENVERFASSUNG

Von allem Anfang der ökumenischen Bewegung an war die Frage der Eucharistie neben der Frage der Taufe von zentraler Bedeutung für die Diskussion über das die Kirchen Verbindende und das sie Trennende. Dennoch wurde die Lehre von der Eucharistie in den ersten vierzig Jahren nur knapp behandelt. Die Diskussion war zunächst bestimmt von der Frage nach dem Zusammenhang von Eucharistie und Einheit, fand mithin im Rahmen der Diskussion um Abendmahlsgemeinschaft statt, welche wiederum zur Frage nach der Gültigkeit der Sakramente und damit für viele Kirchen zur Frage des kirchlichen Amtes führte. Die Diskussion war also anfänglich bestimmt durch die Auseinandersetzung mit dem kirchlichen Amt, welche wiederum vom Interesse an der Klärung der Strukturen einer zukünftigen vereinigten Kirche geprägt war. Zum ersten Mal wurde die Eucharistie 1966 zum Gegenstand einer ökumenischen Studie gemacht.[1] Trotzdem zeugen die Aussagen zur Eucharistie, wie sie angefangen auf der ersten Weltkonferenz der Kommission für Glauben und Kirchenverfassung 1927 in Lausanne bis hin zur Vollversammlung der Kommission 1982 in Lima gemacht wurden[2], von einer kontinuierlichen Entwicklung. Diese soll hier zusammen mit den Ergebnissen in zwei Abschnitten kurz nachgezeichnet werden: zunächst die Gespräche von 1927 bis 1963, danach die zentrale Gesprächsphase bis 1982.

---

1 Vgl. G. Gaßmann, Taufe-Eucharistie-Amt, 193.

2 Dabei handelt es sich um Weltkonferenzen, Vollversammlungen oder Studientagungen dieser Kommission.

I. Die Diskussion über die Eucharistie zwischen 1927
    in Lausanne und 1963 in Montreal

    Wie bereits erwähnt, wird in diesem Zeitraum
die Eucharistie lediglich im Zusammenhang mit anderen Themenkreisen und daher meist relativ kurz behandelt.

1. Die erste Weltkonferenz in Lausanne (1927)

    Auf der ersten Weltkonferenz kommt die Eucha-
ristie im Bericht der sechsten Sektion über die
Sakramente zur Sprache.[3] Hier wird zunächst das
Bekenntnis zur Gegenwart Christi in der Eucharistie und zur Gemeinschaft mit Gott und untereinander durch Christus abgelegt. Gemeinsam kann weiter
ausgesagt werden, daß das Abendmahl

> "die heiligste gottesdienstliche Handlung der
> Kirche ist, eine Feier, in welcher der erlösen-
> de Tod des Herrn ins Gedächtnis gerufen wird
> ..."[4]

Danach folgt ein kurzes, sehr allgemein gehal-
tenes Wort zum Opfercharakter: das Abendmahl ist zugleich ein Dank- und Lobopfer und ein Akt der feier-
lichen Selbstdarbringung.

    Abschließend werden die Punkte genannt, in denen
unterschiedliche Auffassungen bestehen: das "Wie" der
Gegenwart Christi; der Gedächtnis- und Opfercharakter; das Verhältnis der vermittelten Gnade zu den
Elementen; die Beziehung des Sakramentsverwalters
zur Gültigkeit und Wirksamkeit der Sakramente.

    Mit diesen Aussagen wurde in Lausanne zum ersten
Mal der kleinste gemeinsame Nenner in den wesentlichen

---

3   Vgl. Lausanne 1927, 540ff.

4   A.a.O. 541f.

Grundlagen der Abendmahlslehre genannt und zum
Ausgangspunkt für die weitere Klärung gemacht.
Die Wahl dieser Methode (vom Gemeinsamen zum
Kontroversen) hat sich in den späteren Gesprächen nach der Meinung von G. Gaßmann bestens bewährt.[5]

2. Die zweite Weltkonferenz in Edinburgh (1937)

Hier wird die Eucharistie im fünften Abschnitt
unter dem Titel "Die Kirche Christi: Amt und Sakrament" behandelt.[6]

a) Die Realpräsenz (Nr. 89)

Einleitend wird die Gegenwart Christi im Abendmahl bekannt, die erweiternd mit "wahrhaftig" beschrieben wird. Die Frage nach dem "Wie" dieser Gegenwart, so das Dokument, ist immer Anlaß zu Abgrenzungen und Uneinigkeiten gewesen. Diese Aussage
läßt offen, wieweit die Klärung des "Wie" möglich
und notwendig für die Einheit in der Abendmahlslehre
ist.

Anschließend werden die wesentlichen Punkte für
die Abendmahlsfeier genannt, über deren Bedeutung
für den Glauben die Kirchen einig sein müssen: Brot
und Wein, Gebete und Einsetzungsworte.

b) Opfer, Eucharistie und das Wirken des heiligen Geistes (Nr. 90)

Die Aussagen zum Opfercharakter, wie sie in
Lausanne gemacht worden sind, werden hier weitergeführt: das Opfer Christi umfaßt nicht nur seinen
Tod, sondern auch seinen Gehorsam und seine Aufer-

---

5   Vgl. G. Gaßmann, Taufe-Eucharistie-Amt, 193.
6   Edinburgh 1937, 62f. (Nr. 89-90).

stehung. Dieses Opfer, so das Dokument

"kann niemals wiederholt werden, aber in der
Abendmahlsfeier der ganzen Kirche wird es verkündet und dargestellt, wenn wir bei der Eucharistie oder dem Abendmahl des Herrn zu Gott
in Christus kommen".

Die Teilhabe der Gläubigen an diesem Opfer besteht
in der Anbetung und im Dienst Gottes. Anbetung und
Dienst geschehen gemeinschaftlich, da wir durch
Christus mit ihm und untereinander geeint sind und
individuell (da sich jeder den gemeinschaftlichen
Akt zu eigen macht) in der kultischen und ethischen
Selbsthingabe.

Weiter fordert die Eucharistie als Gabe Christi
die Antwort der Gläubigen: mit Christus danken sie
in der Eucharistie Gott für seine Gaben, wodurch die
Eucharistie ein Höhepunkt des Gebetes ist:

"...so ist das Mahl des Herrn nicht nur ein
v e r b u m   v i s i b i l e   der Gnade Gottes,
sondern auch vornehmste Danksagung (e u c h a -
r i s t i a) des Volkes Gottes."

Abschließend wird das Wirken des Geistes beschrieben:
er ist es, der uns Segen und Gabe vermittelt; in ihm
geschieht die Gegenwart Christi (weshalb das Dokument
Christi Gegenwart "geistliche Gegenwart" nennt) und
in ihm sind wir unterwegs in der Zeit zwischen der
durch ihn geschehenen Fleischwerdung Christi und dessen
Wiederkommen.[7]

Mit diesen Aussagen werden die Darlegungen von

---

7 Die orthodoxen Delegierten wünschten hier eine Ergänzung um ihr Verständnis deutlich zu machen: in
der Eucharistie findet das einmalige Opfer Christi
eine Ausdehnung; durch die Konsekration werden Brot
und Wein zum wahren Leib und Blut Christi und werden den Gläubigen zur Sündenvergebung und zum ewigen
Leben gegeben und allein der gültig ordinierte
Geistliche kann die Feier der Eucharistie vollziehen
(vgl. Edinburgh 1937, 63, Anm. 10).

Lausanne zum großen Teil aufgenommen und in den
Deutungen der Realpräsenz, des Opfercharakters
und der Feier der Eucharistie als Gabe und Antwort erweitert. Während der anamnetische Charakter
keine Erwähnung mehr findet, kommen die eschatologische Dimension und die Aufzählung der wesentlichen Elemente beim Abendmahl neu hinzu.[8]

Anzufügen ist ein dem das Abendmahl behandelnden Abschnitt vorausgehender Passus über die Gültigkeit der Sakramente.[9] Dazu wird ausgeführt, daß die
Frage des kirchlichen Amtes in diesem Punkt ein
großes Problem der Vereinigung der Kirchen darstellt,
da für manche die Gültigkeit der Sakramente an die
Gültigkeit der Priesterweihe gebunden ist (was die
orthodoxen Vertreter vor allem für die Eucharistie
betonen). Hier bringt das Dokument seine Überzeugung
zum Ausdruck, daß es, um die Sakramente als Handlung
der allgemeinen Kirche anerkennen zu können, einer
ordinierten Geistlichkeit bedarf,

"von der alle anerkennen, daß sie die Sakramente
im Namen der allgemeinen Kirche verwalten" (Nr. 85).

3. Die dritte Weltkonferenz in Lund (1952)

In Lund wird das Abendmahl zweimal lediglich
kurz gestreift. Zum einen im Abschnitt "Formen des
Gottesdienstes" und zum anderen im Abschnitt "Interkommunion".

a) Die Aussagen im Zusammenhang mit "Formen des Gottes- dienstes" (Nr. 107-113)

Zunächst wird hier die Einheit des Gottesdienstes
betont, in dem Wort und Sakrament untrennbar zusammen-

---

8 Vgl. auch G. Gaßmann, Taufe-Eucharistie-Amt, 195.
9 Vgl. Edinburgh 1937, 60f. (Nr. 79-86).

gehören, in denen beiden sich Gott den Gläubigen
kundtut, ihnen seine Gnade schenkt und sie zur
Gemeinschaft mit ihm führt. Im Hinblick auf den
Opfercharakter stellt das Dokument ein Maß an
Übereinstimmung fest, "das niemand von uns hätte
je erwarten können" (Nr. 107).Die Feier des Abendmahls als Feier des Geheimnisses der Liebe Gottes
kann menschlich nie voll ausgelotet werden, doch
legt sich aufgrund der heiligen Schrift eine Umschreibung mit "Opfer" nahe. Christus hat mit seinem
Leben, Sterben und Auferstehen die Mächte der Fin-
sternis überwunden.

> "In seinem einmaligen und genugsamen Opfer auf
> Golgotha brachte er dem Vater vollkommenen Ge-
> horsam dar zur Versöhnung für die Sünde der
> ganzen Welt. Diese Tat ist ein für allemal ge-
> schehen; sie ist unwiederholbar" (Nr. 108).

Auch als auferstandener und erhöhter Herr tritt er
fürbittend für uns ein. Das nun ist die eine Seite:
die einmalige Tat Christi. Darauf nun antworten andererseits die Gläubigen im Gottesdienst mit Lobpreis,
Gebet, Dank und der Hingabe ihrer selbst im Glauben
und Gehorsam, die sie Gott im Namen Christi darbringen:
"Wir bringen das Opfer des Lobpreises und der Danksagung" (Nr. 109). Soweit sind sich die Kirchen in der
Opferfrage einig. Die Probleme ergeben sich aus der
Frage nach dem Verhältnis des irdischen Gottesdienstes
zur Fürsprache Christi im Himmel. Dabei glauben die
einen, daß das Lob- und Dankopfer der Gemeinde allein
die glaubende Antwort auf Gottes Wohltaten ist, die
anderen aber, daß Christus dieses Opfer mit seinem
eigenen Opfer verbindet. Der Ausweg aus den unterschiedlichen Auffassungen kann sich nach der Meinung
des Dokumentes aus der eschatologischen Dimension des
Abendmahls ergeben, der an dieser Stelle aber nicht
weiter verfolgt wird. Eine dritte Gruppe lehnt die
Fixierung der Diskussion auf diese sakrifizielle Seite

526

ab und wünscht, den Hauptakzent in der Behandlung
der Realpräsenz Christi beim Abendmahl zu setzen.

Abschließend betont hier das Dokument die
communio sanctorum als Gemeinschaft aller Gläubigen,
der lebenden und der verstorbenen und deutet die damit verbundene unterschiedliche Praxis der Heiligen-
verehrung und des Gebetes für die Verstorbenen an.

b) Die Aussagen im Zusammenhang mit "Interkommunion"
(Nr. 153)

Hier wird, auf ein Vorbereitungsdokument ab-
stellend, thesenartig kurz zusammenfassend festgehalten, was aufgrund der Einsetzungsworte das Herrenmahl ist:

- Es ist das Mahl des Gedächtnisses an Christi Inkarnation, Wirken, Sterben und Auferstehen.
- In ihm ist Christus wahrhaft gegenwärtig um sich
den Gläubigen zu schenken und um sie mit ihm, seinem eweigen Opfer, und untereinander zu verbinden.
- Das Abendmahl ist eschatologisch eine Vorwegnahme
unserer "Gemeinschaft mit Christus in seinem ewigen
Reiche".

Mit diesen kurzen Ausführungen bietet die Konferenz in Lund eine leicht erweiterte Zusammenfassung
der Konsense und eine weitere Feststellung der anstehenden Unterschiede, wie sie in Lausanne und Edinburgh
konstatiert worden sind. G. Gaßmann vermutet hinter
diesen Übereinstimmungen ein breites Fundament in den
Kirchen, die sich, kriegsbedingt, in ihrem Denken und
in ihrer Praxis dem vorausgehenden theologischen Zusammenkommen beträchtlich angenähert haben.[10]

---

10 Vgl. G. Gaßmann, Taufe-Eucharistie-Amt, 196.

4. Die vierte Weltkonferenz in Montreal (1963)

Bereits etwas ausführlicher wird das Abendmahl in Montreal im Zusammenhang des Berichtes
der vierten Sektion "Der Gottesdienst und die Einheit der Kirche Christi" behandelt.[11]

Einleitend wird der Gedächtnischarakter des
Abendmahls, das immer Wort und Sakrament umfaßt,
betont: Im Gedächtnis erinnern wir uns der rettenden Taten Gottes. Diese Taten Gottes in Christus,
angefangen von seiner Inkarnation bis hin zu seiner
Erhöhung, sind einmalig und können nicht wiederholt, nicht ausgedehnt und nicht weitergeführt werden. Gedächtnis jedoch meint nicht nur das Erinnern
vergangener Ereignisse:

"Gott macht sie durch den Heiligen Geist gegenwärtig, der es von dem, was Christus zugehört,
nimmt und es uns zuspricht und uns so zu Teilhabern an Christus macht (1 Kor.1,9)" (Nr. 116).

Danach stellt das Dokument fest, daß manche Unterschiede zwischen den Kirchen (die hier aber nicht
genannt werden) in Lehre und Praxis des Abendmahls
eine weitere gemeinsame Beschreibung dieses Abendmahls erschwert haben, um dann aber trotzdem eine,
gegenüber früheren Dokumenten erweiterte, gemeinsam
anerkannte Basis zu nennen: Das Abendmahl ist als
Sakrament der Gegenwart des gekreuzigten und verherrlichten Christus bis zu seiner Wiederkunft die
Gabe Gottes an seine Kirche und Mittel, durch das
der Tod Christi am Kreuz, durch den er sich selber
hingegeben hat und den die Kirche verkündet, wirksam wird. Im Herrenmahl bleiben die Glieder des
Leibes Christi in der Einheit mit ihrem Herrn und
Heiland erhalten:

---

11 Vgl. Montreal 1963, 227ff. (Nr. 116-120).

"durch ihn, mit ihm und in ihm, der unser
großer Hoherpriester und Fürbitter ist, bringen
wir dem Vater in der Kraft des Heiligen Geistes unseren Lobpreis, unsere Danksagung und
unsere Fürbitte dar" (Nr. 117).

In diesem Zusammenhang äußert sich dann das
Dokument zum Opfer der Kirche: die Gläubigen bringen sich im Abendmahl selber als lebendiges und
heiliges Opfer dar, ein Opfer, das dann im täglichen Leben zum Ausdruck kommen muß. Durch die Gemeinschaft mit Christus und der ganzen Kirche auf
Erden wird die Kirche im Bund erneuert, den Christus
in seinem Blut gestiftet hat. Das Dokument schließt
diesen Passus mit der eschatologischen Ausrichtung
des Abendmahls:

"Im Abendmahl nehmen wir das Hochzeitsmahl des
Lammes im Reiche Gottes vorweg" (Nr. 117).

Anschließend werden die wesentlichen Elemente
des Gottesdienstes in zweier Hinsicht aufgezählt und
gegenüber Edinburgh erweitert:

für den Dienst des Wortes: Lesung, Verkündigung und
Fürbitte;

für den Dienst des Sakramentes: Gebrauch von Brot
und Wein, Danksagung, Epiklese, Einsetzungsworte,
Vaterunser, Brechen und Austeilen des Brotes.

Damit, so betont das Dokument sollen aber andere liturgische Elemente (Sündenbekenntnis, Sündenvergebung,
Glaubensbekenntnis etc.) nicht ausgeschlossen werden.

Hinsichtlich der Leitung der Abendmahlsfeier
wird hier lediglich angemerkt:

"Wir setzen voraus, daß der, der die Feier leitet,
jemand ist, der von seiner Kirche als dazu autorisiert anerkannt worden ist" (Nr. 118).

Das Dokument fügt daran praktische Empfehlungen hin-
sichtlich der Feier des Abendmahls an (die häufigere
Abendmahlsfeier, die aktive Teilnahme der Laien, die
Verwendung eines Brotlaibes und des gemeinsamen Kel-

ches, der Empfang des Abendmahls durch die gesamte Gemeinde) und schließt mit der Anregung einer Untersuchung über die Bedeutung der Eucharistie.

Mit diesen Aussagen von Montreal ist ein deutlicher Fortschritt in der Übereinstimmung in der Abendmahlslehre festzustellen. Dies gilt vor allem für die Betonung des anamnetischen Charakters, der im vergegenwärtigenden Sinn gedeutet wird, für die Realpräsenz, die als Gegenwart des gekreuzigten und verherrlichten Christus gekennzeichnet ist, für die Verbindung des Lobopfers und der Hingabe der Gemeinde mit dem himmlischen Hohenpriester und Fürbitter, für den Gedanken der Bundeserneuerung und für die eschatologische Dimension des Abendmahls. Neu ist auch die breite Miteinbeziehung des liturgischen Rahmens.[12]

Damit endet die Zeit, in der die Eucharistie lediglich im Zusammenhang mit weiterreichenden Gebieten behandelt worden ist. Im Jahre 1964 nahm die Kommission für Glauben und Kirchenverfassung die Anregung von Montreal auf und gab eine eigene Studienarbeit zur Eucharistie in Auftrag.

---

12 Vgl. auch G. Gaßmann, Taufe-Eucharistie-Amt, 198.
    Vgl. auch Zusammenfassender Bericht der Kommission
    für Glauben und Kirchenverfassung über den wachsen-
    den Konsensus im Verständnis der Eucharistie, in:
    US 23 (1968), 237-242.

II. Die Diskussion über die Eucharistie zwischen 1967 in
     Bristol und 1982 in Lima

1. Die Entwicklung des Gesprächs

Aufgrund eines Aufsatzes von J.-J. von Allmen
erarbeitete 1965 in Grandchamp (Schweiz) ein Stu-
dienausschuß einen ersten Bericht: "Das Heilige
Abendmahl".[13] In diesem Dokument wird duetlich der
Grund benannt, warum Abendmahlsgespräche von größter
Bedeutung sind: die fehlende Abendmahlsgemeinschaft.
Bis anhin, so dieses Dokument, lag der Schwerpunkt
der Abendmahlsdiskussion

> "gewöhnlich bei der Frage der Interkommunion,
> aber die Möglichkeiten scheinen sich in dieser
> Hinsicht vorläufig erschöpft zu haben. Ein neuer
> Versuch muss daher unternommen werden, zu einem
> gemeinsamen Verständnis des Abendmahls selbst zu
> gelangen".[14]

Weiter wird auch die Methode des Vorgehens verdeutlicht: es kann nicht darum gehen, lediglich die verschiedenen Traditionen miteinander zu vergleichen.
Aufgrund der Fortschritte hinsichtlich der Einstellung und der Praktiken in den verschiedenen Traditionen ist der gemeinsame und vorurteilslose Rückgriff auf die gemeinsamen Grundlagen notwendig, wodurch eine offene, kritische und neue Bewertung der
Traditionen und dadurch die Wiederentdeckung verloren-
gegangener Elemente möglich wird.[15] Der Bericht kann

---

13 Das Heilige Abendmahl: Eine Studie von Glauben und
    Kirchenverfassung. Dieses Dokument findet sich im
    Archiv des ÖRK unter dem Aktenzeichen FO/65:85(b),
    Oktober 1965. An der Konsultation nahmen neben Angli-
    kanern, Lutheranern, Methodisten, Orthodoxen, Refor-
    mierten und Glieder unierter Kirchen auch drei römisch-
    katholische Berater aktiv teil (vgl. a.a.O. 1).

14 A.a.O. 2.

15 A.a.O. 2f.

einleitend vermerken, daß die Ergebnisse der
Konsultation ein beträchtliches Maß an Übereinstimmung aufweisen und gibt seiner Meinung Ausdruck, daß die Erkenntnisse

> "in den Diskussionen über das eucharistische
> Leben und seine Erneuerung, die in vielen
> Kirchen bereits im Gange sind, Beachtung fin-
> den sollten".[16]

Aufgrund des großen Echos, das dieser vorläufige Bericht ausgelöst hat, wurde eine theologische Kommission gebildet, die die eingegangenen
Stellungnahmen prüfte und 1967 einen weiteren Bericht vorlegte. Die Kommission beschränkt sich in
ihrem Dokument mit dem neuen Titel "Die Heilige
Eucharistie"[17] auf die Themen Anamnese, Epiklese,
Katholizität und Eucharistie, Eucharistie und Agape
und auf einen Anhang über die Interkommunion.[18] Zu
diesem Anhang wird bemerkt:

> "Der Anhang über die Interkommunion zeigt, dass
> die gemeinsame Feier der Eucharistie in allen
> diesen Überlegungen als Ziel vor Augen gestan-
> den hat."[19]

Dieses hier ausgearbeitete Dokument wurde ebenfalls
1967 der Kommission für Glauben und Kirchenverfassung
auf ihrer Sitzung in Bristol vorgelegt. Es bildet das
Grundlagendokument für den weiteren Verlauf der Abendmahlsgespräche innerhalb des ÖRK.[20]

Noch einmal wurde dann die Eucharistie aufgrund

---

16 Das Heilige Abendmahl, 1.

17 Die Heilige Eucharistie: Bericht an die Kommission
    für Glauben und Kirchenverfassung, FO/67:34(b),
    Juni 1967.

18 Vgl. oben, 152.

19 Vgl. Die Heilige Eucharistie, FO/67:34(b), Juni
    1969, 2.

20 Vgl. Bristol 1967, 83f.

einer Konsultation von 1969 in Löwen 1971 im Zusammenhang mit der Interkommunion behandelt[21],
doch wird hier der erreichte Abendmahlskonsens in
den Argumentationsgang aufgenommen, ohne neue Gesichtspunkte zu entfalten.[22]

Auf der Sitzung in Löwen wurde allerdings der
Kommission auch ein Bericht über die Ergebnisse
der bisherigen Abendmahlsdiskussion vorgelegt, der
den Titel trägt: "Die Eucharistie im ökumenischen
Denken"[23]. Dieser Bericht bietet eine Textzusammen-
stellung der Gespräche von Lund, Montreal und vor
allem von Bristol. Zum ersten Mal wurde dieses Dokument zusammen mit einem Konsensdokument über die
Taufe[24] den Kirchen zum Studium unterbreitet. Nach
der Überprüfung der eingegangenen Stellungnahmen
wurde es geringfügig revidiert und teilweise erweitert. (Diese Erweiterungen betrafen die eucharistische Praxis und den Umgang mit den konsekrierten
Elementen außerhalb der Feier.) Mit diesen Erweiterungen wurde der Text 1974 der Kommission für Glauben und Kirchenverfassung in Accra (Ghana) unterbreitet und zusammen mit den Konsenstexten über die Taufe
und das Amt veröffentlicht.[25] Damit hat die Behandlung des Abendmahls (wie auch der Taufe und des Amtes)
innerhalb des ÖRK einen vorläufigen Abschluß gefunden.

---

21 Vgl. Interkommunion oder Gemeinschaft? Zur Besprechung
    dieses Dokumentes vgl. oben, 156-160.

22 Vgl. G. Gaßmann, Taufe-Eucharistie-Amt, 201.

23 Vgl. oben, 433. Das Dokument basiert auf einer Zu-
    sammenstellung gleichen Titels von Max Thurian und
    findet sich in Genf unter dem Aktenzeichen FO/68:17 b,
    Dezember 1968.

24 Vgl. Taufe, Konfirmation und Eucharistie.

25 Vgl. zu diesem Entwicklungsabschnitt auch G. Gaßmann,
    Taufe-Eucharistie-Amt, 201ff.

Die Kommission für Glauben und Kirchenverfassung
hielt die Zeit für gekommen, daß sich nun die Kirchen intensiv mit den Ergebnissen beschäftigen.
L. Vischer führt dazu aus:

> "Die Diskussion kann nur aufgrund von weiter-
> führenden Äußerungen konstruktiv und fruchtbar
> weitergeführt werden. Es bedarf einer neuen
> Ebene der Diskussion, und diese kann nur durch
> die Kirche selbst geschaffen werden."[26]

Nachdem die fünfte Vollversammlung des ÖRK 1975
in Nairobi dazu aufgerufen hatte, diese Texte zu
prüfen und dazu Stellung zu nehmen[27], wurde der Text
ein letztes Mal revidiert, teilweise mit Kommentaren
versehen und auf der Vollversammlung der Kommission
für Glauben und Kirchenverfassung in Lima 1982 defi-
nitiv veröffentlicht.[28]

Um unnötige Wiederholungen zu vermeiden, werden
im folgenden die Dokumente von Bristol (das "Urdoku-
ment"), von Accra (das den revidierten Text von Löwen
umfaßt) und die Erweiterungen gegenüber dem Accra-
Dokument aus dem Lima-Dokument vorgestellt.

2. Bristol 1967: Die Heilige Eucharistie

Das Dokument hat mit seinen Bemühungen um Übereinstimmung ausdrücklich die Interkommunion im Auge,
welche es dann auch in einem Anhang behandelt und

---

26 Lukas Vischer, Einleitung, in: Accra 1974, 5. Zur
    theologischen Neuorientierung in der Kommission für
    Glauben und Kirchenverfassung nach Lima vgl. Ulrich
    Ruh, Ökumenische Richtpunkte, in: HerKorr 36 (1982),
    209-211.

27 Vgl. Bericht aus Nairobi 1975, 36.

28 Vgl. Zum Vorbereitungs- und Sitzungsverlauf
    William H. Lazareth, Lima-Bericht des Sekretariates
    für Glauben und Kirchenverfassung, in: US 37 (1982),
    18ff.

534

dafür seine Abendmahlsaussagen fruchtbar macht.[29]
Um die Abendmahlsdiskussion weiterbringen zu können, scheint dem Dokument die Behandlung folgender
drei Problemkreise wichtig: Anamnese und Epiklese,
die Katholizität der Eucharistie und die Eucharistie und die Agape. An dieser Stelle sollen vor
allem die ersten beiden Abschnitte vorgestellt und
der dritte kurz angetippt werden.

a) Anamnese und Epiklese[30]

Grundlage für die Aussagen zu Anamnese und
Epiklese ist die Übereinstimmung, wie sie in
Montreal formuliert worden ist[31], bei der aber diese
beiden Aspekte noch zu wenig Beachtung fanden.

aa) Die Anamnese

Die Eucharistie ist das Sakrament des Leibes
und Blutes Christi mit der Betonung seines Kreuzes
und seiner Auferstehung. Christus hat die Eucharistie als Erinnerung an das Versöhnungshandeln eingesetzt, das Gott in ihm wirkt. In der Eucharistie
ist Christus durch alles, was er für uns und die
ganze Schöpfung getan hat, gegenwärtig, ebenso der
Vorgeschmack seines Wiederkommens und die Vollendung
der Gottesherrschaft.

"Die Anamnese, in der Christus durch die fröhli-
che Feier seiner Kirche handelt, umschließt daher Vergegenwärtigung und Vorwegnahme."[32]
Die Anamnese ist also nicht nur Erinnerung an Vergangenes und seiner Bedeutung, sondern sie ist "die

---

29 Vgl. Bristol 1967, 91-94.

30 Vgl. a.a.O. 84ff.

31 Vgl. Montreal 1963, Nr. 117.

32 Bristol 1967, 85.

wirksame Verkündigung der Kirche von Gottes großen Taten".[33] Solches Erinnern führt in die Gemeinschaft mit Christus, wodurch die Kirche Anteil an seiner Wirklichkeit hat.

Anamnese also bedeutet als Erinnerung Vergegenwärtigung, Anteilhabe, Verkündigung und Vorwegnahme. Danksage und Fürbitte verwirklichen die anamnetische Vergegenwärtigung und Vorwegnahme. In ihnen bittet die Kirche Gott, daß er sein Versöhnungshandeln allen Menschen zukommen lasse. Die Anamnese ist so dann Grundlage und Quelle für jedes christliche Gebet. Das Gebet der Gläubigen ist abhängig von und verbunden mit der Fürbitte des auferstandenen Herrn.

"In der Eucharistie befähigt uns Christus, mit
ihm zu leben und mit ihm zu beten als gerecht-
fertigte Sünder, die freudig und frei seinen
Willen erfüllen".[34]

bb) Die Epiklese

Die Anamnese führt zur Epiklese: Weil Christus selber Gott um den Geist für die Gläubigen bittet, kann auch die Kirche für ihre Heiligung, Erneuerung, Führung in der Wahrheit und zur Befähigung für ihren Auftrag in der Welt vertrauensvoll um den Geist bitten.

"Anamnese und Epiklese können als verbindende
Handlung nicht abgesondert von der Abendmahlsgemeinschaft verstanden werden."[35]

Dieser wesentliche Bezug ergibt sich auch aus der Überzeugung, daß Christus durch den Geist in der Eucharistie wirklich gegenwärtig wird und die Gläubigen ihn durch den Geist gemäß den Einsetzungsworten

---

33 Bristol 1967, 85.

34 A.a.O. 85.

35 A.a.O. 85.

in Brot und Wein empfangen.

Zusammenfassend hier werden die Punkte aufgezählt, durch die der Anamnese und der Epiklese in
der Eucharistiefeier gebührenden Ausdruck verliehen
werden sollten:

- die Untrennbarkeit von Wortverkündigung und Eucharistie, da die Wortverkündigung auf die Eucharistie hinweist und in ihr vollendet wird;
- die Betonung des anamnetischen Charakters der ganzen Eucharistie durch Danksagungsgebete und eine
  geeignete "anamnesis";
- die Anrufung des Geistes für das Volk Gottes und
  für die ganze eucharistische Handlung, welche die
  Elemente von Brot und Wein mitbeinhaltet.

Hier schließt dann das Dokument eine Anmerkung
zum Problem der Konsekration an:

"Die Konsekration darf nicht auf einen ganz bestimmten Moment in der Liturgie beschränkt werden."[36]

Das Vorbild der ältesten Liturgien belegt, daß

"der gesamte Gebetsteil als Vergegenwärtigung
der von Christus verheißenen Wirklichkeit verstanden"

wurde[37] und eine Rückbesinnung darauf könnte aus dem
Problem einer besonderen Konsekration hinausführen.

b) Die Katholizität der Eucharistie[38]

Einleitend wird die doppelte Bedeutung der Kirche als Ortskirche und Universalkirche in Erinnerung
gerufen, um dann durch die Beschreibung der Eucharistie unter dem Aspekt ihrer Katholizität den Zusammenhang der beiden aufzuzeigen.

---

36 Bristol 1967, 86.
37 A.a.O. 86.
38 Vgl. a.a.O. 86ff.

Die Teilnahme am gemeinsamen Brot und am gemeinsamen Kelch auf Ortsebene trägt immer den Hinweis auf die Einheit der Teilnehmer mit dem ganzen
Christus und mit allen anderen an allen Orten und
zu allen Zeiten Eucharistiefeiernden in sich. Daher besitzt die Eucharistiefeier der Ortsgemeinde
die Fülle der Katholizität. Indem die Gläubigen

> "das gemeinsame Brot teilen, bezeugen sie ihre
> Einheit mit der katholischen Kirche, tritt das
> Geheimnis der Erlösung in Kraft und nimmt der
> ganze Leib an Gnade zu. Deshalb ist die katho-
> lische Kirche mehr als die Summe von Ortsgemein-
> den und muß in jeder Ortsgemeinde ihren vollen
> Ausdruck finden".[39]

Weiterhin wird der katholische Charakter der
Eucharistie dadurch sichtbar, daß diese an jedem
Ort Zusicherung der Erlösung und Zeichen der Hoffnung für den ganzen Kosmos ist. Mit Brot und Wein,
in den Gläubigen und in ihren Gebeten ist die Welt
in jeder Eucharistie anwesend.

> "Indem die Gläubigen und ihre Gebete in der
> Person unseres Herrn und in seiner Fürsprache
> verbunden werden, werden sie verwandelt und
> angenommen. So enthüllt die Eucharistie der
> Welt, was sie werden soll."[40]

Daraus dann folgert das Dokument:

- In der Eucharistiefeier auf Ortsebene erfährt die
  Ortskirche die Ganzheit der Kirche und macht sie
  in ihrer Fülle deutlich. Da nun die Taufe die Eingliederung in diese Kirche bedeutet, verdunkelt
  die Nichtzulassung von getauften Gliedern und Amtsträgern zur Eucharistiefeier einer Kirche die katholische Dimension der Eucharistie.
- Unter dem katholischen Aspekt bedeutet die Eucharistie eine Herausforderung für alle Christen,

---

39 Bristol 1967, 86.

40 A.a.O. 87.

allen Formen von Entfremdung, Trennung und Ab-
splitterung in Kirche und Gesellschaft entge-
genzutreten, da Christus selber alle Mauern und
Trennungen überwunden hat.

- Demgegenüber betont das Dokument aber auch die
Vielfalt in den kirchlichen Erscheinungsformen,
wie sie durch kulturelle und gesellschaftliche
Unterschiede entstehen und begrüßt sie als legitime Vielfalt in der Fülle, mithin als Ausdruck
der Katholizität, solange die Selbstverwirklichung
einer Kirche nicht auf Kosten anderer geht und die
Kirchen offen bleiben für die stete Bekehrung und
sich all dessen enthalten, was Mißverständnissen
Vorschub leistet, Trennungen verhärtet und Entfremdungen bewirkt.

> "Auf diese Weise würden sie vor der Welt ein
> wirksameres Zeugnis abgeben für die Katholi-
> zität, die sie alle beanspruchen und die in
> der Eucharistie verkörpert ist."[41]

c) Eucharistie und Agape[42]

Agape bedeutet eine gemeinsame Mahlzeit im Namen und in der Gegenwart Christi, in der die Liebe
Gottes zu den Menschen und der Christen untereinander
zum Ausdruck kommt und auf die Verantwortung in der
Welt hinweist. Ohne auf die genaue Verbindung von
Agape und Eucharistie eingehen zu können, nennt das
Dokument Momente, in denen sich der agapäische Charakter der Eucharistie äußert: so z.B. die gegenseitige Sündenvergebung, der Friedenskuß, das Mitbringen
von Gaben für das gemeinsame Essen und für die Austeilung an die Armen, das Gebet für die Bedürftigen
und Leidenden, das Austragen der Eucharistie zu den

---

41 Bristol 1967, 88.
42 Vgl. a.a.O. 88-91.

Kranken und Gefangenen. In solchem Handeln findet
sich die Kirche wieder in der Nachfolge Christi
als Diener und Zeugen für seine erlösende Gegenwart in der Welt.

> "Wie Gott in Christus in die menschliche Lage
> eingegangen ist, so sollte die eucharistische
> Liturgie den konkreten und besonderen Situatio-
> nen der Menschen nahe sein."[43]

Das Dokument konstatiert anschließend ein neu er-
wachtes Bedürfnis nach Agapefeiern, hält diese unter
Umständen für möglich und sinnvoll, warnt aber vor
deren Mißbrauch und macht darauf aufmerksam, daß
Agapen nicht identisch mit Eucharistiefeiern sind.
Demgegenüber betont es die Notwendigkeit, den aga-
päischen Charakter der Eucharistie wieder deutlicher
zu machen und beschließt seine Ausführungen mit Anregungen, wann und wie Agapen sinnvoll sein und mit
einer Abendmahlsfeier verbunden werden können.

Das Bristol-Dokument bietet keine umfassende
Darstellung des ökumenischen Konsenses über das
Abendmahl. Bewußt beschränkt es sich auf die Behandlung von Anamnese und Epiklese, Katholizität und
Agape. Für den bis dahin vorhandenen Konsens ist es
zusammenzusehen mit den Aussagen von Montreal, auf
die es sich abstützt. Trotzdem aber hat dieses Dokument den Umfang der bisherigen Übereinstimmung erweitert: zum einen durch die Behandlung der liturgischen Konsequenzen aus der Abendmahlslehre, zum anderen durch die spezifische und ausführliche Behandlung
von Anamnese und Epiklese. Während die bisherigen
Aussagen zur Anamnese durch die Verbindung mit der
eschatologischen Ausrichtung und dem Bezug zum erhöhten Herrn weiter ausgeführt werden, führt die intensive Auseinandersetzung mit der Epiklese zu einem

---

43 Bristol 1967, 89.

Vorschlag für die Lösung der Konsekrationsfrage.
Neu in diesem Dokument sind die Aussagen über die
Katholizität der Eucharistie, ihre universale Bedeutung und die Auswirkungen der Eucharistie für
das Leben der Kirche. Wie die späteren Dokumente
deutlich zeigen, wurde das Bristoldokument mit diesen Aussagen, die alle, wenn auch modifiziert, in
anderem Zusammenhang und unter anderen Überschriften
übernommen werden, zum Grundlagentext für die Entwicklung der neueren Abendmahlsdiskussion.[44]

3. Accra 1974: Die Eucharistie

Im Vorwort zu den drei Dokumenten über Taufe,
Eucharistie und Amt betont L. Vischer die Zielrich-
tung dieser Dokumente: sie zielen nicht mehr nur
auf die Ermöglichung von Interkommunion wie noch in
Bristol[45], sondern umfassender auf "die Ermöglichung
der gegenseitigen Anerkennung der Kirchen"[46], die
dann Abendmahlsgemeinschaft beinhaltet. Daher dann
auch bieten die Dokumente keine vollständigen theologischen Abhandlungen, sondern berücksichtigen lediglich die Aspekte, die für die Anerkennung von Bedeutung sind. L. Vischer stellt weiter fest, daß die
Sprache der Dokumente nicht die Sprache unserer Zeit
ist. Um aber die Übereinstimmung deutlich machen zu
können, ist notwendigerweise der Gebrauch jener Sprache naheliegend, in welcher früher die Unterschiede
formuliert wurden. Diese Dokumente wollen aber nicht
einen allgemeinen Abschluß des Gespräches darstellen,
sondern Ermöglichung für neue Gespräche in und zwi-

44 Vgl. auch G. Gaßmann, Taufe-Eucharistie-Amt, 200f.
45 Vgl. Bristol 1967, 84.
46 Vgl. L. Vischer, Einleitung, 4.

schen den Kirchen sein und so ist dann zu hoffen,
daß die Kirchen in diesem Prozeß auch zu einer
neuen, gemeinsamen Sprache finden.[47]

Die Präambel ist identisch mit den Aussagen von
Montreal und Bristol[48], betont die Taufe als die
einmalige Eingliederung in die Kirche (Nr. 1) und
hebt die Eucharistie als immer wiederkehrendes Gedächtnis des einmaligen Versöhnungshandelns Gottes
in Christus hervor (Nr. 2).

Der anschließende Text gliedert sich in fünf
Abschnitte: Einsetzung, Bedeutung, Implikationen
und Bestandteile der Eucharistie, sowie abschließende
Empfehlungen.

a) Die Einsetzung (Nr. 3-5)

Die Eucharistie ist von Christus gestiftet. Sie
ist als das neue Paschamahl das sakramentale Mahl
des Volkes Gottes. Die Kirche feiert es auf den Befehl Christi hin bis zu seiner Wiederkehr. Über die
Stiftung der Eucharistie kommt das Dokument auf die
Realpräsenz zu sprechen:

"Dieses Mahl mit Brot und Wein ist das Sakrament,
das wirksame Zeichen und die Zusicherung der Gegenwart Christi selber, der sein Leben für alle
Menschen opferte und sich selbst ihnen als Lebens-
brot gab; deswegen ist das eucharistische Mahl das
Sakrament des Leibes und Blutes Christi, das Sakrament seiner wahren Gegenwart" (Nr. 4).

Im weiteren wird das Ziel und die Frucht dieser
Gegenwart beschrieben: Christus, der gekreuzigte und
auferstandene Herr ist in der Eucharistie gegenwärtig,
um die Gläubigen zu heiligen, zu einen und in der Liebe zu versöhnen, damit sie in seinen Dienst an der
Versöhnung der Welt treten und in ihm als ein leben-

---

47 Vgl. L. Vischer, Einleitung, 4f.
48 Vgl. Montreal 1963, Nr. 116; Bristol 1967, 84f.

diges Opfer dargebracht werden. Das Dokument endet
hier mit der ekklesiologischen Komponente der Eucharistie:

> "In der Eucharistie findet die Gemeinschaft des
> Volkes Gottes ihre volle Manifestation" (Nr. 5).

b) Die Bedeutung (Nr. 6-22)

In den Ausführungen über die Eucharistie als
Danksagung, Anamnese, Epiklese und Gemeinschaft im
Leibe Christi lehnt sich das Dokument sehr stark an
die Aussagen von Montreal und Bristol an.[49]

So ist die Eucharistie zunächst Danksagung an
den Vater für alles, was er für die Menschen vollbracht hat, trotz ihrer Sünden vollbringt und bei
der Erfüllung seiner Königsherrschaft noch vollbrin-
gen wird. Insofern ist die Eucharistie Lobpreis und
Lobopfer im Namen der ganzen Schöpfung, durch deren
Verbindung mit der Fürbitte des Herrn sie und die
Gläubigen verwandelt und angenommen werden und so
der Welt ihr Ziel offenbar wird.

Anschließend folgen die bekannten Ausführungen
zur Anamnese: Nachdem bereits vom Opfer Christi in
der Eucharistie und dem Lobopfer der Gemeinde die
Rede war, kommt in diesem Abschnitt noch einmal das
Opfer der Gemeinde und seine Verbindung mit Christus
zur Sprache:

> "Mit demütigem Herzen bringen wir uns vereint mit
> unserem Erlöser selbst dar als ein lebendiges und
> heiliges Opfer, ein Opfer, das in unserem ganzen
> täglichen Leben Ausdruck finden muß" (Nr. 11).

Mit dieser Auffassung, die von der Gemeinschaft mit
dem ganzen Christus, mit all seiner Person und seinem
Werk, ausgeht, ist die offene Frage von Lund[50] der

---

49 Vgl. Montreal 1963, Nr. 117; Bristol 1967, 84f.
50 Vgl. Lund 1952, Nr. 110.

Antwort einen Schritt nähergekommen, ob das "Opfer"
der Gemeinde lediglich als Lobopfer glaubende Antwort auf die Gnade Gottes sei, oder ob es in das
einmalige Opfer Christi hineingenommen werde. So
kann dann das Dokument formulieren:

> "In der Perspektive, wie sie in den vorausgehen-
> den Abschnitten umrissen worden ist, sollten die
> historischen Kontroversen über den Begriff des
> Opfers neu überdacht werden" (Nr. 12).

Auch im Abschnitt über die Epiklese erfolgen
die bekannten Aussagen. Hier gibt das Dokument seiner Hoffnung Ausdruck, daß das Verständnis von Anamnese als erinnerndes Vergegenwärtigen und die Überzeugung, daß der Geist Christus wahrhaft gegenwärtig
sein läßt, zur Überwindung der bestehenden Unterschiede im Verständnis der wahren Gegenwart Christi
beitragen kann.

Betont wird der epikletische Charakter der gesamten Eucharistiefeier, welcher in den Worten der
Liturgie Ausdruck finden sollte. Über Ort und Bedeutung der Anrufung des Geistes allerdings bestehen
weiterhin Unterschiede in den Kirchen: die einen wünschen die Anrufung des Geistes über das Volk Gottes
und der ganzen eucharistischen Handlung einschließlich der Elemente, die anderen sind der Auffassung,
daß auf andere Art und Weise auf den Geist Bezug genommen werden könne. An dieser Stelle dann erfolgt
wiederum ein Wort zur Konsekration[51], von der die
meisten Kirchen glauben, daß sie

> "nicht auf einen bestimmten Moment in der Litur-
> gie beschränkt werden kann" (Nr. 18).

Im letzten Abschnitt folgt das Dokument den Ausführungen, wie sie in Bristol zur Katholizität der

---

51 Vgl. Bristol 1967, 86.

Eucharistie gemacht worden sind[52], hier allerdings
unter dem Titel "Die Eucharistie: Gemeinschaft im
Leibe Christi" (Nr. 19-22). Hier wird einleitend
verdeutlicht:

> "Die eucharistische Gemeinschaft mit dem gegen-
> wärtigen Christus, der das Leben der Kirche
> stärkt, ist zugleich auch die Gemeinschaft im
> Leibe Christi, der Kirche. Das Teilhaben am ge-
> meinsamen Brot und am gemeinsamen Kelch an einem
> bestimmten Ort weist darauf hin, daß die Teil-
> habenden mit dem ganzen Christus und mit den ge-
> meinsam mit ihnen zu allen Zeiten und an allen
> Orten Teilhabenden eins sind" (Nr. 19).

Nach den Wirkungen, die die Eucharistie als Gemeinschaftsmahl für die Kirche hat (Absage an alle Formen von Trennungen und Solidarität der Christen füreinander und für die Welt), kommen hier auch die
Wirkungen dieser Gemeinschaft für den einzelnen Christen zur Sprache:

> "Nach der Zusage Christi erhält jedes glaubende
> Glied am Leibe Christi in der Eucharistie Ver-
> gebung der Sünden und ewiges Leben und wird in
> Glaube, Hoffnung und Liebe gestärkt" (Nr. 22).

c) Die Implikationen (Nr. 23-27)

Zwei Implikationen werden genannt: die Sendung
zur Welt und das Ende der Spaltungen.

Bei der Sendung zur Welt werden Aussagen aufgenommen, die das Dokument selber schon erwähnt hat.[53]
Grundlegend gilt hier:

> "Die Sendung ist nicht einfach eine Folge der
> Eucharistie. Wo immer die Kirche Kirche ist,
> muß die Sendung ein Teil ihres Lebens sein. Bei
> der Eucharistie ist die Kirche in hervorgehobe-
> ner Weise sie selbst und mit Christus in seiner
> Sendung vereint" (Nr. 23).

Die Christen sind als Versöhnte aufgerufen zum Dienst

---

52 Vgl. Bristol 1967, 87f.

53 Vgl. Accra 1974 II, Nr. 5; Nr. 21.

der Versöhnung in der Welt. Umgekehrt dann ist die
Eucharistie auch der Ort der Danksagung für alle
in der Welt empfangenen Gaben.

Im Unterabschnitt zum Ende der Spaltungen
übernimmt das Accra-Dokument beinahe wörtlich die
Aussagen von Bristol, wo es um die Ganzheit und
Fülle der Kirche in der Eucharistie geht und daher
die Nicht-Zulassung eines getauften Christen zur
Eucharistie ihr wahres Wesen (die Katholizität) zu
verdunkeln droht.[54]

d) Die Bestandteile (Nr. 28-30)

Zu einem geringen Teil stützt sich das Dokument in der Aufzählung der üblicherweise und grundlegend wichtigen Bestandteile der Eucharistiefeier
auf einen kurzen Abschnitt aus dem Montreal-Doku-
ment, ebenso in der Bemerkung, daß die nachfolgend
aufgezählten Elemente andere nicht ausschließen
wollen.[55] Im Accra-Dokument werden folgende Elemente
der Eucharistiefeier aufgezählt (Nr. 28):

- die vielfältige Verkündigung des Wortes Gottes,
- die Fürbitte für Kirche und Welt,
- die Danksagung für Schöpfung, Erlösung und Heiligung,
- die Einsetzungsworte,
- die Anamnese der großen Taten (Erlösung, Leiden,
  Tod, Auferstehung, Himmelfahrt, Pfingsten),
- die Herabrufung des Geistes auf die Gemeinde und
  die Elemente oder ein anderer Bezug zum Geist,
- die Bitte um das Kommen Christi und die Manifestierung seines Reiche,
- das Vaterunser,

---

54 Vgl. Bristol 1967, 87.
55 Vgl. Montreal 1963, Nr. 112.

- das Brechen des Brotes,
- "das Essen und Trinken in Gemeinschaft mit Christus und jedem Glied der Kirche",
- ein abschließender Lobpreis.

Abschließend stellt das Dokument ein Zusammenwachsen der Kirchen durch die liturgische Reformbewegung fest, betrachtet eine liturgische Vielfalt als sinnvoll und gegenseitig bereichernd und ruft die Kirchen auf, ihre Liturgien angesichts der neuen Übereinstimmungen in der Eucharistielehre zu überprüfen.

e) Die Empfehlungen (Nr. 31-35)

Die Empfehlungen beziehen sich zunächst auf die Erneuerung der Eucharistie in Lehre und Praxis als besten Weg zur Eucharistiegemeinschaft und auf eine erstrebenswerte Häufigkeit der Eucharistiefeier und des Kommunionempfangs. Danach kommt das Dokument auf die Behandlung der Elemente von Brot und Wein zu sprechen, was innerhalb des ÖRK neu ist:

"Der Akt Christi, die Gabe seines Leibes und Blutes (d.h. seiner selbst) als die in Brot und Wein symbolisierte vorgegebene Wirklichkeit, das ist sein Leib und Blut. Kraft des schöpferischen Wortes Christi und durch die Macht des Heiligen Geistes werden Brot und Wein zu Sakramenten gemacht und gewähren somit Teilhabe am Leib und Blut Christi (1 Kor 10,16)" (Nr. 34).

Daher sind Brot und Wein äußerliche Zeichen einer vorgegebenen Wirklichkeit und bleiben es hinsichtlich ihres Verzehrs.

"Was als Leib und Blut Christi gegeben worden ist, bleibt gegeben als sein Leib und Blut und muß als solches behandelt werden" (Nr. 34).

Damit betont das Dokument nicht nur die Gegenwart Christi unter Brot und Wein als zum Essen und Trinken bestimmt, sondern bekennt sich auch zu einer Gegenwart, die länger als die eucharistische Handlung dauern kann. Aus dieser Überzeugung werden Empfehlungen

in zwei Richtungen formuliert: den einen Kirchen
legt das Dokument die Aufbewahrung der Elemente
für die Austeilung an Kranke und an der Feier Ver-
hinderte nahe, den anderen empfiehlt es als Ausdruck des würdigen Umgangs mit den Elementen deren
späteren Verzehr, ohne dabei die Austeilung an
Kranke auszuschließen.

Das Accra-Dokument über die Eucharistie stellt
die Zusammenfassung aller bis dahin erbrachten Gesprächsergebnisse zu diesem Thema innerhalb des ÖRK
dar. Dabei wurden allerdings auch viele andere Dokumente aus den bilateralen Gesprächen mitberück-
sichtigt (die hier, außer der Gruppe von Dombes,
nicht genannt werden). Die bilateralen und multilateralen Gespräche sind (weil sie sich jeweils aufeinander beziehen) komplimentär und gegenseitig
hilfreich. Die Kommission für Glauben und Kirchenverfassung hat es sich zur Aufgabe gemacht, aus
vielen Einzelbemühungen das Fazit für die ganze
ökumenische Bewegung zu ziehen:

> "Denn so wichtig die Gespräche zwischen einzel-
> nen Kirchen sind, kommt es schließlich darauf
> an, daß sie zu einem gemeinsamen Verständnis un-
> ter allen Kirchen führen."[56]

Somit stellt dieses Dokument eine Gesamtschau dessen
dar, was die meisten Kirchen grundlegend gemeinsam
aussagen können (was natürlich bestehende Unterschiede weder ausgleicht, noch verschiedene Akzente ein-
ebnet, noch diese leugnet).[57] G. Gaßmann formuliert
über die weiterreichende Bedeutung dieser erreichten

56 Vgl. L. Vischer, Einleitung, 4.

57 Angemerkt soll hier noch einmal werden, daß diese
    drei Konsensdokumente auch von den orthodoxen und
    den katholischen Mitarbeitern mitgetragen werden
    (vgl. auch G. Gaßmann, Taufe-Eucharistie-Amt, 203).

Übereinstimmung:

"Dieses Dokument sollte nicht nur als ein Ausdruck ökumenischer Übereinstimmung angesichts
unterschiedlicher Traditionen gelesen und beurteilt werden. Es sollte zugleich als Frage und
Hilfe für die Selbstprüfung der Lehre und Praxis
der eigenen Kirche betrachtet und bei allen Re-
formvorhaben beachtet werden."[58]

Eine detaillierte Zusammenfassung der Ergebnisse

wird im Anschluß an den nächsten Abschnitt geboten,

der sich kurz mit der revidierten Fassung des Accra-

Dokumentes befaßt.

4. Lima 1982: Die Eucharistie

Die fünf Abschnitte aus Accra werden in Lima

zu drei zusammengefaßt: Einsetzung, Bedeutung und

Feier der Eucharistie. Sie enthalten aber nicht nur

den ganzen Text aus Accra, sondern führen ihn stel-

lenweise aus und ergänzen ihn.

a) Die Einsetzung (Nr. 1)

Das Lima-Dokument läßt den Zusammenhang mit der

Taufe einleitend weg und verdeutlicht die Einsetzung

der Eucharistie durch Jesus Christus, indem es diese

---

58 Vgl. G. Gaßmann, Taufe-Eucharistie-Amt, 203. Vgl.
auch L. Vischer, Einleitung, 4. Von der Aufnahme
dieses Dokumentes in verschiedenen Kreisen als Grundlage für das weitere Eucharistiegespräch und die eucharistische Praxis zeugt z.B. der Brief der Arbeitsgemeinschaft Christlicher Kirchen in Baden-Württem-
berg vom 3. Dezember 1976 an die Leitungen der in der
Arbeitsgemeinschaft zusammengeschlossenen Kirchen und
kirchlichen Gemeinschaften: Ansätze gemeinsamen Eu-
charistieverständnisses. Empfehlungen zur Accra-Studie "Eucharistie", in: Ökumenische Centrale, Materialdienst Nr. 7, Mai 1977. Zum Accra-Dokument über
die Eucharistie vgl. auch A. Basdekis, Bemerkungen
zu den Konsensustexten über die Taufe und Eucharistie,
besonders aus der Sicht der Orthodoxie, 68ff.

auf drei Ebenen ansetzt: die irdischen Mahlzeiten
Jesu, die das Gottesreich verkünden und seine Nähe
darstellen, das letzte Abendmahl Jesu, das die Gemeinschaft des Gottesreiches mit dem Ausblick auf
das künftige Leiden Jesu verbindet und die Abend-
mahlfeier der Jünger nach der Auferstehung, in der
Christus den Jüngern seine Gegenwart zu erkennen
gibt.

> "Die Eucharistie führt somit diese Mahlzeiten
> Jesu während seines irdischen Lebens und nach
> seiner Auferstehung weiter, und dies immer als
> Zeichen des Gottesreiches."

Anschließend folgen die bekannten Aussagen zur
Eucharistie als Pascha-Mahl und damit als Mahl des
neuen Bundes. Abschließend folgt hier ein Wort zur
Sakramentalität des eucharistischen Mahles:

> "Das von Jesus gefeierte letzte Mahl war ein li-
> turgisches Mahl mit symbolischen Worten und
> Handlungen. Von daher ist die Eucharistie ein
> sakramentales Mahl, das uns durch sichtbare Zei-
> chen Gottes Liebe in Jesus Christus vermittelt."

Hier liegt also der Akzent zunächst einmal auf dem
Mahl als Liebesmahl.

b) Die Bedeutung (Nr. 2-26)

Hier wird den Aussagen von Accra über die Eucharistie als Danksagung, Anamnese, Anrufung des Geistes
und Gemeinschaft der Gläubigen eine Einleitung vor-
angestellt, die die Eucharistie als Gabe Christi und
sein Handeln darin betont.

> "Die Eucharistie ist vor allem das Sakrament der
> Gabe, die Gott uns in Christus durch die Kraft
> des Heiligen Geistes schenkt. Jeder Christ empfängt
> diese Gabe des Heils durch die Gemeinschaft am
> Leib und Blut Christi" (Nr. 2).

Im Essen und Trinken des Brotes und Weines schenkt
Christus Gemeinschaft mit sich selbst. Gott selbst
ist es, der dem Leib Christi Leben schenkt und jedes
Glied an diesem Leib erneuert, indem er ihm die Sündenvergebung zusagt und das Unterpfand des ewigen

Lebens schenkt.

aa)Ausführungen zur Anamnese

Die bekannten Aussagen zur Anamnese werden
hier mit zwei Kommentaren versehen. Der eine betrifft die Frage des Opfers der Kirche (und zielt
auf die katholische Kirche), der andere die Verbindung der Gegenwart Christi in der Eucharistie
mit den eucharistischen Gaben (und zielt auf die
innerevangelische Diskussion).

- Zum Problem des Opfers: Zur Erinnerung: Anamnetische Vergegenwärtigung und Vorwegnahme finden
  ihren Ausdruck in Danksagung und Fürbitte.[59] Im
  Kommentar heißt es dann:

  > "Im Licht der Bedeutung der Eucharistie als
  > Fürbitte können vielleicht die Verweise auf
  > die Eucharistie als 'Sühnopfer' in der katho-
  > lischen Theologie verstanden werden. Damit ist
  > gemeint, daß es nur eine Sühne gibt, das ein-
  > malige Opfer am Kreuz, das in der Eucharistie
  > vergegenwärtigt und in der Fürbitte Christi
  > und der Kirche für die ganze Menschheit vor
  > den Vater gebracht wird."[60]

  Die Deutung des Gedächtnisses, so das Dokument
  weiter, bietet einen Ansatz, um ehemalige Kontroversen über das Opfer überwinden zu können (Nr. 8).
- Zum Problem der Bindung der Gegenwart Christi an
  Brot und Wein: Hier wird vorausgehend betont, daß
  die Eucharistie als Sakrament des Leibes und Blutes Christi das Sakrament seiner wirklichen Gegenwart ist. Die Einsetzungsworte Christi selber stehen im Mittelpunkt der Eucharistiefeier. Diese Worte sind wahr und gehen bei jeder Eucharistiefeier
  neu in Erfüllung.

---

59 Vgl. Accra 1974 II, Nr. 9; Lima 1982 II, Nr. 8.
60 Lima 1982 II, Nr. 8, Kommentar.

"Die Kirche bekennt Christi reale, lebendige
und handelnde Gegenwart in der Eucharistie"
(Nr. 13).

Im Kommentar dazu werden dann die beiden unterschiedlichen Positionen benannt:

"Viele Kirchen glauben, daß durch diese Worte
Jesu und durch die Kraft des Heiligen Geistes
Brot und Wein der Eucharistie in einer wirklichen, wenngleich geheimnisvollen Weise der
Leib und das Blut des auferstandenen Christus
werden, d.h. des lebendigen Christus, der in
seiner ganzen Fülle gegenwärtig ist. Unter den
Zeichen von Brot und Wein ist die tiefste Wirklichkeit das ganze Sein Christi, der zu uns
kommt, um uns zu speisen und unser gesamtes
Sein zu verwandeln. Einige andere Kirchen be-
jahen zwar eine wirkliche Gegenwart Christi
bei der Eucharistie, doch sie verbinden diese
Gegenwart nicht so bestimmt mit den Zeichen
von Brot und Wein."

Das Dokument kann und will diese Frage nicht entscheiden, sie bleibt offen. Den Kirchen selber ist
es überlassen, ob sie ihre Überzeugung in den formulierten Übereinstimmungen wiederfinden können.[61]

bb) Ausführungen zur Epiklese

Auch hier werden die bekannten Aussagen durch
zwei Kommentare erweitert:

- Zur Bitte um den Geist: Das Ziel ist hier der Aufweis der trinitarischen Grundlegung der Eucharistie.
Die Gegenwart Christi in der Eucharistie geschieht
durch den Geist, der die Verheißung der Einsetzungsworte erfüllt. Christi Gegenwart in der Eucharistie
ist ihr Zentrum.

"Es ist jedoch der Vater, der der primäre Ursprung und die letztliche Erfüllung des eucharistischen Geschehens ist. Der menschgewordene
Sohn Gottes, durch den und in dem es vollbracht
wird, ist dessen lebendiges Zentrum. Der Heilige
Geist ist die unermeßliche Kraft der Liebe, die

---

61 Vgl. Lima 1982 II, Nr. 13, Kommentar.

dieses Geschehen ermöglicht und es weiterhin
wirksam macht" (Nr. 14).

In diesem Sinn bittet dann die Kirche den Vater
um den Geist, damit Christus in der Eucharistie
gegenwärtig werde, der sein Leben für alle Menschen gibt. Der Kommentar betont, daß damit Christi Gegenwart nicht spiritualisiert, sondern die
untrennbare Einheit von Sohn und Geist ausgedrückt
werden soll. Dieses Verständnis wehrt der Gefahr
eines magischen, mechanischen Verständnisses und
macht die völlige Abhängigkeit der Kirche von Gott
deutlich.

Danach folgt wiederum ein kurzes Wort zum
Ort der Geistanrufung.[62]

- Zur Konsekration: Gemeinsam kann gesagt werden,
daß durch das verheißende Wort Christi und kraft
des Geistes Brot und Wein sakramentale Zeichen des
Leibes und Blutes Christi werden. Der Kommentar
nennt die Unterschiede in der Deutung des Geheimnisses der Gegenwart Christi, ohne sie aber zu
werten oder zu beurteilen:

> "Einige begnügen sich damit, diese Gegenwart
> lediglich zu bejahen, ohne zu versuchen, sie
> zu erklären. Andere halten es für notwendig,
> auf einer Wandlung zu bestehen, bewirkt durch
> den Heiligen Geist und die Worte Christi, die
> zur Folge hat, daß es nicht mehr gewöhnliches
> Brot und gewöhnlicher Wein sind, sondern Leib
> und Blut Christi. Wieder andere haben eine Er-
> klärung der wirklichen Gegenwart entwickelt,
> die, obwohl sie nicht die Bedeutung des Ge-
> heimnisses zu erschöpfen beansprucht, es doch

---

62 Mit dieser trinitarischen Deutung der Eucharistie
    kommt das orthodoxe Anliegen sehr deutlich zum
    Ausdruck, was gerade der katholischen Kirche eine
    Annäherung erleichtert und für sie Anregungen für
    die Erweiterung und Vertiefung ihres Eucharistie-
    verständnisses enthält (vgl. W. Kasper, Rückkehr
    zu den klassischen Fragen ökumenischer Theologie,
    9).

552

vor entstellenden Interpretationen zu schützen sucht."[63]

Die beiden Unterabschnitte "Sendung zur Welt" und "Ende der Spaltungen" aus dem dritten Abschnitt des Accra-Dokumentes ("Implikationen der Eucharistie"[64]) werden in Lima zum einen in den Zusammenhang mit der Eucharistie als Gemeinschaft der Gläubigen (Nr. 19-21) und zum anderen in den neu zusammengestellten Unterabschnitt "Die Eucharistie als Mahl des Gottesreiches" (Nr. 22-26), also in den Zusammenhang mit der eschatologischen Dimension und deren Auswirkungen, hineingestellt, bleiben aber hier im wesentlichen gleich.

c) Die Feier (Nr. 27-33)

In Lima findet die Liste der Elemente der eucharistischen Feier gegenüber Accra eine Erweiterung. Sie umfaßt zum Teil jene Elemente, die in Accra lediglich als weitere mögliche erwähnt wurden.[65] Zusätzlich werden hier genannt: Loblieder, Bußhandlung, Zuspruch der Vergebung, Glaubensbekenntnis, Vorbereitung von Brot und Wein, Hingabe der Gläubigen an Gott, Hinweis auf die Gemeinschaft der Heiligen, Versöhnungs- und Friedenszeichen, Segen und Sendung (Nr. 27).[66]

Im weiteren hält sich das Lima-Dokument an die Aussagen von Accra und schließt sich auch dessen Emp-

---

63 Lima 1982 II, Nr. 15, Kommentar.

64 Vgl. Accra 1974 II, Nr. 23-27.

65 Vgl. Accra 1974 II, Nr. 28.

66 Für die Sitzung der Kommission in Lima ist auch eine eigene Liturgie ausgearbeitet worden, die die Konvergenzerklärungen liturgisch fruchtbar machen will: Die eucharistische Liturgie, in: US 38 (1983), 164-172. Vgl. auch Max Thurian, Die eucharistische Liturgie von Lima: Einführende Bemerkungen, a.a.O. 158-163.

fehlungen an.

Zwei Aspekte werden hier neu aufgenommen:

- Zum einen der Hinweis auf das Problem, ob, wo
Brot und Wein nicht erhältlich sind, die Verwendung von ortsüblichen Nahrungsmitteln und Ge-
tränken die Eucharistie im täglichen Leben besser
verankern kann. Hierbei muß noch abgeklärt werden,

> "welche Teile des Herrenmahls unveränderbar
> von Jesus eingesetzt worden sind und welche in
> die Entscheidungskompetenz der Kirchen fallen".[67]

- Zum anderen wird das Problem des Vorsitzes bei der
Eucharistiefeier angesprochen (Nr. 29): In der Eucharistie ist Christus der Handelnde, er sammelt,
lehrt, nährt, lädt ein und steht vor.

> "In den meisten Kirchen wird dieser Vorsitz
> durch einen ordinierten Amtsträger zum Ausdruck
> gebracht."

Damit soll die Eucharistie als Gabe Christi und
nicht als Schöpfung oder Besitz der Kirche deutlich
gemacht werden. Der Amtsträger wird als Diener gesehen. Als Diener ist er Botschafter,

> "der die göttliche Initiative repräsentiert und
> die Verbindung der Ortsgemeinde zu den anderen
> lokalen Gemeinschaften in der universalen Kirche
> zum Ausdruck bringt".

Den Abschluß des Dokumentes bildet wiederum ein
Wort zur Abendmahlsgemeinschaft. Während in Accra die
fortschreitende Übereinstimmung in der Lehre und Praxis der Eucharistie als Annäherung zur Lösung des In-
terkommunion-Problems bezeichnet wird, geht das Lima-
Dokument einen kleinen Schritt weiter:

> "Das wesentlich größer gewordene gegenseitige Ver-
> ständnis, das in der vorliegenden Erklärung zum
> Ausdruck kommt, könnte es einigen Kirchen erlau-

---

67 Lima 1982 II, Nr. 28, Kommentar.

ben, ein größeres Maß an eucharistischer Gemeinschaft untereinander zu erreichen und so
den Tag näherzubringen, an dem das gespalte-
ne Volk Christi um den Tisch des Herrn sichtbar wiedervereint sein wird" (Nr. 33).

Noch einmal war es durch die Überarbeitung des
Accra-Textes, durch Abrundungen und Erweiterungen
möglich, mit dem Lima-Dokument einen weiteren bedeutenden Fortschritt zu erziehlen.[68] Die in Lima
eingebrachten Erweiterungen zeichnen sich vor allem
durch die klare Benennung der noch ausstehenden
Unterschiede aus. Indem die Aussagen auch in diesen
Punkten Ansätze zu deren Überwindung zu bieten vermögen, wird die erreichte Konvergenz erst recht
deutlich.

Der Konsens ist in der Tat fundamental und die
Konvergenz in den offenen Fragen sehr hoffnungsvoll.[69]
W. Kasper würdigt das Ergebnis (zusammen mit dem
Tauf- und Amtsdokument) folgendermaßen:

"Diesen fundamentalen Konsens und diese weitgehende Konvergenz erstmalig öffentlich klar formuliert zu haben, stellt schon in sich ein ökumenisches Ereignis erster Ordnung dar."[70]

Zusammenfassung

Zunächst ist allgemein festzustellen, daß die Eucharistie deutlich als Zentrum der Kirche und als deren
tiefste Verwirklichung bewertet wird, die damit auch
den Mittelpunkt in der Gemeinschaft der Kirchen bildet.
Dieses grundsätzliche Bewußtsein läßt allmählich ein
eucharistisches Bewußtsein wachsen,

68 Vgl. auch W. Kasper, Rückkehr zu den klassischen
    Fragen ökumenischer Theologie, 9.

69 Vgl. a.a.O. 10; L. Vischer, Einleitung, 3.

7o W. Kasper, Rückkehr zu den klassischen Fragen öku-
    menischer Theologie, 1o.

"das offensichtlich eine konstruktive Diskussion
der kontroversen Fragen ermöglicht".[71]

Das gemeinsame Rückbesinnen auf das gemeinsame Fundament führt zur Entdeckung von Elementen der eucharistischen Wirklichkeit in anderen Traditionen, aber
auch in der eigenen Tradition, die bis dahin zu wenig
deutlich herausgestellt oder durch Mißverständnisse
verdunkelt worden sind. Diese Entdeckung macht es möglich, manches bei den anderen Konfessionen entweder
heute anerkennen oder die theologischen Unterschiede
genauer benennen zu können.

   Übereinstimmung gibt es hinsichtlich:

- der Einsetzung der Eucharistie durch Christus und
  des Handelns der Kirche auf den Befehl Christi hin
  und nicht aus eigenem Antrieb;
- der Eucharistie als Danksagung und Lobopfer für das
  Versöhnungshandeln Gottes in Christus;
- der Eucharistie als Anamnese, welche in vergegen-
  wärtigendem Erinnern des Werkes Gottes in Christus
  dieses wirksam macht;
- der Eucharistie als Epiklese, in der Gott angerufen
  wird, die Gegenwart Christi zum Heil der Welt je neu
  wirksam werden zu lassen;
- der Eucharistie als Gemeinschaft der Gläubigen mit
  Christus und untereinander in der Orts- und Universalkirche, in der die Gläubigen Anteil haben am
  Dienst und der Sendung Christi;
- der Eucharistie als Vorgeschmack des eschatologischen
  Mahles mit Christus bei seinem Wiederkommen;
- der bedeutsamen und grundlegenden Elemente der Eucharistiefeier.

---

71 Taufe, Eucharistie und Amt: Auf dem Wege zu einem
   ökumenischen Konsensus, 10.

Bedeutsame Konvergenzen ohne volle Übereinstimmung gibt es hinsichtlich:

- des Opfercharakters: das Opfer Christi ist einmalig. In der Eucharistie wird sein Opfer gegenwärtig und unser eigenes Opfer (Lob und Dienst) zum Ausdruck gebracht. Das Opfer der Gläubigen geht in das Opfer Christi ein. Das anamnetische Verständnis der Eucharistie bietet einen Ansatz zur Überwindung der Kontroverse über den Opfercharakter der Eucharistie;
- der Realpräsenz: alle bekennen die wirkliche Gegenwart des ganzen Christus in der Eucharistie. Sie geschieht durch das verheißende Wort und kraft des heiligen Geistes und ist nicht vom Glauben der Gläubigen abhängig. Hierbei sind die Unterschiede bei der näheren Bestimmung des Verhältnisses von Brot und Wein zu Leib und Blut Christi und der Dauer dieser Gegenwart zu sehen;
- des epikletischen Charakters der ganzen Eucharistie: Hierbei gibt es Unterschiede über Ort und Bedeutung der Anrufung des Geistes und somit vor allem hinsichtlich des Problems der Konsekration;
- des untrennbaren Zusammenhangs von Taufe und Eucharistie, wobei sich die Unterschiede hinsichtlich der Konsequenzen aus der Taufanerkennung ergeben;
- des Vorsitzes bei der Eucharistiefeier, welche in den meisten Kirchen von einem autorisierten Diener als deutliches Zeichen für den Vorsitz und das Handeln Christi übernommen wird. (Auf die genauen Unterschiede geht das folgende Kapitel ausführlich ein.)

Die deutliche Darstellung der noch zu behandelnden Fragen und die breite Darlegung der Konsense macht deutlich, daß es sich in diesem Dokument nicht um

"eine kompromißlerische Einheit auf dem kleinsten gemeinsamen Nenner handelt, sondern um eine Einheit

im Fundamentalen und Wurzelhaften, auf der sich
weiter aufbauen läßt".[72]

---

72 W. Kasper, Rückkehr zu den klassischen Fragen ökumenischer Theologie, 10. Wenn hier W. Kasper von
einem weiteren Aufbau spricht, verdeutlicht er das
mit der Aussage, daß die drei Lima-Dokumente für die
katholische Kirche "sicher noch nicht die Grundlage
für eine Kirchen- und Eucharistiegemeinschaft sein"
können (a.a.O. 10). G. Gaßmann verdeutlicht hier:
"Was aber im Dokument über den Opfercharakter und
über Anamnese und Epiklese bis hin zur Realpräsenz
und zur Bedeutung der Elemente von Brot und Wein gesagt wird, dürfte tragfähige Brücken zu neueren
römisch-katholischen Interpretationen des Opfers und
der Transsubstantiation schlagen" (G. Gaßmann, Taufe-
Eucharistie-Amt, 203). Zu Lima 1982 II vgl. auch
J.M.R. Tillard, Die theologischen Grundlinien der
Konvergenz über die Eucharistie, in: M. Thurian (Hg.),
Ökumenische Perspektiven von Taufe, Eucharistie und
Amt, 124-137.

§ 14 ZUSAMMENFASSUNG UND THEOLOGISCHE DISKUSSION

1. Allgemeine Einleitung

   1960 hat O. Karrer formuliert:

> "Wesentliches im eucharistischen Glauben ver-
> bindet evangelische und katholische Christen.
> In Wichtigem sind wir noch getrennt."[1]

Gut zehn Jahre später hat sich die Frage um die Eucharistielehre auf die Interkommunionfrage hin ver-
dichtet und E. Iserloh stellt die Frage:

> "Kann man ehrlicherweise gemeinsam Eucharistie
> feiern, wenn man nicht sicher ist, es in dem-
> selben Sinn zu tun?"[2]

Die Frage tendiert auf eine negative Beantwortung
und drückt negativ aus, was positiv die Übereinstimmung in der Lehre von der Eucharistie als eine Voraussetzung für Abendmahlsgemeinschaft meint, wie sie
immer gefordert wird.

  Wie steht es heute mit dieser Übereinstimmung?
Welches sind mögliche Konsequenzen aus den Abend-
mahlsgesprächen hinsichtlich der Abendmahlsgemeinschaft?

  Angesichts der Fülle von Studien und Abhandlungen zu kontroversen Punkten in der Eucharistielehre,
die hier kaum adäquat wiedergegeben werden könnten,
und angesichts der Gefahr zu großer Wiederholungen

---

1 O. Karrer, Die Eucharistie im Gespräch der Konfessionen, 250.

2 E. Iserloh, Die Interkommunion, 57.

von Aussagen, die bereits in der Vorstellung der
Dokumente dargelegt wurden, soll in diesem Abschnitt lediglich kurz ein Blick auf die Bewertung
der Ergebnisse des interkonfessionellen Gesprächs
in der theologischen Diskussion geworfen und auf
verschiedene Untersuchungen hingewiesen werden.
Es soll kurz dargetan werden, wie das Zusammenkommen in der Lehre von der Eucharistie, welche als
zentrales Geschehen der Kirche "die Schicksalsfrage
der Einheit"[3] ist, gewichtet wird, welche möglichen
Konsequenzen sich abzeichnen und welches die weiterreichenden Zusammenhänge sind. Dazu ist einleitend
ein kurzer, allgemeiner Überblick über die Ergebnis-
lage von Nutzen, wie sie sich aus den Dokumenten ergibt.

2. Ein Überblick

a) Anamnese

Grundlegender Ausgangspunkt für das Verständnis
der Eucharistie heute ist allgemein der Begriff der
Anamnese (Gedächtnis, Memoria, Memorial). Anamnese
verstanden als aktives Erinnern, in dem sich der ganze Christus gegenwärtig macht, bildet den tragenden
Verstehenshorizont für das Geheimnis der Eucharistie
und ermöglicht die Aufnahme einzelner (kontroverser)
Aspekte in das große Ganze.

b) Opfer

In der Eucharistie werden alle Heilstaten gegen-
wärtig. In diesem Zusammenhang findet dann auch die
Vergegenwärtigung des Opfers Christi statt. In der
Eucharistie wird Christus mit seiner Hingabe am Kreuz

---

3   Markus Kaiser, Eucharistie und Ökumene: Theologen-
    gezänk angesichts der Weltnot?, in: SKZ 136 (1968),
    471.

für uns, für die Welt, gegenwärtig und wirksam. Da es
Christus ist, der sich ein für allemal hingegeben hat
und als solcher in der Eucharistie gegenwärtig ist,
bleibt er auch hier der vorzugsweise Handelnde. Die
Kirche kann kein eigenes Opfer darbringen. Sie kann
allein durch die Einheit mit ihrem Herrn und Haupt
an seinem Opfer teilnehmen, in dieses Opfer hineingenommen und mit Christus zusammen dargebracht werden. Unterschiede hier ergeben sich zum einen aus
den unterschiedlichen Akzentsetzungen und Termino-
logien (welche nach allgemeiner Überzeugung als Ausdruck einer legitimen Vielfalt bestehen bleiben können) und zum anderen aus der näheren Bestimmung des
Mitopferns der Kirche und der Gläubigen. Allgemein
geht der Trend der Beurteilung durch die Dokumente
dahin, daß trotz offener Fragen die alten Opferkon-
troversen gegenstandslos geworden sind und keine
Trennung in dieser Glaubensfrage mehr nahelegen.

c) Realpräsenz

Mit der Anamnese wird nicht nur ein Bekenntnis
zur Gegenwart des ganzen Christus, sondern auch ein
Bekenntnis zu seiner Gegenwart während der ganzen
Eucharistiefeier möglich. Christus ist in der Gemeinschaft der an ihn Glaubenden auf vielfältige Weise
anwesend. In der Eucharistie ist er es in besonderer
Weise, weil er sich als Geschenk seiner selbst anbietet: mit Brot und Wein empfängt der Gläubige den
Leib und das Blut Christi. In diesem Zusammenhang
wird die pneumatologische Dimension der Eucharistie
deutlich, wie sie in der Epiklese zum Ausdruck kommt:
Christus wird durch die Kraft des heiligen Geistes
und sein verheißendes Wort hin in der Versammlung der
Gläubigen gegenwärtig, seine Gegenwart ist nicht vom
Glauben der Gläubigen abhängig. Die Herabrufung des
Geistes auf die Gemeinde und/oder auf Brot und Wein
wird unterschiedlich gehandhabt, doch wird allgemein

eine Erneuerung der Liturgie angeregt, die beide
Seiten berücksichtigt. Übereinstimmung besteht
hier hinsichtlich der realen und wahrhaften Gegenwart Christi in der Eucharistie, also im "Daß".
Die Unterschiede beziehen sich hier auf die nähere
Bestimmung des Verhältnisses von Brot und Wein zu
Leib und Blut Christi, also auf das "Wie" dieser
Gegenwart. Die Beantwortung dieser Frage wird aber
nach allgemeiner Überzeugung letztlich nie möglich
und nötig sein und kann daher vorläufig weitgehend
offen bleiben und dem gemeinsamen, suchenden Verstehen übergeben bleiben.

Große Konvergenz (ohne volle Übereinstimmung)
besteht auch hinsichtlich der Dauer der eucharistischen Gegenwart Christi und damit hinsichtlich des
Problems der Behandlung der Gaben "extra usum".

d) Weitere Momente

Im weiteren wird in den Dokumenten der eschatologischen Dimension der Eucharistie breiten Raum
gegeben. Diese ergibt sich wiederum auf dem Hintergrund des vergegenwärtigenden Erinnerns des ganzen
Christus, also auch des erhöhten. In diesem Sinn
ist die Eucharistie Vorwegnahme des endzeitlichen
Mahles mit dem Herrn, wenn er wiederkommt.

Aus dem Verständnis der Eucharistie als tiefste
Verwirklichung von Kirche als Gemeinschaft der Glaubenden mit Christus und untereinander (was mancher-
orts zur deutlicheren Herausstellung des Mahlcharak-
ters der Eucharistie führt) ergibt sich auch die
darin implizierte Sendung der Versöhnten im Dienste
der Versöhnung in der Welt.

e) Zusammenfassung

Die Dokumente selber bezeichnen die Ergebnisse
wesentlich, hoffnungsvoll und grundsätzlich. Es wird

ein weitgehender Konsens (oder zumindest eine
weitgehende Konvergenz) in wesentlichen Belangen
konstatiert, der deutliche Konsequenzen fordert.
Auffällig ist, daß in den Dokumenten die Wendung
"nicht mehr kirchentrennend" allgemein kaum gebraucht wird (wenn, dann lediglich in Bezug auf
einzelne Aspekte der Eucharistielehre). Das dürfte
seinen Hauptgrund im Problem des Amtes haben, welches (vor allem in den neueren Dokumenten) als mit
der Eucharistie untrennbar verbundenes, heute aber
noch nicht gelöstes bezeichnet wird.[4]

Pointiert könnte angesichts der Dokumentenlage
gesagt werden, daß bei Ausklammerung der Frage des
kirchlichen Amtes[5], die Kirchen in der Eucharistielehre ein Maß an Übereinstimmung erreicht haben[6],
das (mit der Auflage der weiteren Behandlung ungeklärter Fragen) eine baldige gegenseitige Anerken-

---

4   Zu den allgemeinen Zusammenfassungen vgl. auch Eu-
    charistische Gastbereitschaft, 137f.; S. Regli,
    Ökumenische Konsenserklärungen mit römisch-katho-
    lischer Beteiligung über Taufe, Eucharistie und
    Amt: Ergebnisse, 139ff.

5   Eine weitgehende Ausklammerung der Amtsproblematik
    findet sich auch in den meisten Dokumenten. Meistens
    wird in den Dokumenten über die Eucharistie auf die
    großen Schwierigkeiten in diesem Problem oder auf
    anderweitige Studien zu diesem Problem verwiesen
    (oder sie ist, wie z.B. in der LK, gar kein Problem).

6   "An ökumenischen Bemühungen und Erklärungen zur Eu-
    charistie besteht eigentlich kein Mangel, und über
    theoretische wie praktische Konsensmöglichkeiten ist,
    soweit heute ersichtlich, fast alles gesagt" (A. Mül-
    ler, Ökumene des Abendmahls?, 607, Anm. 1).

nung in Aussicht stellt.[7] Diese Feststellung ist
natürlich angesichts des untrennbaren Zusammenhanges von Eucharistie und Amt (der allgemein,
wenn auch mit unterschiedlicher Akzentuierung bekannt wird) unzureichend, angesichts der früheren
Kontroversen aber, in denen das Amt noch kaum zur
Diskussion stand, für die weitere Diskussion zwischen den Kirchen bedeutsam.[8]

3. Verschiedene Beurteilungen in der Diskussion

Ganz grundlegend kann gesagt werden, daß die
Aussagen der Konsensdokumente als erstaunliche
Übereinstimmungen und beachtenswerte Annäherungen
eingestuft werden. Darüber hinaus aber, um damit
auf die eingangs gestellte Frage zurückzukommen,
weichen die Beurteilungen stark in der Frage voneinander ab, ob die Kirchen heute die Eucharistie

---

7 "Alle Kirchen anerkennen die Realpräsenz Christi im
Abendmahlsgeschehen, die Bedeutung der Epiklese sowie die Relevanz des Opferbegriffs; hinsichtlich
des letzteren sind sich alle einig darin, daß er die
Einmaligkeit des Kreuzesopfers nicht berührt, sondern
daß die Eucharistiefeier lediglich als dessen Repräsentation verstanden werden darf. Die Unterschiede
in der Abendmahlspraxis sind nicht behoben, aber sie
werden nicht mehr als kirchentrennend angesehen.
Einst leidenschaftlich diskutierte Fragen wie die
Messe ohne Volk, die Tabernakelfrömmigkeit oder die
Kommunion unter beiderlei Gestalt haben ihre Brisanz
verloren. Gewisse Unstimmigkeiten bleiben noch in
der Theologie des Opfers; aber alle beteiligten Theologen konsentieren darin, daß sie keinen Anlaß mehr
für die Aufrechterhaltung der Trennung geben" (Wolfgang Beinert, Stand und Bewegung des ökumenischen
Geschehens: Versuch einer Bilanz, in: Cath[M] 37
[1983], 9).

8 Diese Feststellung trifft sich auch in einem erweiterten Rahmen mit der Würdigung des evangelischen
Abendmahls durch das Zweite Vatikanische Konzil
(vgl. UR, Nr. 22).

in demselben Sinne feiern. Es lassen sich vor
allem zwei Gruppen unterscheiden[9]: die eine anerkennt die Ergebnisse als sehr weitreichend und
damit als Grundlage mindestens für eine partielle
Interkommunion; die andere konstatiert eine Annäherung in gewissen Punkten, erachtet aber aus
verschiedenen, meist weiterreichenden Gründen konkrete Schritte zur Interkommunion hin für nicht
statthaft. Diese beiden Seiten sollen im folgenden
kurz vorgestellt werden.

a) Ausreichender Konsensus

Am deutlichsten formuliert hier das Papier aus
den Münchner Ökumenischen Instituten:

"Bezüglich der klassischen Kontroversen zwischen
den Konfessionen zeigt der Prozeß theologischer
Diskussion, daß sie das grundlegende Einverständ-
nis nicht mehr beeinträchtigen müssen und daher
eine Kirchentrennung nicht mehr rechtfertigen
können."[10]

Zu derselben Überzeugung kommen auch die Theologen
vom Institut des LWB in Straßburg: Die sich in den
Eucharistiegesprächen

"aussprechenden Übereinstimmungen, Annäherungen
und Verständigungen erlaubten es den Gesprächs-
teilnehmern, die bislang als kirchentrennend be-
urteilten Divergenzen in der Abendmahlsauffassung

---

9 Die Tendenz der Beurteilung zeigt sich oftmals bereits in der Wortwahl für die Gesprächsergebnisse
   (die von der Wortwahl der Dokumente selber unabhängig sind): während "Konsens" eine große Übereinstimmung unter Einschluß noch ungeklärter, aber
   möglicherweise legitimer Unterschiede nahelegt, bedeutet "Konvergenz" zwar eine Würdigung der Ergebnisse, schließt aber den Gedanken einer ausreichen-
   den Übereinstimmung bereits aus..

10 H. Fries u. W. Pannenberg, Abendmahl und Abendmahlsgemeinschaft, 86.

566

als theologisch überwunden oder zumindest über-
windbar zu betrachten."[11]
Bei diesen Beurteilungen wird vor allem die Berei-
nigung der beiden ehemals zentralen Diskussions-
punkte, Opfer und Realpräsenz, gewürdigt.

Bei der Verständigung über die Realpräsenz
werden vor allem die neuen Deutungsversuche der
Transsubstantiation als Transsignifikation und
Transfinalisation hervorgehoben.[12] Zur Verständigung
über den Opfercharakter der Eucharistie trug vor
allem die Bestätigung der Einmaligkeit des Opfers

---

11 Eucharistische Gastbereitschaft, 138. Vgl. auch
    Johann B. Auer, Theologie der Eucharistie in katho-
    lischer Sicht, in: Eucharistie, Zeichen der Ein-
    heit, 61f.; H. Fries, Ein Glaube, eine Taufe, ge-
    trennt beim Abendmahl?, 40ff.; ders., Die aktuellen
    Kontroverspunkte, in: ders. (Hg.), Das Ringen um
    Einheit der Christen, 57ff.; M. Kaiser, Euchari-
    stie und Ökumene, 471; W. Pannenberg, Die Proble-
    matik der Abendmahlslehre aus evangelischer Sicht,
    34ff.; ders., Sakramente und kirchliches Amt, in:
    H. Fries (Hg.), Das Ringen um die Einheit der Chri-
    sten, 74ff.; J. Pruisken, Interkommunion im Pro-
    zeß, 74ff.; E. Schlink, Das Problem der Abendmahls-
    gemeinschaft zwischen der evangelisch-lutherischen
    und der römisch-katholischen Kirche, 156; M. Thurian,
    Die eine Eucharistie, 7; 30.

12 Dabei handelt es sich vor allem um die Deutungen von
    Edward Schillebeeckx in seinem Buch Die eucharisti-
    sche Gegenwart: Zur Diskussion um die Realpräsenz,
    Düsseldorf 1967 und in Piet Schoonenbergs Aufsatz
    Inwieweit ist die Lehre von der Transsubstantiation
    historisch bestimmt?, in: Conc(D) 3 (1967), 305-311.
    Mit Transsignifikation ist die neue Beziehung zwi-
    schen den Gläubigen und dem auferweckten Herrn ge-
    meint, welche durch Brot und Wein bezeichnet wird.
    Dabei verlieren Brot und Wein ihre Bedeutung und
    werden zum Ausdruck des Bezuges zum eschatologischen
    Heil. Unter Transfinalisation wird die Indienststel-
    lung von Brot und Wein in der Eucharistie für die
    Umwandlung der Gläubigen in Christus verstanden. In
    Brot und Wein schenkt sich Christus den Gläubigen
    nicht nur wirklich als Person, sondern auch in sei-
    nem Heilswirken, das sie in seinen Leib eingliedert.

Vgl. auch Wolfgang Beinert, Die Enzyklika "Mysterium fidei" und neuere Auffassungen über die Eucharistie, in: TThQ 147 (1967), 159-176; W. Boelens, Erwägungen zur Interkommunion, 241; R. Brückner, Plädoyer für die begrenzte Zulassung ev. und
kath. Christen bei der Eucharistie - bzw. Abendmahlsfeier anhand einer Darstellung der Diskussion
bis zum Herbst 1971, 15ff.; E. Gutwenger, Das Geheimnis der Gegenwart Christi in der Eucharistie,
in: ZKTh 88 (1966), 185-197; Rudolf Pesch, Wie
Jesus das Abendmahl hielt: Der Grund der Eucharistie, Freiburg-Basel-Wien 1977, 105-110; J. Pruisken, Interkommunion im Prozeß, 76f.; G.B. Sala,
Transsubstantiation und Transsignifikation, in:
ZKTh 92 (1970), 1-34; Sandro Vitalini, Bilanz der
heutigen Eucharistietheologie, in: SKZ 149 (1981),
40. - E. Schillebeeckx geht davon aus, daß wirkliche Transsubstantiation eine Transsignifikation
sein muß, welche wiederum eine Transfinalisation
ist (vgl. E. Schillebeeckx, Die eucharistische Gegenwart, 74). Auf diese neuen Deutungsversuche hat
die Enzyklika "Mysterium fidei" (vgl. oben, 415f.)
reagiert. Dabei werden die neuen Verstehensversuche
unter der Bedingung zugelassen, daß sie Umschreibungen der Transsubstantiation sind. Aber die Enzyklika warnt davor, das Verständnis der Transsubstantiation zu verlassen (vgl. Mysterium fidei, 479).
W. Beinert hat nachgewiesen, daß sich die Aussagen
der Enzyklika über die Transsubstantiation und die
Neudeutungen nicht widersprechen müssen (vgl. W.
Beinert, Die Enzyklika "Mysterium fidei" und neuere
Auffassungen über die Eucharistie, 176). Zur weiteren Auseinandersetzung mit Mysterium fidei vgl. auch
David Stanley, Ökumenisch bedeutsame Aspekte der
neutestamentlichen Lehre von der Eucharistie, in:
Conc(D) 3 (1967) 287-290. - Zur neuen Auslegung der
Transsubstantiation vgl. auch Josef Ratzinger, Das
Problem der Transsubstantiation und die Frage nach
dem Sinn der Eucharistie. Gottlieb Söhngen zum 75.
Geburtstag (21. Mai 1967), in: TThQ 147 (1967), 129-
158. - Weitere Untersuchungen zur Realpräsenz bieten u.a. J.B. Auer, Theologie der Eucharistie in
katholischer Sicht, 56-61; Renzo Bertalot, Verständigung mit der evangelischen Abendmahlslehre?, in:
Conc(D) 3 (1967), 296; Peter Brunner, Realpräsenz
und Transsubstantiation: Ist die Lehre von der eucharistischen Gegenwart Christi zwischen Katholiken
und Lutheranern noch kirchentrennend?, in: Max Seckler u.a., Begegnung, Festschrift für Heinrich
Fries, Graz 1972, 291-310; Werner Elert, Abendmahl
und Kirchengemeinschaft in der alten Kirche, in:
Koinonia, 57-78; Die Gegenwart Christi in den Zei-

Christi durch die katholische Theologie und das
Zweite Vatikanische Konzil bei.[13]

chen, in: Glaubensverkündigung für Erwachsene,
Deutsche Ausgabe des Holländischen Katechismus,
Freiburg-Basel-Wien 1969, 384ff.; Alexander Ger-
ken, Die Gegenwart Christi in der Eucharistie:
Analyse und Interpretation neuerer Deutungen der
Realpräsenz, in: StZ 191 (1973), 553-562; Philipp
Kaiser, Ein neues Eucharistieverständnis in der
katholischen Theologie?: Zur Frage nach der Transsubstantiation und Transsignifikation, in: ÖR 20
(1971), 401-411; Ulrich Kühn, Das Abendmahl-Eucharistie der Gemeinde Jesu: Zum ekklesiologischen
Ansatz des Abendmahlsverständnisses. Gottfried
Voigt zum 65. Geburtstag am 13. Juli 1979, in: KuD
25 (1979), 298-301; Henry R. McAddo, Amt und Eucharistie im Anglikanismus, in: Amt und Ordination in
ökumenischer Sicht, Der priesterliche Dienst V, QD
Bd. L, Freiburg-Basel-Wien 1973, 189-192; Harding
Meyer, Die Gegenwart Christi in der Eucharistie,
in: Das Herrenmahl, 85-90; Albrecht Peters, Realpräsenz: Luthers Zeugnis von Christi Gegenwart im
Abendmahl, Berlin 1960; Karl Rahner, Die Gegenwart
Christi im Sakrament des Herrenmahls nach dem kath.
Bekenntnis im Gegenüber zum evang.luther. Bekenntnis, in: Cath(M)12 (1958), 105-128; L. Scheffczyk,
Die Heilszeichen von Brot und Wein, 94-107; ders.,
Perspektiven und Brennpunkte der eucharistischen
Lehrentwicklung, in: Was hindert uns?, 69-72; Theodor Schneider, Wandlungen im Kirchen- und Abendmahlsverständnis des 19. und 20. Jahrhunderts, in: Interkommunion - Konziliarität, 73ff.; M. Thurian, Die
eine Eucharistie, 26-32; Volker Weymann, Einige Fragen zwischen Abendmahl und Eucharistie, in: Ref. 28
(1979), 613f.

13 Vgl. oben,404-409.Zur Opferfrage vgl. u.a. Abendmahl-
Passahmahl-Opfermahl, in: HerKorr 4 (1949/50) 284ff.;
Wilhelm Averbeck, Der Opfercharakter des Abendmahls
in der neueren evangelischen Theologie, Paderborn
1967; Ruppert Berger, Eucharistie-Mahl und Opfer, in:
LebZeug 1 (1970), 52-63; J. Betz, Der Opfercharakter
des Abendmahls im interkonfessionellen Dialog, 469-
491; Alfred Eggenspieler, Eucharistisches Opfer in
ökumenischer Sicht, in: SKZ 139 (1971), 69-72; W.
Elert, Abendmahl und Kirchengemeinschaft in der alten
Kirche, 59, 67; U. Kühn, Das Abendmahl-Eucharistie
der Gemeinde Jesu, 300; H. McAddo, Amt und Eucharistie im Anglikanismus, 192f.; Peter Meinhold u. Erwin
Iserloh, Abendmahl und Opfer, Stuttgart 1960; Josef
Ratzinger, Ist die Eucharistie ein Opfer?, in: Conc(D)

3 (1967), 299-304; L. Scheffczyk, Die Heilszeichen
von Brot und Wein,85-94; Theodor Schneider, Opfer
Jesu Christi und der Kirche: Zum Verständnis der
Aussagen des Konzils von Trient, in: Cath(M) 31
(1977), 51-65; ders., Wandlungen im Kirchen- und
Abendmahlsverständnis des 19. und 20. Jahrhunderts,
67ff.; Schreiben Seiner Heiligkeit Papst Johannes
Paul II. an alle Bischöfe der Kirche "Über das Ge-
heimnis und die Verehrung der heiligsten Eucharistie",
Verlautbarungen des Apostolischen Stuhls Nr. 15, hg.
Sekretariat der Deutschen Bischofskonferenz, Bonn
24. Februar 1980, 16-19; Max Thurian, Das eucharistische Gedächtnis: Lob- und Bittopfer, in: ders.
(Hg.), Ökumenische Perspektiven von Taufe, Eucha-
stie und Amt, 110-123; Carl F. Wislöff, Gottesdienst
und Opfer, in: LR 5 (1955/56), 373-384. - Auf der
Linie von K. Rahner (vgl. Die Gegenwart Christi im
Sakrament des Herrenmahls nach dem kath. Bekenntnis
im Gegenüber zum evang.luther. Bekenntnis, 127) behandelt J. Betz das Opfer nicht nur als ein Aspekt
der Eucharistie, sondern denkt sie ganz vom Opfer
her: "Sie ist die sakramentale applikative Gegenwär-
tigsetzung des universell heilsentscheidenden Opfer-
ereignisses 'Jesus' durch das Mahl und in dem Mahl
der Kirche, das nach Jesu Weisung vollzogen wird..."
(Johannes Betz, Eucharistie, in: HThG Bd. I [1973],
390). Vgl. auch Josef Stangl, Die heilige Eucharistie-
Sakrament der Einheit, in: Thomas Sartory (Hg.), Die
Eucharistie im Verständnis der Konfesssionen, Recklinghausen 1961, 433-442. Zur allgemeinen Lehrentwicklung vgl. L. Scheffczyk, Perspektiven und Brennpunkte der eucharistischen Lehrentwicklung, 63-69. -
Zur weiteren Begründung der weitgehenden Konsensaner-
kennung durch den Verlauf der theologischen Diskussion
vgl. auch H. Fries u. W. Pannenberg, Abendmahl und
Abendmahlsgemeinschaft, 75ff.; W. Pannenberg, Sakramente und kirchliches Amt 74-79.-Zum ganzen Komplex
(Realpräsenz und Opfer) vgl. Jean Jacques von Allmen,
Ökumene im Herrenmahl, Kassel 1968; Max Thurian, Eucharistie: Einheit am Tisch des Herrn?,Mainz-Stutt-
gart 1963. Vgl. auch die eher praktisch ausgerichteten Beiträge: Alexander Gerken, Jesus unter uns: Was
geschieht in der Eucharistiefeier?, 3. Aufl., Münster
1979; Walter Lotz, Das Mahl der Gemeinschaft: Zur
ökumenischen Praxis der Eucharistie, Kassel 1977; Dietrich Wiederkehr, Das Sakrament der Eucharistie,
2. Aufl., Freiburg(CH)-Wien 1977.

Angesichts des von dieser Richtung nach konkreten Konsequenzen verlangenden großen Konsenses
formuliert L. Vischer:

> "Es wird oft gesagt, daß die Unterschiede theo-
> logisch noch nicht genügend geklärt seien, um
> die Trennung zwischen den Kirchen aufzuheben.
> Könnte es aber nicht im Gegenteil sein, daß die
> Übereinstimmung in Wirklichkeit größer ist, als
> die Kirchen bereit sind zuzugestehen?"[14]

Angesichts nun der noch aufzuarbeitenden Unterschiede (wobei auch hier das Problem des Amtes als
wichtigster genannt wird) und der notwendigen Erneuerung der eucharistischen Praxis in allen Kirchen[15] wird auch hier noch nicht die allgemeine Abendmahlsgemeinschaft, aber, wie bereits dargelegt[16], aufgrund des erreichten Konsenses eine erweiterte Zulassungspraxis gefordert. Dabei wird auch auf ein Verständnis von Konsens abgestellt, das nicht unbedingt
die gleiche Formulierung, die gleiche Ausdrucksweise
für einen Sachverhalt, wohl aber die dahinter erkann-

---

14 L. Vischer, Einleitung, 3. Vgl. auch ders., Euchari-
stie-Zeichen der Einheit. L. Vischer plädiert hier
vom allgemeinen Gewachsensein der Eucharistielehren
her für eine größtmögliche Vielfalt in Lehre und
Praxis, um die Anerkennung des anderen Abendmahls zu
ermöglichen und um den Blick gemeinsam nach vorne
auf das Wesentliche richten zu können (vgl. a.a.O.
2f.).

15 H. Fries formuliert: Der beste Weg zur Abendmahlsgemeinschaft "ist die Erneuerung der Eucharistie selbst
in den verschiedenen Kirchen" (H. Fries, Die aktuellen Kontroverspunkte, 62). Vgl. auch Thomas Sartory,
Eucharistie-rettendes Gericht für die getrennte Christenheit, in: ders. (Hg.), Die Eucharistie im Verständnis der Konfessionen, 433; U. Wilckens, Eucharistie und Einheit der Kirche, 80. Zu den Erneuerun-
gen der Liturgien in den Kirchen aus der Reformation
vgl. Jakob Baumgartner, Neue reformierte Abendmahlsliturgien, in: SKZ 149 (1981), 34-37.

16 Vgl. oben, 245f.

te Einheit im Glauben meint.[17] Daher wird großes

Gewicht auf die Überzeugung gelegt,

"daß die Wirklichkeit des Glaubenslebens und
insbesondere auch die der eucharistischen Teilhabe an Christus durch keine theologische Reflexion voll erreicht wird".[18]

Dem entspricht dann auch die Anerkennung des Abend-

mahls der anderen Kirche als heilsbedeutsam (welche

wiederum eine großzügigere Zulassungspraxis in ge-

wissen Fällen nahelegt): niemand heute wird mehr be-

---

17 Vgl. Wolfhart Pannenberg, Das Abendmahl-Sakrament
der Einheit, in: Christen wollen das eine Abendmahl, 35f. E. Schlink, der zwischen den beiden
Richtungen anzusiedeln ist, zeigt auf, daß es einen "die Gesamtkirche umfassenden Consensus dieser
Art...weder in der Urchristenheit noch in der alten
Kirche" gab und fordert daher als Konsens die "Wider-
spruchsfreiheit in den Aussagen über das Heilshandeln
Gottes" (E. Schlink, Das Problem der Abendmahlsgemeinschaft zwischen der evangelisch-lutherischen und
der römisch-katholischen Kirche, 176f.). Vgl. auch
H. Fries, Ein Glaube, eine Taufe, getrennt beim
Abendmahl?, 55f.

18 W. Pannenberg, Das Abendmahl-Sakrament der Einheit,
35. Wie W. Pannenberg aber im weiteren ausführt, bedeutet die Aufwertung dieser Überzeugung keine Absage an die theologische Forschung (vgl. a.a.O. 35f.).
Vgl. auch Josef Blank, Eucharistie und Kirchengemeinschaft, in: US 23 (1968), 172; Heinrich Fries, Die
Eucharistie und die Einheit der Kirche, in: Pro mundi
vita. Festschrift zum Eucharistischen Weltkongress
1960, München 1960, 168. H. Fries weist in diesem
Zusammenhang auch darauf hin, daß man in der Beurteilung des Eucharistieglaubens bei Christen aus verschiedenen Kirchen nicht unterschiedliche Maßstäbe
anlegen könne, was im Extremfall bei Übereinstimmung
mit dem Eucharistieglauben bei einem Nicht-Katholiken
zur Nicht-Zulassung, bei einer nicht vorhandenen Übereinstimmung eines Katholiken aber trotzdem zur Zulassung führt (vgl. H. Fries, Ein Glaube, eine Taufe,
getrennt beim Abendmahl?, 56f.). Vgl. demgegenüber
P. Bläser, Das Problem "Interkommunion", III, 5.

haupten können, die jeweils andere Kirche feiere
ein ungültiges, unrichtiges Abendmahl.[19]

Was das Amtsproblem betrifft, wird hier ebenfalls ein so großes Maß an Übereinstimmung anerkannt, daß auch von der Amtsproblematik her nichts
gegen gelegentliche Akte von Interkommunion einzu-
wenden ist. Mit U. Wilckens läßt sich hier zusammenfassend sagen:

"Die Problematik der Ämter besteht zwar auch im
Blick auf eine...Interkommunion. Doch hier fällt

---

19 Vgl. H. Fries, Ein Glaube, eine Taufe, getrennt
beim Abendmahl?, 48. V. Vajta sieht bereits in der
Anerkennung des evangelischen Abendmahls durch das
Zweite Vatikanische Konzil (anerkannt wird die Gedächtnisfeier des Todes und der Auferstehung Christi, das Zeichen der Lebensgemeinschaft mit Christus
und die Hoffnung auf seine glorreiche Wiederkunft
[vgl. ŲR, Nr. 22]) als Bezeichnung und Verwirklichung der lebendigen Gemeinschaft mit Christus,
welche Gültigkeit und Richtigkeit des Abendmahls
gewährleistet (vgl. V. Vajta, Interkommunion-mit
Rom?, 80f.). Vgl. J. Pruisken, Interkommunion im
Prozeß, 80. O. Karrer hat bereits 1960 formuliert:
"Wir Katholiken können uns kein Urteil erlauben über
Art und Maß der Gnade derer, die das Heilige im
Glauben, doch ohne apostolisch geweihte Liturgie
begehen" (O. Karrer, Die Eucharistie im Gespräch der
Konfessionen, 235). Zur Würdigung des evangelischen
Abendmahls bemerkt E. Iserloh: Das Konzil weiß sehr
wohl, "daß Christus in seinem Heilshandeln nicht an
die Kirche und die Sakramente gebunden ist, und es
maßt sich kein Urteil an, in welchem Ausmaß Christus
bei der evangelischen Abendmahlsfeier heilsmittle-
risch tätig ist, er, der doch seine Gegenwart schon
zugesagt hat, wo zwei oder drei in seinem Namen versammelt sind" (E. Iserloh, Die Interkommunion, 62).
Vgl. auch Augustinus Bea, Eucharistie und Einheit
der Christen, in: StZ 90 (1965), 409f.; Wilhelm
Korstik, Bedeutung und Stellung des Abendmahles in
den verschiedenen Kirchen, in: Ökumenische Centrale,
Materialdienst Nr. 11, August 1977; Thomas Sartory,
Eucharistisches Gedankengut bei unseren getrennten
Brüdern, in: US 15 (1960), 251-265.

die Anerkennung der Realpräsenz Christi in der
Eucharistie beider Kirchen so entscheidend ins
Gewicht, daß vom Neuen Testament her eine Ent-
scheidung gegen Interkommunion unrecht wäre."[20]

So kann dann auch das Ämtermemorandum sehr allge-

mein formulieren:

"Wo ein gemeinsamer Glaube an die Gegenwart Jesu
Christi im Abendmahl vorhanden ist, ist eine
gegenseitige Zulassung zum Abendmahl möglich."[21]

Hinzu kommt der Hinweis auf die allgemeine Anerken-

nung der Taufe (wie sie auch das Konzil ausspricht[22]),

welche die Aufnahme in den Leib Christi und die

grundsätzliche Berechtigung für den Abendmahlsempfang

bedeutet.[23]

b) Beachtliche Konvergenz

Zusammenfassend kann diese Richtung mit L.

Scheffczyk folgendermaßen gekennzeichnet werden:

"Im ganzen darf gesagt werden, daß der Konsens
zwischen der katholischen Kirche und den evangelischen Kirchen (die in sich selbst wiederum di-
vergieren) in der Abendmahlslehre nicht in der

---

20 U. Wilckens, Eucharistie und Einheit der Kirche, 85.
    Zu den interkonfessionellen Gesprächen formuliert
    U. Wilckens: "Exegetisch können diese Ergebnisse im
    wesentlichen nur mit Nachdruck bestätigt werden"
    (a.a.O. 81).

21 Memorandum, in: Reform und Anerkennung kirchlicher
    Ämter, 25.

22 Vgl. UR, Nr. 22.

23 Vgl. z.B. W. Boelens, Erwägungen zur Interkommunion,
    239; V. Vajta, Interkommunion-mit Rom?, 47f.; E.
    Schlink, Das Problem der Abendmahlsgemeinschaft
    zwischen der evangelisch-lutherischen und der römisch-
    katholischen Kirche, 165ff. Für E. Schlink ist diese
    Konsequenz von noch größerer Bedeutsamkeit als die
    Abendmahlskonsense, welche nach seiner Ansicht für
    die Herstellung von Abendmahlsgemeinschaft nicht über-
    schätzt werden dürfen (vgl. a.a.O. 165). Zum Problem
    der Taufanerkennung vgl. oben, 394ff.

Weise vorhanden ist, daß zwischen diesen Kirchen eine Abendmahlsgemeinschaft möglich wäre."[24]

Grundlegend hier ist, wie das bereits im Zusammenhang mit den Überlegungen zur kirchlichen Einheit dargelegt wurde[25], der Gedanke des Ganzen der Kirche, welches auch durch eine möglicherweise anerkannte Konvergenz in der Eucharistielehre, im Eucharistieglauben und der Eucharistiepraxis nicht gewährleistet ist: eine große Konvergenz im Eucharistieglauben vorausgesetzt, ist dadurch noch nicht ein kernhafter, wesentlicher und integrer Glaube gegeben,

> "in der auch die Dimension der Kirchlichkeit offen gehalten ist, d.h. die Anerkennung d e s G a n z e n   m i t   der Kirche als seiner Bewahrerin und Hüterin".[26]

Damit wird auch eine erweiterte Zulassungspraxis von einzelnen Christen zur Eucharistiefeier abgelehnt, da ein solcher Christ zwar mit der Eucharistielehre einer Konfession vertraut sein und sie sich zueigen gemacht haben kann und das Sakrament in der Kirche und von der Kirche wünscht, aber nicht der Gemeinschaft dieser Kirche angehören will.[27] Ausgangspunkt ist die Überzeugung, daß die Eucharistie

---

24 L. Scheffczyk, Dogmatische Erwägungen, 136. Vgl. auch A. Gerken, der, außer in der Frage der pneumatischen Gegenwart des Herrn in der Eucharistie, erhebliche Kontroversen in der Eucharistielehre konstatiert (vgl. A. Gerken, Theologie der Eucharistie, 229). Vgl. auch E. Iserloh, Die Interkommunion, 56f. Ähnlich auch P. Bläser, Das Problem "Interkommunion", III, 5.

25 Vgl. oben, 369f.

26 L. Scheffczyk, Dogmatische Erwägungen, 137. Vgl. auch K. Lehmann, Dogmatische Vorüberlegungen, 111.

27 Vgl. L. Scheffczyk, Dogmatische Erwägungen, 139; P. Bläser, Das Problem "Interkommunion", III, 5.

"nicht nur das Sakrament des vollkommenen persönlichen Glaubens"

ist, sondern daß sie

"vielmehr der zeichenhafte Ausdruck des ekkle-
sialen Glaubens und als solcher Zentrum und
Konzentrationspunkt des kirchlichen Seins und
Lebens insgesamt"

ist.[28] Der Grundgedanke ist hier das Verständnis
von der Kirche als dem grundlegenden und umfassenden Sakrament. Da nun die Eucharistie Zentrum und
Gipfel der Kirche ist, gelangt in ihr das Sakrament
der Kirche zu seiner vollkommenen Ausfaltung und
erhält seine äußerste Konzentration:

"Demnach kann das Sakrament der Eucharistie eigentlich nur legitim empfangen werden, wenn das
Sakrament 'Kirche' zuvor angenommen, d.h. wenn
der Empfänger sich zur Kirche in ihrer totalen
Zeichenhaftigkeit und Leiblichkeit bekennt und
wenn er sich zuerst in die sakramentale Dimension der Kirche einfügt."[29]

Daher kann auch ein möglicher Konsens in der
Eucharistielehre bei ungeklärten ekklesiologischen
Fragen nicht zu einer ausschlaggebenden Entscheidung
für (teilweise) Abendmahlsgemeinschaft werden, da
die offenen ekklesiologischen Fragen (vor allem was
das Verhältnis von Kirche und Eucharistie betrifft[30])
die Frage nach der Kirchengemeinschaft nicht zu beantworten vermögen und daher die damit untrennbar
verbundene Abendmahlsgemeinschaft unredlich machen

---

28 L. Scheffczyk, Dogmatische Erwägungen, 138; K. Lehmann, Dogmatische Vorüberlegungen, 110.

29 L. Scheffczyk, Die Heilszeichen von Brot und Wein,
132. Vgl. auch A. Gerken, Theologie der Eucharistie,
234; K. Lehmann, Dogmatische Vorüberlegungen, 94ff.

30 Wegen der intensiven Verbindung von Kirche und Eucharistie kann dann auch der Eucharistieglauben
nicht vom Kirchenglauben getrennt werden (vgl. L.
Scheffczyk, Die Heilszeichen von Brot und Wein, 133).

würden.

Gleich wie in den Ausführungen unter a) wird
auch hier vor der Fixierung auf die Lehre allein
gewarnt[31], welche den Zusammenhang mit Liturgie,
Frömmigkeit und kirchlichem Leben vertuschen würde.[32] Während dort vor allem mit dem Hinweis auf
die wahrhaftige Begegnung mit Christus in der Eucharistie und die daraus erwachsende kirchliche
Gemeinschaft die Relativität der Lehre begründet wird
(ohne diese damit aber als hinfällig zu erachten),
ist es hier das Hineingebundensein in das umfassende Leben und den umfassenden Glauben einer klar um-
rissenen Kirche. In den unterschiedlichen Kirchen-
begriffen also sieht diese Richtung die größten
Schwierigkeiten. Diese unterschiedlichen Kirchen-
begriffe führen dann auch zu einem verschiedenen
Verständnis der Eucharistiefeier und ihrer Funktion.
Die Eucharistie ist das Zentralsakrament,

> "auf das alle übrige kirchliche Wirklichkeit, die
> sakramentale und existentielle, hingeordnet
> ist".[33]

Aufgrund dieses Verständnisses kann auch aus der Anerkennung der Taufe keine Abendmahlsgemeinschaft abgeleitet werden, da die Taufe erst die anfanghafte
Eingliederung in die Kirche bedeutet, die dann aber
die Eingliederung in die Einheit von Leben und Glau-

---

31 Vgl. K. Lehmann, Dogmatische Vorüberlegungen, 100.

32 K. Lehmann formuliert bezüglich der Anstrengungen,
    um über einen Eucharistiekonsens zu einer größeren
    Einheit, zu Abendmahlsgemeinschaft, zu gelangen:
    Die gewünschte Einheit in der Eucharistielehre
    "wird auf dem Weg einer kontroverstheologischen
    Auseinandersetzung vermutlich...zu keinem greif-
    baren Erfolg führen" (a.a.O. 101).

33 A. Gerken, Theologie der Eucharistie, 234.

ben der Kirche impliziert.[34] Erst diese Einheit
dann kann durch die Eucharistie bezeichnet und
immer neu bewirkt und bekräftigt werden.[35] Aufgrund dieser Gesamtwirklichkeit von Kirche, in
der das kirchliche Amt wesensnotwendig miteinge-
schlossen ist, kann die notwendige Diskussion um
dieses kirchliche Amt geführt werden.[36]

Mit der Forderung nach der Klärung des ekklesiologischen Gesamtzusammenhangs geht diese Richtung weiter als das Zweite Vatikanische Konzil:
dieses geht von einer grundlegenden Einheit durch
die Taufe aus, anerkennt wesentliche Elemente beim
evangelischen Abendmahl, nennt das Fehlen des
Weihesakramentes als Grund für die Nicht-Bewahrung
des vollen eucharistischen Mysteriums und sieht daher in Lehrgesprächen über Eucharistie und Amt
(neben Gesprächen über die anderen Sakramente und
die Liturgie) eine Lösungsmöglichkeit.[37] Diese Sicht
wird dann teilweise auch kritisch angefragt[38] und

---

34 Vgl. K. Lehmann, Abendmahlsgemeinschaft und die
    Wirklichkeit der einen Kirche, in: Christen wollen
    das eine Abendmahl, 63ff.

35 Vgl. auch A. Gerken, Theologie der Eucharistie,
    235f.; K. Lehmann, Dogmatische Vorüberlegungen,
    96ff.; L. Scheffczyk, Dogmatische Erwägungen, 134f.

36 Vgl. A. Gerken, Theologie der Eucharistie, 237;
    K. Lehmann, Dogmatische Vorüberlegungen, 102f.;
    Die Eucharistie im katholischen und ökumenischen
    Disput, 130.

37 Vgl. UR, Nr. 22.

38 Vgl. A. Gerken, Theologie der Eucharistie, 234;
    K. Lehmann, Dogmatische Vorüberlegungen, 125ff.
    K. Lehmann macht hierbei auf die Spannung in den
    Aussagen des Konzils einerseits über das Gnaden-
    moment der Eucharistie und andererseits über die
    Öffnung des Kirchenbegriffs aufmerksam und stellt
    fest, daß die ekklesiologische Grundfrage seit dem
    Konzil kaum ernsthaft angegangen worden ist (vgl.
    a.a.O. 126; 129).

die Notwendigkeit des ekklesiologischen Gesamtzusammenhangs betont, da man sonst, so A. Gerken,
in die Gefahr gerät,

> "eine Isolierung einzelner Wirklichkeiten
> (Taufe, Kirche, Eucharistie, Amt) durchzu-
> führen und dann ihr Ineinander nur als eine
> willkürliche Setzung einer wenn auch frühen
> Epoche der Kirchengeschichte zu sehen, an
> die wir nicht mehr gebunden wären".[39]

Zusammenfassend ist festzustellen, daß die
inhaltlichen Aussagen der Konsens- und Konvergenz-
dokumente über die Eucharistie heute relativ wenig
diskutiert werden. Zwei Gründe können dafür geltend
gemacht werden:

- einerseits weisen die Ergebnisse für die einen
  bereits das Maß an Konsens auf, das nach konkreten
  Schritten ruft und die noch vorhandenen Divergenzen in den gemeinsamen Lern- und Glaubensprozeß
  verweist und für die anderen sind die Ergebnisse
  wohl beachtenswert, doch können Konsense in einzelnen Gebieten aufgrund der Erfordernis der Klärung des ekklesiologischen Gesamtzusammenhangs
  nicht zum erwünschten Erfolg führen;

- andererseits sind die großen Eucharistiediskussio-
  nen vor allem im Zeitraum von Ende der fünfziger
  bis Anfang der siebziger Jahre geführt worden und
  haben zur Erreichung der Konsense und Konvergenzen
  beigetragen. Zweiteres wird gedeckt durch die deutliche Verlagerung der Diskussion auf die Problematik des kirchlichen Amtes, von dem mit A. Brandenburg stellvertretend für die weitverbreitete Überzeugung gesagt werden kann:

---

39 A. Gerken, Theologie der Eucharistie, 237.

"Wir sind so weit, daß uns von unseren christlichen Mitbrüdern evangelischen Bekenntnisses
eines wirklich trennt: das Priestertum."[40]

Auf dieses, auch vom Zweiten Vatikanischen Konzil
als zentrales Hindernis angesprochene Problem soll
das folgende Kapitel nun näher eingehen.

---

40 A. Brandenburg, Zur Einführung, in: Cath(M) 26
    (1972), 85.

4. Kapitel

DAS RINGEN UM DAS VERSTÄNDNIS DES KIRCHLICHEN AMTES

Die größten Schwierigkeiten für die Abendmahlsgemeinschaft mit den Kirchen aus der Reformation sind, wie das
bereits mehrfach deutlich wurde, die Unterschiede in der
Lehre vom kirchlichen Amt. Die gemeinsame Eucharistiefeier
mit diesen Kirchen ist, noch einmal kurz zusammengefaßt,
nach katholischem Verständnis unmöglich, da diese Kirchen
aufgrund des mangelnden Weihepriestertums

"die ursprüngliche und vollständige Wirklichkeit...des
eucharistischen Mysteriums nicht bewahrt haben"
(UR, Nr. 22).

Obwohl das Konzil die Abendmahlsfeier der evangelischen
Kirchen hochachtet, ist dieser Mangel doch Grund, daß Katholiken niemals, auch nicht in Notfällen, das Abendmahl von
Amtsträgern dieser Kirchen empfangen dürfen (ÖkDir I, Nr.
55). Die "Gültigkeit" der Eucharistie hängt nach katholischem Verständnis wesentlich von der Gültigkeit des Amtes
ab, welche sich aus der apostolischen Amtsnachfolge der
Bischöfe und dem Weihesakrament herleitet.[1] Da die orthodoxen Kirchen nach katholischer Überzeugung in der wahren
apostolischen Sukzession stehen, sind ihre Sakramente gültig (UR, Nr. 15) und ist aus der Sicht der katholischen Kirche mit ihnen (auch ohne volle Gemeinschaft im Glauben) In—
terkommunion möglich. Insofern erweist sich heute die Lehre
vom kirchlichen Amt als Haupthindernis für die Interkommunion mit den evangelischen Kirchen und ist daher notwendiger
Gegenstand des ökumenischen Dialoges.[2]

---

1 Vgl. z.B. J. Finkenzeller, Zum Verständnis des kirchlichen Amtes heute, 215; E. Stakemeier, Zur Frage der
   Abendmahlsgemeinschaft, 100.

2 Vgl. UR, Nr. 22; Bristol 1967, 93f. Hinzu kommt eine weitere Triebfeder, das Amt zu diskutieren: in den verschiedenen Kirchen, "die sich unter anderem gerade wegen
   der Amtsproblematik als getrennte Kirchen entwickelt haben, ist das kirchliche Amt in eine Kriese geraten" (Reform und Anerkennung kirchlicher Ämter, 8).

Vor allem im Gefolge des Zweiten Vatikanischen Konzils ist die Diskussion um das kirchliche Amt innerhalb der katholischen Kirche und im interkonfessionellen Dialog voll aufgebrochen. Eine Fülle von theologischen Publikationen, amtlichen Verlautbarungen und Konvergenzdokumenten sind in den letzten zehn Jahren erschienen. Der Höhepunkt der Diskussion scheint vorläufig überschritten zu sein, die verschiedenen Gesprächskommissionen haben ihre Ergebnisse vorgelegt, der Wunsch nach intensiver Auseinandersetzung mit ihnen, nach Rezeption und nach möglichen konkreten Schritten bestimmt die heutige relative Ruhe um dieses Thema.

Im folgenden soll der Versuch unternommen werden, die Hauptdifferenzen in der Lehre vom kirchlichen Amt herauszustellen, den Weg und die Ergebnisse des interkonfessionellen Dialogs, vor allem zwischen der katholischen Kirche und den evangelischen Kirchen, zu diesem Thema zu skizzieren und verschiedene theologische Meinungsäußerungen zu bieten. Angesichts der Fülle der hier anstehenden Veröffentlichungen ist eine Auswahl notwendig, die sich an den in der ökumenischen Diskussion hauptsächlich genannten Publikationen orientiert. Da das katholische Verständnis des kirchlichen Amtes und die daraus resultierenden Regelungen hinsichtlich der Interkommunion Hauptanstoß für die Diskussionen war und ist, soll hier eingangs kurz dieses Verständnis vorgestellt werden.

§ 15 ZUM KATHOLISCHEN AMTSVERSTÄNDNIS

I. Lehramtliche Aussagen vor dem Zweiten Vatikanischen
   Konzil

Lange Zeit galt die katholische Kirche als die
Amts- oder Papstkirche. Das

> "Verständnis der Kirche vom Amt her und die Charak-
> terisierung des Amtes als Vollmacht und Autorität
> ...hat die Kirche durch Jahrhunderte bestimmt".[3]

Das Vierte Laterankonzil (1215) hat zum ersten Mal
festgelegt, daß ausschließlich der rechtmäßig geweihte
Priester befähigt ist, das Altarssakrament zu vollziehen.[4]

Ausführlicher kommt das Konzil von Trient (1563)
in der Abwehr reformatorischer Fehldeutungen auf das
kirchliche Amt zu sprechen. Das Konzil betont die Existenz eines sichtbaren Priestertums, das hinsichtlich
der Eucharistie spezielle Vollmachten besitzt, die Sakramentalität der Amtsübertragung, die Einprägung eines
unauslöschlichen Merkmals bei der Ordination und die
heilige Rangordnung, die kraft göttlicher Anordnung aus

---

3 Heinrich Fries, Das Problem des Amtes in der Sicht
   katholischer Theologie, in: KuD 18 (1972), 119.

4 Vgl. Heinrich Fries u. Wolfhart Pannenberg, Das Amt
   in der Kirche, in: US 25 (1970), 109; W. Kasper,
   Skandal einer Trennung, 45.

Bischöfen, Priestern und Diakonen besteht.[5] Die Aussagen des Konzils von Trient sind geprägt von der
Abwehr reformatorischer Lehren. Daher bieten sie keine
umfassende Lehre über das kirchliche Amt, sondern verdeutlichen lediglich ausdrücklich, was damals geleugnet
wurde. Durch diese Einseitigkeiten blieben viele Aspekte des Amtes, die damals durchaus auch anerkannt waren,
unerwähnt oder ungewichtet (so z.B. die Bedeutung des
gemeinsamen Priestertums aller Gläubigen). Das Konzil
wollte und konnte auch nicht die Streitpunkte zwischen
den verschiedenen Schulen damals (das Wesen des Weihesakramentes, das Verhältnis der Priester zu den Bischöfen, der Anteil der Gläubigen an der kirchlichen Vollmacht, die genaue Bestimmung des unauslöschlichen Merkmals) entscheiden.

"Das Konzil wollte lediglich die Existenz verschiedener Ordines des kirchlichen Amtes bestätigen."[6]
Damit hat es die damalige Kirchenordnung bestätigt und
verfestigt ohne eine eigentliche Amtstheologie auszu-
arbeiten.[7]

Im folgenden soll nun kurz die katholische Lehre
vorgestellt werden, wie sie im Zweiten Vatikanischen
Konzil, dem Schreiben der Deutschen Bischöfe über das

---

5   Vgl. J. Finkenzeller, Zum Verständnis des kirchli-
     chen Amtes heute, 212f.; H. Fries, Das Problem des
     Amtes in der Sicht katholischer Theologie, 125f.;
     H. Fries u. W. Pannenberg, Das Amt in der Kirche,
     109; Eduard Schillebeeckx, Das kirchliche Amt,
     Düsseldorf 1981, 105.

6   J. Finkenzeller, Zum Verständnis des kirchlichen
     Amtes heute, 213.

7   Vgl. E. Schillebeecks, Das kirchliche Amt, 105f.
     Zum Problem des Amtsverständnisses auf dem Konzil
     von Trient vgl. auch Gerhard Fahrnberger, Episkopat
     und Presbyterat in den Diskussionen von Trient, in:
     Cath(M) 30 (1976), 119-152; Ludwig Ott, Das Weihe-
     sakrament, in: HDG Bd. IV/5 (1969), 112-127.

priesterliche Amt (1969) und dem Bischofssynoden-
dokument über die priesterlichen Dienste (1971) zum
Ausdruck kommt.

II. Die Aussagen des Zweiten Vatikanischen Konzils

Grundlegend sind hier die Aussagen aus Lumen
Gentium, wo nach den Ausführungen über das Mysterim
der Kirche und über das Volk Gottes im dritten Kapitel ("Die hierarchische Verfassung der Kirche, insbesondere das Bischofsamt"[8]) über das kirchliche Amt
gehandelt wird.

Die Behandlung des Amtes an dritter Stelle macht
die Tendenz dieses Konzils deutlich: die Kirche wird
nicht mehr vom Amt her bestimmt, sondern das Amt im
Gesamt der Kirche gedeutet.[9]

1. Gemeinsames und spezielles Priestertum

Durch die Taufe werden die Menschen der Kirche
eingegliedert, nehmen alle, befähigt durch die Firmung, an ihrer Sendung teil (Nr. 34) und werden so
zu "einem heiligen Priestertum geweiht" (Nr. 10),
das eine Teilhabe aller am dreifachen Amt Christi
bedeutet (Nr. 31). Der heilige Geist teilt den einzelnen Gläubigen seine Gaben aus

> "und verteilt unter den Gläubigen jeglichen
> Standes auch besondere Gnaden. Durch diese macht
> er sie geeignet und bereit, für die Erneuerung
> und den vollen Aufbau der Kirche verschiedene
> Werke und Dienste zu übernehmen..." (Nr. 12).

Diesem gemeinsamen Priestertum ist das spezielle
Priestertum zugeordnet. Obwohl sich die beiden dem
Wesen nach unterschieden, so nimmt doch

> "das eine wie das andere...je auf besondere Weise
> am Priestertum Christi teil" (Nr. 10).

Grundlegend also ist das gemeinsame Priestertum aller

---

8 Vgl. LG, Nr. 18-29.

9 Vgl. H. Fries, Das Problem des Amtes in der Sicht
   katholischer Theologie, 120.

Gläubigen als Dienst der Kirche. Demgegenüber wird traditionell ein spezielles Priestertum betont, das aus dem gemeinsamen nicht ableitbar, zu ihm aber komplementär ist, weshalb das gemeinsame auch als unterste Stufe des speziellen erachtet werden kann. Weitere Bestimmungen des Verhältnisses von gemeinsamem und speziellem Priestertum werden dann nicht gemacht.[10]

2. Das spezielle Amt

Neben dieser lange Zeit zu kurz gekommenen Betonung und Würdigung des gemeinsamen Priestertums handelt dann das Konzil vom speziellen Dienstamt, das mit "heiliger Vollmacht" ausgerüstet ist (Nr. 18).

Das eine ganze kirchliche Amt existiert aufgrund göttlicher Einsetzung und wird

"in verschiedenen Ordnungen ausgeübt von jenen, die schon seit alters Bischöfe, Priester, Diakone heißen" (Nr. 28).[11]

Innerhalb dieser Ordnung ist das Amt des Bischofs das wichtigste:

"Die Heilige Synode lehrt aber, daß durch die

---

10 Vgl. H. Fries, Das Problem des Amtes in der Sicht katholischer Theologie, 121f.

11 J. Finkenzeller macht hier auf den Unterschied zu den Aussagen des Konzils von Trient aufmerksam: Die Dreiteilung des Amtes besteht in der Lehre des Konzils von Trient kraft göttlicher Anordnung; in den Aussagen von Lumen gentium wird sie lediglich als von alters her so benannt gedeutet (vgl. J. Finkenzeller, Zum Verständnis des kirchlichen Amtes heute, 213). J. Finkenzeller schließt daran die Mahnung zur Vorsicht an, "im Zusammenhang des kirchlichen Amtes möglichst viele Einzelstrukturen dem göttlichen Recht zuzuordnen und möglichst wenig als geschichtlich geworden und veränderungsfähig dem kirchlichen Recht zuzugestehen" (a.a.O. 214).

Bischofsweihe die Fülle des Weihesakramentes
übertragen wird. Sie heißt ja auch im liturgischen Brauch der Kirche wie in den Worten der
heiligen Väter das Hohepriestertum, die Ganzheit des heiligen Dienstamtes" (Nr. 21).

Das kirchliche Amt kulminiert also im Amt des
Bischofs, der alles besitzt, was vom Amt ausgesagt
werden kann. Aufgrund göttlicher Einsetzung sind
die Bischöfe an die Stelle der Apostel getreten und
führen so die göttliche Sendung weiter, die Christus
jenen anvertraut hat (Nr. 20).

"So erscheint das Amt als in der Sendung Christi
und in der von Christus kommenden apostolischen
Sendung begründet."[12]

Die Bischöfe sind Vorsteher und Leiter jeweils
einer Teilkirche (Nr. 27). Durch die Handauflegung
und die Weiheworte werden die Gnade des heiligen
Geistes und das heilige Prägemal verliehen, wodurch
die Bischöfe

"in hervorragender und sichtbarer Weise die Auf-
gabe Christi selbst, des Lehrers, Hirten und
Priesters innehaben und in seiner Person handeln"
(Nr. 21).

Durch ihren Dienst wirkt Christus selber in vorzüg-
licher Weise. Als Hirten, Lehrer und Priester stehen
sie in seinem Namen der Kirche vor (Nr. 20), als
seine Diener sind sie "Ausspender der Geheimnisse
Gottes" (Nr. 21). Hierbei betont das Konzil an erster
Stelle:

"Unter den hauptsächlichsten Ämtern der Bischöfe
hat die Verkündigung des Evangeliums einen hervorragenden Platz" (Nr. 25).

Anschließend erfolgen die Aussagen über den Zusammenhang von Bischofsamt und Eucharistie:

"Der Bischof ist, mit der Fülle des Weihesakramentes ausgezeichnet, 'Verwalter der Gnade des
höchsten Priestertums', vorzüglich in der Eucha-

---

12 H. Fries, Das Problem des Amtes in der Sicht katholischer Theologie, 121.

ristie, die er selbst darbringt oder darbringen läßt und aus der die Kirche immerfort lebt und wächst" (Nr. 26).

Weiter wird hier deutlich gemacht, daß jede Eucharistiefeier letztlich unter der Leitung des Bischofs steht. Bereits in der Einleitung zum dritten Kapitel ist von "Dienstämtern" (Nr. 18) die Rede. Die Bezeichnung "Dienst" für das kirchliche Amt ist im weiteren bestimmend. So heißt es in Nr. 24:

"Jenes Amt aber, das der Herr den Hirten seines Volkes übertragen hat, ist ein wahres Dienen, weshalb es in der Heiligen Schrift bezeichnenderweise mit dem Wort 'Diakonia', d.h. Dienst, benannt wird..."

Mit dieser Bezeichnung für das Amt ist das biblische Verständnis wieder durchgebrochen, das lange Zeit durch feudale Überreste verdeckt war.[13]

3. Das Kollegium der Bischöfe

Obwohl auch im Zweiten Vatikanischen Konzil die hierarchische Ordnung des Amtes mit ihrer Spitze, dem unfehlbaren Papst, seine Bedeutung beibehält, findet diese Beschreibung durch das kollegiale und synodale Element eine wesentliche Komplettierung.[14] Analog zum Kollegium der Apostel, wie es Christus verfügt hatte, so bilden auch die Bischöfe als Apostelnachfolger ein Kollegium.

Die Kollegialität aller Bischöfe kommt in der Geschichte durch die Verbindung im Bande der Einheit, der Liebe und des Friedens, das Zusammentreten von Konzilien und die Hinzuziehung mehrerer Bischöfe zur Weihe eines neuen Bischofs zum Ausdruck (Nr. 22).

---

13 Vgl. E. Schillebeecks, Das kirchliche Amt, 104f.

14 Vgl. H. Fries, Das Problem des Amtes in der Sicht katholischer Theologie, 121.

Durch die Bischofsweihe wird der Bischof in
die Gemeinschaft der Bischöfe aufgenommen und nimmt
dadurch neben seiner Sorge für die Ortskirche, der
er vorsteht, teil an der Verantwortung für die Gesamtkirche.

> "Insofern dieses Kollegium aus vielen zusammen-
> gesetzt ist, stellt es die Vielfalt und Uni-
> versalität des Gottesvolkes, insofern es unter
> einem Haupte versammelt ist, die Einheit der
> Herde Christi dar" (Nr. 22).

Ein weiterer Abschnitt beschreibt die Kollegialität der Bischöfe auf Ortsebene, die die Einheit
der Ortskirche wie der Gesamtkirche zum Ausdruck
bringt und fördert. Analog zum Papst, der das Prinzip
und Fundament für die Einheit aller Bischöfe und
aller Gläubigen, mithin der gesamten Kirche ist, sind
die Bischöfe Prinzip und Fundament der Einheit in
ihren Teilkirchen. Diese alle zusammen bilden in Vielfalt die einzige katholische Kirche und in ihnen besteht die eine Kirche.

> "Daher stellen die Einzelbischöfe je ihre Kirche,
> alle zusammen aber in Einheit mit dem Papst die
> ganze Kirche im Band des Friedens, der Liebe und
> der Einheit dar" (Nr. 23).

Weitere Darstellungen kirchlicher Einheit sind
territoriale Bischofskonferenzen, welche

> "vielfältige und fruchtbare Hilfe leisten, um die
> kollegiale Gesinnung zu konkreter Verwirklichung
> zu führen" (Nr. 23).[15]

---

15 Zum Problem des bischöflichen Kollegiums vgl. J.
   Finkenzeller, Zum Verständnis des kirchlichen Amtes
   heute, 210f. Zur weiteren Entfaltung des Verständnisses des Bischofsamtes vgl. auch das Dekret über
   die Hirtenaufgabe der Bischöfe in der Kirche
   "Christus Dominus" (zit. CD).

4. Die Priester

a) Die Aussagen von Lumen Gentium

Die Bischöfe haben

"die Aufgabe ihres Dienstamtes in mehrfacher
Abstufung verschiedenen Trägern in der Kirche
rechtmäßig weitergegeben" (Nr. 28).

In dieser Abstufung werden nun zuerst die Priester
genannt, die zwar nicht die höchste Stufe der Weihe
haben und in der Gewaltenausübung von den Bischöfen
abhängen, aber doch mit ihnen in der priesterlichen
Würde verbunden sind.[16] Sie sind kraft

"des Weihesakramentes nach dem Bilde Christi,
des höchsten und ewigen Priesters..., zur Verkündigung der Frohbotschaft, zum Hirtendienst
an den Gläubigen und zur Feier des Gottesdienstes
geweiht und so wirkliche Priester des Neuen Bundes" (Nr. 28),

wodurch sie Anteil haben am Amt des ewigen Mittlers
Christus.

An erster Stelle ihrer Aufgaben steht wiederum
die Verkündigung des Wortes Gottes, wonach aber betont wird, daß die Priester ihr Amt "am meisten" in
der Eucharistiefeier ausüben.

Analog zum Bischofskollegium bilden auch die
Priester, zusammen mit dem Bischof, ein einziges
Presbyterium. In den ihnen übertragenen Gemeinden
machen sie den Bischof gegenwärtig, indem sie die
ihm übertragenen Aufgaben und Dienste für die Orts-

---

16 Bis heute ist das Verhältnis der Priester zu den
   Bischöfen theologisch nicht genau geklärt (vgl.
   J. Finkenzeller, Zum Verständnis des kirchlichen
   Amtes heute, 212). Festzuhalten ist, daß es trotz
   des großen Interesses von LG am Bischofsamt nach
   göttlicher Einsetzung nur ein Amt (in verschiedenen
   Vollzugsweisen) gibt, weshalb vieles, was über die
   Bischöfe ausgesagt ist, auch für die anderen Amts-
   stufen gilt (vgl. K. Rahner u. H. Vorgrimler,
   Kleines Konzilskompendium, 110).

kirche (Verkündigung, Leitung, Heiligung) auf Ge-
meindeebene wahrnehmen, wodurch in den einzelnen
Gemeinden die Gesamtkirche sichtbar wird.

> "Diözesan- und Ordenspriester sind also alle
> zusammen aufgrund ihrer Weihe und ihres Dienst-
> amtes dem Kollegium der Bischöfe zugeordnet und
> wirken vermöge ihrer Berufung und der ihnen ver-
> liehenen Gnade zum Wohl der gesamten Kirche"
> (Nr. 28).

b) Die Aussagen des Dekretes "Presbyterorum ordinis"

Dieses kurz skizzierte Verständnis des Presby-
terates in Lumen Gentium wird durch das Konzil im
Dekret über Dienst und Leben der Priester "Presbyterorum ordinis" (PO) weiter entfaltet. Grundlegend
wird hier festgehalten:

> "Durch die Weihe und die vom Bischof empfangene
> Sendung werden die Priester zum Dienst für Chri-
> stus, den Lehrer, Priester und König, bestellt.
> Sie nehmen teil an dessen Amt, durch das die
> Kirche hier auf Erden ununterbrochen zum Volk
> Gottes, zum Leib Christi und zum Tempel des
> Heiligen Geistes auferbaut wird" (Nr. 1).

In den Ausführungen wird zunächst die Einbettung
ins gemeinsame Priestertum deutlich gemacht (Nr. 2).
Danach wird erklärt, daß auch die Priester in der
Nachfolge der Apostel stehen und an ihrem Amt teilhaben. Die Priesterweihe, so das Dokument weiter,
ist ein eigenes Sakrament. Durch dieses Sakrament
empfängt der Priester ein besonderes Prägemal, wodurch er Christus gleichförmig wird und in der Person Christi handelt. An erster Stelle seiner Aufgaben steht wiederum die Verkündigung, der Dienst am
Evangelium (vgl. auch Nr. 4), durch den der Ruf an
die Gläubigen zur Einheit ergeht und der dann in der
Eucharistiefeier seine Erfüllung findet. Vor allem
in der Liturgie erfüllt der Priester seine Heili-
gungsaufgabe, wobei das Dekret neben der Eucharistie
die Taufe, die Buße und die Krankensalbung näher behandelt (Nr. 5). Nach den Ausführungen über das Hir-

tenamt des Priesters (Nr. 6) ermahnt das Dekret
die Priester zur brüderlichen und ehrfürchtigen
Haltung gegenüber den Bischöfen (Nr. 7), den
priesterlichen Mitbrüdern (Nr. 8) und den anderen
Gläubigen, mit denen sie im gemeinsamen Priestertum verbunden sind (Nr. 9).

5. Die Diakone

Eine "Stufe tiefer" in der Hierarchie stehen
nach den Ausführungen von Lumen Gentium die Diakone (Nr. 29). Ihre Aufgabe und Stellung wird vom
Konzil nur kurz umschrieben: Ohne die Weihe zum
Priestertum sind sie durch die Handauflegung mit
sakramentaler Gnade für den Dienst bei der Liturgie und die soziale Diakonie ausgerüstet und zur
Spendung der Taufe und der Assistenz bei der Ehe-
schließung befähigt.

Das Konzil schafft die Grundlage, damit der
Diakonat als eigenständige Stufe der Hierarchie
(gegenüber der Verkümmerung als Vorstufe zum Priestertum) wieder hergestellt und auch von verheirateten Männern wahrgenommen werden kann.

6. Zusammenfassung

Nach der Lehre des Zweiten Vatikanischen Konzils
kommt dem ganzen Volk Gottes eine priesterliche Funktion zu, alle sind durch Taufe und Firmung zum gemeinsamen Priestertum als Teilhabe am Amt Christi berufen. Innerhalb dieses gemeinsamen Priestertums gibt
es kraft göttlicher Anordnung ein kirchliches Dienstamt, das sich zwar vom gemeinsamen Priestertum dem
Wesen nach unterscheidet, diesem aber zugeordnet ist
und das die charismatische Dimension der Kirche, wie
sie sich in den Gnadengaben an alle Gläubigen zum
Aufbau der Kirche äußert, nicht beschneidet. Dieses

Dienstamt faltet sich in drei Rangstufen aus:
Bischöfe, Priester und Diakone. Durch die Weihe,
die der Bischof in Fülle besitzt, nimmt das kirchliche Amt, ausgeübt in Kollegialität und Brüderlichkeit, in der Nachfolge der Apostel teil an
deren und damit an Christi Sendung, an seinem Lei-
tungs-, Lehr- und Heiligungsdienst. Das Amt tritt
nicht an Christi Stelle. Er allein bleibt der eigentliche Priester. Das kirchliche Amt nimmt, indem
es in seiner Person handelt, an seinem Priestertum
teil.

In dieses Amt, das ausdrücklich als Dienst beschrieben wird, führt die sakramentale Weihe unter
Handauflegung und Anrufung des heiligen Geistes.
Hauptsächlichste Aufgaben sind die Verkündigung des
Wortes Gottes und die Verwaltung der Sakramente, vor-
nehmlich der Eucharistie, wodurch die Gemeinschaft
der Glaubenden auf Orts- und Weltebene auferbaut, erhalten und gefördert wird.[17]

---

17 Zur Gewichtung der Entwicklung gegenüber der vor-
   konziliaren Aussagen vgl. H. Fries u. W. Pannenberg,
   Das Amt in der Kirche, 109f.; Hans Küng, Die Kirche,
   2. Aufl., Freiburg-Basel-Wien 1968, 492-495. Den
   Schwerpunkt der Entwicklung skizziert E. Schillebeecks folgendermaßen: "Im Zweiten Vatikanischen
   Konzil ging es um eine Neubewertung des Priesters
   primär als Verkündiger des Wortes und als leitender
   Anreger oder Initiator der Gemeindebildung gegenüber
   der ausschließlichen Betonung der sakralen, das heißt
   der sakramentalen Kulttätigkeit des Priesters durch
   das Tridentinum" (E. Schillebeeckx, Das kirchliche
   Amt, 167).

III. Das Schreiben der deutschen Bischöfe über das
priesterliche Amt (1969)[18]

Zwei Gründe waren es hauptsächlich, die die deutschen Bischöfe in vorbildlicher Zusammenarbeit mit
Exegeten und Systematikern[19] zu einem fundierten Schreiben über das priesterliche Amt veranlaßte: die Infragestellung des Priestertums durch den Zweifel an der Berechtigung des Unterschiedes von geistlich und weltlich
und durch die Hervorhebung des gemeinsamen Priestertums
aller Gläubigen durch das Zweite Vatikanische Konzil
(Nr. 1). Angesichts dieser Verunsicherung will das
Schreiben aus dem Jahre 1969 das bleibend Wesentliche,
die eigentliche Struktur und Aufgabe des priesterlichen
Dienstes herausstellen.

1. Zur Einführung

Wesentlich für das rechte Verständnis des priesterlichen Amtes ist zunächst der Rückgriff auf das
Neue Testament. Dieses ist "für die Kirche das Dokument ihrer maßgebenden Urgeschichte". Da sich jedoch
auch "die Frage nach dem priesterlichen Amt vom Neuen
Testament allein her nicht umfassend und abschließend
beantworten" läßt, ist die Auseinandersetzung mit der
kirchlichen Lehre vom Amt notwendig (Nr. 2).

Die Entwicklung der Lehre vom Amt ist geschichtlich zu verstehen. Daher ist, weil die Kirche durch
Christus auf Geschichtlichkeit hin angelegt ist, ein

---

18 Schreiben der deutschen Bischöfe über das priesterliche Amt: Eine biblisch-dogmatische Handreichung,
Sonderdruck, hg. vom Sekretariat der Deutschen
Bischofskonferenz, Trier 1969.

19 Vgl. H. Fries, Das Problem des Amtes in der Sicht
katholischer Theologie, 124f.

Gestaltwandel immer wieder legitim (Nr. 3).[20] Aus
der Rückbesinnung auf das Neue Testament und dem
Mitbedenken der geschichtlichen Entfaltung im Verständnis des priesterlichen Amtes betont dann das
Dokument:

> "Stets sind wir aufgerufen, in der geschichtlich
> variablen Gestalt durch Besinnung auf den Ur-
> sprung diesen selbst erneut deutlich zu machen"
> (Nr. 4).

Daran anschließend folgt eine beachtenswerte Aussage, mit der die Bischöfe ihre Grundhaltung weiter
verdeutlichen:

> "Wir wollen diese Besinnung in der Bereitschaft
> anstellen, auch kritische, unser bisheriges Ver-
> ständnis korrigierende Einsichten anzunehmen,
> damit das Priestertum in unserer Gegenwart eine
> solche Gestalt erhält, daß es seine notwendige
> Aufgabe in der Kirche und für die Welt erfüllen
> kann" (Nr. 4).

Am Schluß der Einführung wird der Begriff "Priester" geklärt (Nr. 5). Zum einen wird betont, daß
"Priestertum" nicht für den Amtspriester allein re-
serviert ist, sondern ebenso den gemeinsamen Dienst
aller Getauften und Gefirmten meint. Zum anderen wird
die traditionelle Einengung des Amtspriestertums auf
den kultisch-sakramentalen Bereich durch die Hervorhebung (die im Verständnis des alten und neuen Bundes
gründet) des Dienstes am Wort Gottes und der Hirtenaufgabe in einen umfassenden Zusammenhang gestellt.

Die grundlegenden Ausführungen gliedern sich
entsprechend der Intention des Dokumentes in zwei
Hauptteile: in eine biblische und eine dogmatische
Darlegung des Verständnisses vom priesterlichen Amt.

---

20 Vgl. auch Nr. 25: "Die Kirche steht nicht unwider-
ruflich zu allen einzelnen Wandlungen in ihrer Geschichte. Sie muß nicht alle Formen festhalten
wollen, die je einmal kirchliche Ordnung oder kirchlicher Brauch waren."

2. Die neutestamentlichen Grundlagen (Nr. 6-23)

Zwei grundlegende Themenbereiche werden hier dargelegt: die Begründung des Amtes und seine priesterliche Eigenart.

a) Das Amt in der Kirche überhaupt (Nr. 6-13)

Nach detaillierten Darlegungen wird hier zusammenfassend festgestellt: das Neue Testament weist die Existenz geistlicher Ämter in der Kirche aus. Eigentlichstes Amt ist das Amt Christi, das er als Sendung und Bevollmächtigung durch den Vater erhalten hat. Mit der Gründung der Kirche gibt Christus eine Sendung weiter.

> "Dieser Sendungsauftrag wird von den Aposteln als ein in der Offenbarung begründeter spezifischer Auftrag an sie selbst betrachtet und verwirklicht" (Nr. 13).

Nach der Zeit der Apostel entstehen in der Kirche Gemeindeämter, die auf der Weitergabe geistlicher Vollmacht zum Heilsdienst in der Kirche durch die Apostel beruhen. Diesen Ämtern ist die Fortführung des apostolischen Dienstes in Verkündigung, Lehre und Leitung aufgetragen. Dabei wissen sich die Amtsinhaber

> "an die apostolische Überlieferung gebunden und stützen sich auf die ihnen von den Aposteln überkommene Vollmacht und Sendung, die durch Handauflegung vermittelt wird" (Nr. 13).

Grundlegend ist das Wissen um die Verbundenheit der Amtsträger mit ihren Urbildern, den Aposteln, und über sie mit Christus, der wesentlichen Grundlage ihres Dienstes. Eine feste Ämterstruktur ist aus dem Neuen Testament nicht abzulesen.

b) Die priesterliche Eigenart des Amtes (Nr. 14-23)

Das einzigartige Priestertum Christi, so wird hier zusammenfassend formuliert, beruht auf seinem einmaligen Opfer der Selbsthingabe, durch welche er

599

Sühne, Vergebung und Heiligung für alle Menschen
bewirkt und die Liebe Gottes deutlich macht. Aufgrund dieses christologischen Ansatzes formuliert
dann das Dokument für das Apostolat:

> "Der apostolische Dienst hat keinen anderen
> Sinn und Auftrag als den, das Opfer und die
> Liebe Jesu Christi für die Welt in der Welt
> heilbringend gegenwärtig zu halten" (Nr. 23).

Das priesterliche Tun geschieht wesentlich in der
wirksamen Heilsverkündigung von Christi Tod und
Auferstehung für alle Menschen. Das Evangelium bildet die Mitte des apostolischen Heilsdienstes und
bestimmt alle anderen Aufgaben der Apostel zum Aufbau der Kirche. Radikale Selbsthingabe und totaler
personaler Einsatz kennzeichnen die Wahrnehmung der
apostolischen Aufgabe, während im Neuen Testament
liturgisch-sakramentale Vollmachten noch nicht deutlich auszumachen sind. (Die Leitung der Eucharistiefeier und die Sündenvergebung durch den priesterlichen Dienst werden zwar im Neuen Testament ansatzhaft bezeugt, aber erst in nachneutestamentlicher
Zeit als dem Amtsträger zukommende priesterliche Vollmachten herausgestellt.[21])

Ziel des apostolischen Dienstes ist das Priestertum des Volkes Gottes, das in Liturgie und christli-
chem Leben vom erfahrenen Priestertum Christi Zeugnis
ablegt.

> "Die kirchlichen Dienstämter vergegenwärtigen für
> die nachapostolische Zeit das Heilswirken des
> Herrn zur Erbauung der Kirche und zum Heil der
> Welt..." (Nr. 23).

Als umfassender Auftrag gilt neben Lehre und Verkündigung der Hirtendienst.

---

21 Vgl. auch Nr. 22.

3. Die Entfaltung im Glaubensverständnis der Kirche
   (Nr. 24-48)

   In diesem Abschnitt werden zunächst wichtige
geschichtliche Wandlungen im Amtsverständnis auf-
gezeigt und lehramtliche Aussagen zum Thema gewürdigt und danach Wesenszüge des priesterlichen Amtes
in aktueller Perspektive geschildert.

a) Geschichtliche Wandlungen (Nr. 24-36)

aa) Der Gestaltwandel

   Im grundlegenden Vorwort zu den geschichtlichen
Wandlungen des priesterlichen Dienstes weist das Dokument auf den jeweiligen gesellschaftlichen und
kulturellen Kontext hin, der Verständnis und Bedeutung des Amtes mit beeinflußt und dazu beiträgt, daß
dieses Amt, das jeweilige Priesterbild in der Lehre,
nie erschöpfend dargestellt wird. Die Lehre des Amtes,
so das Dokument, ruht auf einem ein für allemal vorgegebenen Fundament, ihre Entfaltung aber geschieht
in der Geschichte des Glaubens (Nr. 25).

   Unter dieser Vorgabe schildert das Dokument die
Ausfaltung der kirchlichen Verfassung (Nr. 26), die
anfänglich verschiedene Formen kannte, wobei sich
dann an der Wende zum dritten Jahrhundert die dreifache Abstufung des einen Dienstes in Bischöfe, Priester und Diakone durchgesetzt hat.

   In einem weiteren Schritt vollzog sich die allmähliche Verbindung des Dienstes des bevollmächtigten Verkünders mit dem Vorsitz bei der Eucharistiefeier (Nr. 26).

   Nachdem in Nr. 27 die Probleme mit dem Begriff
des (kultisch-sacerdotal verstandenen) "Priesters"
dargelegt werden, wird in Nr. 28 vor Charakterisie-
rungen des kirchlichen Amtes gewarnt, die sich an
Schilderungen einzelner Aspekte orientieren. Ver-

deutlichend wird festgehalten, daß die wirkmächtige
Verkündigung der Heilstaten Gottes in der Geschichte
immer als wesentlich angesehen, diese Grundfunktion
aber durch die unterschiedliche Schilderung einzelner Aufgaben verdeutlicht wurde.

Die Wende von der Antike zum Mittelalter brachte aus verschiedenen Gründen die Gewichtung des
priesterlichen Dienstes vor allem als rituell-litur-
gische Tätigkeit (Nr. 29).

bb) Lehramtliche Aussagen des Konzils von Trient

Im Anschluß daran kommt das Dokument auf das
Konzil von Trient zu sprechen und schildert zunächst
seine lehramtlichen Entscheidungen und die dahinter-
stehenden Intentionen (Nr. 30). In den Interpretationen wird das Entstehen des engen Zusammenhangs von
Priester und Opfer konstatiert und der Grund dafür im
damaligen Bewußtsein um die von Gott gefügte Zusammengehörigkeit

"von E u c h a r i s t i e als Opfer und
c h r i s t o l o g i s c h begründetem Priestertum"

gesehen. Auch wenn in Trient die Vollmacht zur Eucharistiefeier und sakramentalen Sündenvergebung der
alleinige und genuine Existenzgrund des neutestamentlichen Priestertums zu sein scheint und deutlich herausgestellt wird, so wurden alle anderen Funktionen
deswegen nicht geleugnet.[22] In der Wirkungsgeschichte
jedoch bekamen dann doch diese beiden Funktionen
(Vollmacht zur Eucharistiefeier und Sündenvergebung)
immer deutlicher das Übergewicht über alle anderen
Funktionen. Dadurch ging der Vorrang der Ganzheit des
Priestertums (u.a. das gemeinsame Priestertum, der
Dienst des Wortes) unter (Nr. 32).

---

22 Vgl. oben, 584f.

cc) Der sakramentale Charakter

Sehr ausführlich setzt sich das Dokument anschließend mit dem sakramentalen Charakter des
priesterlichen Amtes auseinander, das vom Konzil
von Trient als unauslöschliches Zeichen lehramtlich definiert wurde (Nr. 33). Nach der Schilderung
der Anhaltspunkte für diese Lehre (die Auserwählung
durch die Beschneidung im Alten und das Siegel
durch den heiligen Geist im Neuen Testament) wird
ihre Intention verdeutlicht: Der sakramentale Charakter führt nicht zu einer Vorrangstellung des
Priesters gegenüber der Gemeinde, sondern kennzeichnet

"primär eine letzte Unabhängigkeit seiner amtlichen Aufgaben von seiner persönlichen Heils-
situation vor Gott" (Nr. 33).

Damit kam ein biblisches Motiv allmählich zur Entfaltung, das keine besondere Heiligkeit intendiert,
sondern die bleibende Differenz zwischen Amt und
subjektiver Heiligkeit zum Ausdruck bringt. Die Folge dieser Überzeugung ist, daß Handlungen, die der
Priester in der Person Christi vollzieht als solche
ihre Gültigkeit trotz der Fehlerhaftigkeit und Sün-
digkeit des Priesters haben. Mit seinen Aussagen
über den sakramentalen Charakter hat das Konzil von
Trient diese Lehre verankert und die Unwiederholbarkeit der Verleihung des Prägemals, aber nichts über
seine Natur ausgesagt.

Im Hinblick auf das heutige Verständnis skizziert
das Dokument kurz folgendes zum sakramentalen Charakter. Er bedeutet:

- die Übereignung des Gläubigen an Gott und seine
  volle Inanspruchnahme durch Gott für den Dienst der
  Versöhnung;
- die Besiegelung dieser Übereignung an Christus in
  der sakramentalen Weihe;

- das Zeichen der Initiative Gottes unabhängig von
  der Fehlerhaftigkeit des Menschen;
- die öffentliche und sichtbare Eingliederung ins
  Kollegium kirchlicher Amtsträger und die Be-
  stellung zum Amt im Namen und Auftrag Christi,
  das als solches von der Gemeinde unterschieden
  werden muß;
- die fundamentale Prägung der Person und die Forderung nach Ernsthaftigkeit und Gültigkeit des
  Entscheides zum Amt im Hinblick auf Unwiderruf-
  lichkeit.

Alle diese Momente des sakramentalen Charakters, der zu den bleibenden Wesenszügen des priesterlichen Amtes gehört, führen, so schließt das
Dokument hier, zur Unwiederholbarkeit der Amtsübertragung.

dd) Das Zweite Vatikanische Konzil

Nach den Ausführungen über die Bestimmungen
dieses Konzils (Nr. 34) und die Aussagen mit den
umfassenden Entfaltungen, die es hinsichtlich des
Verständnisses des priesterlichen Dienstes vor-
nahm (Nr. 35)[23], würdigt das Dokument die durch das
Konzil gesetzten neuen Akzente: es sind das die Herausstellung der Verkündigungsaufgabe im Vollsinn,
die Wiederbelebung der missionarischen Dimension und
die Betonung des Amtes als Dienst und Sendung gegenüber Macht und Hierarchie. In diesem Zusammenhang
konstatiert das Dokument eine Offenheit für die Weiterführung eines Dogmas ungeachtet seines bleibenden
Wahrheitsanspruches, wie sie sich im Konzil gezeigt
hat, die Ergänzungen und damit auch Korrekturen möglich macht. Dies zeigt sich für das Dokument darin,

---

23 Vgl. oben, 587-595.

daß das Zweite Vatikanische Konzil mit seinen Aussagen über das priesterliche Amt "die Aussagen der
Trienter Kirchenversammlung in einen vertieften
christologischen Horizont rückt" und "eine grundsätzliche ekklesiologische Ortsbestimmung des Pres-
byters" gibt (Nr. 36).

b) <u>Wesenszüge des priesterlichen Amtes (Nr. 37-48)</u>

In diesem Abschnitt werden einige Wesenszüge
des Amtes genannt, die "zum unaufgebbaren Lehrbe-
stand der Kirche gehören" (Nr. 37). Dazu gehören
neben dem bereits behandelten sakramentalen Charakter die theologische Bedeutung der Priesterweihe,
die Einheit des kirchlichen Amtes in der Vielzahl
seiner Funktionen und die Eucharistiefeier als Realisierung des gemeinsamen und speziellen Priestertums.

aa) <u>Das Sakrament des Ordo als Amtsübertragung</u>

Ausgangspunkt ist hier eine ekklesiologische
Grundlegung: die Kirche ist zwar in der Welt, aber
sie ist nicht mit der Welt identisch, da sie im
Dienste Christi für die Welt eine spezifische Aufgabe wahrnimmt. Die Kirche, das Volk Gottes, ist sakramental konstituiert durch die Taufe und die Eucharistie als zentralem Lebensvollzug. Aus diesem
sakramentalen Fundament ergibt sich auch die sakramentale Begründung des amtlichen Dienstes (Nr. 38).
Die Sakramentalität der Kirche führt zunächst zur
Sakramentalität des gemeinsamen Priestertums aller
Getauften, das im Dienst der Kirche als umfassendes
Sakrament des Heils steht. Daher

> "ist es aus dem Sinn und Wesen der Kirche ver-
> ständlich, daß kraft der Stiftung Jesu Christi
> der Getaufte, der zum amtlichen Dienst an ihrer
> Heilsaufgabe bestellt wird, sein Amt durch sa-
> kramentale Weihe empfängt und dadurch in die apo-
> stolische Sukzession aufgenommen wird, in der die
> ganze Kirche und gerade deswegen auch das Dienst-
> amt in der Kirche steht" (Nr. 39).

Der Unterschied des speziellen zum gemeinsamen
Priestertum, der nach der Lehre des Zweiten Vati-
kanischen Konzils dem Wesen und nicht allein dem
Grade nach besteht[24], meint

> "die im Stiftungswillen Jesu Christi begründete,
> eigene Sendung und Bevollmächtigung des Amts-
> trägers und betont in diesem Sinne die unaufgeb-
> bare Distanz zwischen dem gemeinsamen Priester-
> tum aller Gläubigen und dem besonderen Priester-
> tum des Dienstes" (Nr. 39).

Die Priesterweihe macht also aus einem Gläubigen
keinen besseren Christen, sondern überantwortet ihm
spezifische priesterliche Aufgaben, den besonderen
Dienst an der Verwirklichung der Heilsaufgaben der
Kirche gegenüber den Menschen.

Weiter wird durch die sakramentale Handauflegung durch den Bischof deutlich gemacht, daß die
Wahl zum priesterlichen Amt nicht demokratisch durch
das Volk geschieht, sondern daß es wie bei den Aposteln Christus im heiligen Geist ist, der den Gläubigen in seinen Dienst einsetzt und sendet. So teilt
dann auch eine jurisdiktionelle Ermächtigung keine
neue Vollmacht mit, sondern bedeutet lediglich die
Zuweisung einer besonderen Aufgabe (Nr. 40).

Abschließend kommt das Dokument hier auf die
Verleihung von Gnade zu sprechen, die in der Weihe
mitgeteilt wird und die dadurch diese Weihe als eigentliches Sakrament deutlich macht. Ganz deutlich
wird betont, daß diese Gnade nicht der persönlichen
Heiligung dient, sondern zur Erfüllung des übernom-
menen Dienstes befähigt. Trotzdem aber, so das Dokument, ist die Erfüllung des priesterlichen Dienstes
nicht vom Bemühen um die eigene Heiligung zu trennen
(Nr. 41).

---

24 Vgl. LG, Nr. 10.

bb)Das eine Amt und die Vielfalt der Aufgaben

In diesem Abschnitt geht es um die Zuordnung
der vielfältigen Aufgaben, die in der Kirche wahrgenommen werden und dabei um die Herausstellung und Begründung der spezifisch amtspriesterlichen Aufgaben.

Der Laie nimmt aufgrund des allgemeinen Priestertums auf seine Weise an der Sendung der Kirche
teil (z.B. Finanzverwaltung, Glaubenserziehung).
Wesentlich dabei ist, daß alle

"Dienste der Laien...mit der spezifischen Aufgabe der Priester eine innere Einheit...zur Auferbauung des Leibes Christi..."

bilden müssen (Nr. 42).

Um die speziellen Aufgaben des Priesters herausstellen (und von allen anderen Diensten abgrenzen) zu
können, bedarf es der Herausstellung der eigentlichen
Mitte des kirchlichen Dienstamtes: diese Mitte bildet
das Amt Christi selber, an dem die Priester durch die
Weihe Anteil erhalten. Das kirchliche Dienstamt steht
in wesentlicher Beziehung zum Amt Christi:

"Zunächst einmal geht das sakramentale geistliche
Amt auf die Stiftung Jesu Christi zurück. Es ist
also durch die Geschichte mit Jesus verbunden"
(Nr. 42).

Christus will durch den Priester für die Menschen gegenwärtig sein und dem Priester ist es aufgegeben,
Christus in der Welt sichtbar zu machen. Die Sendung
erhält der Priester von Christus, womit dieser die
Verheißung deutlich macht, daß er in dem von ihm Gesandten da ist. Diese christologische Begründung will
zum Ausdruck bringen, daß in allem priesterlichen Tun
Christus selber der eigentlich Handelnde ist.

Daran anschließend erläutert das Dokument den
Begriff "Repräsentation" Christi durch den Priester
näher: auch wenn die Kirche als Sakrament Unterpfand
für die Gegenwart Christi in der Welt ist, auch wenn

sie durch den Geist mit Christus geeint wird, so ist
sie doch nicht identisch mit Christus; es gibt ein
Gegenüber von Christus und Kirche. Dieses Gegenüber
macht der Priester, indem er in der Person Christi
handelt, deutlich und zeigt dadurch die Abhängigkeit
allen kirchlichen Tuns vom Heilshandeln Christi auf,
durch das allein das Tun der Kirche zur Erfüllung
kommen kann.

> "In dieser Verkündigung durch Wort und Sakrament
> wirkt dann Jesus Christus selbst die Einheit der
> Kirche mit ihm im Heiligen Geist" (Nr. 43).

Im weiteren wird das eine priesterliche Amt in
seiner dreifachen Ausgestaltung beschrieben: Der
prophetische Dienst umfaßt die vielgestaltige Verkündigung des Wortes Gottes, der Hirtendienst meint
die verschiedensten Formen von Leitung und der prie-
sterlich-sacerdotale Dienst wird

> "vor allem im sakramentalen Gottesdienst mit der
> Eucharistiefeier als der Mitte des ganzen Lebens
> und Dienstes der Kirche ausgeübt" (Nr. 44).

Im Anschluß an diese Ausführungen über den
priesterlich-sacerdotalen Dienst folgt ein Wort zum
Opfercharakter der Eucharistiefeier. Dabei wird betont, daß die Kirche im Priester kein neues Opfer
darbringt, sondern daß durch die sakramentale Weihe
des Priesters das einmalige Opfer Christi in der Gemeinde gegenwärtig wird.[25]

Die drei Dimensionen des Amtes dürfen nicht als
Unterämter angesehen werden, bei ihnen

> "handelt es sich um drei Eigenschaften des einen
> Amtes Jesu Christi, das in seiner Einheit sowohl
> prophetisch wie königlich und priesterlich zu-
> gleich ist" (Nr. 44).

Diese drei Eigenschaften werden nun, ausgehend vom
Hirtendienst, näher erläutert. Alle drei Dimensionen

---

25 Zum Opfercharakter der Eucharistie vgl. oben, 412f.

weisen immer auf die absolute Mitte des kirchlichen
Amtes: die Feier der Eucharistie, welche die tiefste
Verwirklichung, die vollkommene Realisierung des
Priestertums ist (Nr. 45). Bevor diese eucharisti-
sche Zentrierung detaillierter beschrieben wird,
folgt ein Wort zur Bedeutung des Zölibates: auch
wenn die Verbindung von Zölibat und Priestertum nicht
absolut notwendig ist, so liegt sein guter Sinn im
Freiwerden für die totale Inanspruchnahme der ganzen
Person im Hinblick auf seinen umfassenden Dienst.

cc) <u>Die Eucharistiefeier als Vollendung des gemeinsamen
und speziellen Priestertums</u>

Obwohl das Neue Testament keine Aussagen über
die Verbindung von priesterlichem Amt und Eucharistie
macht, so ist es doch kirchliche Lehre, daß im Rahmen

"der Gesamtaufgabe des Priestertums...die Leitung
der Eucharistiefeier und die darin beschlossene
Konsekrationsvollmacht einen hervorragenden Rang"

einnimmt (Nr. 46). Diese Lehre von einer Vollmacht
des besonderen Amtes zur Leitung der Eucharistie ergibt sich nach den Worten des Dokumentes

"aus dem Gesamtsein des priesterlichen Amtes und
aus der Bedeutung der Eucharistie für das Leben
des Christen und der Kirche" (Nr. 46).

Grundlegend ist auch hier wiederum das Abendmahlshandeln Jesu: indem Jesus am Kreuz das Ganzopfer
seines Lebens hingibt, feiert er die eigentliche Liturgie. Mit dem Tod am Kreuz als Opfer der Selbsthingabe, der in der Eucharistie je neu heilswirksam gegenwärtig wird, vollendet Jesus seinen Dienst als
Priester, Lehrer und Prophet. Nach dem Zeugnis der
Schrift gibt es nun in der Kirche einen gesandten und
bevollmächtigten Hirten, der die Gemeinde leitet. Da
nun die Eucharistiefeier die Mitte allen kirchlichen
Lebens ist, kommt diesem Leiter auch der Vorsitz bei
der Eucharistiefeier zu. Seine von der Sendung Christi
ausgehende Sendung findet in diesem Vorsitz ihren

Höhepunkt, denn die ihm durch die sakramentale Weihe
übertragene Vollmacht der

"Vergegenwärtigung des Abendmahlshandelns Jesu,
und damit seines Todes und seiner Auferstehung,
ist die intensivste und unmittelbarste Repräsentation Jesu Christi" (Nr. 47).

Aus der Sendung des Amtsträgers an Stelle Jesu erfolgt, daß der Vorsitz bei der Eucharistiefeier,
bei der der Vollzug des priesterlichen Amtes seinen
intensivsten Grad der Aktualisierung findet, eine
besondere Vollmacht bedeutet.

Insofern nun die Eucharistiefeier die Mitte
allen kirchlichen Lebens ist, wird sie auch zum Höhepunkt des gemeinsamen Priestertums, wenn die Gläubigen aktiv an ihr teilnehmen und in den Todesgehorsam
Christi eingehen. Analog der Verehrung und Anerkennung, wie sie Christus seinem Vater dargebracht hat,

"so soll sich jeder Glaubende in seiner Teilnahme
an der Eucharistiefeier mit Jesus Christus vereint auf den Vater ausrichten" (Nr. 48).

Diese Teilnahme dann muß immer neu durch ein an
Christi Leben orientiertes Leben Früchte im Alltag
bringen.

Dem kirchlichen Amtsträger, so schließt hier das
Dokument, ist also bei der Eucharistiefeier zweierlei
aufgegeben: durch seinen Dienst das Abendmahlshandeln
Jesu Christi gegenwärtig zu machen und sich selbst,
was allen Gläubigen gemeinsam ist,

"in der aktiven Teilnahme an der Eucharistiefeier
mit Jesu Christi Gehorsam gegenüber dem Vater bis
in den Tod zu verbinden" (Nr. 48).

Das Dokument endet dann mit einem Wort an die
Priester, das im wesentlichen eine Zusammenfassung des
vorangehend Dargelegten beinhaltet (Nr. 49-55).

4. Zusammenfassung

Dieses Dokument der deutschen Bischöfe wurde hier

so ausführlich vorgestellt, weil es eine umfassende Darstellung des heutigen Verständnisses des
priesterlichen Dienstes mit all seinen bedeutsamen
Aspekten bietet.[26] Im Gegensatz zum Grundentwurf
des Zweiten Vatikanischen Konzils in Lumen Gentium
konzentriert sich dieses Dokument nicht auf das
Bischofsamt, sondern behandelt durchgängig das priesterliche Amt.[27] Deutlich ist das Bemühen, dieses
Amt in seiner Vielgestaltigkeit und nicht nur aus
seiner vollsten Realisierung, dem Vollzug der Eucharistie, herauszustellen. Wichtig im Hinblick auf
die ökumenische Diskussion ist u.a. auch das Bekenntnis zur Korrekturfähigkeit und zur Möglichkeit
der weiteren Entwicklung eines überkommenen Verständnisses.

> "Hinsichtlich der Relevanz der aufgezählten lehr-
> amtlich-dogmatischen Entscheidungen für das Amts-
> verständnis ergibt sich hieraus die begründete
> Hoffnung, diese auf ein gemeinsames evangelisch-
> katholisches Amtsverständnis hin interpretativ
> ausgleichen zu können."[28]

---

26 Die deutschen Bischöfe geben ihrem Bekenntnis zur
    Vielgestaltigkeit des Amtes folgendermaßen Ausdruck:
    "Es muß vermieden werden, bei der Darlegung des
    priesterlichen Dienstes in der Kirche einen einzel-
    nen Gesichtspunkt herauszugreifen und ihn als einzig
    konstitutiv für das Amt anzusehen. Man kann in einer
    systematischen Beschreibung des kirchlichen Dienstes
    den Priester nicht ausschließlich als Opfernden oder
    Konsekrierenden betrachten; es genügt nicht einmal
    ein Blick lediglich auf seine Aufgaben in der Gemein-
    de, auch nicht auf seinen Apostolat oder auf den
    missionarischen Charakter seines Dienstes. Diese Ein-
    sicht vermittelt die Geschichte der Kirche" (Schrei-
    ben der deutschen Bischöfe über das priesterliche Amt,
    Nr. 28).

27 Zum Episkopat vgl. a.a.O. Nr. 21.

28 H. Fries u. W. Pannenberg, Das Amt in der Kirche,
    110.

Aus dem Befund des Neuen Testamentes ergibt
sich die Existenz eines besonderen Amtes. Grundlegend ist das Amt und der Dienst Jesu Christi,
an dem das kirchliche Amt über die Sendung der
Apostel teilnimmt und aus dem sich seine eigene
Sendung herleitet. Die Vergegenwärtigung des Heils-
wirkens Christi in der Welt und für die Welt ist
zunächst Aufgabe des gesamten Volkes Gottes im gemeinsamen Priestertum aller Gläubigen. Das besondere Dienstamt zielt auf das Priestertum des Volkes
Gottes und damit auf den Aufbau der Kirche Christi.
In der Zeit nach der Entstehung des Neuen Testamentes war das priesterliche Amt legitimerweise geschichtlichen Wandlungen unterworfen. Am Anfang
existierten mehrere kirchliche Verfassungen und
damit verschiedene Ausformungen des kirchlichen
Amtes. Erst allmählich kristallisierte sich im Verständnis dieses Amtes die Verbindung des Dienstes
der Verkündigung und des Vorsitzes bei der Eucharistiefeier heraus. Damit war der Anfang der Entwicklung gegeben, die das Verständnis des Amtes mit
seiner Fülle und Vielfalt von Diensten allmählich
auf eine rituell-kultische Tätigkeit einschränkte.
Herausgefordert durch die Reformation wurde auf dem
Konzil von Trient die Verbindung von Priester und
Opfer lehramtlich festgelegt. Das Konzil selber
leugnete mit seinen lehramtlichen Aussagen die Fülle
und Vielfalt des priesterlichen Dienstes nicht, behandelt aber manche damit zusammenhängede Fragen
nicht, weil sie nicht aktuell zur Diskussion standen. Trotzdem zeigt die Wirkungsgeschichte der tri-
dentinischen Lehraussagen die Einengung des priesterlichen Amtes auf die sakramentale Vollmacht zur Feier der Eucharistie und der Sündenvergebung. Ebenfalls
wurde mit Trient die Verleihung des sakramentalen
Charakters durch die Weihe sanktioniert. Dem gegen-

über bemüht sich das Zweite Vatikanische Konzil,
die Vielgestaltigkeit des priesterlichen Amtes
voll zur Geltung zu bringen.

Ausgangspunkt für das Amtsverständnis ist ein
breites ekklesiologisches Fundament. Die Sakramentalität des Ordo wird aus der Sakramentalität der
ganzen Kirche deutlich gemacht. Der Unterschied von
gemeinsamem und speziellem Priestertum liegt in der
nach dem Willen Christi eigenen Sendung und Bevollmächtigung des priesterlichen Dienstes. Die bei der
sakramentalen Weihe verliehene Amtsgnade dient
nicht der Heiligung der Person des Amtsträgers,
sondern der Erfüllung seines Dienstes für den Aufbau der Kirche, für die Heiligung der Gläubigen.

Die Mitte des kirchlichen Amtes ist das dreifache Amt Christi als Priester, Lehrer und Hirte,
an dem der Amtsträger durch die sakramentale Weihe
teilhat und durch die er bevollmächtigt ist, in der
Person Christi zu handeln. Am vollkommensten realisiert sich der Dienst des Amtsträgers als Priester,
Lehrer und Hirte in der Feier der Eucharistie, in
der er analog der Bedeutung der Eucharistie für die
Gemeinde den Vorsitz hat und in der durch ihn die
Vollendung des Lebens Christi, das Opfer seiner
Selbsthingabe für das Heil der Kirche und der Welt,
präsent wird. Durch die aktive Teilnahme der Gläubigen an der Eucharistiefeier erfüllt sich hier auch
das gemeinsame Priestertum.[29]

---

29 Nach H. Fries fand das fundierte, ausgewogene und
    größere Möglichkeiten eröffnende Dokument nicht
    die ihm zustehende Resonanz. Grund dafür ist seiner
    Meinung nach die Einengung der Amtswahrnehmung allein
    durch den zölibatären Priester am Schluß der Aus-
    führungen, wodurch das Dokument "in nicht ganz kon-
    sequenter Weise in der Bestätigung des Bestehenden"

IV. Die Bischofssynode über das priesterliche Dienstamt
(1971)

1. Einleitung

Der Anlaß zur Beschäftigung mit dem priesterlichen Amt durch die Bischofssynode im Jahre 1971
war ein ähnlicher wie für das Schreiben der deutschen Bischöfe: Verunsicherung, Unruhe und Identi-
tätskrise der Priester im Gefolge des Zweiten Vatikanischen Konzils (z.B. Infragestellung des Unterschiedes von sakramental-kultisch und weltlich,
Betonung des gemeinsamen Priestertums, Befürchtungen, sich zu weit vom biblischen Ursprung entfernt
zu haben).

Mit ihrem Schreiben[30] wollen die Bischöfe aus
aller Welt durch das Herausstellen der Grundlagen
des priesterlichen Dienstes und das Erstellen von
Richtlinien für seine Ausübung den Priestern Orientierungshilfe geben und befürchtete Fehlentwicklungen (z.B. die Suche des Heils auf anderen Wegen)
verhindern.[31] Dem gegenüber nun wird Christus grund-

---

endet (H. Fries, Das Problem des Amtes in der Sicht
katholischer Theologie, 126). Vgl. auch Karl Lehmann, Ungelöste Fragen um das kirchliche Amt: Ein
konkreter Vorschlag, in: KNA, Konzil-Kirche-Welt
Nr. 16/1970, 5-8. Das Schreiben der deutschen Bischöfe über das priesterliche Amt haben dann auch
die Bischöfe der DDR, Österreichs, der Schweiz und
der Bischof von Luxemburg für ihre Bereiche übernommen (vgl. a.a.O. 5).

30 Das Synodendokument über das priesterliche Dienstamt,
in: HerKorr 25 (1971), 584-591. Zur Vorgeschichte
dieses Schreibens vgl. H. Fries, Das Problem des
Amtes in der Sicht katholischer Theologie, 126ff.

31 Vgl. a.a.O. 584f.

legend als das einzige Heil herausgestellt, das die
Einheit Gottes mit den Menschen bedeutet. Wirksames
Zeichen dieser Einheit ist die Kirche als ganzes,
besonders aber das Dienstamt des Priesters.

> "Dieser übt nämlich in der Kirche sein Amt aus,
> indem er die Liebe Gottes in Christus durch Wort
> und Sakrament für uns vergegenwärtigt und indem
> er die Gemeinschaft der Menschen mit Gott und
> untereinander aufbaut."[32]

Im folgenden gliedert sich das Dokument in einen lehrhaften und einen praktischen Teil, die hier,
um Wiederholungen zu vermeiden, nur kurz vorgestellt
werden.

2. Zu den Lehraussagen

a) Christus - Apostel - kirchliches Amt[33]

In der christologischen Grundlegung wird Christus als der einzige Priester betont, der sein Amt
in größter Dichte durch den Vollzug des Opfers seiner Selbsthingabe ausübt. Als solcher ist er auch
einziger Mittler zwischen Gott und Mensch, deren
Einheit er schafft. Als Lehrer und Hirte macht er
die Liebe Gottes für alle Menschen deutlich.

Christus hat seine Kirche auf den Aposteln gegründet, an deren Spitze Petrus stand. Damit waren
zwei Aspekte gegeben: die Gemeinschaft der Apostel
und ihre hierarchische Gliederung.

> "Die auf die Apostel gegründete, in die Welt ge-
> sandte und in ihr pilgernde Kirche wurde dazu ge-
> stiftet, das Sakrament jenes Heiles zu sein,
> das in Christus von Gott zu uns gekommen ist."[34]

---

32 Das Synodendokument über das priesterliche Dienst-
    amt, 585.

33 Vgl. a.a.O. 586f.

34 A.a.O. 586.

Anschließend erfolgen die bekannten Aussagen
über die Sendung der Kirche, die als ganze Anteil
hat am dreifachen Amt Christi und dem wesensmäßigen Unterschied zwischen gemeinsamem und speziellem
Amt, welche beide aber einander zugeordnet sind und
gemeinsam Christus unterstehen.

Durch den Dienst des Priesters findet das Werk
der Apostel und über sie das Werk Christi als Mittler in der Kirche seine Fortführung, welches hier
folgendermaßen beschrieben wird: Durch

> "die wirksame Verkündigung des Evangeliums, durch
> die Sammlung und die Leitung der Gemeinde, durch
> die Vergebung der Sünden und insbesondere durch
> die eucharistische Feier vergegenwärtigt er Chri-
> stus als Haupt der Gemeinde, indem er dessen Werk
> der Erlösung der Menschen und der vollkommenen
> Verherrlichung Gottes ausführt".[35]

Durch die sakramentale Weihe erhalten die Priester
die Salbung des heiligen Geistes und werden Christus
gleichgestaltet, wodurch ihnen Anteil am dreifachen
Amt Christi zuteil wird, dessen Höhepunkt im Vollzug
des eucharistischen Opfers liegt.

Abschließend formuliert das Dokument hier zur
unabdingbaren Notwendigkeit des Amtes:

> "Ohne die Präsenz und das Wirken dieses Dienst-
> amtes, das durch Handauflegung unter Gebet emp-
> fangen wird, kann die Kirche ihrer Treue und
> ihrer sichtbaren Kontinuität nicht völlig gewiß
> sein."[36]

b) Der sakramentale Charakter[37]

Durch die Handauflegung wird dem neuen Amtsträger die bleibende, unverlierbare Gabe des heili-

---

35   Das Synodendokument über das priesterliche Dienst-
     amt, 586.

36   A.a.O. 587.

37   Vgl. a.a.O. 587.

gen Geistes verliehen, wodurch er Christus gleich-
förmig wird und Anteil an seiner Sendung erhält.
Daraus erfolgt für den Priester die Verleihung von
Autorität und die Verpflichtung zum Dienst. Auch
hier wird wiederum betont, daß Autorität und ver-
liehene Gnade dem Aufbau des Leibes Christi, der
Kirche, dient und nicht dem persönlichen Nutzen des
Amtsträgers.

Das priesterliche Prägemal, so das Dokument,
ist nur dem Glauben zugänglich und bringt zum Ausdruck,

> "daß Christus sich der Kirche auf unwiderruf-
> liche Weise zum Heil der Welt verbunden hat und
> daß die Kirche selbst sich Christus bei der Er-
> füllung seines Werkes in endgültiger Weise
> weiht".[38]

Durch das ihm verliehene Prägemal macht also der
Priester die Einmaligkeit, die Endgültigkeit und
Wahrheit der Verheißung Christi deutlich.

Danach erfolgen Aussagen zum Dienst des Priesters an der Gemeinschaft: dieser erfolgt als Dienst
in einer konkreten Gemeinde auch als Dienst an der
Gesamtkirche. Um diese Einheit zu wahren und sichtbar zu machen, ist die brüderliche Gemeinschaft von
Priestern und Bischöfen und den Priestern untereinander unabdingbar.

Im weiteren wird die Besonderheit des priesterlichen Dienstes betont, der trotz aller Mitarbeit
bei politischen, ökonomischen und sozialen Aufgaben
im religiösen Bereich liegt.

---

38 Das Synodendokument über das priesterliche Dienst-
    amt, 587.

3. Richtlinien für die Ausübung des priesterlichen Dienstes

Wichtig sind hier vor allem die einleitenden, das Vorausgegangene verdeutlichenden Aussagen. Durch die Weihe wird der Priester in gewisser Weise vom Volk Gottes abgesondert für den Dienst an ihm. Die Priester finden dann ihre Identität,

"wenn und sofern sie die Sendung der Kirche voll und ganz leben und sie in verschiedener Weise in Gemeinschaft mit dem ganzen Gottesvolk ausüben, um den Heilsplan in der Geschichte durch die Tat zu vollenden".[39]

Die erste Aufgabe des Priesters, so wird auch hier betont, ist die Verkündigung des Wortes Gottes, die zum Empfang der Sakramente in der Gemeinschaft der Kirche führt.

"Die Feier der Sakramente bildet nämlich mit der Verkündigung des Gotteswortes eine Einheit und vertieft so den Glauben, indem sie ihn durch die Gnade stärkt."[40]

So ist dem Priester die unverkürzte Verkündigung des Evangeliums und die Vorbereitung der Gläubigen zum Sakramentenempfang aufgegeben.

Neben dieser religiösen Amtserfüllung, dem alle anderen Aufgaben untergeordnet sein müssen, gesteht das Dokument dem Priester gewisse profane und politische Tätigkeiten zu.[41]

Nach den Ermahungen an die Priester, ein geist-

---

39 Das Synodendokument über das priesterliche Dienstamt, 587.

40 A.a.O. 588.

41 Vgl. a.a.O. 588f.

liches Leben zu führen[42], bestätigt das Dokument
die Bedeutung des Pflichtzölibates[43]:

> "Der Zölibat steht in vollem Einklang mit der
> Berufung zur apostolischen Nachfolge Christi
> und mit der vorbehaltlosen Antwort des Beru-
> fenen, der den Seelsorgedienst übernimmt."[44]

Durch den freiwilligen Zölibat deutet der Priester
die Präsenz des absoluten Gottes an und setzt so
ein eschatologisches Zeichen. Zudem verfügt der
Priester über eine größere Verfügbarkeit für seinen Dienst. Abschließend wird die Einbindung des
Priesters in die Gemeinschaft der ganzen Kirche beschrieben und dabei die Notwendigkeit der Gemeinschaft von Priestern und Bischöfen und Priestern
untereinander aus der Verbundenheit durch die sakramentale Weihe und die Zusammenarbeit mit den

---

42 Neben dem Gebet, der Meditation und dem häufigen
    Empfang des Bußsakramentes nennt das Dokument hier-
    bei auch die Feier der Eucharistie. Diese bleibt
    auch ohne Teilnahme der Gläubigen "Zentrum und Mit-
    te des ganzen Lebens der Kirche und der priester-
    lichen Existenz"(Das Synodendokument über das prie-
    sterliche Dienstamt, 589). (Vgl. dazu SC, Nr. 27).

43 Das Synodendokument über das priesterliche Dienst-
    amt, 589f.

44 A.a.O. 589.

Laien im Dienste der Kirche gemahnt.[45]

Mit dieser kurzen Zusammenfassung des Synodendokumentes aus dem Jahre 1971 sind die wesentlichen Aspekte des katholischen Amtsverständnisses benannt: Es gibt ein besonderes Priestertum, das sich vom gemeinsamen Priestertum des ganzen Volkes Gottes wesensmäßig unterscheidet. Durch die sakramentale Weihe, welche ein bleibendes Prägemal verleiht, sind die Inhaber des kirchlichen Amtes, das wesentlich als Dienst verstanden wird, durch die Handauflegung des Bischofs, der die Kontinuität mit dem Amt und der Sendung der Apostel gewährleistet, am Amt und an der Sendung Christi, des einzig wahren Priesters, teilhaftig. In seiner Per-

---

45 Vgl. Das Synodendokument über das priesterliche Dienstamt, 590f. Zur Würdigung des Dokumentes vgl. H. Fries, Das Problem des Amtes in der Sicht katholischer Theologie, 128f; E. Schillebeecks, Das kirchliche Amt, 157-188. E. Schillebeecks sieht in diesem Schreiben einen Minimalkonsens des versammelten Weltepiskopates, der als solcher kaum fähig ist, zu den das Schreiben bewirkenden Problemen Stellung zu nehmen oder sie zu lösen. Er konstatiert u.a.eine vorkonziliäre Restauration des Priesterverständnisses, welche, sich ontologisch an Trient orientierend, ein stark sakramentales Interesse am Priestertum zeigt, was wiederum zur deutlichen Abgrenzung des sakramentalen Priestertums von den anderen Gläubigen und von profanen Bereichen führt (vgl. a.a.O. 164ff.). - H. Vorgrimler konfrontiert die Aussagen des Synodendokumentes mit den Aussagen aus vier ökumenischen Dokumenten aus dem bilateralen und multilateralen Dialog (Das Evangelium und die Kirche, Das ordinierte Amt, Dombes III, IV und das Ämtermemorandum) und kann mit gewissen Vorbehalten feststellen, daß das Synodendokument für einen ökumenischen Konsens in der Amtsfrage keine unüberwindliche Hindernisse aufstellt (H. Vorgrimler, Das Priesterdokument der römischen Bischofssynode, in: Amt und Ordination in ökumenischer Sicht, 278-303).

son verkünden sie das Wort Gottes, leiten sie die
Gemeinde und spenden sie die Sakramente. Die voll-
ste Realisierung ihres Dienstes ist die Feier der
Eucharistie, in der durch sie das einmalige Opfer
der Selbsthingabe Christi gegenwärtig wird. In
ihnen macht Christus die Einmaligkeit, Gültigkeit
und Wahrheit seiner Verheißung sakramental sichtbar.

Diesem katholischen Verständnis seien nun
stichwortartig kurz die Verständnisse anderer
christlicher Traditionen gegenübergestellt. Präg-
nanter werden diese dann in den ökumenischen Gesprächen und der theologischen Diskussion hervor-
treten.

V. Amtsverständnisse anderer Konfessionen

1. Die orthodoxen Kirchen

Grundlegend für die orthodoxen Kirchen ist die
Idee der apostolischen Sukzession ohne Unterbrechung
in unablässiger Folge durch die bischöfliche Weihe.
Durch das Werk der Apostel und der Hierarchie wird
das Werk des Erlösers in der Welt weitergeführt.
Das einzige Priestertum ist das Priestertum Christi.
Das priesterliche Amt der Menschen ist völlig identisch mit dem Amt Christi: im kirchlichen Amt handelt Christus selber. Das kirchliche Amt ist weniger juridisch ausgebildet als etwa in der katholischen Kirche. Seine Einbindung in das Gesamt der
Kirche ist ausschlaggebend: das Amt ist wesentlich
an das Volk Gottes gebunden und findet in seiner
tiefsten Versammlung, der Eucharistie seinen Grund
und Höhepunkt. Durch die Ordination gelangt der Bischof nicht in einen neuen Stand im absoluten Sinne,
sondern in einen neuen Stand in Relation zu einer
konkreten Ortskirche, deren Haupt und Leiter der
Eucharistie er wird. Durch die Einbindung in diese
lokale Kirche steht er in der Eucharistiefeier in
der Gemeinschaft mit der ganzen Kirche, mit den Aposteln und allen anderen Bischöfen. So ist sein Amt
katholisch und apostolisch; in seinem Dienst zeigt
sich die Einheit der Kirche. Ohne geweihten Bischof
in der apostolischen Sukzession kann es keine Kirche
geben. Dieselbe Eucharistie und dieselbe bischöfliche Leitung sind Zeichen der wahren Kirche. Durch
die Einheit der Bischöfe als Leiter der Ortskirchen

wird die Einheit der Gesamtkirche trotz Vielfältig-
keit gewahrt.[46]

2. Die anglikanische Kirchengemeinschaft

Die anglikanische Kirche kennt durch alle Ge-
schichte hindurch das dreifache Amt des Bischofs,
Priesters und Diakons in der apostolischen Sukzes-
sion. Der historische Episkopat de jure divino (die
einen anglikanischen Kirchen sehen ihn von Christus
ausgehend, die anderen halten ihn für apostolischen
Ursprungs) hat in der anglikanischen Kirche große
Bedeutung: ohne ihn gibt es keine wahre Kirche. Das
Amt, das vom Bischof durch Handauflegung auf die
Priester übergeht, beinhaltet den Dienst des Prie-

---

46 Vgl. A. Brandenburg, ...gastweise Teilnahme, II, 7;
Erklärung der orthodoxen Delegierten zu dem Bericht
der I. Sektion (Evanston 1954), 150f.; Katholizität
und Apostolizität: Katholizität und gemeinsames
Zeugnis, Studien im Auftrag der gemeinsamen Arbeitsgruppe [zwischen der römisch-katholischen Kirche und
dem ÖRK], in: Löwen 1971, 149; Johannes Madey, Die
apostolische Sukzession in der Sicht der Orthodoxie,
in: Amt im Widerstreit, 46-51; Johannes D. Zizioulas,
Priesteramt und Priesterweihe im Licht der östlich-
orthodoxen Theologie, in: Amt und Ordination in ökumenischer Sicht, 72-113. Bedeutsam ist hier auch der
Hinweis von J. Madey, daß einige orthodoxe Kirchen
zwar die anglikanischen Weihen anerkannt haben, weil
sie in der apostolischen Sukzession stehen, was für
sie jedoch noch nicht ausreicht, um mit der anglikanischen Kirche bei verbleibenden Glaubensdifferenzen
Abendmahlsgemeinschaft herzustellen. "Nach orthodoxem
Standpunkt ist es...etwas anderes die Weihen in hete-
rodoxen Kirchen anzuerkennen, und etwas anderes, den
in diesen Kirchen gespendeten Sakramenten volle Gültigkeit zuzusprechen" (J. Madey, Die apostolische
Sukzession in der Sicht der Orthodoxie, 46). Vgl.
dem gegenüber die Haltung der katholischen Kirche,
die aufgrund der in den orthodoxen Kirchen vorhandenen apostolischen Sukzession die Gültigkeit ihrer
Sakramente anerkennt (vgl. UR, Nr. 15).

sters, Lehrers und Hirten. Da das Neue Testament
eine Flexibilität in der Ausprägung der Amtsstrukturen möglich macht, hat die anglikanische Kirche
das Bischofsamt nie lehrmäßig definiert. So war es
teilweise möglich, das Amt auf verschiedene Weise
zu interpretieren oder gar die Gültigkeit der Ämter
und der Sakramente in anderen Kirchen, die das Bischofsamt nicht mehr kennen, wegen des orthodoxen
biblischen Glaubens trotzdem anzuerkennen. So nimmt
die anglikanische Kirche zwischen Katholizismus und
Reformation eine Mittelstellung ein: mit der katholischen und orthodoxen Kirche verbindet sie das
Bischofsamt, das in der apostolischen Sukzession
steht, mit den Kirchen aus der Reformation die Neuorientierung von Lehre und Liturgie im Lichte der
Schrift und der Lehre der Väter. Interessant hierbei
ist, daß es heute in der anglikanischen Kirche selber unterschiedliche Richtungen gibt in der Gewichtung des kirchlichen Amtes gerade im Hinblick auf
Ermöglichung von Interkommunion. Bis anhin gilt aber
noch überwiegend die Meinung, vor allem mit Kirchen
mit einer bischöflichen Verfassung in eine gewisse
Kirchen- und Abendmahlsgemeinschaft zu treten.[47]

47 Vgl. Erklärung zur christlichen Einheit: Bericht des
II. Komitees, Lambethkonferenz 1958, 215f.; Interkommunion heute, Nr. 16; 17; 47-71; Katholizität und
Apostolizität, 150f; H. McAdoo, Amt und Eucharistie
im Anglikanismus, 180-183. - In der anglikanischen
Gemeinschaft gibt es zwei Überzeugungen hinsichtlich der Bedeutung des historischen Episkopates: Für
die einen gehört er zum Wesen, zum "esse" der Kirche; für die anderen gehört er lediglich zu ihrem
"bene esse" (vgl. Apostolizität und Katholizität,
151).

3. Die Kirchen der Reformation

Die Kirchen aus der Reformation kennen das von
Gott eingesetzte Amt, das sich vom gemeinsamen
Priestertum aller Gläubigen unterscheidet und sich
nicht aus diesem ableiten läßt, sondern der Integration aller Dienste einer Gemeinde dient.[48] Da
nach der Auffassung der Reformatoren im 16. Jahrhundert das Wort Gottes nicht mehr rein verkündet
wurde, mithin die in der apostolischen Sukzession
stehenden Bischöfe sich nicht als Garanten der rechten Verkündigung erwiesen, legten sie das Hauptgewicht in der Aufgabe des kirchlichen Dienstamtes auf
die rechte Verkündigung des Wortes und aufgrund
ihrer Kritik am Opferpriestertum auf die rechte Verwaltung der Sakramente. In Ausübung seines Amtes
handelt der Amtsträger als Diener in der Person
Christi.[49] In das Amt werden befähigte Gläubige berufen, gesandt und von Kirchenverantwortlichen eingesetzt.[50] Die apostolische Sukzession zeigt sich
wesentlich in der rechten Verkündigung des Wortes
Gottes und der Weitergabe der rechten Lehre, die

---

48 So betont z.B. Heinrich Bullinger: "Das Dieneramt
    der Kirche haben wir damals nicht aus der Kirche
    entfernt, als wir das päpstliche Priestertum in
    der Kirche Christi abgeschafft haben" (H. Bullinger,
    Das Zweite Helvetische Bekenntnis, 93).

49 Das Wirken Christi im Amtsträger unabhängig von sei-
    ner Fehlerhaftigkeit und somit die feste Überzeugung,
    daß Christus der einzige Handelnde ist, zeigt fol-
    gende Aussage: "Wir wissen, daß die Sakramente durch
    ihre Einsetzung und das Wort Christi geheiligt und
    für die Gläubigen wirksam sind, auch wenn sie von
    unwürdigen Dienern dargeboten werden" (a.a.O. 99).

50 So lehrt CA XIV: "Vom kirchlichen Amt...wird ge-
    lehrt, daß niemand in der Kirche öffentlich lehren
    oder predigen oder die Sakramente reichen soll, der
    nicht dazu ordnungsgemäß berufen ist."

auf dem Fundament der Apostel aufruht, was dem
rechtmäßig berufenen Pfarrer aufgegeben ist, der
dann auch die Ordination, meist unter Handauflegung
und Gebet zum Geist, vornimmt.

Das Bischofsamt wurde in den Kirchen aus der
Reformation nie geleugnet. Für sie ist jedoch der
Dienst des Pfarrers heute mit dem eines Bischofs als
Vorsteher und Leiter einer Ortsgemeinde früher identisch und somit mit bischöflicher Autorität ausgerüstet. Bischöfe oder übergeordnete Gremien dienen
daher kraft menschlichen Rechtes der kirchlichen und
pastoralen Ordnung und sind für die Einheit der Gemeinden auf regionaler Ebene bis hin zur Weltebene
zuständig.[51]

---

51 Zum Ganzen vgl. Ulrich Asendorf, Katholizität und
    Amt bei Luther: Perspektiven heutiger ökumenischer
    Theologie, in: StZ 194 (1976), 196-208; H. Bullinger,
    Das Zweite Helvetische Bekenntnis, 87-100; CA V; XIV;
    XXVIII; Friedrich Hübner, Das Bischofsamt und die
    Apostolizität der Kirche, in: LR 15 (1965), 298-307;
    Katholizität und Apostolizität, 150; W. Pannenberg,
    Sakramente und kirchliches Amt, 82-86. Zum Verständ-
    nis des Amtes und der Ordination in den verschie-
    denen Kirchen oder Kirchenvereinigungen vgl. die
    Stellungnahmen in: Amt und Ordination im Verständ-
    nis evangelischer Kirchen und ökumenischer Gespräche,
    Arnoldshainer Konferenz, Gütersloh 1974, 50-96. Zu
    den Differenzen im Amtsverständnis zwischen der ka-
    tholischen Kirche und den evangelischen Kirchen vgl.
    auch Auszug aus der Schrift "Wege der Kirchen zuein-
    ander", 64f.; Harding Meyer, Amt und Ordination:
    Grundkonsens und legitime Verschiedenheit, in:
    H. Fries (Hg.), Das Ringen um die Einheit der Chri-
    sten, 97-100. - Eine kurze Charakterisierung der
    verschiedenen Amtsverständnisse bietet aufgrund der
    Ergebnisse von Lausanne 1927 auch das von Max Thurian
    ausgearbeitete Papier Ökumenische Übereinstimmung im
    Amt, Dokument der Kommission für Glauben und Kirchen-
    verfassung, FO/72:6, Juli 1972, 1f. - Zum Stand der
    Problemlage in der Amtsfrage zwischen verschiedenen
    Kirchen vgl. Niels Hasselmann, Das Amt in der Öku-
    mene, in: LM 16 (1977), 560.

Nachdem die grundlegenden Positionen benannt sind, soll im folgenden Paragraphen die interkonfessionelle Diskussion über das Verständnis des kirchlichen Amtes kurz dargelegt werden. Dabei werden innerhalb der einzelnen Gesprächsformationen in chronologischer Reihenfolge (da sich meistens die weiteren Gespräche auf die vorausgegangenen beziehen) die prägnantesten und im allgemeinen Gespräch immer wieder genannten Dokumente vorgestellt.

§ 16 DAS KIRCHLICHE AMT IM ÖKUMENISCHEN GESPRÄCH

Das ökumenische Gespräch, das hier vorgestellt wird, umfaßt vorwiegend die Diskussionen zwischen der römisch-katholischen Kirche und den reformatorischen Kirchen, einschließlich der anglikanischen Kirchengemeinschaft.

Wenn hier die Diskussion zwischen der römisch-katholischen Kirche und den orthodoxen Kirchen kaum berücksichtigt wird, dann deshalb, weil die Frage des Amtes zwischen diesen Kirchen keine ernsten Probleme aufgibt.[1] Gemeinsame Gespräche über das Amt aus dem lutherisch-reformierten Raum finden kaum statt, da das Verständnis des Amtes hier keinen kirchentrennenden Charakter hat.[2]

In den reformatorischen Kirchen ist, wie dargelegt[3], die reine Verkündigung des Evangeliums und die schriftgemäße Verwaltung der Sakramente für die Möglichkeit von Kirchengemeinschaft ausschlaggebend, was nach evangelischem Verständnis nicht an eine bestimmte Lehre vom Amt gebunden ist.[4] So war zwar z.B. im Vorentwurf für die Leuenberger

---

1   Vgl. UR, Nr. 15; A. Gerken, Theologie der Eucharistie, 248, Anm. 142. Zum orthodox-katholischen Gespräch über das Amt vgl. folgendes Dokument: Das Amt in der Kirche: Überlegungen orthodoxer und katholischer Theologen, in: US 33 (1978), 90-94.

2   Vgl. M. Lienhard, Lutherisch-reformierte Kirchengemeinschaft heute, 108f. Einen kurzen Abschnitt über das Amt findet sich im Dokument der Landessynode von Westfalen (vgl. Bekenntnis und Einheit der Kirche, 79ff.).

3   Vgl. oben, 280-296.

4   Vgl. CA VII.

Konkordie ein kurzer Abschnitt über das Amt vorgesehen,
doch wurde er gestrichen, da die Einigung über das Evangelium und die Gnadenmittel allein die Kirchengemeinschaft begründet.[5] Amt und Ordination gehören jedoch für
die Leuenberger Konkordie zu den verpflichteten Lehrgesprächen über nicht kirchentrennende Lehrunterschiede,
die nach dem Erreichen von Kirchengemeinschaft zu führen
sind.[6]

Innerhalb der Kirchen aus der Reformation gibt es
lediglich zwischen den lutherischen und den anglikanischen
Kirchen Diskussionen um das Verständnis des kirchlichen
Amtes, weil für die anglikanische Kirchengemeinschaft das
historische Bischofsamt in der apostolischen Sukzession
von ausschlaggebender Bedeutung für ihr Kirchenverständnis
und damit für Kirchengemeinschaft ist. Dieses Gespräch
wird daher im Anschluß an das anglikanisch-katholische Gespräch kurz vorgestellt.

Auch in diesem Abschnitt zeigt sich: voll aufgebrochen
sind die Amtsdiskussionen zwischen den Kirchen (auch innerhalb des ÖRK) erst nach dem Eintritt der katholischen Kirche im Gefolge des Zweiten Vatikanischen Konzils in die
ökumenische Bewegung.

Hauptprobleme in der ökumenischen Diskussion sind (neben dem römischen Primat): die Wirklichkeit der Eucharistie
im Zusammenhang mit dem kirchlichen Amt, die Sakramentalität des Priesteramtes und der Mittelpunkt, mit dem alle diese Fragen unmittelbar zusammenhängen: die Frage der apostolischen Sukzession.[7]

---

5   Vgl. M. Lienhard, Lutherisch-reformierte Kirchengemein-
    schaft heute, 108.

6   Vgl. LK, Nr. 39.

7   Da der weitere Kontext der meisten der vorzustellenden
    Gespräche und Dokumente bereits erwähnt wurde, kann hier
    im einzelnen darauf verzichtet werden und erfolgt nur
    noch dann, wenn es sich um einen neuen Gesprächskreis
    handelt.

I. Das anglikanisch-katholische Gespräch

Hierbei handelt es sich im wesentlichen um das von
der Internationalen Anglikanisch/Römisch-katholischen
Kommission 1973 in Canterbury ausgearbeitete Dokument
"Amt und Ordination"[8] und dessen Erläuterungen aufgrund
der eingegangenen Stellungnahmen, die 1979 in Salisbury
angefügt wurden.[9] Daran anschließend werden dann noch
kurz die Ergebnisse aus dem lutherisch-anglikanischen
Dialog vorgestellt.

1. Amt und Ordination: Canterbury 1973

Die anglikanisch/römisch-katholische Vorbereitungskommission hat 1968 festgestellt, daß neben der
wahrhaften Teilhabe im Glauben die gegenseitige Anerkennung des Amtes zur Bedingung für Interkommunion
gehört. Obwohl nun das Zweite Vatikanische Konzil
die anglikanische Gemeinschaft unter den von Rom getrennten Kirchen deutlich hervorhebt, da bei ihr
"katholische Traditionen und Strukturen zum Teil
fortbestehen" (UR, Nr. 13) und dabei vor allem an
die Betonung der apostolischen Sukzession der Bischöfe gedacht wurde, stellt gerade das Amt auch zwischen diesen Kirchen eine besondere Schwierigkeit
dar. Als Ziel hat die Vorbereitungskommission 1968
die

   "Übereinstimmung im Blick auf das Wesen des Priestertums und die in diesem Zusammenhang dem Wort

---

8   Amt und Ordination: Eine Erklärung über die Lehre
    vom Amt. Internationale Anglikanisch/Römisch-Katho-
    lische Kommission, in: Vom Dialog zur Gemeinschaft,
    136-148 (zit. Canterbury 1973). Zum allgemeinen Ge-
    sprächsverlauf dieser Kommission vgl. oben 95-101.

9   Amt und Ordination: Erläuterung Salisbury 1979, in:
    Dokumente wachsender Übereinstimmung, 155-158.

'Gültigkeit' beigemessene Bedeutung"
genannt.[10] Mit der Klärung dieser Fragen nun be-
schäftigte sich die Kommission in ihren Gesprächen,
die in das Dokument "Amt und Ordination" einmünde-
ten, von dem eingangs betont wird, daß es als Papier zuhanden der kirchlichen Autoritäten erst eine
Erklärung der Kommission sei, mithin keinen kirchen-
amtlichen Charakter habe.[11]

Einleitend wird zum einen der Rahmen des Gesprächs abgesteckt: nicht um eine vollständige Lehre
geht es, sondern um die, auf dem biblischen Fundament
und den Traditionen der beiden Kirchen aufruhende
Darstellung der grundsätzlichen Übereinstimmung in
den Fragen, die zu Kontroversen Anlaß gaben (Nr. 1).
Zum anderen wird der Ort des ordinierten Amtes fest-
gemacht: es kann nur im Zusammenhang mit den vielfältigen Formen amtlichen Dienstes gesehen werden,
wie sie beide Kirchen kennen (Nr. 2).

Danach handelt das Dokument in drei Teilen vom
ordinierten Amt: die ekklesiologische Einordnung des
Amtes allgemein, das ordinierte Amt und Berufung und
Ordination.

a) Das Amt im Leben der Kirche (Nr. 3-6)

Alles christliche Amt hat seine Quelle und seinen Grund im Leben und der Selbsthingabe Christi zur
Auferbauung der Kirche, der Gemeinschaft der Gläubigen. Die von Christus gewirkte Versöhnung wird in
der Kirche als ganzer durch die Antwort des Glaubens
realisiert (Nr. 3). Grundlegend für die Kirche ist

---

10 Bericht der Gemeinsamen Anglikanisch/Römisch-Katho-
    lischen Vorbereitungskommission, Malta, 2. Januar
    1968, Nr. 19.

11 Vgl. Canterbury 1973, 136.

bleibend das Amt der Apostel. Ihr Apostolat ist ge-
kennzeichnet durch ihre Beziehung zum historischen
Christus und ihre Sendung durch ihn. In der Sendung
des Sohnes durch den Vater hat jeder christliche
Apostolat seinen Urgrund. Hier dann umschreibt das
Dokument die zwei Aspekte der Apostolizität der
Kirche:

> "Die Kirche ist apostolisch nicht nur, weil ihr
> Glaube und ihr Leben das Zeugnis für Jesus Chri-
> stus widerspiegeln müssen, das in der frühen
> Kirche von den Aposteln abgelegt wurde, sondern
> auch, weil sie die Aufgabe hat, den apostoli-
> schen Auftrag fortzuführen und der Welt das wei-
> terzugeben, was sie empfangen hat" (Nr. 4).

Apostolizität der Kirche heißt also: Zeugnis und
Vermittlung des Glaubens, wie ihn die Apostel vermittelt haben. Kernpunkt dieser Botschaft ist die
Versöhnung, in deren Dienst die ganze Kirche für
die ganze Menschheit stehen soll.

Vom heiligen Geist empfangen alle Dienste und
Ämter die Befähigung, diesen Dienst der Versöhnung
leisten zu können. Aus dem Neuen Testament lassen
sich die verschiedenen amtlichen Tätigkeiten und
Funktionen nicht genau bestimmen. Folgendes aber
läßt sich herauskristallisieren:

> "Besonderes Gewicht wird auf die Verkündigung des
> Wortes und die Bewahrung der apostolischen Lehre
> gelegt, auf die Sorge für die Herde und das Bei-
> spiel christlichen Lebens" (Nr. 5).

Bereits im Neuen Testament ist dann eine allmähliche
Entwicklung festzustellen, die wichtige Funktionen
innerhalb der Gemeinde besonders Beauftragten zu-
weist. Es ist eine neutestamentliche Forderung auszumachen, daß diejenigen durch bestimmte Formen anerkannt und autorisiert werden, die vom heiligen
Geist besonders für die Auferbauung der Kirche berufen sind und somit im Namen Christi handeln. Das Dokument sieht darin Ansätze für das, was heute mit
Ordination umschrieben wird.

Danach wird die wesentliche Rolle des Dienstamtes im Leben der Kirche aufgrund des Neuen Testamentes betont und bekannt,

> "daß die Einrichtung eines Amtes dieser Art ein
> Teil des Planes Gottes für sein Volk ist"
> (Nr. 6).

Zwar sind aus dem Neuen Testament keine einheitlichen Strukturen eines pastoralen Amtes herauszulesen, doch kennen gewisse neutestamentliche Gemeinden einen amtlichen Leiter, der entweder "episkopos"
oder "presbyteros" genannt wurde, wobei die genaue
Bestimmung des Unterschiedes zwischen diesen Bezeich-
nungen nicht auszumachen ist. Die Herausbildung des
dreifachen Amtes von Bischof, Presbyter und Diakon
geschah jedoch erst allmählich und erst in nachapo-
stolischer Zeit.

b) **Das ordinierte Amt (Nr. 7-13)**

Ausführlicher geht hier das Dokument einleitend
noch einmal auf das gemeinsame Priestertum aller
Gläubigen ein: der Kirche als ganzes ist die Verherrlichung Gottes durch die Erfüllung seines Willens
(durch Gebet, Unterwerfung unter seine Gnade, brüderliche Dienste, Einsatz für Gerechtigkeit, Lobpreis
und Anbetung) aufgegeben. Diesem gemeinsamen Dienst
nun gegenüber wird der des besonderen bestimmt:

> "Das Ziel des ordinierten Amtes liegt darin, die-
> sem Priestertum aller Gläubigen zu dienen"(Nr. 7).

Diesem ordinierten Amt, das angesichts der vielfältigen Anforderungen in verschiedenen Formen ausgeübt
wird, obliegt die Leitung der Gemeinde und der Dienst
an der Einheit (Nr. 7).

Für die Funktionen des Amtsträgers kennt das
Neue Testament verschiedene Beschreibungen: er ist
Diener Christi und der Kirche; er ist als Repräsentant Christi sein Verkünder seiner Botschaft der Versöhnung; er ist Lehrer und Hirte und schließlich ist

er

    "Haushalter, der für den Haushalt Gottes nur das
besorgen darf, was Christus angehört" (Nr. 8).

    Im ordinierten Amt ist die Verantwortung für
die "Aufsicht", die episkope, ein wesentliches Element. Diese Aufsichtsverantwortung, das Bischofsamt,
meint wesentlich Treue zum apostolischen Glauben,
Verwirklichung dieses Glaubens im Leben der Kirche
heute und Weitergabe dieses Glaubens an die Kirche
danach.

    Daran schließt nun das Dokument die Diversifi-
zierung des einen ordinierten Amtes an: Bischöfe und
Priester sind miteinander im Dienst des Wortes und
an den Sakramenten verbunden,

    "ihnen ist die Vollmacht gegeben, bei der Eu-
    charistie vorzustehen und die Absolution aus-
    zusprechen" (Nr. 9).

Die Diakone haben keine solche Bevollmächtigung, sie
sind aber den Bischöfen und Priestern bei ihrem
Dienst der Verkündigung, der Spendung der Sakramente
und der Leitung der Gemeinde behilflich.

    Danach näher auf die Funktionen von Bischöfen
und Priestern eingehend, betont das Dokument, daß
sie zunächst wesentlich Diener des Evangeliums sind
und daher alle ihre anderen Dienste mit dem Wort
Gottes verbunden sind. Durch die Verkündigung des
Wortes Gottes ermuntern sie Menschen in die Gemeinschaft der Kirche Christi einzutreten und fördern
den Glauben der Christen. Da der Glaube und das Leben der Christen aus dem Evangelium leben muß, nehmen die Amtsträger die Leitung der Gemeinde und so
auch ihren missionarischen Auftrag wahr.

    "Auf all diese Weisen bedeutet die amtliche Be-
    rufung eine vom Gebet getragene Verantwortung
    für das Wort Gottes..." (Nr. 10).

Eine Einheit mit dem Dienst der Verkündigung des
Wortes bildet die Rolle des Amtsträgers bei der

Feier der Sakramente.

"Im Wort wie im Sakrament begegnen die Christen
dem lebendigen Wort Gottes" (Nr. 11).

Hier nennt das Dokument zunächst die Spendung der
Taufe, die "normalerweise" durch den Amtsträger geschieht, die Zulassung Neubekehrter und die Wiederaufnahme Abgefallener in die Gemeinschaft der Kirche und schließlich die Sündenvergebung, deren Vollmacht die Bischöfe und Priester durch die Ordination verliehen bekommen und durch die sie die Menschen in engere Gemeinschaft mit Gott und untereinander bringen.

Danach wird detaillierter auf den Zusammenhang
von Amt und Eucharistie eingegangen: Die Sendung
der Kirche besteht in der Verkündigung der Versöhnung
in Christus und im Verkünden seiner Liebe. Dabei ist
die Eucharistie der zentrale Akt des Gottesdienstes
als vergegenwärtigendes Gedächtnis der Erlösung. Daraus bezieht die Kirche die Nahrung für ihr Leben und
die Erfüllung ihrer Sendung. Daraus folgt dann die
Berechtigung, so das Dokument,

"daß derjenige, der die Aufsicht in der Kirche
hat und der Brennpunkt ihrer Einheit ist, bei der
Feier der Eucharistie den Vorsitz führt" (Nr. 12).

Daran anschließend wird festgehalten, daß, obwohl das Neue Testament den Begriff "Priester" ver-
mieden hat, die Kirche zur Umschreibung des Amtes
priesterliche Ausdrücke verwandte, um die Abbildung
der priesterlichen Rolle Christi im Amtsträger deutlich zu machen. Diese Feststellung trägt der reformatorischen Kritik am katholischen Opferpriestertum
Rechung, so daß anschließend unbefangen von der eucharistischen Funktion des Priesters gehandelt werden kann. Da die Eucharistie das Gedächtnis des
Opfers Christi ist, wird das Tun des Amtsträgers
(Sprechen der Einsetzungsworte und Austeilen der

Gaben)

> "in einer sakramentalen Beziehung zu dem gese-
> hen, was Christus selbst bei der Darbringung
> seines eigenen Opfers tat" (Nr. 13).

Auch wenn dabei priesterliche Begriffe für den Amtsträger verwendet werden, so bedeutet dies in keiner
Weise eine Beeinträchtigung des einmaligen Opfers
Christi. Christus selber ist es, der in der Eucharistie durch den Amtsträger den Vorsitz innehat und
sich sakramental schenkt. So findet dann in der Eucharistiefeier seine Erfüllung:

> "...weil die Eucharistie zentral im Leben der
> Kirche ist, wird auch das Wesen des christlichen
> Amtes, wie immer dies ausgedrückt werden mag, am
> klarsten in ihrer Feier gesehen; denn in der Eu-
> charistie wird Gott Dank dargebracht, das Evan-
> gelium der Erlösung in Wort und Sakrament ver-
> kündet und die Gemeinschaft als der eine Leib
> in Christus zusammengefügt" (Nr. 13).

So sind dann die Amtsträger zum einen Teil der erlösten Gemeinschaft und zum anderen, vor allem bei
der Eucharistie, Repräsentanten der ganzen Kirche
in der Erfüllung ihres gemeinsamen Priestertums.
Trotzdem, so betont das Dokument den Unterschied
von gemeinsamem und besonderem Amt, ist das besondere keine Verlängerung des gemeinsamen, sondern gehört einem anderen Bereich der Geistesgaben an und,
so wird hier die Aussage aus Nr. 7 wiederholt, seine
Aufgabe ist der Dienst am Volk Gottes, damit es sein
Priestertum erfüllen kann.

c) <u>Berufung und Ordination (Nr. 14-16)</u>

Mit der Ordination wird der Eintritt in das von
Gott gegebene apostolische Amt bezeichnet. Dieses
Amt dient der Einheit der Ortskirche in sich und den
Ortskirchen untereinander und stellt sie zeichenhaft
dar. So ist jede Ordination Ausdruck der bleibenden
Katholizität und Apostolizität der ganzen Kirche.
Analog zum Gesandtsein der Apostel durch Christus

"werden durch die Ordination Menschen in der
Kirche und durch diese von Christus berufen"
(Nr. 14).

Durch die Handauflegung des Bischofs und sein Gebet zum heiligen Geist wird sakramental sichtbar,
daß Christus den Gläubigen ins Amt sendet und ihn
auch dazu befähigt. Da das Amt wesentlich Dienst
an der Gemeinschaft der Kirche ist, findet die Ordination in deren höchsten Realisierung, der Eucharistie, statt.

Durch die sakramentale Handauflegung wird die
Gabe Gottes und die Verheißung seiner Gnade für den
Dienst und die Heiligung des Amtsträgers verliehen.
Der Dienst Christi bleibt immerwährendes Urbild
dieses Amtes. Da nun die Sendung Christi unwider-
ruflich ist und bleibt, ist auch die Ordination zum
Dienst in seinem Namen und Auftrag unwiederholbar
(Nr. 15).

Im folgenden kommt das Dokument auf die jeweiligen Spender der Ordination zu sprechen: bei Priestern und Diakonen ordiniert der Bischof, wobei sich
ihm andere Priester anschließen, um damit die Gemeinsamkeit des Auftrages auszudrücken; die Bischöfe
werden durch mehrere andere Bischöfe ordiniert. Damit kommt zum Ausdruck, daß der neue Bischof und
seine Gemeinde in der Gemeinschaft der Kirche steht.

"Darüber hinaus sichert ihre Teilnahme, da sie
Repräsentanten ihrer Kirche in Treue gegenüber
der Lehre und Sendung der Apostel sowie Mitglieder des bischöflichen Kollegiums sind, die
historische Kontinuität dieser Kirche mit der
apostolischen Kirche und ihrem Bischof mit dem
ursprünglichen apostolischen Amt" (Nr. 16).

Dadurch dann wird durch den Bischof die Gemeinschaft
der Kirche in Sendung, Glaube und Heiligung in Raum
und Zeit symbolisiert. Das Dokument schließt hier
mit der Überzeugung:

"Darin sind die wesentlichen Züge dessen, was in

unseren beiden Traditionen unter Ordination in
der apostolischen Sukzession verstanden wird,
zusammengefaßt" (Nr. 16).

Das Dokument hat mit diesen Ausführungen eine
Übereinstimmung im Verständnis des kirchlichen Amtes dargelegt. Es fällt auf, daß zum Thema Amt und
Ordination keine Kontroversen genannt werden. Diese
scheint es hier nicht zu geben, wenn abschließend
festgestellt werden kann:

> "Was wir zu sagen haben, stellt die Überein-
> stimmung der Kommission in wesentlichen Punkten
> dar, in denen nach ihrer Überzeugung die Lehre
> keine Verschiedenheit zuläßt" (Nr. 17).

Das bedeutet, daß es hinsichtlich der Ausfaltung
dieses grundlegenden Verständnisses in den beiden
Kirchen eine legitime Vielfalt geben kann. Wesentlich nach Auffassung des (stark biblisch fundierten) Dokumentes und seiner gemeinsamen Überzeugung
ist: es gibt ein besonderes Amt, das im notwendigen Zusammenhang mit dem gemeinsamen Priestertum
aller Gläubigen steht und diesem dient. Dieses besondere Amt, in der Vorsehung Gottes angelegt, hat
Grund und Quelle in der Sendung Christi durch den
Vater, ist in der verpflichtenden Fortführung des
Werkes der Apostel (die Auferbauung der Gemeinschaft
der Kirche Christi) apostolisch, was durch die sakramentale Ordination unter Handauflegung und Geist-
gebet in der Eucharistie zum Ausdruck kommt. Die in
der Ordination sichtbar werdende Sendung und Befähigung durch Christus selber beinhaltet die Verkündigung des Wortes Gottes und die Spendung der
Sakramente (vor allem der Eucharistie) zur Auferbauung der Kirche Christi und zur missionarischen
Verkündigung des Versöhnungshandelns Gottes in Christus.

Was nunmehr noch der Versöhnung der beiden Kirchen entgegensteht, ist das Verständnis der hier

nicht behandelten Frage der kirchlichen Autorität
und des Primates.[12] Dennoch, so die Kommissionsmitglieder am Schluß,

> "glauben wir, daß unser Konsens in Fragen, in
> denen Übereinstimmung für die Einheit unabding-
> bar ist, einen positiven Beitrag zur Versöhnung
> unserer Kirchen und ihrer Ämter darstellt"
> (Nr. 17).[13]

2. Die Erläuterungen: Salisbury 1979

Auf die wichtigsten Stellungnahmen und Meinungsäußerungen zum Dokument über Amt und Ordination aus dem Jahre 1973 geht die anglikanisch/rö-
misch-katholische Kommission 1979 näher ein. Die
Eingaben betrafen vor allem folgende Themen: die
Aussagen zum gemeinsamen und besonderen Priestertum, wobei die einen eine gewisse Tendenz zum Kle-
rikalismus, die anderen eine zu wenig klare Unterscheidung feststellen; die Darstellung der Entwicklung des kirchlichen Amtes bis hin zum dreigestuften Amt; die sakramentale Ordination, die den einen zu wenig, den anderen zu stark betont wurde;
die Frauenordination und die Frage nach der Aner-

---

12 Diese Themen waren Gegenstand weiterer Untersuchun-
    gen und Diskussionen dieser Kommission, die in fol-
    gende Dokumente einmündeten: Autorität in der Kir-
    che I: Gemeinsame Erklärung zur Frage der Autori-
    tät, ihrer Natur, ihrer Praxis und ihrer Konsequen-
    zen der Anglikanisch/Römisch-Katholischen Interna-
    tionalen Kommission, Venedig 1976 ("Venedig-Erklä-
    rung"), in: Dokumente wachsender Übereinstimmung,
    159-170; Autorität in der Kirche I: Erläuterung
    Windsor 1981, a.a.O. 170-177; Autorität in der Kir-
    che II: Windsor 1981, a.a.O. 177-190.

13 Zu Canterbury 1973 vgl. auch Johannes Lütticken,
    Anglikanisch-katholischer Konsens über das Amt, in:
    US 28 (1973), 266f.; Auf dem Weg zur Anerkennung
    der anglikanischen Weihen?, in: HerKorr 28 (1974),
    70f.

kennung der anglikanischen Weihen (Nr. 1).

Auf diese Anmerkungen geht nun die "Erklärung" kurz ein und erläutert folgendes:

- Zum Priestertum:

Der Ausdruck "Priestertum" wird im christlichen Sprachgebrauch in dreierlei unterschiedlicher Weise gebraucht: für das Priesteramt Christi, das des Volkes Gottes und das des ordinierten Amtes. Dabei wird die Einzigartigkeit des Priestertums Christi betont, aus dem sich alles andere Priestertum ableitet: das der Gläubigen durch die Taufe als Eingliederung in Christus, das des ordinierten Amtes durch die besondere Beziehung zum hohepriesterlichen Amt Christi, wie es am deutlichsten in der Feier der Eucharistie zutage tritt.[14] Hierbei wird zum Hintergrund dieses Verständnisses ausgeführt:

"Das Wort Priestertum wird auf eine analoge Weise verwendet, wenn es auf das Volk Gottes oder das ordinierte Amt bezogen wird. Diese sind zwei unterschiedene Realitäten, die sich, eine jede auf ihre Weise, auf das Hohepriestertum Christi beziehen, das einzige Priestertum des Neuen Bundes, das ihre Quelle und ihr Vorbild ist" (Nr. 2).[15]

- Zum sakramentalen Charakter der Ordination:

Diese Erläuterung betont die Ordination als sakramentalen Ritus und hält, allerdings ohne Minderung des Ordinationssakramentes, am Vorrang von Taufe

---

14 Vgl. Canterbury 1973, Nr. 13.

15 Vgl. dazu die Kritik der römisch-katholischen Glaubenskongregation, welche bei der Leitung der Eucharistie durch den ordinierten Amtsträger den deutlichen Hinweis vermißt "daß die Kirche durch ihn auf sakramentale Weise das Opfer Christi darbringt" (Wo steht der anglikanisch-katholische Dialog?, 290).

und Eucharistie fest (Nr. 3).[16]

- Zum Ursprung und zur Entwicklung des kirchlichen
  Amtes:
  Da der biblische Befund für unterschiedliche Interpretationen offen ist, war es für die Kommission in Canterbury 1973 allein wichtig festzustellen, daß es in der christlichen Kirche das
  Amt der Leitung und Aufsicht mit der Tendenz zur
  allmählichen Herausbildung des dreigestuften Amtes gibt, welches beide Kirchen mit dem Bischofsamt als Mittelpunkt bewahrt haben. Hier nun wird
  noch einmal betont, daß die Ordination durch den
  Bischof erfolgt, der in der apostolischen Sukzession steht (Nr. 4).[17]

- Zur Ordination von Frauen:
  Da die anglikanische Kirche mittlerweile teilweise die Ordination von Frauen kennt, hat sich für
  die Versöhnung der beiden Kirchen nach Meinung der
  Kommission ein neues Hindernis ergeben. Bei ihren
  Gesprächen aber hat sich nicht die Frage gestellt,
  wer ordiniert werden kann und wer nicht. Durch
  diese Frauenordinationen jedoch ist ihre lehrmäßige Übereinstimmung nicht in Frage gestellt, da

---

16 Hierbei konstatiert die Glaubenskommission aufgrund
    von Canterbury 1973, Nr. 15, das Fehlen der Lehre
    der Kirche, die das Weihesakrament als von Christus
    eingesetzt bestimmt (vgl. Wo steht der anglikanisch-
    katholische Dialog?, 290).

17 Vgl. dazu a.a.O. 292f.

sie die Problematik der Ungültigkeit der anglikanischen Weihen aus der Vergangenheit nicht
berührt (Nr. 5).[18]

– Zur Anerkennung der anglikanischen Weihen:
Da zur gegenseitigen Ämteranerkennung die Annahme der Apostolizität des Amtes der anderen
Kirche vorausgesetzt ist und die Kommission mit
ihren Arbeiten über Eucharistie und Amt eine
solche Annahme nähergebracht hat, wünscht sie
nun eine Überprüfung der Verurteilung der anglikanischen Weihen aus dem Jahre 1896 (Nr. 6).[19]

Zum Vergleich und im Hinblick auf das lutherisch-katholische Gespräch ist es hier interessant,
das anglikanisch-lutherische Gespräch über das apostolische Amt kurz vorzustellen.

3. Der anglikanisch-lutherische Dialog

Das apostolische Amt kommt im Dokument zur
Sprache, das die Ergebnisse der Gespräche zwischen

---

18 Vgl. dazu die Kritik der Glaubenskongregation: die
    Frauenordination steht zum einen im Gegensatz zur
    Tradition in beiden Kirchen und hat zum anderen,
    weil kanonisch geregelt, lehrmäßige Bedeutung, "da
    die Frage, wer ordiniert werden kann oder nicht,
    mit dem Wesen des Weihesakraments zusammenhängt"
    (Wo steht der anglikanisch-katholische Dialog?,
    290). Zur Frage der Frauenordination aus der Sicht
    katholischer Theologie vgl. z.B. auch Manfred Hauke,
    Die Problematik um das Frauenpriestertum vor dem
    Hintergrund der Schöpfungs- und Erlösungsordnung,
    Konfessionskundliche und kontroverstheologische
    Studien, Bd. XLVI, Paderborn 1982.

19 Vgl. auch Herbert Ryan, Zwischenkirchliche Gesprä-
    che über Amt und Amtsanerkennung: Anglikanisch-ka-
    tholische Gespräche, in: Conc(D) 8 (1972), 302-305.

den beiden Kirchengemeinschaften aus den Jahren
1970-1972 zusammenfaßt.[20]

a) Die gemeinsame Überzeugung (Nr. 73-82)

Gott schenkt der Kirche in Christus die Apostolizität

"durch die Verkündigung der Apostel, ihre Feier
der Schrift-Sakramente und ihre Gemeinschaft
und Leitung" (Nr. 73).

Diese Apostolizität dann ist auch die Sendung der
ganzen Kirche durch Gott in die Welt.

Apostolizität eignet zunächst dem Evangelium,
danach dem Amt des Wortes und der Sakramente, welche der Herr über die Apostel der Kirche gegeben
hat.[21] Die Sukzession der Apostolizität erfolgt in
einer Vielfalt von Mitteln, Institutionen und
Tätigkeiten, unter ihnen auch durch die Ordination,
den Gebrauch eines Amtes des Wortes und Sakramentes,
der Ausübung von Seelsorge und Episkope. Alle Getauften nun bilden durch das Bekennen des apostolischen Glaubens gemeinsam die apostolische Kirche und
stehen in der Sukzession des apostolischen Glaubens.

Das apostolische Amt nun, so das Dokument, wurde von Gott durch Jesus Christus eingesetzt in der
Sendung der Apostel und an ihm

"haben die Glieder des ganzen Leibes in unterschiedlicher Weise Anteil" (Nr. 75).

Das ordinierte Amt ist dann das Amt von Wort
und Sakrament und, trotz einer Vielfalt von Formen,
wesentlich eines. Alle, die zu diesem Amt berufen

---

20 Bericht der von der Lambethkonferenz und dem Lu-
    therischen Weltbund autorisierten Gespräche 1970-
    1972, Nr. 73-91.

21 Vgl. dazu auch den Bericht des anglikanisch-lu-
    therischen Dialogs in den USA, 89-92.

und ordiniert sind, stehen durch den Gehorsam gegenüber dem apostolischen Glauben gemeinsam in der
apostolischen Sukzession des Amtes.

Anschließend folgt ein Wort zur Ordination:

"Gott beruft, ordiniert und sendet die Diener
von Wort und Sakrament in die Kirche. Er tut
dies durch das gesamte Volk, indem er vermit-
tels solcher Personen handelt, die Autorität
empfangen haben, im Namen Gottes und der gesamten Kirche so zu handeln" (Nr. 78).

Durch diese Sendung erhält der Amtsträger Autorität
zur Verkündigung des Wortes und zu der Sakramentenverwaltung, um so das apostolische Leben und die
apostolische Sendung der Kirche weiterzuführen. Die
Ordination erfolgt unter dem Gebet des Volkes und
der Handauflegung anderer Amtsträger,

"besonders derjenigen, die ein Amt der 'episkope'
und Einheit in der Kirche einnehmen" (Nr. 78).

Abschließend hier erfolgt ein Wort zum Bischofsamt: Die Episkope gründet im apostolischen Charakter
der Kirche, ihrem Leben, ihrer Sendung, ihres Amtes
und beinhaltet die Bewahrung der Reinheit der apostolischen Lehre, die Ordination der Ämter und die
Seelsorge. Dieser Dienst wurde im Leben der Kirche
in vielfältiger Form, in bischöflicher wie in nicht-
bischöflicher, wahrgenommen. Beide Kirchenfamilien
haben diesen Dienst bewahrt und ausgeübt, die lutherischen Kirchen in bischöflicher und nicht-bischöf-
licher, die anglikanischen Kirchen durch die Reformation hindurch bis heute ausschließlich in der bischöflichen Form. Diese Traditionen schließen nun
die Offenheit nicht aus, neuen Bedürfnissen entsprechend neue episkope Ausdrucksweisen zu finden.

Anschließend wird nun der Schwerpunkt im Verständnis des Bischofsamtes durch die beiden Kirchen
verdeutlicht.

b) Anglikanisches Votum (Nr. 83-86)

Zunächst betonen die anglikanischen Gesprächsteilnehmer die Notwendigkeit des historischen Episkopates in ihrer Kirche, die dem Glauben

"an den inkarnatorischen und sakramentalen Charakter von Gottes Handeln mit der Welt und seinem Volk"

entstammt (Nr. 83). Das Bischofsamt ist als Gabe
Gottes an die Kirche Zeichen der Einheit und des
apostolischen Lebens, Amtes und der apostolischen
Sendung der Kirche. Da nach ihrer Überzeugung das
historische Bischofsamt in der apostolischen Sukzession nicht allein die apostolische Sukzession
der Kirche und ihres Amtes konstituiert, können sie
auch in den lutherischen Kirchen wahre Verkündigung
und Feier der Sakramente anerkennen. Daraus dann
erfolgt die Anerkennung der lutherischen Kirchen
als wahre Gemeinschaft des Leibes Christi, die als
solche auch das wahrhafte apostolische Amt besitzt.
Diese Haltung dann schließt

"eine offizielle Förderung der Interkommunion in
Formen ein, die den örtlichen Bedingungen angemessen sind" (Nr. 86).

Für die Anglikaner also ist der historische Episkopat von unabdingbarer Notwendigkeit und sie erachten ihn als Bestandteil jeder vollen Kirchengemeinschaft, jedoch machen sie die Möglichkeit von Interkommunion nicht von seiner Existenz in anderen Kirchen abhängig.

c) Lutherisches Votum (Nr. 88-91)

Dank dem Verzicht auf die Fixierung einer bestimmten Form der Episkope ist zum einen die Gemeinschaft unter den verschiedenen lutherischen Kirchen
möglich und zum anderen die Gemeinschaft mit nicht-
lutherischen Kirchen. Da die Form der Episkope keine
Bekenntnisfrage ist, ist eine solche auch kein Kri-

terium für die Anerkennung anderer Kirchen. Somit
sind die lutherischen Kirchen, die keinen historischen Episkopat kennen, frei, einen solchen im
Dienst der Einheit der Kirche im Gehorsam dem
Evangelium gegenüber zu übernehmen.

Die lutherischen Gesprächsteilnehmer gelangen
aufgrund dieser Ausführungen ihrerseits zu folgender Feststellung: Sie

> "erkennen die Kirchen der Anglikanischen Gemein-
> schaft als wahre apostolische Kirchen und ihr
> Amt als ein apostolisches Amt in ungebrochener
> Sukzession an, weil sie in ihnen wahre Verkün-
> digung des Evangeliums und rechte Verwaltung
> der Sakramente sehen" (Nr. 90).

Innerhalb dieser Anerkennung anerkennen sie dann
auch den historischen Episkopat als wichtiges Instrument der Einheit. Auch auf dieser Seite wird
die Notwendigkeit von Interkommunion auf dem Weg
zu immer vollerer Einheit betont und (wenn es der
Förderung der Sendung der Kirche dient und keine
anderen Beziehungen tangiert werden) die Möglichkeit einzelner lutherischer Kirchen zur gegenseitigen Ämteranerkennung, manifestiert durch den
Austausch der Amtsträger oder durch Herstellung
voller Kircheneinheit, festgestellt.[22]

Wichtig (auch im Vergleich mit dem anglikanisch-
katholischen Dialog) in diesem Gespräch ist die Überzeugung, daß die ganze Kirche in der Sukzession des
apostolischen Glaubens steht und diese, unter anderem, auch durch das kirchliche Amt deutlich gemacht

---

22 Vgl. auch Das Amt im ökumenischen Kontext: Stellungnahme des Ökumenischen Studienausschusses der VELKD
und des DNK/LWB, in: Das Amt im ökumnischen Kontext:
Eine Studienarbeit des ökumenischen Ausschusses der
Vereinigten Evangelisch-Lutherischen Kirche Deutschlands, hg. Jörg Baur, Stuttgart 1980, 175ff.

wird. Das Amt gründet in der Sendung der Apostel durch Christus. Dieses Amt ist wesentlich eines, die Ausprägung der Form der Episkope als historischer Episkopat ist sinnvoll und dient der Einheit der Kirche, bildet aber keinen Diskussionsgegenstand in der Anerkennung der anderen Kirchen als wahre Kirche Christi mit wahrer Wortverkündigung, wahrer Sakramentenverwaltung (den wesentlichen Funktionen des Amtes) und wahrem apostolischem Amt. Die Ordination wird verstanden als Sendung ins Amt durch Gott, die er durch das Volk vornimmt, wobei "vor allem" diejenigen Amtsträger (durch Handauflegung) mitwirken, die ein Episkopenamt in der Kirche innehaben (Priester und Bischöfe). Themen wie der sakramentale Charakter der Ordination, der Zusammenhang von Amt und Eucharistie und die Sündenvergebung kommen hier nicht zur Sprache.

II. Das reformiert-katholische Gespräch

Hier sind es zum einen die Gesprächsergebnisse
der Gruppe von Dombes aus dem Jahre 1972 und die Aussagen zum Amt aus dem Bericht der Kommission zwischen
dem römisch-katholischen Einheitssekretariat und dem
RWB aus dem Jahre 1977 zum anderen, die kurz vorgestellt werden sollen.

1. Für eine Versöhnung der Ämter (Dombes III)

Grundlage ist auch in diesem Gespräch die
Ekklesiologie und die Christologie. So wird in der
Einleitung (Nr. 1-4) festgehalten: Gott hat sich
ein Volk erwählt und es zum prophetischen Zeugnis
seiner Verheißung für die ganze Menschheit berufen.
Inmitten dieses Volkes hat Gott seinen Sohn als
Offenbarer seines Heiles gesandt. Dieser Christus
ist der einzige Herr und Erlöser. Durch die Kraft
des Geistes, in dem sich seine Auferstehung manifestiert, wird die Kirche auferbaut. Der Geist sammelt sie immer neu in der Eucharistie und sendet sie
zu ihrem Dienst in Treue, Ausdauer und Wirksamkeit.
Die heutige Aufgabe der Kirche, so das Dokument, ist
daher das bereitwillige Hören auf die apostolische
Botschaft in der Kraft des heiligen Geistes.

"Im ökumenischen Bemühen, insbesondere um das
Amt der Kirche und die Ämter in der Kirche, muß
das fundamentale Kriterium die A p o s t o -
l i z i t ä t als Wurzelgrund und als Sendung
sein" (Nr. 4).

In einem ersten Teil wird dann der sich aus den
Diskussionen ergebene Teilkonsens über das Amt dargelegt.

a) Christus - Herr, Diener und einziger Priester
   (Nr. 5-7)

Hier wird nun das christologische Fundament des
kirchlichen Amtes verdeutlicht: Durch sein Leben und

seinen Tod hat Christus ein Amt ausgeübt, das er
als Auferstandener allezeit in seiner Kirche fort-
führt, damit sie ihm bei den Menschen dienen kann.
Dieses Amt Christi ist die Norm jeder Lehre und
Praxis des christlichen Amtes. Jede seiner insti-
tutionalisierten Formen muß sich an diesem Beispiel
Christi orientieren. Christus fordert die ganze
Kirche zur Treue in Berufung und Sendung ihm gegenüber auf.

> "Christus 'nachzufolgen' und ihm gleichförmig zu
> werden gehört ebenfalls wesentlich zur apostoli-
> schen 'Sukzession'" (Nr. 7).

b) Die Kirche Christi und die Kirche der Apostel
   (Nr. 8-13)

Die Kirche ist apostolisch, da sie Christus als
Gesandter des Vaters in der Kraft des heiligen Geistes in die Welt sendet. Sie als Ganzes ist gesandt,
um alle Menschen zu einer Heilsgemeinschaft zusam-
menzurufen. Diese Aufgabe ist die Sendung und das
Amt der ganzen Kirche.

> "Um diese Sendung zu erfüllen, hat Christus ihr
> in der Person der Apostel das Zeichen des Amtes
> dafür gegeben, daß er es ist, der zusammenruft"
> (Nr. 9).

Diese Apostolizität der Kirche hat zwei Aspekte:

- Die Apostolizität der Kirche gründet auf der Treue
  Christi zu seiner Verheißung, immer da zu sein,
  und auf der Gegenwart und der Wirksamkeit des heiligen Geistes, der die Kirche auferbaut. In diesem
  Sinne dann gibt es die apostolische Sukzession der
  ganzen Kirche.

- Durch die Gabe des heiligen Geistes hat Christus
  innerhalb dieser apostolischen Sukzession Apostel
  als Botschafter gesandt. Sie sollen Zeugnis seiner
  gnadenhaften Initiative geben, die Transzendenz
  des Evangeliums gewährleisten und die Erfüllung

der Sendung der Kirche sichern. Auf diesem Fundament gründet das apostolische Amt der Kirche,
das den Aposteln in der Weitergabe der Botschaft
Christi treu bleibt. Dieses Amt ist zur Strukturierung eine Gabe Gottes an die Kirche. In diesem Sinne dann gibt es eine apostolische Sukzession im Amt, das vom Herrn selber eingesetzt ist.

Die Kirche steht also in der Fülle der apostolischen Sukzession innerhalb derer es dann auch die
Kontinuität in wesentlichen Merkmalen gibt (Zeugnis
des Glaubens, sakramentales Leben, Dienst an den
Menschen, Dialog mit der Welt, Teilhabe an den Charismen, die Gott jedem gibt). Darin eingeschlossen
ist auch die Kontinuität der Weitergabe des Amts-
auftrages, welcher drei untrennbare Elemente beinhaltet: die Treue zur Verkündigung der apostolischen
Lehre, die Übereinstimmung des Lebens mit dem Evangelium und den Erfordernissen der Sendung. Diese
Sukzession, so das Dokument, ist das Zeichen des
Amtes und

> "bezeugt den apostolischen Charakter der Kirche
> und öffnet die Gemeinschaft für das Kommen und
> Wirken des Herrn" (Nr. 13).

c) Kirchliches Amt und Vielfalt der Ämter (Nr. 14-19)

Noch einmal erfolgt die Betonung der gemeinsamen Sendung aller in der Kirche, welche jedem einzelnen durch die Taufe und die Teilnahme an der Eucharistie anvertraut ist (wobei hier zweiteres erstmals ausdrücklich betont wird). Jedes Glied der Kirche ist befähigt zum Dienst und vollbringt ihn auf
vielfältige Weise (durch ständige, spontane oder
institutionelle Tätigkeiten) zum Zeugnis der Versöhnung. Die Kirche ist so immer das zur Verkündigung des Heilshandelns Gottes berufene Priestertum.
Darin beruft Gott Männer und Frauen zu Diensten, die
einander zugeordnet sind.

d) Die Abhängigkeit von Amt und Gemeinde gegenüber
Christus (Nr. 20-24)

In diesem Abschnitt kommt das Dokument allmählich auf das besondere Amt zu sprechen, das hier
"pastorales Amt" genannt wird.[23] Das Spezifikum
dieses Amtes besteht darin,

> "die Abhängigkeit der Kirche von Christus, dem
> Ursprung ihrer Sendung und dem Fundament ihrer
> Einheit, zu sichern und zeichenhaft darzustel-
> len" (Nr. 20).

Christus gibt der Gemeinde den Amtsträger als Gesandten zum Zeichen der Priorität der göttlichen
Initiative und Autorität, der Kontinuität der Sendung in der Welt, des Bandes der Gemeinschaft durch
den heiligen Geist. Aus diesem Grund sind alle
Amtsträger immer und überall verbunden

> "im nämlichen von den Aposteln hervorgegangenen
> Kollegium" (Nr. 21).[24]

Die Abhängigkeit des Amtes von Christus drückt
sich lebendig aus in der gegenseitigen Abhängigkeit
von Amtsträgern und Gemeinde. Dadurch kommt zum Ausdruck, daß die Kirche nicht Herr des Wortes und der
Sakramente, daß sie nicht Quelle von Glauben, Hoffnung und Einheit ist und daß die Amtsträger nicht
aus sich selber leben und nicht über die Kirche verfügen können.

> "Christliches Leben und Amt werden somit von
> einem anderen empfangen, von Christus, der in
> seiner Kirche lebt; sie werden von seinem Geist
> belebt und sind seinem Gericht unterworfen"
> (Nr. 22).

---

23 Das "pastorale Amt" umfaßt im Verständnis der Gruppe
von Dombes "die Verschiedenheit der ordinierten
Ämter" (Dombes III, 120, Anm. 1).

24 "Kollegium" wird hier nicht juridisch oder klerikal
verstanden, sondern als Ausdruck der Gemeinschaft
im Amt (vgl. a.a.O. 120, Anm. 2).

Das pastorale Amt ist, da es bis zur Wiederkunft Christi dauert, prophetisch, da es auf die
Zukunft hinweist, die es ankündigt.

In der Beziehung von Amt und Gemeinde spiegelt sich die Trinität wider: der Vater als Ursprung der Autorität, der Sohn als Ursprung des
Dienstes und der heilige Geist als Ursprung der
Freiheit und der Gemeinschaft.

e) Die Ausübung des pastoralen Amtes (Nr. 25-32)

Drei wesentliche Elemente des pastoralen Amtes
werden hier genannt: die Verkündigung des Wortes,
durch das Christus die Kirche nährt, die Feier der
Sakramente und die Versammlung der Gemeinde.

Zum Amt der Sakramente wird näher ausgeführt:
Durch dieses Amt teilt Christus die Gaben seiner
Person und seines Lebens mit. Das Amt stellt dann
zeichenhaft dar, daß es Christus selber ist, der den
Vorsitz hat bei der Feier der Sakramente, daß er den
Sakramenten ihre verheißene Wirkung verleiht und der
deutlich macht, daß das Wort im Sakrament anwesend
ist und das vollbringt, was es ankündigt. Dadurch
wird dann im heiligen Geist die Gemeinschaft als Leib
Christi begründet und immer erneuert. So ist auch das
Amt der Sammlung Zeichen dafür, daß Christus die Einheit des Volkes Gottes herstellt und aufbaut und es
wird ausgeübt in Achtung vor der Freiheit des Geistes
und in der Mitverantwortung der Christen.

Die Autorität, die aus diesem in dreierlei Hinsicht ausgeübten Amtes folgt, ergibt sich allein
aus der Tatsache, daß es Dienst Christi ist, der die
Kirche im heiligen Geist auferbaut. Wesentlich bleibt
die brüderliche Verbundenheit von Amt und Gemeinde
und die gemeinsame Verantwortung für das Wort und die
Sakramente.

Hinsichtlich der Sakramente wird hier formuliert:

"Diejenigen, welche das gleiche Sakrament in
verschiedener Eigenschaft feiern, öffnen sich
durch den Dialog und das Gebet in solidarischer Weise dem Heiligen Geist" (Nr. 30).

Dabei dient das pastorale Amt zur Strukturierung
der Kirche durch Christus.

"Durch dieses führt er seine Jünger zum geistlichen Opfer, zum Zeugnis und zum Dienst auf
vielfältigen Pfaden, deren Kreuzungspunkt die
Eucharistie ist. In diesem Sinn wird das Amt
sacerdotal genannt" (Nr. 31).

Durch den Beistand, den Christus diesem Amt (aber
nicht nur ihm allein) gibt, bezeugt Christus seine
Treue zur Kirche, worauf die Amtsträger mit der
verantwortungsvollen und treuen Wahrnehmung ihres
Verwalteramtes antworten.

f) Die Ordination (Nr. 33-37)

Das pastorale Amt ist, wie gezeigt[25], Ausdruck
der Apostolizität der Kirche. Die Ordination bedeutet
die Übertragung dieses pastoralen Amtes durch Amtsträger, die in die apostolische Gemeinschaft eingegliedert sind und das Handeln Christi zeichenhaft
darstellen, der immerfort Diener sendet. Dabei wird
betont, daß er derjenige ist, der beruft, ordiniert
und die Gabe des Amtes schenkt.

Zum Vorgang der Ordination wird ausgeführt:

"Die Ordination der Amtsträger besteht aus dem
Gebet, das die Gaben des Heiligen Geistes erfleht, und der Handauflegung, die sie bezeichnet. Sie bezeugt, daß die Kirche an die Taten
Jesu Christi und der Apostel gebunden ist"
(Nr. 34).

Zur Ordination gehören im weiteren wesentlich
die Annahme des neuen Dieners durch die Gemeinschaft

---

25 Vgl. Dombes III, Nr. 8-13.

und die Übernahme der Verantwortung seines Amtes
durch diesen Diener.

Dieses ordinierte Amt als Dienst an Wort,
Sakrament und an der Gemeinde ist endgültig, wobei die Formen variieren können und es auch kurz-
zeitig unterbrochen werden kann, ohne daß danach
die Ordination wiederholt werden muß. Das in der
Ordination verliehene Charisma unterscheidet sich
wohl von anderen Charismen, sondert aber den Amtsträger nicht von der Gemeinde ab, sondern bindet
ihn tiefer in sie ein.

Mit diesen Ausführungen, so das Dokument, ist
ein grundlegender Konsens im Verständnis des kirchlichen Amtes erreicht. Dabei bleiben im Moment noch
zwei Unterschiede ungeklärt: zum einen die verschiedene Ausgestaltung der apostolischen Sukzession und
zum anderen die Strukturierung und die Aufgliederung
der Ämter in den Kirchen.[26]

Trotz dieser Unterschiede kann die Gruppe von
Dombes aber aufgrund der Konsense in einem zweiten
Teil (Nr. 38-48) Grundsätze für eine gegenseitige
Anerkennung der Ämter formulieren.

Einleitend wird festgehalten, daß der Lehrkonsens allein für eine Versöhnung der Kirchen nicht
ausreicht. Die Konsense, so die Gruppe von Dombes,
bieten eine Grundlage zur Wiederversöhnung der Kirchen im Glauben, was nun offizielle Akte der Kirchen
nötig macht.

---

26 Vgl. dazu ein weiteres Dokument der Gruppe von Dombes
    aus dem Jahre 1976: Das episkopale Amt: Überlegungen
    und Vorschläge zum Wächteramt und zum Amt der Einheit
    in der Teilkirche, in: Das kirchenleitende Amt,
    22-44 (zit. Dombes IV).

"Diese wären in der Lage, eine neue Situation zu
schaffen, in der die Probleme gemeinsamer (eucharistischer) Feiern, da überholt, gelöst würden" (Nr. 38).

Hinter solchen Akten steckt dann auch das Bewußtsein, daß beide Kirchen einander brauchen, vor allem
auch in dem, was die andere Kirche besser bewahrt
hat. Heute ist ein Umdenken von zentraler Bedeutung,
das Anerkennung und Versöhnung (auch kirchlich-sa-
kramental) möglich macht.

Das Dokument macht im folgenden konkrete Vorschläge, wie ein solches Umdenken erfolgen müßte:

- Auf katholischer Seite (Nr. 40-42):

Da die reformatorischen Kirchen in der apostolischen Sukzession des Glaubens stehen, ist eine Anerkennung der Dauerhaftigkeit ihres Amtes möglich.
Ihr Amt des Wortes und der Sakramente hat Früchte
gezeigt und steht in der prestyteralen apostolischen Sukzession. An den Bischöfen ist es, dieses
Amt mit dem Zeichen der bischöflichen Sukzession
zu verbinden,

"das nach katholischer Lehre für die Fülle der
unverkürzten Zeichenhaftigkeit des Amtes uner-
läßlich ist: Wirklichkeit und Zeichen erfordern
sich im Mysterium der Kirche gegenseitig"
(Nr. 40).

Dies würde dann auch die Anerkennung des freien
Wirkens des Geistes bedeuten.

Weiter wird hier eine kollegiale Ausübung des hierarchischen Amtes gefordert, was wesentlich die Gemeinschaft von Amt und Gemeinde, von Priestern und
Bischöfen meint. Dabei dann ist die Aufwertung des
gemeinsamen Priestertums aller Gläubigen mit inbegriffen.

- Auf protestantischer Seite (Nr. 43-45):

Hier wird die Anerkennung des Amtes des Wortes und
der Sakramente in der katholischen Kirche durch das

ganze Volk durch die autoritative Bekräftigung
der Rechtmäßigkeit der katholischen Amtsträger
gefordert.

Zwar wird das Stehen der reformatorischen Kirchen
in der apostolischen Sukzession betont, aber auch
das Fehlen des vollen Zeichens dieser apostolischen Sukzession bedauert, was zur Zersplitterung
geführt hat und die universale Einheit der Kirche
aus dem Auge verlieren ließ. Um der Einheit der
Kirche und der Ämter willen, wird hier die Wieder-
erlangung der Fülle dieses Zeichens angeregt, was
die Aufwertung durch die Personalisierung des Bischofsamtes bedeutet.

Weiter ist es für die protestantische Seite in
diesem Zusammenhang auch wichtig, die Delegation
von nicht-ordinierten Christen für Predigt und
Sakramentsfeiern in Frage zu stellen, damit der
Unterschied der Charismen, von gemeinsamem und besonderem Priestertum, nicht verwischt wird.

Nach diesen selbstkritischen Äußerungen erfolgen Vorschläge, wie eine Versöhnung konkret ausse-
hen könnte: im Sinne eines Bußaktes der Versöhnung
erfolgt sie unter gegenseitiger Handauflegung offiziell autorisierter Amtsträger. Diese Handlung bringt
zeichenhaft zum Ausdruck, daß bei den anderen anerkannt wird, was der eigenen Kirche fehlt, sie beinhaltet eine Anrufung des Geistes und die Sendung in
die Mission (Nr. 46).

Das Dokument endet mit einer Frage: Wäre aufgrund des hier festgestellten Konsenses eine teilweise gegenseitige Anerkennung auf Ortsebene möglich,

wenn ein grundlegender Glaubenskonsens gegeben
ist (Nr. 48)?[27]

Das Dokument der Gruppe von Dombes ist im
Untertitel deklariert als "Elemente eines Konsensus", was in den Ausführungen im ersten Teil als
"Teilkonsensus" näher entfaltet wird. Trotz dieser
vorsichtigen Einschätzung der erreichten Übereinstimmung fordert die Gruppe von Dombes aufgrund
des von ihr dargelegten Konsenses eine bereits
heute mögliche und teilweise notwendige offizielle
gegenseitige Anerkennung des kirchlichen Amtes.
Diese Forderung basiert auf der Überzeugung, daß
in der je anderen Kirche ein pastorales Amt existiert, das sich in den wesentlichen Grundzügen
trifft: es gilt als vom Herrn eingesetzt, der das
eigentliche und einzige Amt innehat, steht in der
Nachfolge der Apostel, stellt zeichenhaft die göttliche Initiative dar, dient der Auferbauung und der
Einheit des Leibes Christi, unterscheidet sich vom
gemeinsamen Priestertum aller Gläubigen, ist aber
mit diesem durch die gemeinsame Teilhabe an der
Sendung durch Christus und durch das Stehen in der
apostolischen Sukzession des Glaubens im heiligen
Geist verbunden und gemeinsam mit diesem allein von
Christus abhängig und ihm in Treue verantwortlich;
es dient der Kirche zur Wahrnehmung ihres Priestertums des Volkes Gottes auf vielfältige Weise, deren
Kreuzungspunkt die Eucharistie ist und wird in der

---

27 Interessant dabei ist, daß die Frage nach dem Papst-
    tum, dem Amt der universalen Einheit, ausgeklammert
    ist, obwohl die Gruppe von Dombes sich über die Not-
    wendigkeit seiner Behandlung im klaren ist und diese
    auch in Aussicht stellt (vgl. Nr. 47).

Gemeinde in der Ordination, der sakramentalen Bezeichnung der Gabe des heiligen Geistes, durch
das Gebet zu ihm und die Handauflegung der in der
apostolischen Gemeinschaft stehenden Amtsträger
weitergegeben. Wichtig ist diesem Dokument aufgrund der trinitarischen Grundlegung das Wirken
des heiligen Geistes in allen Charismen zum Aufbau des Leibes Christi und damit der Respekt vor
der Freiheit dieses seines Wirkens.

Der Wunsch nach der heute möglichen gegenseitigen Ämteranerkennung wird im Bewußtsein vor-
getragen, daß es noch ungeklärte Fragen (Papsttum,
Formen der apostolischen Sukzession und Strukturierung der Ämter) gibt. Diese Ergebnisse der Gruppe von Dombes haben weiterum große Anerkennung gefunden, werden als wegweisend eingestuft und haben
manchen anderen Dokumenten als Grundlage gedient.[28]

2. Das Gespräch zwischen dem Reformierten Weltbund und dem römisch-katholischen Einheitssekretariat

Bei diesem Text handelt es sich um einen Abschnitt aus dem Dokument "Die Gegenwart Christi in

---

28 Vgl. z.B. Paul-Werner Scheele, Hilfe aus Dombes?,
in: Amt im Widerstreit, 77-83; Heinz Schütte, Amt,
Ordination und Sukzession im Verständnis evangeli-

scher und katholischer Exegeten und Dogmatiker
der Gegenwart sowie in Dokumenten ökumenischer
Gespräche, Düsseldorf 1974, 388f.; Heribert
Mühlen, Das mögliche Zentrum der Amtsfrage:
Überlegungen zu vier ökumenischen Dokumenten,
in: Cath(M) 27 (1973), 330ff.; Hébert Roux,
Zwischenkirchliches Gespräch in Frankreich, in:
Conc(D) 8 (1972), 305-308. - Die ökumenische
Gesprächskommission der Schweiz hat sich bislang kaum zum Amt geäußert. Sie hat lediglich in
ihrem Dokument "Für ein gemeinsames eucharistisches Zeugnis der Kirchen" die ekklesiologische
Bedeutsamkeit des Zusammenhangs von Eucharistie
und Amt betont und die Bemühungen um die Frage
des kirchlichen Amtes kurz umrissen: "Auf katholischer Seite bemüht man sich, den eigentlichen
Auftrag des Herrn an die Diener seiner Gemeinde
von späteren, historisch bedingten Ausformungen
dieses Dienstes zu unterscheiden. Auf evangelischer Seite betont man, dass der wichtigste
Dienst in der christlichen Gemeinde in einer
Weisung des Herrn seinen Ursprung hat. Für die
Feier der Eucharistie ist von Bedeutung, dass
sie faktisch in allen Kirchen von einem besonders
ausgewiesenen, von der Gemeinde anerkannten Vorsteher geleitet wird" (Nr. 71). Ein Blick in die
Kirchenordnungen der deutsch-schweizerischen Kan-
tonalkirchen ergibt dabei folgenden Sachverhalt:
Nach Abschluß des Theologiestudiums wird ein Kan-
didat ordiniert, ist erst dann als Pfarrer wahl-
fähig und wird dann namens des Synodalrates durch
den Dekan innerhalb eines Gottesdienstes in sein
Gemeindeamt eingeführt. In den Kirchenordnungen
heißt es nun meistens, daß der ordinierte Pfarrer
für den Vollzug der Sakramente zuständig ist. Dabei machen dann aber Zusätze oder Ausnahmeregelungen deutlich, daß in Absprache mit dem Pfarrer und
dem Synodalrat auch nicht-ordinierte Helfer Taufe
und Abendmahl vollziehen können (vgl. z.B. Evangelisch-reformierte Kirche im Kanton Solothurn, Kirchenverfassung - Kirchenordnung, Trimbach 1977,
Art. 22; 140; 143; 144; Evangelisch-reformierte
Landeskirche des Kantons Zürich, Kirchengesetz von
1963 - Kirchenordnung von 1967, Stand 1981, Zürich
1981, Art. 39-44; 110-120). Dabei bedeutet nun der
Vorschlag der Gruppe von Dombes, solche Delegatio-
nen künftig zu unterlassen (vgl. Dombes III, Nr.
46), einen wichtigen Schritt in der Ämteranerkennung.

Kirche und Welt" aus dem Jahre 1977.[29]

Einleitend findet sich auch hier das christologische und ekklesiologische Fundament, das durch
die Hervorhebung der pneumatologischen Dimension
bereichert wird: Die Kirche gründet auf der Sendung Christi in die Welt und auf der Sendung des
heiligen Geistes, der Frauen und Männer im Dienst
Christi vereinigt. Daher ergibt sich für die Autorität der Kirche, daß sie wesentlich Dienst in der
Welt bedeutet.

Die Amtsträger der Kirche als Diener des dienenden Herrn müssen mit persönlichem Engagement der
Welt dienen (wobei die Kirche darauf vertrauen kann,
daß Christus sie auch durch unvollkommene Diener
auferbaut). Die Verständigung über das kirchliche
Amt, so das Dokument, muß wesentlich von der Sorge
für den Dienst der Kirche in der Welt bestimmt sein
(Nr. 93).Danach erfolgen nun zum einen Aussagen,
die Übereinstimmung ausdrücken, zum anderen dann
eine Fülle von Verschiedenheiten und offenen Fragen.

a) Die Übereinstimmungen (Nr. 94-102)

Zu folgenden Punkten können hier gemeinsame
Aussagen formuliert werden:

- Apostolizität (Nr. 94-96):
Apostel sein bedeutet gesandt sein, bedeutet eine
besondere Sendung zu haben. Dieser Grundbefund
ist wesentlich für das Verständnis des kirchlichen
Amtes. Wie Christus vom Vater gesandt ist, so sendet er die Kirche. Daher ist die ganze Kirche apostolisch. Neben diesem christologischen Grundbezug
wird hier der pneumatologische deutlich hervorge-

---

29 Der Abschnitt über das Amt findet sich hier in
    Nr. 93-108.

hoben: Die Sendung der Kirche ist auch das Werk
des heiligen Geistes.

> "Die Sendung des Heiligen Geistes gehört zur
> Konstitution der Kirche und ihres Amtes und
> nicht bloß etwa zu ihrem effektiven Funktio-
> nieren" (Nr. 94).

Wenn dieser pneumatologische Aspekt aufgrund
einer zu wenig ausgebildeten trinitarischen Theologie zu wenig berücksichtigt wird, so das Dokument, kommt es zu Unausgewogenheiten im Amtsverständnis. Durch den heiligen Geist trägt Christus
die Kirche in der apostolischen Berufung, was
sich in den vielen Charismen zeigt, weshalb vom
charismatischen Charakter der Kirche gesprochen
wird.

Weiter ist die Kirche apostolisch,

> "weil sie den Glauben der ersten Apostel lebt,
> die ihnen von Christus aufgetragene Sendung
> fortsetzt und sie in dem Dienst und in der
> Lebensweise beharrt, die von jenen Aposteln
> bezeugt wird" (Nr. 95).

So kann dann hier abschließend formuliert werden:
Das Amt Christi, auch in seiner priesterlichen Dimension, erstreckt sich auf alle Glieder der Kirche, alle nehmen es auf verschieden Weise wahr. In
diesem gemeinsamen Priestertum ist das besondere
eingeschlossen.

- Das besondere Amt (Nr. 97-99):

Innerhalb der Apostolizität der ganzen Kirche kommt
dem Amt am Wort und an den Sakramenten das Charisma
für den Dienst am Gesamt der Kirche zu. Die Ordination (die hier auch Aussonderung genannt wird)
findet in der glaubenden Gemeinde statt. Daher ist
für eine Ordination die Absprache mit ihr, ihr Glaubensbekenntnis und ihre liturgische Teilnahme unabdingbar.

Die Ordination erfolgt unter dem Gebet zum heiligen

Geist und der Handauflegung durch andere ordinierte Amtsträger. Diese Handlung macht das Wirken des Geistes deutlich und damit ebenso, daß es Christus und nicht die Kirche ist, der das Amt schenkt. So wird dann die Ordination ein wirksames Zeichen der Einführung ins Amt und der Bestätigung im Amt genannt.

Danach kommt das Dokument auf die Kontinuität des besonderen Amtes zu sprechen. Diese ist

> "ein integraler Bestandteil der Dimension der souveränen und gnadenhaften Gegenwart Christi, die durch die Kirche vermittelt wird" (Nr. 99).

Zur Versicherung seiner ständigen Gegenwart hat Christus den Aposteln und mit ihnen dem kirchlichen Amt die Schlüsselgewalt der Sündenvergebung und des Rufes zur Buße anvertraut. So bedeutet dann die apostolische Kontinuität des Amtes nicht nur die Abhängigkeit vom ursprünglichen Auftrag Christi, "sondern auch von seinem kontinuierlichen Ruf und Handeln" (Nr. 99).

- Apostolische Sukzession (Nr. 100-102):

Wenn damit die apostolische Sukzession des besonderen Amtes gemeint ist, dann kann sie nur innerhalb der Apostolizität gedacht werden, in der die ganze Kirche steht. Katholiken und Reformierte bekennen sich nun zwar zur apostolischen Sukzession, weisen ihr aber einen unterschiedlichen Ort zu. Gemeinsam ist ihnen aber beiden die Überzeugung, daß der Eintritt ins besondere Amt keine private Angelegenheit ist, sondern daß der Amtsträger durch den Ruf der Gemeinde und die Ordination durch andere Amtsträger in den kontinuierlichen Dienst des Wortes und der Sakramente eintritt.

Apostolische Sukzession besteht zumindest in der Kontinuität der apostolischen Lehre, welche durch die Anwendung der Schrift gewährleistet und durch die Kontinuität des lehrenden Amtes übermittelt wird. Auch diese Dimension des Amtes braucht zum einen die historische Kontinuität mit den Aposteln und zum anderen das gnadenhaft erneuernde Wirken des heiligen Geistes. Aufgrund dieses Wirkens des heiligen Geistes ist ein ritualistisches und mechanisches Verständnis der Kontinuität ebenso ausgeschlossen wie die Kontinuität unabhängig von einer historischen Gemeinde.

- Episkope und Kollegialität (Nr. 102):

Grundstruktur der Kirche und des Amtes ist kollegial, darin sind sich beide Kirchen einig. Die Ordination führt den Amtsträger in eine kollegiale Funktion ein, welche auch eine dienende ist. Dieses Grundverständnis hat in den beiden Kirchen zu unterschiedlichen Ausformungen geführt. Während die reformierte Kirche die synodale Organisation als korporativen Episkopat mit Aufsicht über Amt und Gemeinde kennt, nimmt diese Aufgabe in der katholischen Kirche das Bischofskollegium wahr. Einig sind sich die Kirchen auch darin, daß zu verschiedenen Zeiten die kollegiale Struktur auch verschieden ausgeübt werden muß. Daher plädieren sie für Offenheit gegenüber der Charismenvielfalt, welche die Kollegialität auf allen Ebenen der Kirche fordert.

b) Verschiedenheiten und offene Fragen (Nr. 103-108)

Hier werden zunächst zum einen (Nr. 103-104) unterschiedliche Auffassungen innerhalb der einzelnen Konfessionen (Geist und Struktur, Reduktion der apostolischen Sukzession auf die Handauflegung, Tradition als Vermittlung und/oder Hindernis etc.) und zum anderen (Nr. 105-107) die Unterschiede entlang der konfessionellen Grenzen aufgeführt. Bei den letzteren wird festgehalten, daß sich auch aufgrund

von ökonomisch, kulturell und sozilogisch geprägten
Mentalitätsverschiedenheiten unterschiedliche Akzentuierungen von Teilen der Tradition ergaben. Das
Hauptproblem ist die Frage nach der Struktur des
Amtes, von deren Wichtigkeit für die Erfüllung seines Auftrages aber beide Kirchen grundsätzlich überzeugt sind. So hat die katholische Kirche aus der
Herrschaft Christi eine hierarchische, die reformierte Kirche eine presbyteral-synodale Ordnung abgeleitet. Heute nun orientieren sich beide wieder
mehr am Urbild der frühen Kirche.

Unterschiedlich in den beiden Kirchen ist die
Art und Weise, wie sie Fragen angehen,

> "inwieweit und auf welche Weise die Existenz der
> Gemeinschaft der Glaubenden und ihre Einheit mit
> Christus, und besonders die Feier der Eucharistie,
> die Präsenz eines ordinierten Amtsträgers in der
> Kirche erfordert" (Nr. 107.

Hier anschließend wird vom Dokument die Frage
nach der Notwendigkeit der Verknüpfung von Petrus-
und Bischofsamt und der regulären Ernennung zum Amt
in der Kirche aufgeworfen. Diese Frage wird nicht beantwortet, sondern es werden lediglich die Antworten
gegeben, wie sie sich aus dem Verständnis der einzelnen Kirchen ergeben: für die katholische Kirche ist
die Verknüpfung mit dem Petrusamt wesentlich für die
Erfahrung der Katholizität. Die reformierte Kirche
dagegen erfährt diese am unmittelbarsten in der Ein-
zelgemeinde.

Hinsichtlich der Frage der Verknüpfung von Amt
und Sakramenten wird die gegenseitige Einschätzung
dargelegt: Katholiken meinen bei den Reformierten
eine Unterschätzung der Tatsache zu erkennen, daß
sich Christus selber an die Kirche, das Amt und die
Sakramente gebunden hat; umgekehrt meinen Reformierte eine Unterschätzung der Freiheit und der Gnade
des heiligen Geistes in der Kirche, im Amt und in

den Sakramenten durch die Katholiken festzustellen.

Zum Schluß nennt dann das Dokument eine Fülle von offenen Fragen (Nr. 108) und betont, daß sich die beiden Kirchen für ihre Beantwortung gegenseitig nötig haben. Die Klärung dieser Fragen, so das Dokument, ist notwendig für die Erneuerung und den Aufbau der Kirche, damit sie ein geeignetes Werkzeug im Dienste Christi und der Welt sei.

Folgende offenen Fragen werden genannt: die theologische Bewertung von Rangunterschieden im Amt; das Verhältnis von Amt und Charisma; gemeinsames Priestertum und besonderes Amt; das Spezifikum des Amtes als Vorsteher (Leitung, Wortverkündigung und Sakramentenverwalter); die Trennung des Amtes in Leitungs-/Verwaltungsaufgaben und Dienst an Wort und Sakrament; die rechtliche Ordnung (im Westen) und die liturgische Bezogenheit (im Osten) des Amtes; die korporative Gemeindeleitung der reformierten Kirche; der Sinn der Handauflegung; die Ordination als Sakrament; die Voraussetzungen für eine Ämteranerkennung; die Deutung des "defectus"[30] und die Verhinderung von Mißbräuchen in der Amtsausübung.

Vor allem wird abschließend die Frage herausgestellt, wieweit das Denken in westlich geprägten Formen und geschichtlichen Erfahrungen für das Verständnis des Amtes bestimmend waren, wieweit dann die Orientierung an der Vergangenheit ein Hindernis für neue Deutungen bedeutet und wie sich die Kirche vergangenen Erfahrungen und neuen An- und Herausforderungen gegenüber im Glauben treu bleiben kann.

---

30 Vgl. UR, Nr. 22.

Wesentlich in diesem Dokument ist allgemein
der Dienst der Kirche in der Welt. Diese Grund-
voraussetzung zeigt sich auch bei den Überlegungen
zum Amt deutlich. Ausgangspunkt ist die Apostolizität der gesamten Kirche aufgrund der Sendung im
heiligen Geist, die Christus den ersten Aposteln
gab. Diese Kirche ist charismatisch durch die Ausrüstung mit vielfältigen Diensten durch den heiligen Geist. Innerhalb dieser Charismen gibt es das
Charisma des besonderen Amtes zur Verwaltung von
Wort und Sakrament. Dieses Amt wird unter den Amtsträgern und zusammen mit der Gemeinde kollegial
ausgeübt und durch die Ordination als wirksames
Zeichen des Wirkens Christi und des heiligen Geistes in und mit der Gemeinde durch das Gebet zum
heiligen Geist und unter der Handauflegung ordinier-
ter Amtsträger kontinuierlich weitergegeben. Bei der
apostolischen Sukzession handelt es sich um die apostolische Sukzession der ganzen Kirche, innerhalb
derer es eine Kontinuität der apostolischen Lehre
gibt, die durch die Kontinuität des besonderen Amtes
gewährleistet ist, welche sowohl der historischen
Kontinuität als auch des aktuellen gnadenhaften Wirkens des heiligen Geistes bedarf, was jedes rituali-
stische, mechanische und ahistorische Verständnis
von Sukzession ausschließt.

Im Vergleich zu den Ergebnissen der Gruppe von
Dombes, die hier bereits fünf Jahre zurücklagen,
stellt dieses Dokument, wohl aufgrund des offiziellen Status der Kommission, auch in den Darlegungen
über das Amt eine grundlegende Bestandesaufnahme dar,
die angesichts der Fülle von konstatierten Verschiedenheiten und offenen Fragen außer der gemeinsamen
Weiterarbeit keine konkreten Empfehlungen machen kann.
Wesentlich ist in diesem Gremium wohl die Erfahrung

vieler Gemeinsamkeiten, die eine Überwindung der
Kontroversen in Aussicht stellen und die Bereitschaft, von nun an in brüderlicher Zusammenarbeit
den weiteren Weg zueinander zu beschreiten.

III. Das lutherisch-katholische Gespräch

     Unter den interkonfessionellen Gesprächen über das
Verständnis des kirchlichen Amtes werden diejenigen
zwischen den lutherischen Kirchen und der katholischen
Kirche (auf Landes- wie auf Weltebene) am ausführlich-
sten (inhaltlich und zeitlich) geführt. In den Jahren
1970/71 traten beinahe gleichzeitig die Gespräche zwischen dem LWB und dem katholischen Einheitssekretariat[31]
und den lutherischen Kirchen und der katholischen Kirche in den USA[32] mit Verlautbarungen über das Amt an
die Öffentlichkeit. Beiden Gesprächen ist hier gemeinsam, daß sie im Verlauf des Gesprächsprozesses zur Amtsfrage gelangt sind, allerdings von unterschiedlichen
Ausgangspunkten her: das Amtsgespräch in den USA war
die zwingende Verlängerung des Eucharistiedialoges,
dasjenige der Studienkommission auf Weltebene ergab
sich gemäß ihrem Gesamtthema, aufgrund der Fragen nach
Evangelium und Überlieferung.[33]

     In diesem Abschnitt werden die Gespräche aus den
USA, das Memorandum aus den deutschen ökumenischen Uni-
versitätsinstituten und das Dokument der lutherisch-
katholischen Studienkommission "Das geistliche Amt in
der Kirche", welches die Aussagen aus dem Bericht "Das
Evangelium und die Kirche" aus dem Jahre 1972 aufnimmt,
weiterführt und vertieft, vorgestellt.

---

31 Das Evangelium und die Kirche, Nr. 47-64.

32 Eucharistie und Amt: Eine lutherisch/römisch-katho-
    lische Stellungnahme (USA II).

33 Vgl. H. Meyer, Luthertum und Katholizismus im Ge-
    spräch, 69ff.; ders., Zwischenkirchliche Gespräche
    über Amt und Amtsanerkennung: Katholisch-lutheri-
    sche Gespräche, in: Conc(D) 8 (1972), 300.

1. Eucharistie und Amt: Der Dialog in den USA (1970)

In der Einleitung (Nr. 1-5) schildert die
Kommission kurz den Weg, der sie zur Diskussion
über das Amt geführt hat. Folgende Situationen
werden genannt: die Dikussionen über die notwendige Verbindung von Dogma und kirchlicher Lehrautorität, über die Taufe und über die Eucharistie
(hier vor allem aus den Überlegungen über die Möglichkeiten von Interkommunion[34]). In den für die
Realität des Amtes und die Einheit der Kirche zentralen Bereichen nun kann die Kommission eine Fülle
von gemeinsamen Aussagen machen. Dabei hat es sich
einmal mehr gezeigt, daß sich hinter einem unterschiedlichen theologischen Sprachgebrauch durchaus
theologische Anliegen verbergen, "die einander ähnlich, wenn nicht sogar identisch sind" (Nr. 5). Im
Anschluß an die Übereinstimmungen kommen dann lutherische und katholische Teilnehmer am Gespräch
noch mit eigenen Voten zur Sprache.

a) Gemeinsame Aussagen (Nr. 6-22)

aa) Das Amt und das Handeln Gottes in Christus (Nr. 6-9)

Gott erfüllt die Verheißungen seiner erlösenden
Liebe in der Offenbarung seines Sohnes. Durch das
Wirken des heiligen Geistes gelangen Menschen in
Christus zur Gemeinschaft der Kirche. In dieser Kirche wirkt Christus durch den heiligen Geist sakramental weiter und durch Menschen verkündet er seine
Lehre. In der Führung des heiligen Geistes haben die
ersten Gläubigen die frohe Botschaft der heilbringen-
den Gegenwart Gottes in Wort und Tat verkündet. Die
Kirche hat den Auftrag, allen Menschen das Evangelium
zu verkünden. Diesen Auftrag nennt das Dokument

---

34 Vgl. USA I, 109.

"Dienst" (diakonia). Von diesem allgemeinen Begriff "Dienst" unterschieden wird der Begriff
"Amt" als Ausdruck für eine bestimmte Form des
Dienstes. Die christologische, ekklesiologische
und pneumatologische Grundlegung endet hier mit
der Überzeugung,

> "daß das besondere Amt nicht isoliert, son-
> dern im Kontext des Dienstes des ganzen Volkes
> Gottes erörtert werden muß" (Nr. 9).

bb) <u>Das Amt im Kontext der Kirche (Nr. 10-22)</u>

Noch einmal wird hier zunächst dieser Dienst
des ganzen Volkes hervorgehoben: er ist analog zum
Dienst des Volkes Israel priesterlich. Gott hat
der Kirche in Christus "einen Hohenpriester und
ein Opfer gegeben" (Nr. 10). Alle Getauften sind
mit Christus verbunden und haben Anteil an seinem
priesterlichen Amt. Daher haben alle einen Dienst
von Gott zum Zeugnis von ihm vor allen Menschen.
Zur Ausübung dieses Dienstes gibt Gott der Kirche
verschiedene Gaben. Dabei hält das Dokument fest,
daß die aus dem Neuen Testament bekannten Ämter
nicht identisch sind mit den späteren Ämtern der
Kirche, daß aber diese viele Aufgaben jener wahrgenommen haben: Evangeliumsverkündigung, Sakramentenverwaltung und Sorge für die Gläubigen.

Damit kommt das Dokument ausführlich auf das
besondere Amt zu sprechen: Analog zur Kirche muß
das Amt

> "im Lichte der Liebe Gottes, seines erlösenden
> Handelns in Jesus Christus und des fortdauern-
> den Wirkens des Heiligen Geistes gesehen wer-
> den" (Nr. 12).

- Der Auftrag:
Dem Amt ist ein doppelter Auftrag überantwortet:
Die Evangeliumsverkündigung an die Welt und die
Auferbauung der bereits Glaubenden in Christus

durch Wort und Sakramente. Durch die Verkündigung
des Wortes und der Sakramente dient das Amt dem
Dienst der ganzen Kirche. Zum einen steht das Amt
zusammen mit der Gemeinde unter Christus, zum
anderen steht es der Gemeinde, indem es im Namen
Gottes zu ihr spricht, gegenüber.

- Die Apostolizität des Amtes:
Zur Apostolizität des Amtes wird hier folgendes
ausgeführt: der Begriff "apostolisch" wurde in der
Vergangenheit auf verschiedene Bereiche angewandt:
auf die Lehre, die Praxis oder die Autorität.

> "Zur Apostolizität gehörte gewöhnlich eine be-
> stimmte Form der Sukzession in dem, was aposto-
> lisch ist" (Nr. 15).

Für Katholiken bedeutete das die Sukzession im Amt,
für Lutheraner in der Lehre. Aus der Tradition der
Kirche ist beides bekannt, wobei das Amt als Sicher-
stellung der apostolischen Lehre betrachtet wurde.

- Die Ordination:
Den Eintritt in das Amt bezeichnen die Kirchen unter verschiedener Ausdeutung als Ordination: Für
die Katholiken ist sie ein sakramentaler Akt, verbunden mit der Gabe des heiligen Geistes für den
Dienst in Kirche und Welt, die Beauftragung zum
besonderen Dienst in der Kirche und sie kennzeichnet die Dauer und die Unwiederholbarkeit. Die Lutheraner zögern aufgrund eines engeren Sakramenten-
begriffs die Ordination als Sakrament zu bezeichnen, doch zeigt ihre Praxis eine Nähe zum sakramentalen Verständnis der Ordination: sie rufen den
heiligen Geist um die Gabe des Amtes an, sehen in
ihr die Beauftragung für einen besonderen Dienst
und sind von ihrer Einmaligkeit überzeugt. Daher
kann dann das Dokument in diesem Punkt von einer
weitgehenden Konvergenz sprechen.

- Der character indelebilis:

Im katholischen Verständnis wurde damit die mit
der Ordination verbundene Gabe, das Charisma,
die Beauftragung, die Dauer und die Unwiederholbarkeit zum Ausdruck gebracht. Die Lutheraner
lehnten diese Deutung wegen vermuteter metaphy-
sischer Inplikationen ab. Heute nun wurde ein
neuer gemeinsamer Ansatzpunkt zur Überwindung
des Unterschiedes gefunden, indem das Gewicht
auf den funktionalen Aspekt des characters und
die Gabe des heiligen Geistes gelegt wird. Hier
stimmen beide Kirchen überein, daß die Ordination auf Lebenszeit geschieht und unwiederholbar
ist.

Hinsichtlich der Apostolizität, der Ordination
und des Characters wird gemeinsam der Überzeugung
Ausdruck gegeben,

> "daß der Eintritt in dieses apostolische und
> gottgegebene Amt durch die Ordination geschieht.
> Niemand ordiniert sich selbst oder kann dieses
> Amt als sein Recht beanspruchen, sondern er
> wird von Gott berufen und in der Kirche und
> durch diese damit beauftragt" (Nr. 18).

- Die Strukturierung des Amtes:

Zwar sind sich beide Traditionen einig, daß Christus der Kirche eine bestimmte Amtsordnung gab,
doch haben sie diese unterschiedlich strukturiert
und verwirklicht.

Die katholische Kirche kennt das dreifache Amt.
Alle gelangen durch die Ordination unter Handauflegung ins Amt, verkünden das Evangelium und spenden die Taufe. Die Eucharistie feiern nur Bischöfe
und Priester. Allein die Bischöfe ordinieren. Auch
wenn nach katholischem Verständnis der Bischof die
Fülle der Weihe hat, so ist doch aus der Tradition
die Ordination durch Priester bekannt.

Die lutherischen Kirchen kennen den ordinierten
Amtsträger, der gewöhnlich "Pfarrer" genannt
wird und in seiner Aufgabe Merkmale von Priester
und Bischof vereinigt. Der Pfarrer hat die Fülle
dessen, was durch die Ordination gegeben wird
und entspricht daher in etwa dem katholischen
Bischof. Das Bischofsamt ging in den an den Gesprächen beteiligten Kirchen bedauerlicherweise
unter, da in der Zeit der Reformation mangels Bereitschaft katholischer Bischöfe ordinierte Priester ordinieren mußten. In dieser presbyteralen
Sukzession nun befähigt diese Ordination nach
lutherischem Verständnis den Pfarrer zu all dem,
was der katholische Priester tut,

> "einschließlich der Feier eines (nach katho-
> lischer Terminologie) gültigen Abendmahls"
> (Nr. 21).

Zusammenfassend wird hier der Überzeugung Ausdruck
gegeben, daß Strukturierung und Ausübung des Amtes
in beiden Kirchen der apostolischen Lehre und
Praxis entsprechen. Trotz der Verschiedenheit von
Struktur, Ausübung, Ordinationsritus und theologischer Auslegung des Amtes kann die grundlegende
Wirklichkeit des apostolischen Amtes bewahrt werden. Zwei Aspekte müssen daher nach der Meinung
des Dokumentes heute in den Vordergrund rücken:
die Erneuerung der Grundlagen und die Offenheit
gegenüber neuen Anforderungen an das Zeugnis in
der Welt. Die verbleibenden Schwierigkeiten im Verständnis des Amtes[35] werden nicht als unüberwind-

---

35 Das Dokument nennt hier folgende noch zu behandelnde
    Themen: das Papstamt, die Unterscheidung von Sachen
    göttlichen und solchen menschlichen Rechtes, das rein
    charismatische Amt, die Eucharistiegemeinschaft, das
    Verhältnis eines presbyteral ordinierten Amtes zu ei-
    nem bischöflich ordinierten Amt und die Verwirkli-
    chung der Ämteranerkennung (vgl. USA II, 121, Anm.19).

lich angesehen, was die Hoffnung auf Anerkennung und Versöhnung der Ämter nährt.

b) Lutherische Erwägungen (Nr. 23-35)

Die Lutheraner wissen sich der einen, heiligen, katholischen und apostolischen Kirche zugehörig. Daher besitzen sie die gültige Beauftragung zum Amt des Evangeliums und der Sakramente von Christus in der Kirche und daher gültige Sakramente. Sie nehmen auch für sich in Anspruch, in der authentischen Tradition zu stehen.

Die Lutheraner anerkennen die römisch-katholische Gemeinschaft als Kirche, die Gültigkeit des Amtes und der Sakramente, weil in ihr die rechte Evangeliumsverkündigung und die rechte Sakramentenverwaltung gegeben ist. Sie schätzen die katholische Anerkennung der christologischen und trinitarischen Dogmen und wissen sich verpflichtet, die Bekenntnisse der katholischen Glaubensbekenntnisse enstzunehmen. Sie achten die Gebete der katholischen Kirche, in denen die Erlösung allein aus dem Glauben deutlich wird und anerkennen, daß sich die katholische Liturgie deutlich zum Evangelium bekennt. Die episkopale Verfassung der katholischen Kirche stellt für die Lutheraner kein Problem dar, da es diese auch in einigen ihrer Kirchen gibt:

"Solange das ordinierte Amt beibehalten wird, ist jede Form oder Verfassung, die der Verkündigung des Evangeliums dient, annehmbar" (Nr. 28).

Hinsichtlich der Papstfrage anerkennen die lutherischen Bekenntnisschriften den Papst als Bischof von Rom. Eine erweiterte Bedeutung des Papstamtes als symbolischer, funktionaler Wert ist denkbar, wenn es im Sinne menschlichen Rechtes gedeutet wird.

Die Betonung der Evangeliumsverkündigung als vorrangigen Auftrag des Amtes durch das Zweite Vati-

kanische Konzil[36] hat auf lutherischer Seite zur
Beseitigung ehemaliger Zweifel beigetragen, so
daß Lutheraner im katholischen Priester den recht-
mäßigen Verwalter des Evangeliums und der Sakramente sehen. Aufgrund der Ergebnisse des Dialoges
dieser Gruppe über die Eucharistie[37] und über das
Amt anerkennen die Lutheraner (trotz der z.B. unterschiedlichen Praxis beim Kommunionempfang und
bei der Aufbewahrung der konsekrierten Elemente)
die katholische Eucharistiefeier als gültig.

Trotz all dieser Erwägungen können die lutherischen Teilnehmer an diesem Gespräch die Herstellung von Kirchen- und Abendmahlsgemeinschaft, da
weitere Probleme der Klärung bedürfen, noch nicht
empfehlen und halten fest:

> "Die diesen Erwägungen vorangehende gemeinsame
> Stellungnahme stellt keine ausreichende Basis
> für die Herstellung einer solchen Gemeinschaft
> dar. Auch bedeuten sie nicht, daß jede Gemein-
> schaft allem, was die andere praktiziert oder
> duldet, zustimmt" (Nr. 33).

Was aber bereits heute nach Ansicht dieser Teilnehmer möglich ist, das wäre eine offizielle Anerkennung des katholischen Amtes. So beantragen sie ihren
Kirchenverantwortlichen zu erklären,

> "daß die ordinierten Amtsträger der Römisch-Ka-
> tholischen Kirche ein gültiges Amt des Evangeli-
> ums ausüben, indem sie als ihre Hauptaufgaben
> das Evangelium Christi verkündigen und die Sa-
> kramente des Glaubens verwalten, und daß der Leib
> und das Blut unseres Herrn Jesus Christus in
> ihren Feiern des Altarsakramentes wahrhaft gegen-
> wärtig sind" (Nr. 35).[38]

---

36 Vgl. z.B. LG, Nr. 25; PO, Nr. 4.

37 Vgl. oben, 449-458.

38 Auf die Wiedergabe der Kursivschrift im Original-
    text wurde hier aufgrund der Länge verzichtet.

c) Römisch-katholische Erwägungen (Nr. 36-59)

Diese Erwägungen setzen ein bei der allgemeinen Auffassung, daß nach katholischem Verständnis
wegen mangelnder apostolischer Sukzession das lutherische eucharistische Amt unzulänglich ist. Aufgrund der geführten Diskussionen erachten nun aber
die katholischen Teilnehmer eine Neubewertung dieses
Amtes für möglich und weisen das in zwei Abschnitten,
einem historischen und einem theologischen, ausführlich auf.

- Historische Argumente (Nr. 38-41):

Aus dem Neuen Testament ist nicht ableitbar, daß
die Apostel, ihre Nachfolger und die von diesen
Ordinierten die einzigen Verwalter der Eucharistie
waren, weshalb eine genaue Bestimmung dessen, was
für das eucharistische Amt notwendig ist, schwie-
rig wird. Erst allmählich wurde der Bischof als
höchste Autorität angesehen, der als solcher die
Eucharistie verwaltet oder jemanden damit beauftragt hat, wobei allerdings noch am Anfang des
zweiten Jahrhunderts unklar ist, ob diese allein
die Eucharistie feierten.

Eine weitere Unsicherheit besteht in der ungeklärten Frage, ob der Unterschied von Bischöfen und
Priestern eine theologische Setzung sei, was auch
das Konzil von Trient nicht entschieden hat. Wenn
nun aber

> "der Unterschied nicht durch göttliches Gesetz
> bestimmt ist, dann wäre die Verleihung der
> Vollmacht an den Bischof, Verwalter der Eucha-
> ristie zu ordinieren, eine Entscheidung der
> Kirche" (Nr. 40).

Zudem ist aus der Vergangenheit bekannt, daß die

Kirche die Ordination von Priestern durch Priester anerkannt hat. Zusammenfassend wird hier
festgehalten: Normalerweise wurde bis ins 16.
Jahrhundert die Eucharistie nur von solchen gefeiert, welche von einem in der Kette der apostolischen Sukzession stehenden Bischof ordiniert
worden sind. Dabei aber gibt es Lücken und Ausnahmen, die einen Präzedenzfall für die lutherische Amtspraxis darstellen.[39]

- Theologische Argumente (Nr. 42-53):

Grundlage ist hier die neue Beurteilung der anderen christlichen Konfessionen als Kirchen und
kirchliche Gemeinschaften durch das Zweite Vatikanische Konzil[40], was eine Neubewertung ihres Abendmahles notwendig macht.

Nur wenn man einen Mangel an Apostolizität allein
auf das Fehlen einer apostolischen Sukzession durch
bischöfliche Weihen zurückführt, kann von den lutherischen Kirchen als unvollständigen Kirchen gesprochen werden. Dies nun ist kaum haltbar, da z.B.
früher vor allem die Apostolizität der Lehre im
Vordergrund stand.[41] Die allmählich aufkommenden
Bischofslisten dienten eher dem Beleg der Sukzession bevollmächtigter Lehrer als der sakramentalen

---

39 Vgl. dazu H. Schütte, der hinsichtlich der Argumen-
    te, daß aus dem Neuen Testament und aus dem Leben
    der frühen Kirche keine Belege erhältlich seien,
    wer nun genau die Eucharistie verwalten dürfe, Be-
    denken anmeldet, das Faktum der presbyteralen Ordi-
    nation aber als gegeben erachtet und anerkennt, daß
    es von den presbyteralen Ordinationen aus nicht gänz-
    lich ausgeschlossen ist, "daß die lutherischen Ordi-
    nationen gültig sind" (H. Schütte, Amt, Ordination
    und Sukzession, 369).

40 Vgl. LG, Nr. 15; UR, Nr. 3.

41 Vgl. USA II, Nr. 15-16.

Wirksamkeit. So sind dann die katholischen Teilnehmer, die nicht an der apostolischen Sukzession
durch die bischöfliche Weihe als wertvollem Zeichen und Aspekt der Apostolizität zweifeln, der
Überzeugung, daß die Lutheraner durch ihr treues
Bewahren des Evangeliums eine Form der lehrmäßi-
gen Apostolizität bewahrt haben. Da nun auch die
Übereinstimmungen über den Opfercharakter der Eucharistie und die Realpräsenz Christi in der Eucharistie geklärt werden konnten, können auch die
katholischen Glieder der Kommission ein großes
Maß an Übereinstimmung in wesentlichen Elementen
des geistlichen Amtes konstatieren und sie ver-
neinen die Berechtigung, das lutherische Amt
weiterhin als unzulänglich zu erachten.

Diese Grundanerkennung wird nun anhand ehemals
kontroverser Fragen überprüft und folgendes festgestellt: Die Lutheraner glauben an die göttliche
Einsetzung des Amtes; sie unterscheiden das gemeinsame Amt aller Gläubigen vom besonderen Amt
(wobei beide Kirchen eine genaue Klärung dieses
Unterschiedes noch vornehmen müssen); hinsichtlich der Sakramentalität der Ordination zum Amt
besitzen sie wesentliche Elemente, die nach katholischem Verständnis dazu notwendig sind. Hinsichtlich des schwierigsten Problems in der Amtsfrage, der mangelnden Ordination durch einen Bischof, unternimmt die katholische Stellungnahme
eine ausführliche Deutung der Aussagen des Konzils von Trient, zeigt Anlaß, Intention und Ziel-
richtung dieses Konzils auf, welches sich mit damaligen Mißbräuchen auseinandergesetzt hat.[42]
Hier wird dann abschließend erwähnt, daß man, ohne

---

42 Vgl. oben, 584ff.

die Frage der Vergangenheit lösen zu wollen, zum
Schluß kommen könnte,

> "daß die vom Tridentinum verworfenen Mißbräu-
> che heute nicht mehr bestehen" (Nr. 53).

Daher dann, so das Dokument alles in allem, ist
es nicht mehr annehmbar, daß die eucharistische
Gegenwart Christi beim lutherischen Abendmahl in
Frage gestellt wird.[43] So können dann auch die
katholischen Teilnehmer ziemlich analog zu den
lutherischen folgende Erklärung abgeben: Sie erkennen aufgrund des Zweiten Vatikanischen Konzils
die lutherischen Kirchen als wahrhafte Kirchen,
als Werkzeuge der Gnade und der Erlösung. Die Argumente gegen die Gültigkeit des eucharistischen
Amtes in den lutherischen Kirchen sind mangelhaft.
So kann dann formuliert werden:

> "Wir sehen in der Tat keinen überzeugenden
> Grund, der gegen die Möglichkeit spräche, daß
> die Römisch-katholische Kirche die Gültigkeit
> dieses Amtes anerkennt" (Nr. 54).[44]

Daher fragen dann auch die katholischen Teilnehmer
ihre Kirchenleitung empfehlend an, ob nicht aufgrund der ökumenischen Dringlichkeit eine Anerkennung der Gültigkeit des lutherischen Amtes und damit auch der Gültigkeit der Gegenwart von Leib und
Blut Christi in ihrem Abendmahl möglich wäre.

---

43 Vgl. zu den theologischen Argumenten H. Schütte, der
u.a. feststellt: Die Höherbewertung der lutherischen
Kirchen durch das Zweite Vatikanische Konzil macht
zwar auch eine höhere Bewertung ihres Amtes aus, was
allerdings noch nicht zur Anerkennung des Vollsinns
ihrer Eucharistie führt; das Fehlen einer bischöflichen Sukzession ist trotz der Apostolizität der
Lehre noch heute zu bemängeln. Er anerkennt aber
trotz allem den erreichten Konsens über das Amt als
erstaunlich (vgl. H. Schütte, Amt, Ordination und
Sukzession, 369f.).

44 Auch hier wird aufgrund der Länge auf die Wiedergabe
in Kursivschrift im Originaltext verzichtet.

Daran anschließend werden zur Vermeidung von Mißverständnissen klärende Anmerkungen (Nr. 55-59)
gemacht: In diesem Gespräch standen die Fragen
der lutherischen Ämter in der Vergangenheit und
damit der Anerkennung der Gültigkeit oder der
Gültigmachung durch einen offiziellen Akt nicht
zur Diskussion; durch einen offiziellen Akt der
Amtsanerkennung soll ausgedrückt werden, daß eine
solche Anerkennung Sache der Kirche und nicht eine Privatsache einzelner Pfarrer auf Ortsebene
ist.[45] Die Anerkennung des lutherischen Amtes bedeutet keine Leugnung der bischöflichen Ordination oder der Dreistufigkeit des Amtes. Die oben
genannten Folgerungen gelten für die lutherischen
Kirchen und können nicht unbesehen auf andere Kirchen übertragen werden.

Zum Schluß kommen die katholischen Teilnehmer auf
das Problem der Interkommunion zu sprechen, hinsichtlich derer mögliche Konsequenzen aus einer
Ämteranerkennung nicht diskutiert worden sind. Sie
konstatieren zwar einen offensichtlichen Zusammenhang von einer Anerkennung eines gültigen Amtes
und der Abendmahlsgemeinschaft, formulieren aber
dann:

> "Wir sind nicht in der Lage, zu behaupten, daß
> das eine zum anderen führen müßte oder sollte"
> (Nr. 59).

Sie weisen aber auf die Regelung aus dem Ökumenischen Direktorium hin, wonach es einem Katholiken

---

45 Vgl. demgegenüber die Anfrage der Gruppe von Dombes,
    die auf eine teilweise Versöhnung der Ämter auf Ge-
    meindeebene zielt (Dombes III, Nr. 48).

in Notsituationen erlaubt ist, die Sakramente
der Eucharistie, der Buße und der Krankensalbung
von einem 'gültig Ordinierten' (Nr. 59) zu empfangen.[46]

Dieses Dokument aus den USA ist eine sehr ausführliche und sehr gut fundierte (mit zahlreichen
Hinweisen auf Verlautbarungen aus den beiden Traditionen versehene) Erklärung, bei der Konsense, Konvergenzen, Vorbehalte und Verschiedenheiten deutlich benannt werden. Bemerkenswert ist, daß beide
Traditionen ihren Kirchenleitungen eine gegenseitige Ämteranerkennung empfehlen können, ohne dabei
allerdings auch bereits (auch nicht gelegentliche)
Akte von Interkommunion zu befürworten.[47]

2. Das Memorandum der deutschen ökumenischen Universitätsinstitute (1972)

Wohl kaum ein Dokument hat die Diskussion um
das kirchliche Amt so stark ins allgemeine Gespräch
gebracht und auf diese oder andere Weise auch angeregt, wie das Memorandum der Arbeitsgemeinschaft
deutscher Ökumenischer Universitätsinstitute über
die Reform und die Anerkennung kirchlicher Ämter
aus dem Jahre 1973. 24 evangelische und katholische

---

46 Vgl. ÖkDir I, Nr. 55. Hierbei werden also die lutherischen Amtsträger auch ohne offizielle Anerkennung bereits unter die gültig Ordinierten ein-
gereiht.

47 Vgl. zu USA II auch Wilhelm Averbeck, Gegenseitige
Anerkennung des Amtes?: Bemerkungen zu einem lutherisch-katholischen Dokument aus Amerika, in: Cath
(M) 26 (1972), 172-191; H. Meyer, Luthertum und
Katholizismus im Gespräch, 71-86; ders., Zwischenkirchliche Gespräche über Amt und Amtsanerkennung,
300ff.; H. Schütte, Amt, Ordination und Sukzession,
368ff.

Theologen aus verschiedenen ökumenischen Instituten haben aufgrund von Vorstudien aus diesen Instituten[48] die 23 Thesen des Memorandums verfaßt.[49]

Der Ausgangspunkt dieses Dokumentes ist ein
ganz anderer als z.B. derjenige der Dokumente aus
den USA (Ausgangspunkt: die Eucharistie) und der
lutherisch-katholischen Studienkommission auf Weltebene (Ausgangspunkt: das Verständnis des Evangeliums).[50] Neben dem Faktum, daß das kirchliche Amt
eines der folgenreichsten Probleme zwischen den Kirchen ist, ist es hier vor allem die Krise des Amtes,
die sich in beiden Kirchen deutlich bemerkbar macht,
welche zu intensiven interkonfessionellen Auseinandersetzungen mit diesem Amt angeregt hat. Die grundlegende Klärung der Ursachen der Krise aufgrund der
gemeinsamen Besinnung auf die gemeinsamen Grundlagen
der Kirchen, so das Dokument, ermöglicht nicht nur
eine Reformierung der Ämter in den Kirchen, sondern
dient auch wesentlich der ökumenischen Annäherung.[51]

---

48 Bei diesen Vorstudien handelt es sich um folgende
   Beiträge: Zur Krise des kirchlichen Amtes in der ka-
   tholischen Kirche: Aus dem Katholisch-Ökumenischen
   Institut der Universität Münster, Abteilung I, in:
   Reform und Anerkennung kirchlicher Ämter, 29-92; Zur
   Krise des kirchlichen Amtes in evangelischer Sicht:
   Aus dem Ökumenischen Institut der Universität Bochum, a.a.O. 93-121; Die apostolische Sukzession und
   die Gemeinschaft der Ämter: Aus dem Ökumenischen Institut der Universität Heidelberg, a.a.O. 123-162;
   Wesen und Gestalt des kirchlichen Amtes: Aus dem Institut für ökumenische Forschung der Universität
   Tübingen, a.a.O. 163-188; Ordination und Sakramentalität: Aus den Ökumenischen Instituten der Universität München, a.a.O. 189-207.

49 Vgl. auch H. Schütte, Amt, Ordination und Sukzession,
   404.

50 Vgl. oben, 667.

51 Vgl. Memorandum, 13.

Bei der Vorstellung des Memorandums hier wird auf
die Situation des kirchlichen Amtes (Krisen und
mögliche Ursachen) (Nr. 1-5) nicht weiter eingegangen, sondern lediglich das gemeinsame Verständnis des Amtes und mögliche Konsequenzen in der
Sicht des Dokumentes dargelegt.

a) Zum Verständnis des kirchlichen Amtes (Nr. 6-17)

Zunächst erfolgt auch hier die bekannte christologische und ekklesiologische Grundlegung: Die
Kirche als Gemeinschaft der Glaubenden hat den Auftrag, das Evangelium Christi, dem Grund und Herrn
der Kirche, in Wort und Tat zu verkünden.

> "Die Verkündigung des gekreuzigten Jesus als
> des lebendigen Herrn gründet in den Erschei-
> nungen des Auferstandenen" (Nr. 7).

Als erste wurden die Apostel vom Herrn gesandt;
sie waren die ersten authentischen Verkünder, die
Kirchen gründeten und um deren Einheit besorgt wa-
ren. Als von Christus Beauftragte standen sie der
Gemeinde, verbunden mit ihr in der Gemeinschaft des
Dienstes Christi, gegenüber.

Für den Auftrag der Verkündigung waren vielgestaltige Dienste nötig, unter ihnen die Dienste der
Apostel, Propheten, Lehrer, Vorsteher, Bischöfe,
Diakone. Diese Funktionen wurden im Neuen Testament
als Charismen im Dienste an der Gemeinde verstanden.
Unter diesen Diensten wurde der Dienst der Gemeinde-
gründung und -leitung auf verschiedene Weise wahrgenommen,

> "und zwar nicht ausschließlich aufgrund einer
> Handauflegung durch die Apostel oder durch die
> von ihnen Beauftragten vollzogenen Einsetzung"
> (Nr. 8).

Bekannt sind Sendungen von Charismatikern, Sendungen
durch Gemeinden und freie missionarische Ausübung.

Der Dienst der Apostel ist einmalig und grund-

legend. Daher muß die Kirche in all ihrem Dienst
an den Menschen dem Vorbild ihres Dienstes treu
bleiben: im Dienst der Christusbotschaft, der
Gründung und Leitung von Kirchen und der Wahrnehmung der Einheit. In diesem Dienst stehen die
Leiter der Gemeinde gegenüber, nehmen ihn aber nur
in der Gemeinschaft mit allen anderen Diensten
wahr und wissen sich von der Gnade Gottes abhängig.

Für die Apostolizität gilt auch hier:

"Das Gebot der apostolischen Nachfolge gilt
nicht nur den Leitern, sondern der Kirche als
ganzer und damit jedem einzelnen Glied für den
Dienst, in den es durch die Gabe des Geistes
gestellt ist" (Nr. 9).

Die Konkretion dieser allgemeinen apostolischen
Sukzession, so kommt das Memorandum auf das besondere Amt zu sprechen, findet sich dort, wo auf besondere Weise die apostolische Überlieferung und der
apostolische Dienst fortgesetzt wird. Die bischöfliche Handauflegung ist aufgrund der Tatsachen, daß
Dienste nicht nur aufgrund der apostolischen Handauflegung ausgeübt wurden und sich die Unterscheidung von Bischöfen und Priestern erst allmählich
ergab, nicht die ausschließliche Bedingung der apostolischen Sukzession. Das Memorandum würdigt die
Kette der Handauflegungen als Hilfe zur Bewahrung
der Überlieferung und als Zeichen von Einheit und
Kontinuität. Anschließend wird folgende Definition
des kirchlichen Amtes vorgenommen: es

"meint eine im apostolischen Auftrag gründende
Institution in der Kirche, der bestimmte per-
songebundene Funktionen mit entsprechenden Rechten und Pflichten in und für eine kirchliche
Öffentlichkeit übertragen sind" (Nr. 11).

Dieses Amt bedeutet dann nicht Herrschaft, sondern
Dienst und wird in Zusammenarbeit mit allen anderen
Diensten ausgeübt. Der Dienst der Leitung, der jeder Gemeinde bedarf, kann durch einzelne oder kollegial ausgeübt werden. Die Aufgabe der Leitung be-

steht in der öffentlichen Wahrnehmung der gemeinsamen Sache aufgrund der besonderen Beauftragung
im Geist Christi. Diese Aufgabe bedeutet wesentlich
die Verkündigung des Wortes, den Vollzug der Sakramente und das persönliche Engagement in Gemeinde
und Gesellschaft. Die konkrete Ausgestaltung des
Amtes muß funktionsgerecht und flexibel sein und
kann auf verschiedene Weisen wahrgenommen werden:
von Frauen und Männern, von Akademikern und Nicht-
akademikern, von Verheirateten und Unverheirateten,
hauptberuflich und nebenberuflich, auf Zeit und
lebenslang. Das Memorandum betont in diesem Zusammenhang, daß die gegenwärtige Auflösung des kleri-
kalen Standes nicht die Auflösung des kirchlichen
Leitungsdienstes überhaupt bedeutet.

Zur Vollmacht der Gemeinde und des besonderen
Amtes wird gesagt, daß ihr Ursprung allein im einen
Geist Christi liegt und das Evangelium ihr Maßstab
ist, was immer neu überprüft werden muß.

Die Berufung ins Amt erfolgt traditionellerweise unter Gebet und Handauflegung. Dieses Amt ist
mit der Sendung der ganzen Kirche verbunden und
nimmt an der Sendung Christi teil. Im Unterschied
zum allgemeinen Priestertum bevollmächtigt die Ordination zur öffentlichen Wahrnehmung der einen
Sendung Christi, wobei Verkündigung und Sakramentenverwaltung die zentralen Inhalte sind. Die Ausübung dieser Vollmacht geschieht in verschiedenen
Funktionen. Im Einzelfall aber, so das Memorandum,

> "kann die Ordination für den Ordinierten und die
> Gemeinde Bestätigung eines Charismas oder Beru-
> fung mit der Verheißung des Charismas bedeuten"
> (Nr. 15).

Das Problem der Sakramentalität der Ordination, das
zwischen den Konfessionen kontrovers ist, wird hier
als "Frage der Sprachregelung" (Nr. 16) bezeichnet.

Wenn man die Ordination als Teilnahme am Mysterium
Christi oder als Zeichen der Gabe des Geistes versteht, kann man sie sakramental deuten. Wenn man
aber die Handauflegung durch Jesus für sie als konstitutiv ansieht, dann ist sie kein Sakrament. Gemeinsam ist den Kirchen das Verständnis der Ordination als Inanspruchnahme der Ganzheit des Ordinierten, was die Einmaligkeit der Ordination zur Folge
hat (was wiederum nicht bedeutet, daß der Ordinierte sein Amt lebenslang ausüben muß).

b) Folgerungen (Nr. 18-23)

Die Folgerungen hinsichtlich der Reform des
Amtes in beiden Kirchen (Nr. 18-20), die sich auf
die einleitende Situationsanalyse beziehen und hinsichtlich der ökumenischen Zusammenarbeit (Nr. 21),
die bereits bekannte praktische Vorschläge enthalten, können hier entfallen. Von Interesse sind die
Folgerungen hinsichtlich der gegenseitigen Anerkennung der Ämter (Nr. 22-23). Einleitend betont
das Memorandum, daß durch neue theologische Ein-
sichten die beiden bis anhin eine Ämteranerkennung
verhindernden Probleme, apostolische Sukzession und
Ordination, heute nicht mehr kirchentrennend seien
und begründet diese Überzeugung folgendermaßen
(Nr. 22):

- Die Ordination durch ordinierte Priester ist in
  beiden Kirchen bekannt und der Unterschied von Bischöfen und Priestern ist geschichtlich gewachsen,
  mithin nicht dem göttlichen Recht zuzuordnen.
- Ob die Ordination ein Sakrament ist oder nicht,
  liegt im Bereich der Sprachregelung.
- Das Verständnis des character indelebilis (sacra-
  mentalis) als höhere Weise der Begnadigung ist
  eine Fehldeutung und muß abgelegt werden.
- Die Ordination ist die angemessenste Form der Amts-

übertragung und kann nicht durch eine Investi-
tur ersetzt werden.

- Bei der apostolischen Sukzession und ihrer Konkretion in der Ordination sind theologisch folgende Formen denkbar: die Ordination erfolgt
durch Ordinierte unter Mitwirkung der Gemeinde;
sie erfolgt durch die Gemeinde unter Anerkennung
oder Mitwirkung von kirchlichen Amtsträgern;
kirchliche Amtsträger und andere Glieder der Kirche anerkennen einen in pneumatischer Freiheit
entstandenen und faktisch ausgeübten Dienst.

Den Abschluß dieses Dokumentes bildet die These, die in der Diskussion danach die meist umstrit-
tenste wurde. Sie lautet:

"Da einer gegenseitigen Anerkennung der Ämter
theologisch nichts Entscheidendes mehr im Wege
steht, ist ein hauptsächliches Hindernis für
die Abendmahlsgemeinschaft überwunden"

und wo Übereinstimmung im Glauben an Christi Realpräsenz in der Eucharistie besteht, ist die gegenseitige Zulassung zum Abendmahl möglich (Nr. 23).
Mit diesen Aussagen eröffnen sich die Dimensionen,
die das Memorandum bei der Möglichkeit einer gegenseitigen Ämteranerkennung in Aussicht gestellt hat:
Abgesehen von der ungeklärten Frage des Papsttums
haben verbleibende Besonderheiten in den Amtsstrukturen keinen kirchentrennenden Charakter mehr; die
künftige Gestalt und Struktur des kirchlichen Amtes
kann von den beiden Konfessionen gemeinsam entwickelt
werden; einer legitimen Vielfalt wird Raum gegeben
und die Krise des Amtes kann so überwunden werden,

"da die Kirche ihrem Auftrag in der Geschichte
der Menschheit neu gerecht werden kann" (Nr. 5).

Die Reaktion auf die kompakten und prägnanten
Thesen war enorm und es ist hier nicht der Platz, um
die Fülle von Aufsätzen und Stellungnahmen wiederge-

ben zu können. Die Reaktionen reichen von völliger Ablehnung[52] über differenzierte Auseinandersetzungen (welche die Mehrheit darstellen) bis hin zu sehr großer Zustimmung (wobei niemand zum Memorandum ungeteilt Ja sagen konnte).[53]

Die Gründe, die "einen Sturm der Entrüstung entfesseln konnten"[54] liegen wohl zum einen darin, daß in den Kirchen die verschiedenen Diskussionen über das kirchliche Amt zu wenig beachtet wurden und daher die Ergebnisse des Memorandums zu überraschend wirkten und zum anderen darin, daß das Memorandum anders als alle anderen Konsensdokumente seine Konsequenzen nicht in vorsichtiger Frageform den kirchlichen Autoritäten zur Prüfung vorgelegt hat, sondern sie in eindeutige,klare Forderungen kleidete.[55]

Bei den kritischen, meist aber positiven Reaktionen wird das Memorandum als erfreulich großen Fortschritt bezeichnet, der die ökumenischen Bemühun-

---

52 Vgl. z.B. Stellungnahme der Glaubenskommission der Deutschen Bischofskonferenz zum Memorandum, in: Amt im Widerstreit, 139f.; Eine Erklärung des Vorsitzenden des ökumenischen Kommission der Bischofskonferenz, Lorenz Kardinal Jaeger, a.a.O. 141; Stellungnahme der Deutschen Bischofskonferenz, a.a.O. 149f.

53 Vgl. z.B. Stellungnahme der Arnoldshainer Konferenz zum Memorandum "Reform und Anerkennung kirchlicher Ämter" (vom 2. Oktober 1973), in: Amt und Ordination im Verständnis evangelischer Kirchen und ökumenischer Gespräche, Arnoldshainer Konferenz, hg. Alfred Burgsmüller u. Reinhard Frieling, Gütersloh 1974, 120ff.

54 Karl Lehmann, Streit um die ökumenische Anerkennung kirchlicher Ämter, in: Amt im Widerstreit, 151.

55 Vgl. Walter Kasper, Ökumenischer Fortschritt im Amtsverständnis?, a.a.O. 52f; K. Lehmann, Streit um die ökumenische Anerkennung kirchlicher Ämter, 151ff.

gen ihrem Ziel ein weiteres Stück entgegenbringt und
die Kirchen zum Nachdenken herausfordert und daher
aus ökumenischer Dringlichkeit nicht vorschnell abgelehnt werden darf.[56] Im allgemeinen wird anerkannt,
daß der Ansatz zum Verständnis des Amtes und die
wichtigsten Aussagen richtig sind, daß die Ergebnisse zu großen Teilen mit denen anderer Dialoggruppen übereinstimmen[57] (wobei das Memorandum vor allem
in den Folgerungen über diese hinausgeht) und daß
die festgestellten Konsense doch beträchtlich sind.[58]

Kritisiert werden am Memorandum (vor allem von
katholischer Seite her) gewisse Lücken (z.B. die totale Ausklammerung der Papstfrage, die mangelnden
Hinweise auf die Hierarchie des Amtes und die mangelnde Bezugnahme auf das konstitutive Bischofsamt), gewisse Undifferenziertheiten (z.B. welche Vollmacht
aufgrund der Berufung Gottes in der Kraft des heili-

---

56 Demgegenüber bezeichnen z.B. die unter Anm. 52 ge-
    nannten katholischen Stellungnahmen das Memorandum
    als keinen weiterführenden Beitrag zur ökumenischen
    Diskussion.

57 Erwähnt werden hier vor allem die Ergebnisse der
    Gruppe von Dombes, USA II und der lutherischen-katho-
    lischen Studienkommission auf Weltebene. Was das Vor-
    liegen von Dombes III bei der Abfassung des Memoran-
    dums betrifft, gibt es zwei völlig entgegengesetzte
    Ansichten: Während H. Schütte (Amt, Ordination und
    Sukzession, 408, Anm. 36) feststellt, Dombes III
    hätte den Verfassern des Memorandums nicht vorgele-
    gen, konstatiert Paul-Werner Scheele (Hilfe aus
    Dombes?, 77) einen wiederholten Bezug des Memorandums
    auf Dombes III. Da Dombes III 1972 abgefaßt wurde,
    ist die Kenntnis dieses Dokumentes anzunehmen, daß
    sich das Memorandum darauf explizit stützt, geht
    aufgrund der Querverweise nicht hervor.

58 Vgl. z.B. W. Kasper, Ökumenischer Fortschritt im
    Amtsverständnis?, 58; K. Lehmann, Streit um die öku-
    menische Anerkennung kirchlicher Ämter, 155; Karl
    Rahner, Vom Sinn und Auftrag des kirchlichen Amtes,
    in: Amt im Widerstreit, 142ff.; H. Schütte, Amt,
    Ordination und Sukzession, 407.

gen Geistes genau gemeint ist), gewisse Unklarheiten
(z.B. welche Anerkennung der Ämter gemeint ist: die
Anerkennung der gegenwärtigen und/oder der vergangenen?), gewisse Einseitigkeiten (z.B. die Unterordnung
des Glaubens unter die historische Vernunft und der
Rückgriff allein auf das Neue Testament unter Aus-
schluß des Glaubens der Kirche), gewisse Abkürzungen
(z.B. die mangelnde Klärung des Verhältnisses von
Glaube und Kirche, von Eucharistie und Kirche) und
gewisse Unstimmigkeiten (z.B. die Behauptung der
Amtsausübung aufgrund einer freien missionarischen
Sendung und die daraus resultierende Relativierung
der sakramentalen Ordination).[59] Vor allem aber wer-

---

59 Vgl. z.B. A. Gerken, Gemeinsames und Trennendes im
    katholischen und evangelischen Amtsverständnis, 322;
    Hubert Jedin, Eine Frage der Sprachregelung?, in:
    Amt im Widerstreit, 26ff.; W. Kasper, Ökumenischer
    Fortschritt im Amtsverständnis, 56ff.; K. Lehmann,
    Ämteranerkennung und Ordinationsverständnis, in Cath
    (M) 27 (1973), 248-262; ders., Streit um die ökume-
    nische Anerkennung kirchlicher Ämter, 153-156; K.
    Rahner, Vom Sinn und Auftrag des kirchlichen Amtes,
    144f.; Josef Ratzinger, Bemerkungen zur Frage der
    apostolischen Sukzession, in: Amt im Widerstreit,
    37ff.; 45; H. Schütte, Amt, Ordination und Sukzes-
    sion, 408ff.; Stellungnahme der Glaubenskommission
    der Deutschen Bischofskonferenz zum Memorandum,
    139f.; Stellungnahme der Theologischen Kontaktkom-
    mission der (evangelischen und katholischen) Kirchen-
    leitungen in Hessen zum Memorandum "Reform und Aner-
    kennung kirchlicher Ämter" vom November 1973, in:
    Amt und Ordination im Verständnis evangelischer Kir-
    chen und ökumenischer Gespräche, 123; Hans Jörg Ur-
    ban, Bemerkungen aus katholischer Sicht zum Verständ-
    nis des kirchlichen Amtes im Memorandum, in: US 28
    (1973), 280ff. - Auf diese Kritiken hin haben u.a.
    Stellung genommen: Erklärung der Arbeitsgemeinschaft
    der Ökumenischen Universitätsinstitute vom 15. Feb-
    ruar 1973, in: Amt im Widerstreit, 146ff.; Heinrich
    Fries, Reform und Anerkennung kirchlicher Ämter: Ein
    Wort zum Memorandum der Arbeitsgemeinschaft ökumeni-
    scher Universitätsinstitute, in: Cath(M) 27 (1973),
    188-208; Wolfhart Pannenberg, Ökumenische Einigung
    über die gegenseitige Anerkennung der kirchlichen
    Ämter?: Zu den Intentionen des Memorandum der öku-
    menischen Universitätsinstitute, in: Cath(M) 28
    (1974), 140-156.

den in fast allen Stellungnahmen die Schlußfol-
gerungen, wie sie in Nr. 23 des Memorandums gezogen werden, abgelehnt. Diesen Schritt erachten
die meisten bei aller Anerkennung der Konsense
als zu vorschnell, wünschen eine noch differen-
ziertere Klärung der angesprochenen Probleme.
Manche wünschen auch den größeren Einbezug anderer
Kirchen (z.B. der anglikanischen und der orthodoxen) und die Klärung der Frage, wie sich eine
Ämteranerkennung der lutherischen und der katholischen Kirche auf das Verhältnis zu anderen Kirchen
(vor allem der orthodoxen) auswirken würde. Andere
regen aufgrund des Memorandums (und den dabei zum
Tragen kommenden Ergebnisse auch anderer Gespräche)
eine ernsthafte Prüfung der Möglichkeit einer gegenseitigen Anerkennung.

Den Weg der gegenseitigen Anerkennung der Ämter,
so der Mitverfasser H. Fries, wollte das Memorandum
dann auch nicht abkürzen, da es sich der Notwendigkeit des Entscheides durch die Kirchenleitungen bewußt ist:

> "Die Leitungen der Kirchen sollten durch das Me-
> morandum nicht unter Druck gesetzt, sondern auf
> ihrem Weg zum unaufgebbaren und verpflichtenden
> Ziel: Einheit der Christen - ermutigt und für
> die zu treffenden Entscheidungen mit Hoffnung
> erfüllt werden."[60]

Auf diese oder jene Weise hat das Memorandum ohne
Zweifel die Diskussionen um das kirchliche Amt wesentlich angeregt, ja provoziert, beeinflußt und

---

60 Heinrich Fries, Was heißt Anerkennung?, in: Amt
    im Widerstreit, 121.

mitbestimmt. Seine pointiert vorgetragene Schluß-
these aber versagte ihm wohl die entsprchende Anerkennung.[61]

3. Das lutherisch-katholische Gespräch auf Weltebene:
Das geistliche Amt in der Kirche (1981)

Wie bereits angedeutet[62], hat die lutherisch-
katholische Studienkommission zwischen dem LWB und
dem Einheitssekretariat zum ersten Mal im Jahre
1972 in ihrem Bericht "Das Evangelium und die Kirche" grundlegend über das kirchliche Amt gehandelt.
Die Überlegungen wurden damals im Bewußtsein unternommen, daß die Stiftung des Amtes, seine Stiftung
in der Kirche und sein rechtes Verständnis eine der
zentralsten Fragen zwischen den beiden Konfessionen
darstellt, weil sich hier die Konkretion der Frage

---

61 Zum Memorandum der Ökumenischen Universitätsinstitute vgl. auch den ganzen Sammelband "Amt im Widerstreit". Weitere Stellungnahmen bieten z.B. Heinrich Fries, Ökumenisches Amtsverständnis, in: StZ
192 (1974), 555-564; Günther Gaßmann, Heißes Eisen
auf kleiner Flamme: Zum Memorandum über die Anerkennung kirchlicher Ämter, in: LM 12 (1973), 195-
198; Gerhard W. Ittel, Zur Reform und Anerkennung
kirchlicher Ämter: Zustimmung-Anfragen-Kritik aus
evangelischer Sicht zum Ämter-Memorandum der Arbeitsgemeinschaft ökumenischer Universitätsinstitute, in: US 30 (1975), 66-72; Karl Lehmann, Nach dem
Streit um das Ämtermemorandum: Kleine Antwort auf
W. Pannenbergs Beitrag (vgl. Anm. 51), in: Cath(M) 28
(1974), 157-160; Heribert Mühlen, Das mögliche Zentrum der Amtsfrage, 329-358; Alois Müller, Amt als
Kriterium der Kirchlichkeit? Kirchlichkeit als Kriterium des Amtes?, in: Theologische Bericht 9,
Zürich 1980, 114f.; Vinzenz Pfnür, Das Problem des
Amtes in heutiger lutherisch/katholischer Begegnung,
in: Cath(M) 28 (1974), 114-134.

62 Vgl. oben, 667.

nach der Stellung des Evangeliums in und über der
Kirche ergibt.[63] Obwohl die Studienkommission bereits im Jahre 1972 ihren Kirchenleitungen die
Prüfung einer möglichen gegenseitigen Ämteranerkennung empfehlen konnte (und die lutherischen
Teilnehmer bereits zu diesem Zeitpunkt eine gelegentliche Kanzelgemeinschaft und gelegentliche gemeinsame eucharistische Feiern für möglich hielten[64]), wurden damals gewisse Aspekte nicht oder
zu wenig ausführlich behandelt.[65] Das gemeinsame
Verständnis des geistlichen Amtes auf ein breite-
res Fundament zu stellen[66] und die bestehenden Unterschiede noch besser erkennen zu können, das hat
sich dann die Studienkommission nach den Diskussionen um das Herrenmahl[67] unter Miteinbezug weiterer in der Zwischenzeit erschienener Dokumente

---

63 Vgl. Das Evangelium und die Kirche, Nr. 47. Vgl.
   zu der Gesprächslage in dieser Zeit auch Albert
   Brandenburg, Kirchliches Amt, Petrusdienst und
   Ökumene: Ansätze einer Konvergenz zwischen lutherischen und katholischen Christen, in: StZ 193
   (1975), 613-623; Johann W. Mödlhammer, Amtsfrage
   und Eucharistieverständnis: Eine Überlegung zum
   theologischen Standort des katholisch-evangelischen Gesprächs, in: Cath(M) 28 (1974), 135-139.

64 Vgl. Das Evangelium und die Kirche, Nr. 63-64.

65 Vgl. Das geistliche Amt in der Kirche, Nr. 1.

66 Dabei wurde neu vor allem das Bischofsamt mit berücksichtigt (vgl. a.a.O. Nr. 2). Eine Einschränkung
   in den Ausführungen hat das Dokument in der christologischen und pneumatologischen Begründung vorgenommen, da es in diesem Punkt keine grundlegenden
   Kontroversen zwischen den Kirchen gibt und die Behandlung der Papstfrage (als noch schwieriges Problem zwischen den Kirchen) aufgrund ihrer Komplexi-
   tät und der Tatsache, daß die Behandlung des geistlichen Amtes für die katholische Kirche (wie das
   ihre Einstellung zum orthodoxen Amt deutlich macht)
   nicht unmittelbar von ihr abhängt, ausgelassen
   (vgl. a.a.O. Nr. 3).

67 Vgl. oben, 458-479.

zur Aufgabe gemacht[68] und hat die Ergebnisse ihrer
Gespräche im Jahre 1981 mit dem Dokument "Das geistliche Amt in der Kirche" einer breiten Öffentlichkeit zugänglich gemacht.

Dem eigentlichen Dokument sind eine Dokumentation über Ordinationsliturgien und zwei Exkurse, der
eine über die Frauenordination, der andere über den
Priester als Mittler, beigefügt.[69] Hier soll lediglich das gemeinsam erarbeitete Dokument zur Sprache
kommen.

a) Gottes Heilswirken durch Christus im heiligen Geist
   (Nr. 6-15)

Auch dieses Dokument betont als gemeinsames
Zentrum das Heilswirken Gottes, wie es durch Jesus
Christus im heiligen Geist geschieht. Durch seinen
Tod am Kreuz, der als einmaliges, gehorsames Opfer
für die Sünden der Welt den Höhepunkt ihrer Erlösung
bedeutet, ist Christus der einzige Mittler zwischen
Gott und den Menschen. Durch ihn geschieht in der
Gemeinschaft des heiligen Geistes die Versöhnung mit
dem Vater.

Diese christologische Mitte ist nicht zu trennen
von der pneumatologischen Dimension: Christus ist in
der Kirche durch die Ausgießung des Geistes: der heilige Geist führt die Gläubigen immer tiefer in Christi

---

68 Dabei bezieht sich das Dokument (neben seinem eige-
    nen aus dem Jahre 1972) u.a. auf folgende Dokumente:
    Accra 1974 III (vgl. unten, 734-756); USA II; Dombes
    III; IV. Auf das Memorandum der ökumenischen Univer-
    sitätsinstitute wird kein Bezug genommen.

69 Frieder Schulz, Dokumentation der Ordinationslitur-
    gien, in: Das geistliche Amt in der Kirche, 57-101;
    Hervé Legrand u. John Vikström, Die Zulassung der
    Frau zum Amt, a.a.O. 102-126; Yves Congar, Ein Mitt-
    ler, a.a.O. 127-134.

Wort und Werk ein, durch ihn schenkt Christus Heil, Freiheit, Friede, Versöhnung, Rechtfertigung und neues Leben, durch ihn sind wir Christi neue Schöpfung, er selber ist die Gabe des Heiles.

Nachdem es heute zwischen den Kirchen einen Konsens gibt in der Rechtfertigungslehre, ist auch ein gemeinsamer Ausgangspunkt für die Frage nach der Heilsvermittlung in der Geschichte gegeben: Analog zu seiner Sendung durch den Vater sendet Christus Jünger und betraut sie mit der Verkündigung des Evangeliums.

> "Die Verheißung und die Ausgießung des Heiligen
> Geistes gibt den Aposteln die Gewißheit, daß
> sie nicht in eigener Kraft handeln, sondern im
> Auftrag des Auferstandenen" (Nr. 10).

Das Zeugnis des Evangeliums setzt nun Zeugen voraus, das Werk der Versöhnung braucht den Dienst der Versöhnung: Durch diesen Dienst gibt Christus Anteil an seiner einmaligen Heilstat und sammelt durch ihn im Geist die Kirche. Diese Kirche ist die Gemeinschaft, in der die Heilsgaben empfangen, gelebt, bezeugt und vermittelt werden. Der heilige Geist befähigt und verpflichtet die Kirche zum Zeichensein für das erworbene Heil. Dadurch ist die Kirche berufen und hat einen besonderen Auftrag, sie ist so das heilige Priestertum. Jedem Gläubigen in der Kirche ist es aufgetragen, das empfangene Heil weiterzugeben, Zeugnis abzulegen, Gott zu loben und den Menschen in Liebe zu dienen. Dazu empfängt jeder Getaufte ein Charisma für den Dienst in der Kirche und zu ihrem Aufbau. Dieses Verständnis vom gemeinsamen Priestertum war in der frühen Kirche allgemein anerkannt, ging dann in den beiden Kirchen unter und ist heute wieder neu aufgewertet.

Innerhalb dieses gemeinsamen Priestertums gibt Gott viele Ämter. Wer in den Dienst der Versöhnung

berufen und wem das Wort der Versöhnung anvertraut
ist, der ist Gesandter an Christi Statt. Er ist
nicht Herr des Glaubens, sondern Diener der Freude.
Er tut seinen Dienst in der und für die Gemeinde.
Durch diese den beiden Kirchen gemeinsame Überzeugung vom gemeinsamen Priestertum und dem Dienst-
charakter des Amtes ergibt sich eine gemeinsame
Ausgangsposition für die Klärung von offenen Fragen
im Verständnis des geistlichen Amtes, deren Ergebnis nun nachfolgend dargelegt wird.

b) Das ordinierte Amt in der Kirche (Nr. 16-39)

aa) Ursprung und Verpflichtung (Nr. 16-18)

Das einmalige Fundament für die Kirche sind
für immer die Apostel, deren unmittelbare Sendung
einmalig und unübertragbar ist. Auf diesen apostolischen Anfang ist die Kirche immer verwiesen.

"Die Lehre von der apostolischen Sendung betont
die bleibende Normativität des apostolischen
Ursprungs und will zugleich sagen, daß der Auftrag zur Mission weitergeführt werden muß"
(Nr. 16).

Mit dem Auftrag an die Apostel zur Evangeliumsverkündigung war die Verantwortung für den Aufbau
und die Leitung der Gemeinden verbunden, welcher
weitergeführt werden mußte. Im Neuen Testament hat
sich aus den vielen Ämtern allmählich ein besonderes
Amt herausgebildet, das als Nachfolgeamt der Aufgabe
der von Christus gesandten Apostel gedeutet wurde.
Daher ist zu sagen: Das besondere Amt, das Christus
in den Aposteln grundgelegt hat, ist und bleibt in
der Kirche wesentlich. Das Problem zwischen den beiden Kirchen ist heute noch die genauere theologische
Bestimmung des Unterschiedes und Verhältnisses von
gemeinsamem und besonderem Amt. Gemeinsam aber ist
die Überzeugung, daß ein besonderes Amt für die Kirche normative Bedeutung hat. Dieses bleibende beson-

dere Amt aber kann seine Gestalt je nach geschichtlicher Situation verändern, um so offen zu bleiben
für den missionarischen Auftrag der Kirche.

bb) Die christologische und pneumatologische Dimension
(Nr. 19-22)

Hier nimmt das Dokument seine Ausführungen
unter Nr. 11-14 auf und führt weiter aus: in der
frühen Kirche gab es eine Vielfalt von Charismen
(unter ihnen auch das der Leitung). Aus ihnen hat
sich allmählich ein besonderes Amt herausgebildet,
das unter Rückbindung an das apostolische Fundament die Sendung Christi vergegenwärtigt und die
Priorität der göttlichen Initiative und die Autorität Gottes in der Kirche bezeichnet. Das bedeutet: das besondere Amt beruht nicht nur auf einer
Delegation durch die Gemeinde, sondern auf der
Stiftung durch Jesus Christus.[70] Damit ist das besondere Amt in der Kirche ganz deutlich dem Amt
Christi untergeordnet:

"Jesus Christus ist es, der im Heiligen Geist
in der Verkündigung des Wortes Gottes, in der
Spendung der Sakramente und im Hirtendienst
wirkt" (Nr. 21).

Indem der Amtsträger durch Christus in Dienst genommen wird, wird er Werkzeug und Organ. Wenn seine
Funktion im katholischen Raum mit "Priester" umschrieben wird, dann soll damit das Anteilhaben im
Geist am einmaligen Priestertum Christi zum Ausdruck
kommen, wodurch dieses vergegenwärtigt wird. Wenn
demgegenüber Lutheraner mit dem Ausdruck "Priester"

---

70 Diesen Sachverhalt, so das Dokument in einer Erläuterung, will die katholische Kirche mit der Aussage vom wesensmäßigen Unterschied von gemeinsamem
und besonderem Amt (vgl. LG, Nr. 10) zum Ausdruck
bringen (vgl. Das geistliche Amt in der Kirche, 21,
Anm. 23).

Zurückhaltung üben, dann deshalb, um den Unterschied von geistlichem Amt in der Kirche und dem
Priestertum Christi nicht zu verwischen. Beide
Kirchen sind sich einig, daß bei der Eucharistie
der Priester keine Vollmacht über Christus hat,
sondern indem er in seinem Namen und Auftrag handelt, handelt Christus durch ihn. In diesem Sinn
Werkzeug-sein bedeutet für den Amtsträger die Vergegenwärtigung des Kreuzes Christi nicht nur durch
die Wortverkündigung und die Spendung der Sakramente, sondern auch durch sein Leben und seinen
Dienst. Sein Amt bedeutet keine Machtposition, sondern ist geprägt durch radikalen Gehorsam gegenüber
Christus.

cc) Amt und Gemeinde (Nr. 23-25)

Beide Kirchen sind sich grundlegend einig, daß
das Amt in der Gemeinde und im Auftrag Christi und
im Vergegenwärtigen Christi ihr auch gegenüber steht.
Die dem Amtsträger zukommende Vollmacht bedeutet
keinen individuellen Besitz, sondern sie ist ihm für
den Dienst in der Gemeinde und für sie verliehen.
Dabei nimmt die ganze Gemeinde teil an der Ausübung
der Vollmacht. Da es Christus im Amtsträger ist, der
in der Gemeinschaft und für sie wirkt, muß der Amtsträger Freiheit und Brüderlichkeit in der Gemeinde
fördern:

> "Die christliche Freiheit, Brüderlichkeit und
> Verantwortlichkeit der gesamten Kirche und aller
> ihrer Glieder muß ihren Ausdruck in konziliaren,
> synodalen Strukturen der Kirche finden" (Nr. 24).

In diesem Zusammenhang dann erfolgt ein kurzes
Wort zur Stellung der Frau in der Kirche: In der
Kirche als durch den heiligen Geist neugeschaffene
Gemeinschaft haben Männer und Frauen den Auftrag zum
Dienst. Die Beteiligung der Frauen an diesem Dienst
muß heute vergrößert werden. Da die katholische Kir-

698

che gegenüber den lutherischen Kirchen heute noch
keine Berufung von Frauen ins geistliche Amt kennt,
bestehen zwischen den Kirchen (und quer durch sie
hindurch) unterschiedliche Auffassungen. Dennoch,
so betont das Dokument, ist auch bei unterschiedlichen Auffassungen darüber, wer alles ordiniert
werden kann, ein Konsens über Wesen und Bedeutung
des Amtes möglich.

dd) Die Funktion des Amtes (Nr. 26-31)

In früheren Zeiten gingen Lutheraner und Katholiken von verschiedenen Ausgangspunkten aus, um
die Funktion des Amtes zu bestimmen: Die Betonung
vor allem der sakramentalen Funktion (und hier vor
allem der Darbringung des Meßopfers) hat die Reformation zur Betonung der Wortverkündigung geführt.

Auf der Grundlage des Zweiten Vatikanischen
Konzils, das die Wortverkündigung, die Sakramentenspendung und den Hirtendienst als wesentliche Amts-
funktionen bestimmt, geht die katholische Theologie
heute oft vom Hirtendienst, der auch Dienst an der
Einheit der Kirche ist, aus, um das Ganze des geistlichen Amtes zu bestimmen. Aus dem Verständnis des
Dienstes des Amtes an der Einheit ergibt sich in der
katholischen Kirche auch die konstitutive Bedeutung
des ordinierten Amtes bei der Feier der Eucharistie,
dem Sakrament der Einheit, der Quelle und dem Höhepunkt kirchlichen Lebens.

Demgegenüber hat die Reformation gegen das
Opferpriestertum und um die Einmaligkeit des Priestertums Christi zu retten, die Wortverkündigung und
die Sakramentenverwaltung betont. Dadurch wird Glaube
geweckt und die Gemeinde Christi auferbaut. Die Einheit der Kirche hat ihren Grund in der rechten Evangeliumsverkündigung und der evangeliumsgemäßen Sa-

kramentenverwaltung. Mit diesen Aufgaben ist ein
von Gott eingesetztes Amt betraut. Daher kann dann
auch hier festgehalten werden, daß auch in den lutherischen Kirchen ein Dienst an der Einheit der
Kirche zu ihren grundlegenden Kennzeichen gehört.
Daraus ergibt sich die Konsequenz für die Feier des
Abendmahls: sie braucht (auch wenn nicht für die
Gültigkeit) einen ordinierten Amtsträger als Sakramentenverwalter. Damit hat das Amt in den lutherischen Kirchen nicht nur eine Ordnungsfunktion, sondern es hat eine wesentliche Bedeutung für die
öffentliche Darstellung kirchlicher Einheit.

Daher kann dann im Dokument gemeinsam ausgesagt werden,

> "daß die wesentliche und spezifische Funktion
> des ordinierten Amtsträgers darin besteht, die
> christliche Gemeinschaft durch die Verkündigung
> des Wortes Gottes sowie durch die Feier der Sa-
> kramente zu sammeln und aufzuerbauen und das
> Leben der Gemeinschaft in seinen liturgischen,
> missionarischen und diakonischen Bereichen zu
> leiten" (Nr. 31).

ee) Sakramentalität der Ordination (Nr. 32-35)

Die Berufung ins Amt geschieht unter Gebet und
Handauflegung, was die Gabe des heiligen Geistes für
immer verheißt und verleiht[71], innerhalb der gottesdienstlichen Gemeinde. Mit dieser gemeinsamen Überzeugung sieht das Dokument die Möglichkeit einer
Konvergenz in der Frage nach der Sakramentalität
der Ordination. Zwar ist die katholische Lehre von
dieser Sakramentalität verbindlich, da jedoch die Lutheraner diese nicht völlig ausschließen und wenn die
oben genannte Überzeugung gegeben ist, besteht in die-

---

71 Vgl. dazu Memorandum, Nr. 16: Hier ist unklar, ob
    die verheißene Gabe durch die Ordination auch zu-
    teil wird.

ser Frage kein kirchentrennender Charakter mehr.
Beide Kirchen lehnen auch die Ordination lediglich
als Anstellung oder Einweisung ins Amt ab.[72]

Aus dieser Übereinstimmung sind dann auch gemeinsame Aussagen über den Spender der Ordination
möglich: Primär ist es Christus, der durch den
Geist den Ordinierten bewegt, stärkt und segnet.
Das ordinierte Amt, das die göttliche Initiative
und die Einheit der Kirche deutlich macht, nimmt
unter der Beteiligung an der Berufung und Bestel-
lung durch die Gemeinde, die Ordination des neuen
Amtsträgers vor. Dadurch kommt auch zum Ausdruck,
daß der neue Amtsträger sein Amt nur in Gemeinschaft
mit anderen Amtsträgern und der Gemeinde ausüben
kann. (Diesen Konsens kann auch die lutherische Praxis nicht gefährden, die in Notsituationen für Ausnahmefälle die Betrauung mit einem Amt durch die
Gemeinde kennt.)

ff) Die Einmaligkeit der Ordination (Nr. 36-39)

Die Berufung zum Dienst in der Kirche durch
Christus ist einmalig, wogegen die Beauftragung für
den Dienst in einer konkreten Gemeinde wiederholt
und unter Umständen entzogen werden kann und sich
damit von der Ordination unterscheidet.[73]

Hierbei hat nun die katholische Lehre vom

---

72 Damit hat die Studienkommission ihr gemeinsames
    Verständnis hinsichtlich der Ordination gegenüber
    ihrem Bericht aus dem Jahre 1972 inhaltlich präzi-
    siert. Damals wurde das Problem der Sakramentali-
    tät der Ordination lediglich als terminologische
    Frage gedeutet und die Faktizität der gemeinsamen
    Praxis konstatiert (vgl. Das Evangelium und die
    Kirche, Nr. 59).

73 Hier liegt nach der Meinung des Dokumentes auch die
    Unterscheidung, wie sie die katholische Kirche mit
    "ordo" und "iurisdictio" umschreibt (vgl. Das geist-
    liche Amt in der Kirche, Nr. 36).

"character indelebilis" als ontologische Kategorie
ein Problem im gemeinsamen Verständnis gebildet.
Dieser Character wird zusammen mit Taufe und Firmung gesehen. In der Lehre vom Character drückt
sich die Überzeugung aus,

> "daß die Berufung und Beauftragung durch Gott
> den Ordinierten für immer unter die Verheißung
> und den Anspruch Gottes stellt" (Nr. 37).

Heute steht die Deutung als Verheißung und Sendung
als bleibende Bestimmung für den Dienst Christi im
Vordergrund. Da nun auch die Lutheraner von der einmaligen Inanspruchnahme des Ordinierten (dessen
Dienst in der konkreten Gemeinde auch der Gesamtkirche gilt) überzeugt sind (ohne dabei vom character indelebilis zu sprechen), ist auch in dieser
Frage von einem sachlichen Konsens zu sprechen.[74]

c) Das Amt in den verschiedenen Ausformungen (Nr. 40-73)

aa) Die geschichtliche Entwicklung (Nr. 40-44)

Beide Kirchen kennen verschiedene Ämter, aber
auch eine verschiedene theologische Beurteilung dieser Verschiedenheit.

Die katholische Kirche kennt, altkirchlich begründet, das dreifache Amt. Das Zweite Vatikanische
Konzil hat nach langer Zeit deutlich gemacht, daß
dem Bischofsamt die Fülle des Amtes zukommt und die
Sakramentalität der Bischofsweihe festgestellt. Die
Priester sind in der Amtsausübung vom Bischof abhängig, wobei das Verhältnis von Bischöfen und

---

74 Vgl. dazu auch Das Amt im ökumenischen Kontext:
Stellungnahme des ökumenischen Studienausschusses
der VELKD und des DNK/LWB, 173.; "Überlegungen zur
Ordination heute" - Wortlaut des Votums des Theologischen Ausschusses der Arnoldshainer Konferenz
[28.2.1970], in: US 28 (1973), 314-320.

Priestern theologisch noch heute ungeklärt ist.

Die lutherische Kirche wollte die bischöfliche Verfassung und die Differenzierung zur Ermöglichung der wahren Wortverkündigung und wahren
Sakramentenverwaltung, aber nicht als formale Ge-
horsamsforderung beibehalten. Die geschichtlich
bedingte Unmöglichkeit aber hat das verhindert,
weshalb sie die Ordination durch ordinierte Pfarrer
als gültig erachtet, wenn sie im Namen der ganzen
Kirche (rite) geschieht. Daneben kennt die lutherische Kirche ein übergeordnetes Leitungs- und Auf-
sichtsamt. Bedingt durch die Notsituation in der
Reformation kennt ihre Ordnung aber keine Episkope
als regionales Leitungsamt. Die Funktionen von Bischof und Priester sind allmählich im Amt des
Pfarrers zusammengefallen. Dafür dann wurde die
theologische Deutung aus einer frühen Phase der
Kirchengeschichte fruchtbar gemacht.

Eine sachlich bedeutsame Konvergenz sieht das
Dokument in dieser Frage darin, daß beide Kirchen
regionale und übergeordnete Ämter kennt. Dabei stehen die übergeordneten Ämter im Dienst der Aufsicht
und der Einheit der Kirche und sind dazu mit besonderen Funktionen ausgerüstet: Lehramt, Ordination,
Visitation, Kirchenordnung und Firmung.

bb) Die theologische Unterscheidung zwischen Episkopat
und Presbyterat (Nr. 45-49)

Beide Kirchen anerkennen in der verschiedenen
Ausformung der Ämter das Wirken des heiligen Geistes.
Die Entfaltung des einen Amtes steht im Zusammenhang
mit dem Wesen der Kirche, die sich auf verschiedenen
Ebenen verwirklicht. Überall ist dabei wesentlich,
daß das Amt sowohl in der Gemeinde als auch ihr ge-
genübersteht. Daher kann hier das Dokument von einer
bemerkenswerten strukturellen Parallelität sprechen.

Die Unterschiede hier beziehen sich auf die
theologische Bezeichnung und Bewertung der einzelnen Stufen.

Für die Lutheraner ist die Unterscheidung
von Bischof und Pfarrer menschlichen Rechtes. Sie
anerkennen zwar den Dienst des Episkopates, mußten
ihn aber aufgrund der Notsituation[75] anders ordnen
als die katholische Kirche. Die katholische Kirche
kennt eine Unterscheidung zwischen Bischof und
Priester, die für das Konzil von Trient aufgrund
göttlicher Anordnung besteht, vom Zweiten Vatikanischen Konzil aber nur noch als von alters her so
benannt eingestuft wird. Trotzdem aber kennt die
katholische Kirche nur ein Sakrament der Ordination
mit unterschiedlicher Teilhabe von Bischöfen, Priestern und Diakonen. Ein gemeinsames Verständnis in
dieser Frage ist, so das Dokument, dann gegeben,
wenn beide Kirchen anerkennen, daß die Entfaltung
des einen Amtes geistgewirkt und für die Kirche wesentlich ist.

cc) Lehramt und Lehrvollmacht (Nr. 50-58)

Nach katholischem Verständnis sind die Bischöfe
vor allem Verkünder. Als Boten des Glaubens und authentische Lehrer des Glaubens stehen sie unter dem
Wort Christi. Ihnen ist es aufgetragen, die Lehre zu
bewahren, treu auszulegen und vor Verkürzungen zu
schützen. Diese Aufgabe nehmen die Bischöfe in Gemeinschaft mit der ganzen Kirche wahr, hierbei vor
allem in der Gemeinschaft mit den Priestern und Theologen. Bei der Gefahr von Abweichungen und Fehldeutungen legen die Bischöfe zusammen mit dem Papst die
Lehre letztverbindlich fest und sind so dann unfehl-

---

75 Vgl. Das geistliche Amt in der Kirche, Nr. 42-43.

bar. Die katholische Kirche kennt hierbei nicht
die Notwendigkeit der Zustimmung, aber der Rezeption durch die ganze Kirche.

Auch bei den Lutheranern ist das bischöfliche
Amt verantwortlich für die Reinerhaltung des Evangeliums. Das sich darin ausdrückende Lehramt wird
dann nicht durch menschliche Gewalt ausgeübt, sondern allein durch das Wort Gottes. Die Lehre in der
lutherischen Kirche wird vor allem durch Theologen
und geistliche Ministerien ausgearbeitet, deren Ver-
bindlichkeit durch die Rezeption der Kirche bestätigt wird. Im Dienste der je gegenwärtigen Verkündigung und der Einheit der Kirche gibt es in der lutherischen Kirche auch heute Lehrentwicklungen, die
durch die Entscheidungen von kirchlichen Organen
zustande kommen. Angesichts gewisser Unsicherheiten
in der Lehrkompetenz in der lutherischen Kirche ist
es ihr aufgegeben, Lehramt und Lehrvollmacht (und
damit auch die Bedeutung des Bischofsamtes) einerseits und die Rezeption durch die Gemeinde andererseits neu zu überdenken.

Daher ergibt sich zwischen beiden Kirchen bei
manchen Unterschieden eine Parallelität in der Praxis:

> "In beiden Kirchen ist die Lehrverantwortung
> eingebunden in das Glaubenszeugnis der gesamten
> Kirche. Beide Kirchen wissen sich dabei unter
> der Norm des Evangeliums" (Nr. 57).

Beide Kirchen müssen heute die Frage nach der Ver-
bindlichkeit von Lehrentscheidungen neu bedenken.
Beide Kirchen können aber bereits heute der gemeinsamen Überzeugung Ausdruck geben, daß der heilige
Geist die Kirche in der Wahrheit führt und sie in
einem dynamischen Geschehen der Wahrheit hält.

dd) Die apostolische Sukzession (Nr. 59-66)

Mit dieser Frage berührt das Dokument nach
eigenen Worten das schwierigste Problem in der
Frage nach dem geistlichen Amt. Die apostolische
Nachfolge meint entweder die Amtsnachfolge der
Bischöfe oder die Sukzession im Glauben. Ausgangspunkt hierbei ist die Apostolizität der Kirche im
inhaltlichen Sinn, da die ganze Kirche in allem
Wandel in Verkündigung und Struktur auf den apostolischen Ursprung verwiesen bleibt. Da auch die
katholische Theologie immer mehr die inhaltliche
Apostolizität als primär erachtet, ist hier eine
Anbahnung zwischen den Kirchen zu verzeichnen, was
nun ausführlicher dargelegt wird.

Gemeinsam kann ausgesagt werden, daß das Zeugnis des Evangliums Zeugen voraussetzt[76] und daß
dieses Zeugnis der ganzen Kirche aufgetragen ist,
wodurch sie als Ganzes in der apostolischen Sukzession steht. Daher gilt dann für die Sukzession
des Amtes:

> "Die Sukzession im Sinn der Sukzession der Amts-
> nachfolge ist innerhalb der Sukzession der Ge-
> samtkirche im apostolischen Glauben zu sehen"
> (Nr. 61).

Für die katholische Kirche, um auf die Unterschiede zu sprechen zu kommen, ist nun diese apostolische Sukzession in der Sukzession des Bischofsamtes, dem die Fülle des Amtes zukommt, verwirklicht.
Dabei ist nicht primär die Kette der Ordinationen
ausschlaggebend, sondern die Sukzession im Vorste-
heramt der Kirche, die in der apostolischen Sukzession steht und über die der Bischof zur Erhaltung
der Gemeinschaft in Katholizität und Apostolizität

---

76 Vgl. Das geistliche Amt in der Kirche, Nr. 11.

wacht. Das Kollegium der Bischöfe bleibt immer in
der Wahrheit des Evangeliums. Insofern versteht
die katholische Kirche die apostolische Sukzession
im Bischofsamt "als Zeichen und als Dienst an der
Apostolizität der Kirche" (Nr. 62).

Für die lutherische Kirche ist die apostolische
Sukzession für die Kirche und das Amt konstitutiv
und notwendig. Sie erachtet sich in der authentisch
katholischen Tradition und bekennt sich zur Kontinuität der Kirche, die niemals aufgehört hat zu exi-
stieren. Da zur Zeit der Reformation mit der katholischen Kirche keine Übereinstimmung in der Evangeliumsverkündigung möglich war und mangels Bischöfen, war in der lutherischen Kirche auch keine Kette
von Bischofsordinationen mehr möglich und damit die
historische Sukzession verunmöglicht. Im Gefolge
dieser Entwicklung legte sie das Gewicht auf die
rechte Evangeliumsverkündigung (unter Einschluß eines
Amtes), auf den Glauben und das Zeugnis des Lebens.
Die Lutheraner hatten dabei die Gewißheit,

> "daß das Evangelium der Kirche als ganzer gege-
> ben ist und daß mit der rechten Verkündigung des
> Wortes und der evangeliumsgemäßen Feier der Sa-
> kramente die apostolische Sukzession im inhalt-
> lichen Sinne in den Gemeinden fortbestehe"
> (Nr. 64).

Aufgrund dieser Überzeugung haben dann die Amtsträger
die Ordination vollzogen, die auf die ganze Kirche
und die Anerkennung ihrer Amtsträger ausgerichtet
blieb.

Damit ergibt sich die Tatsache, daß die lutherische Reformation die Aufrechterhaltung der geschichtlichen Kontinuität der kirchlichen Ordnung
als Zeichen der Einheit der apostolischen Kirche
durch alle Zeiten bejaht und intendiert hat. Daher
vermögen die Lutheraner in der historischen Sukzession ein Zeichen der Einheit zu sehen. Nach lutheri-

scher Auffassung ist das Eintreten in die Gemeinschaft mit dem Bischofsamt in der historischen
Sukzession

> "nicht ein isolierter Akt, sondern nur im Zusam-
> menhang der Einheit der Kirche im Glauben
> als Zeugnis für die Universalität des Evangeliums
> der Versöhnung sinnvoll" (Nr. 66).[77]

Diese gemeinsamen Aussagen zur apostolischen
Sukzession der Kirche und in ihr des besonderen Amtes
macht die große Annäherung zwischen den beiden Kirchen in dieser bis anhin sehr kontroversen Frage
deutlich.[78]

d) Gegenseitige Ämteranerkennung (Nr. 74-86)

Die bis anhin zu Tage tretenden Konsense und
Konvergenzen im Verständnis und in der Struktur des
geistlichen Amtes wirft nun die Frage nach der gegenseitigen Ämteranerkennung auf und das mit großer
Dringlichkeit,

> "als von der Beantwortung dieser Frage die Ge-
> meinschaft im Herrenmahl zwischen unserern Kir-
> chen wesentlich abhängt" (Nr. 74).

In der Beantwortung dieser Frage sehen sich die beiden Kirchen in verschiedenen Situationen:

In der katholischen Kirche gab es bis zum Zwei-

---

77 Vgl. zum lutherischen Verständnis auch die Erklärung
des Ökumenischen Ausschusses der Vereinigten Evangelisch-lutherischen Kirche Deutschlands zur Frage der
Apostolischen Sukzession vom 26. November 1957, in:
ÖR 7 (1958), 33-40. Vgl. zu dieser Erklärung aus
anglikanischer Sicht den Kommentar von Hugh Montefiore, in: ÖR 7 (1958), 140-143.

78 Die anschließenden, kurzen, vom Dokument selber lediglich als auf das große Problem hinweisend verstandenen Ausführungen zum Verständnis des Petrus-
amtes in der Kirche (vgl. Nr. 67-73) entfallen hier.
Vgl. zu dieser Frage auch Das Evangelium und die
Kirche, Nr. 65-67. .

ten Vatikanischen Konzil keine Aussage über die
Gültigkeit des lutherischen Amtes, man ging aber
von seiner Ungültigkeit aus. Das Konzil hat dann
den reformierten Ämtern einen "defectus"[79] zuge-
schrieben, wobei es nicht erklärt hat, in welchem
Sinne er hinsichtlich der verschiedenen Ämter der
reformatorischen Kirchen zu verstehen ist. Für
die nachkonziliare Zeit stellt sich nun die Frage,
ob mit diesem "defectus" ein Mangel oder ein völ-
liges Fehlen gemeint ist. Bei der Beantwortung dieser Frage ist die Berücksichtigung folgender Aspekte wichtig: Auch in den nicht-katholischen Kirchen
gibt es das Wirken des heiligen Geistes und die
Fruchtbarkeit des Amtes ist ausgewiesen[80]; das
Neue Testament kennt eine Vielfalt von Ämtern, die
in Beziehung zur Gemeinde und den wandelnden geschichtlichen Situationen steht; auch die katholische Kirche anerkennt die Ordination von Amtsträgern
durch ordinierte Priester. Heute kann man von einem
Mangel in der Vollgestalt des kirchlichen Amtes
sprechen:

> "Daß nach katholischer Überzeugung das Stehen in
> der historischen Sukzession zur Vollgestalt des
> Bischofsamtes gehört, schließt nicht aus, daß
> das Amt in den lutherischen Kirchen auch nach
> katholischer Überzeugung wesentliche Funktionen
> des Amtes ausübt, das Jesus Christus seiner Kir-
> che eingestiftet hat" (Nr. 77).

Wichtig im Hinblick auf eine Versöhnung im Amt ist
für die katholische Kirche das Mitbedenken der Pri-
matsfrage, auch wenn sie diese, wie das die Regelung
mit den orthodoxen Kirchen zeigt, nicht zum Kriterium

---

79 Vgl. UR, Nr. 22.

80 Im Bericht Das Evangelium und die Kirche anerkennen
    die katholischen Teilnehmer das Entstehen und Wirken
    der lutherischen Kirchen als "pneumatischen Aufbruch
    in einer Notsituation" (Nr. 63).

der Anerkennung macht.

Für die Lutheraner stellt sich die Frage der
Anerkennung anders. Für sie ist dort die Kirche,
wo das Evangelium rein verkündet wird und die Sakramente recht verwaltet werden. Daher leugnen sie
das Amt in der katholischen Kirche nicht.[81] Wenn
in CA VII die Übereinstimmung in den oben genannten
beiden Kennzeichen als ausreichend ("satis est")
bezeichnet wird, so bedeutet dies nicht, daß damit
der Weg nicht offen sei für die Suche nach der
Fülle kirchlichen Lebens. Daher stellt sich dann
die Frage, welche Gestalt der Kirche dies am besten
gewährleisten kann. Daher können sich Lutheraner
frei der Forderung nach Gemeinschaft mit dem historischen Bischofsamt stellen.

Dieser Ergebnisstand und vor allem die Hoffnung
auf die Abendmahlsgemeinschaft

> "lassen es wünschenswert erscheinen, daß beide
> Kirchen in nicht zu ferner Zukunft ihre Ämter
> gegenseitig anerkennen. Dies wäre ein entschei-
> dender Schritt, das Ärgernis der Trennung beim
> Mahle des Herrn zu beseitigen. Die Christen bei-
> der Kirchen könnten dann der Welt glaubwürdiger
> ihre Gemeinschaft in der Liebe Christi bezeugen"
> (Nr. 81).

Vor allem legt das Dokument beiden Kirchen bei der
Weiterentwicklung des eigenen Amtes die Beachtung
der Situation in der Ämterfrage in der anderen Kirche nahe.

---

81 Im Bericht Das Evangelium und die Kirche weisen die
    Lutheraner darauf hin, daß durch die Veränderung im
    Verständnis und in der Praxis des Amtes in der ka-
    tholischen Kirche vor allem durch die Aufwertung der
    Wortverkündigung durch das Zweite Vatikanische Kon-
    zil "die Kritik der Reformatoren weithin gegenstands-
    los geworden" ist (Nr. 64). Zu diesem Bericht vgl.
    auch H. Meyer, Zwischenkirchliche Gespräche über Amt
    und Amtsanerkennung, 300ff.; H. Schütte, Amt, Ordi-
    nation und Sukzession, 379-382.

Damit kommt das Dokument auf die Voraussetzungen und die Weisen einer Anerkennung zu sprechen. Bis heute, so wird festgestellt, gibt es noch keine allgemein anerkannte Lösung. Die bis dahin ins Auge gefaßten Wege sind wenig befriedigend. Dabei handelt es sich um eine Zusatzordination, einen Jurisdiktionsakt und wechselseitige Handauflegung (verstanden als Akt der Ordination und der Versöhnung). Nicht befriedigend sind solche Handlungen dann, wenn sie isolierte Akte sind. Ebenso ist die Frage der Anerkennung auch nicht mit kanonistischen Kriterien der Gültigkeit zu lösen. Die gegenseitige Anerkennung darf niemals als isolierter Akt vorgenommen werden:

> "Er muß im Zusammenhang der Einheit der Kirche im Bekenntnis des einen Glaubens und in der Feier des Herrenmahls, des Sakramentes der Einheit, stehen" (Nr. 82).

Die gegenseitige Anerkennung der Ämter, so das Dokument, kann nur in einem Prozeß des wechselseitigen Anerkennens der Kirchen geschehen, wobei dann die Herstellung von Kirchengemeinschaft auch die Ämteranerkennung mit einschließt. Voraussetzung dazu ist die Übereinstimmung im Glaubensbekenntnis, welches ein gemeinsames Verständnis des Amtes, der Sakramente, der brüderlichen Gemeinschaft und des christlichen wie des kirchlichen Lebens einschließt.[82]

Dieser Prozeß kann sich nur in kleinen Schritten vollziehen. Stichworte hierbei sind: Achtung, Zusam-

---

82 Hierbei wird der bekannte Zwiespalt angesprochen (und auch nicht gelöst): Kann es Kirchengemeinschaft und damit Abendmahlsgemeinschaft ohne vorherige Ämteranerkennung geben? Oder ist nach der Meinung des Dokumentes Abendmahlsgemeinschaft mit der lutherischen Kirche, analog zu den orthodoxen Kirchen, auch als Vorbereitung der vollen Kirchengemeinschaft denkbar (vgl. H. Fries, Die aktuellen Kontroverspunkte, 68)?

menarbeit und schließlich die Anerkennung der
Ämter, welche Abendmahlsgemeinschaft einschließt.
Da nun Achtung und Zusammenarbeit in einem großen
Maß gegeben ist und für die Anerkennung eine
große Annäherung in wesentlichen Fragen besteht,
sind heute weitere Schritte nötig. Hierbei nennt
das Dokument:

- die breite Rezeption der hier vorgelegten Ergebnisse;
- die weitere Förderung der Zusammenarbeit von
  Ämtern und Gemeinden;
- die Anpassung der Amtseinsetzungspraxis an den
  gegenwärtigen Diskussionsstand.

Danach bestünde ein weiterer Schritt in der
gegenseitigen Anerkennung,

> "daß das Amt in der anderen Kirche wesentliche
> Funktionen des Amtes ausübt, das Jesus Christus
> seiner Kirche eingestiftet hat und das man in
> der eigenen Kirche in voller Weise verwirklicht
> glaubt" (Nr. 85).

Dies bedeutet zwar noch keine volle Anerkennung, es
zeugt aber doch von der Überzeugung, daß der heilige
Geist durch das Amt auch in der anderen Kirche wirkt
und dieses in der Verkündigung, der Sakramentenspendung und in der Gemeindeleitung als Mittel des Heiles benutzt. "Eine solche Erklärung ist aufgrund
alles bisher Gesagten möglich" (Nr. 85). Eine solche
Erklärung wäre die wesentliche Voraussetzung für die
volle Anerkennung und damit für Kirchen- und Abendmahlsgemeinschaft.

Das Dokument endet mit der Bekräftigung von
Hoffnung, die auch fähig ist, Enttäuschungen und
Schwierigkeiten zu verkraften:

> "Die Hoffnung, zur vollen Kirchen- und Euchari-
> stiegemeinschaft zu gelangen, gründet nicht in
> unseren menschlichen Möglichkeiten; sie gründet
> vielmehr in der Verheißung des Herrn, der sich

durch seinen Geist in der Annäherung unserer Kirchen wirksam erweist" (Nr. 86).

Dieses Dokument aus dem Jahre 1981 stellt das sehr fundierte und ausgewogene Ergebnis eines langen Studienprozesses dar. Sehr differenziert spricht das Dokument von Konvergenzen und von Konsensen, wobei unterschiedliche Akzentsetzungen gedeutet und in einen größeren Zusammenhang gestellt werden[83], wodurch dann in den meisten Fällen von "nicht mehr kirchentrennend" gesprochen werden kann. Daß damit der Weg zur schnellen Ämteranerkennung noch nicht völlig geebnet ist, kommt im Dokument durch die behutsame Frage nach Möglichkeiten einer Anerkennung, die es selber als Anfragen an die beiden Kirchenleitungen versteht, zum Ausdruck.[84] Die ins Auge gefaßten Schritte auf dem Wege zu einer Ämteranerkennung basieren auf folgender Überzeugung:

"Die Übereinstimmungen, die es im Verständnis

---

83 Es zeigt sich in den Aussagen dieses Dokumentes "nahezu Punkt für Punkt die S t r u k t u r   d e s   e r r e i c h t e n   K o n s e n s e s   a l s   e i n e s   i n   s i c h   n a c h   G r u n d k o n - s e n s e n   u n d   l e g i t i m e n   V e r - s c h i e d e n h e i t   d i f f e r e n z i e r - t e n   K o n s e n s e s " (H. Meyer, Amt und Ordination, 105). Mit einem dergestaltigen Grundkonsens sieht H. Meyer das Ziel der Übereinstimmung erreicht, da er die wesentlichen Gemeinsamkeiten aufzeigt, wobei sich die bestehenden Differenzen nicht ausschließen, sondern vom Grundkonsens getragen werden, und allein so eine legitime Vielfalt aufgrund geschichtlich bedingter Verschiedenheiten der Kirchen gewahrt werden kann (vgl. a.a.O. 89).

84 Vgl. Das geistliche Amt in der Kirche, 10. H. Fries hält nach all den dargelegten Übereinstimmungen eine weitergehende, deutlichere Forderung nach Anerkennung, als sie das Dokument ausspricht, für möglich (vgl. H. Fries, Die aktuellen Kontroverspunkte, 69).

von Amt und Bischofsamt zu identifizieren gilt,
sind zwar noch nicht umfassend, nichtsdestoweni-
ger können sie von großer Tragweite sein".[85]

Die Übereinstimmungen finden ihren Ausgangspunkt in den gemeinsam möglichen Aussagen über die
Rechtfertigungslehre. Diese bilden dann die Aus-
gangsbasis für gemeinsame Aussagen über die geschichtliche Heilsvermittlung. Diese findet in und
durch die Kirche, durch das gemeinsame Priestertum
aller Gläubigen zusammen mit dem besonderen Amt als
Dienst statt. Das ordinierte Amt, so die gemeinsame
Überzeugung, ist dann von Christus im heiligen Geist
gegeben und weiß sich unaufgebbar auf seinen apostolischen Ursprung verwiesen. Das besondere Amt steht
sowohl in der Gemeinde als auch, namens und auftrags
Christi, ihr gegenüber. Seine wesentlichen Funktionen
sind die Wortverkündigung und die Sakramentenspendung
zur Auferbauung der Gemeinde und ihre Leitung. In
dieses Amt führt die Ordination unter Gebet und Handauflegung innerhalb der gottesdienstlichen Gemeinde
durch ordinierte Amtsträger. Die Ordination bedeutet
die Verheißung und Verleihung der Gabe des Geistes,
ist einmalig und unwiederholbar und nimmt den Amtsträger mit seiner ganzen Person in Anspruch. Das eine
Amt formt sich in beiden Kirchen in verschiedene Gestalten aus. Beide kennen lokale und übergeordnete
Ämter, wobei letztere unter Einbindung in das Glau-
benszeugnis der ganzen Kirche und stetiger Rückbindung an das Evangelium eine besondere Verantwortung
für die Bewahrung der Lehre und die Einheit der Kirche tragen. Daraus ergeben sich die Konsequenzen
für die apostolische Sukzession: Primär hier ist das
Stehen der ganzen Kirche in der apostolischen Sukzes-

---

85 Das geistliche Amt in der Kirche, 10.

sion im inhaltlichen Sinn. Diese Sukzession sieht die katholische Kirche durch die Sukzession im Bischofsamt und die lutherische Kirche durch die Sukzession in der rechten Wortverkündigung und der rechten Sakramentenverwaltung in der Gemeinde und durch das ordinierte Amt (in der Ordination durch ordinierte Pfarrer) gegeben.

Mit der Formulierung all dieser gemeinsamen Überzeugungen ist das Ziel der gegenseitigen Ämteranerkennung deutlich benannt und die ersten Schritte dahin sind eingeleitet.

> "Wahrscheinlich ist es im Augenblick nicht möglich, mehr zu sagen, soll das Thema Amt in der Kirche gesamtkirchlich rezipiert werden."[86]

Mit dem Wunsch nach einer breiten Rezeption der Ergebnisse ist eine große Hoffnung verbunden, eine Hoffnung, die sich in der Vergangenheit nicht so recht erfüllen wollte. Den Abschluß des breiten Rezeptionsprozesses müssen, so das Dokument, die offiziellen Verlautbarungen der Kirchen bilden:

> "Die Kirchen sind zuständig, darüber letztgültig zu entscheiden, ob und wie diese bedingungsweise formulierten Aussagen zu verbindlichen Erklärungen gemacht werden können."[87]

Mit dem Wunsch nach breiter Rezeption (mit dem auch ein breiter Bewußtseinsprozeß an der kirchlichen Basis verbunden ist) und dem Warten auf das Möglichwerden von konkreten Schritten der Kirchenleitungen wird die gegenwärtige Situation vor allem des angli-

---

86 H. Fries, Die aktuellen Kontroverspunkte, 69.

87 Das geistliche Amt in der Kirche, 10. Vgl. zu diesem Dokument aus katholischer und lutherischer Sicht Peter Bläser, Bemerkungen zum Dokument "Das geistliche Amt in der Kirche", in: US 37 (1982), 331ff.; Ulrich Kühn, Das geistliche Amt in der Kirche: Zum gleichnamigen Dokument der Gemeinsamen römisch-katholischen/evangelisch-lutherischen Kommission, a.a.O. 324-330.

kanisch-katholischen Dialogs deutlich markiert.
Mit Ausnahme des Petrusdienstes sind es zum gegenwärtigen Zeitpunkt nicht mehr primär die interkonfessionellen Dialoggruppen, die sich mit der
Frage des Amtes auseinandersetzen werden, sondern
alle Ebenen in allen Kirchen, die das ihnen jeweils
Mögliche (und ihnen in den Dokumenten Vorgezeich-
nete) unternehmen müssen, damit der Weg in der
Ämterversöhnung und -anerkennung und damit der Weg
zur vollen kirchlichen Einheit weiterführen kann.[88]

Ähnliches gilt auch für den reformiert-katholischen Dialog, wobei hier, wie das vor allem der
offizielle Dialog auf Weltebene gezeigt hat, noch
sehr viele Fragen geklärt werden müssen, deren Antworten sich sicher zu einem großen Teil aus den Dokumenten der Kommission für Glauben und Kirchenverfassung ergeben werden (an denen beide Kirchen beteiligt sind), die dann aber der genauen Klärung wegen noch einmal auf den bilateralen Dialog verwiesen sein werden.[89]

---

88 Zu einer ganz ähnlichen Einschätzung gelangt, wie
das weiter unten zu zeigen sein wird, auch die Kommission für Glauben und Kirchenverfassung für den
multilateralen Dialog auf Weltebene.

89 Aus ökumenischen Arbeitskreisen in Deutschland sind
zum kirchlichen Amt u.a. folgende Dokumente hervor-
gegangen: Das Mysterium des kirchlichen Amtes: Dokument des "Frankfurter Gesprächs", in: US 28 (1973),
321-327; Ordination und Amt: Stellungnahme des ökumenischen Arbeitskreises evangelischer und katholischer Theologen, in: HerKorr 28 (1974), 249f.;
Evangelium-Sakramente-Amt: Ein Dokument des ökumenischen Arbeitskreises evangelischer und katholischer
Theologen, in: HerKorr 33 (1979), 308f. Zu weiteren
ökumenischen Amtsdiskussionen vgl. Peter van Leeuwen,
Zwischenkirchliches Gespräch über Amt und Amtsanerkennung in den Niederlanden, in: Conc(D) 8 (1972),
310-313; John Macquarrie, Anglikanisch-methodistisches Gespräch über die Vereinigung der Ämter, a.a.O.
308ff.

§ 17 DIE ÖKUMENISCHE DISKUSSION DES AMTES INNERHALB DER KOMMISSION FÜR GLAUBEN UND KIRCHENVERFASSUNG

Die Frage des geistlichen Amtes hat die Kommission für Glauben und Kirchenverfassung, vor allem durch den Beitrag der anglikanischen Gemeinschaft, von allem Anfang an beschäftigt. Die Behandlung der Amtsfrage hat aber lange Zeit eine untergeordnete Bedeutung gehabt, zum einen, weil zunächst grundlegende Diskussionen über die Einheit der Kirche im Vordergrund standen, zum anderen, weil vor allem die Amtsauffassung der anglikanischen Gemeinschaft, wie sie für ihre Einheitsvorstellung bedeutsam war, auf wenig Gegenliebe stieß und einer Einigung darüber zunächst keine Chance eingeräumt wurde.[1]

Vor allem mit dem Eintritt der katholischen Kirche in die ökumenische Diskussion nach dem Konzil hat dann auch die Behandlung der Amtsfrage eine neue Dimension und neuen Auftrieb erhalten, die im Jahre 1982 mit dem respektablen Lima-Dokument über das Amt einen vorläufigen Abschluß gefunden hat. An dieser Stelle soll nun in einem ersten Abschnitt, unter Mitberücksichtigung der einschlägigen Texte, das Gespräch bis zu der entscheidenden Phase im Jahre 1974 in Accra kurz nachgezeichnet und danach die Dokumente von Accra und Lima in einem zweiten und dritten Abschnitt ausführlich vorgestellt werden.

---

1 Vgl. Günther Gaßmann, Die Entwicklung der ökumenischen Diskussion über das Amt, 454; Eine Taufe, eine Eucharistie, ein Amt: Drei Erklärungen erarbeitet und autorisiert von der Kommission für Glauben und Kirchenverfassung, 50.

I. Der Gesprächsverlauf 1927-1974

In der Einheitskonzeption, die die anglikanische Gemeinschaft in die ökumenische Bewegung eingebracht hat, war ein allgemein anerkanntes, von Bischöfen, in der bischöflichen Sukzession stehend, ordiniertes Amt mit beinhaltet.[2] Mit dieser Vorgabe begann ansatzhaft die Diskussion um das geistliche Amt. Diese Vorgabe wurde vor der ersten Weltkonferenz für Glauben und Kirchenverfassung sowohl von den orthodoxen Kirchen, weil als verfrüht erachtet, als auch von den anderen kirchlichen Traditionen, die sich nicht auf ein bischöfliches Amtssystem festlegen lassen wollten, abgelehnt. Trotzdem dann wurden auf den ersten Weltkonferenzen der Kommission versucht, einen Konsens über das Amt unter Bezugnahme auf das anglikanische Verständnis zu formulieren.[3]

1. Lausanne 1927[4]

Gemeinsam kann über das Amt in Lausanne folgendes gesagt werden:

- das geistliche Amt ist der Kirche, für die es wesensnotwendig ist, von Gott durch Christus verliehen;
- seine Vollmacht erhält es von Christus und seinem Geist;
- seine Aufgaben sind der Hirtendienst, die Verkündigung des Evangeliums und die Sakramentenverwaltung;

---

2   Vgl. dazu Günther Gaßmann, Das anglikanische Amtsverständnis, in: Das Amt im ökumenischen Kontext, 83-101.

3   Vgl. G. Gaßmann, Die Entwicklung der ökumenischen Diskussion über das Amt, 454f.

4   Zum Amt vgl. Lausanne 1927, 536-540.

718

- es leitet die Kirche auf Orts- und Weltebene und
  übt die Kirchenzucht;
- die Berufung geschieht durch den heiligen Geist
  und die Anerkennung der Gemeinde; die Beauftragung zur Ausübung geschieht durch die Ordination
  unter Gebet und Handauflegung.

Die Verschiedenheit der Ämter, wie sie sich in
den verschiedenen Traditionen herausgebildet haben,
ist zum einen dem Wirken des heiligen Geistes zuzu-
schreiben, der sich ihrer zum Aufbau der Kirche be-
dient, zum anderen aber auch Quelle für viele Mißverständnisse und Zweifel.

Die Verschiedenheiten beziehen sich auf folgende Aspekte (die in einem zweiten Anhang ausführlicher erläutert werden[5]): das Wesen des geistlichen
Amtes, das Wesen der Ordination und der in ihr übertragenen Gnade, die Funktion und die Autorität der
Bischöfe und das Wesen der apostolischen Sukzession.

All diese Fragen zu klären, so das Dokument,
war bis anhin nicht möglich. Wesentlich aber scheint
es ihm für den Moment zu sein, daß aus Achtung vor
der jeweiligen Verfassung der einzelnen Kirchen (bischöflich, presbyteral und kongregational), die für
sie wichtig und vom Geist gewirkt sind, diese verschiedenen Elemente in einer einmal geeinten Kirche
ihren (noch genau zu klärenden) Platz haben sollten.
In einer so geeinten Kirche dann hätte auch die bischöfliche Ordination ihren Platz, ohne daß dabei

---

5   Vgl. Lausanne 1927, 539f.

nicht-bischöfliche Ordinationen ausgeschlossen
wären.[6]

Die oben genannten Verschiedenheiten haben
die Hindernisse für die Abendmahlsgemeinschaft
verschärft. So wird bereits in Lausanne formuliert:

"Infolgedessen ist die Schaffung eines Amtes,
das in jedem Teil der Kirche als von der gesamten Kirche sanktioniert anerkannt ist, ein
dringendes Bedürfnis."[7]

In einem Anhang macht die orthodoxe Kirche
ihre Schwierigkeit deutlich, mit manchen anderen
Kirchen eine Verständigung über das Amt zu erreichen, da für sie das von Christus eingesetzte,
dreigestufte Amt in der ununterbrochenen bischöflichen Sukzession konstitutiv ist.[8]

Mit der Konferenz in Lausanne waren die grundlegenden Probleme im Zusammenhang mit dem Amt, vor
allem mit der Auseinandersetzung mit dem historischen Bischofsamt, angesprochen und in die weitere
Diskussion verwiesen.

6   Vgl. Lausanne 1927, 537f. Dieses Modell einer ver-
einten Kirche wurde dann im Jahre 1947 mit der
Schaffung der Kirche von Südindien verwirklicht
(vgl. G. Gaßmann, Die Entwicklung der ökumenischen
Diskussion über das Amt, 456; Kirchenunionen und
Kirchengemeinschaft, 101).

7   Lausanne 1927, 537. G. Gaßmann führt dazu aus, daß
das Ziel der Abendmahlsgemeinschaft von allen protestantischen Teilnehmern angestrebt worden ist,
"auch wenn sie zu dessen Erreichung eine Lösung der
Amtsfrage nicht für erforderlich hielten. Sie mußten
aber einsehen, daß im Interesse einer auch die anglikanische Tradition einbeziehende Abendmahlsgemeinschaft eine Verständigung in der Amtsfrage notwendig
ist" (G. Gaßmann, Die Entwicklung der ökumenischen
Diskussion über das Amt, 455).

8   Vgl. Lausanne 1927, 539.

2. Edinburgh 1937

Auf der zweiten Weltkonferenz der Kommission
für Glauben und Kirchenverfassung findet sich im
Schlußbericht wiederum nur ein kurzer Abschnitt
über das Amt[9], der im wesentlichen auf dem Dokument
einer Vorbereitungskommission basiert. Der Schwerpunkt des Abschnittes bildet die Auflistung der gemeinsam möglichen Aussagen und der Unterschiede,
wie sie bereits in Lausanne (zweiteres dort im Anhang) geboten worden sind.

Neu in den gemeinsamen Aussagen ist die Überzeugung, daß das geistliche Amt das königliche Priestertum, zu dem alle Christen berufen sind, nicht
ausschließt, sondern voraussetzt (Nr. 92).

Die ausführlicher angeführten Unterschiede beziehen sich auf die Fragen des Amtes als Gabe Gottes
(wobei unterschiedliche Deutungen hinsichtlich einer
"Einsetzung" bestehen), nach dem Wesen der Ordination und ihrem Spender und vor allem auf die Frage
der apostolischen Sukzession. Dabei werden drei bestehende Auffassungen näher skizziert: die bischöfliche Sukzession (Nr. 98-100), die presbyterale Sukzession (Nr. 101) und die Sukzession beinahe ausschließlich durch die Bewahrung der rechten Evangeliumsverkündigung, der rechten Sakramentenverwaltung
und den Bestand des christlichen Lebens (Nr. 102).

Gemeinsam kann hier eigentlich nur gesagt werden: Alle Kirchen betrachten
    "die apostolische Sukzession, an die sie glauben,
    als einen wertvollen Besitz" (Nr. 103).
Deutlich spürbar ist das Ringen um den Einbezug
des historischen Episkopates, wenn das Dokument an-

9   Vgl. Edinburgh 1937, Nr. 91-110.

schließend, ausgehend von den Aussagen in Lausanne,
die Bedeutung einer zukünftig geeinten Kirche zu
beschreiben versucht. Im Einbezug aller drei Ver-
fassungsformen (bischöflich, presbyteral und kongregational) in die geeinte Kirche sieht das Dokument die große Chance, daß die Lehre von der apostolischen Sukzession auf einer gemeinsamen Grundlage
die Fülle erlangen würde,

> "die ihr zukommt, dadurch daß sie sich zugleich
> auf das Wort, das geistliche Amt und die Sakra-
> mente wie das Leben der Christenheit bezieht"
> (Nr. 107).

Demgegenüber stellt das Dokument aber auch fest,
daß es Traditionen gibt, die für eine einheitliche
Form der Kirchenleitung keinen Willen Gottes ausma-
chen können und daher in einer geeinten Kirche das
Nebeneinander von verschiedenen Kirchenverfassungen
als möglich erachten (Nr. 108).

Mit diesen Aussagen bleibt Edinburgh noch in
der Situation der Problembeschreibung, stellt die
Differenzen deutlich heraus, kann aber noch keine
weiteren konkreten Wege für deren Überwindung weisen.
Das Dokument betont aber in seinen Ausführungen zu den
notwendigen Grundlagen kirchlicher Einheit (für Abendmahlsgemeinschaft und körperschaftlicher Vereinigung)[10], daß die Gleichheit der Ämter eine notwendige Komponente bildet, wobei, noch einmal kurz zusammengefaßt, die Überwindung folgender unterschiedlicher Positionen angestrebt werden muß: das dreifache Amt ist von Christus in der Kirche eingesetzt;
das historische Bischofsamt ist wesentlich für die
körperschaftliche Vereinigung; Christus hat ein
geistliches Amt eingesetzt, bei dem neben Presbytern
Bischöfe nicht wesensnotwendig sind; die Kirche be-

---

10 Vgl. oben, 311-314.

nötigt kein geistliches Amt, das auf einer besonderen Ordination beruht (Nr. 140).

G. Gaßmann erklärt die Tatsache, daß dieser
Konferenz kein sachlicher Fortschritt möglich war
damit, daß seit Lausanne 1927 in den Kirchen kaum
neue Entwicklungen im Verständnis und in der Praxis des Amtes stattgefunden haben, womit in Edinburgh 1937 auch kein Spiegelbild einer neuen Situation geboten werden konnte.[11]

3. Montreal 1963

In der Zeit zwischen Edinburgh 1937 und
Montreal 1963 wurde im Jahre 1948 der ÖRK in
Amsterdam gegründet, wodurch die Amtsfrage vor-
erst in den Hintergrund trat und lediglich im Zusammenhang mit größeren Themenbereichen angeschnitten wurde. Weil diese Einbindung aber für
die weitere Behandlung der Amtsfrage wichtige Weichen gestellt hat, bevor sie in Montreal ausführlicher behandelt wurde, seien die verschiedenen
Zwischenstufen kurz genannt.

a) Vorbereitende Schritte

In Amsterdam werden 1948 im Rahmen der Behandlung des tiefsten Unterschiedes zwischen den Kirchen die unterschiedlichen Kirchenverfassungen ("katholisch" und "protestantisch" genannt[12]) in engste
Verbindung mit dem Amtsverständnis gebracht.[13] Der
wesentliche Schritt, der in Amsterdam gemacht wurde,

---

11 Vgl. G. Gaßmann, Die Entwicklung der ökumenischen
   Diskussion über das Amt, 457f.

12 Vgl. oben, 315f.

13 Vgl. Amsterdam 1948, Nr. 5-8.

bestand darin, daß, da das Amt als Teil des Lebens und der Tradition der Kirchen gesehen wurde, eine isolierte Behandlung der Amtsfrage nicht mehr möglich war.[14]

In Lund wird 1952 dieser Ansatz aufgenommen und das Amt zunächst im Abschnitt über die Kontinuität der Kirche angesprochen:[15] Die meisten Kirchen anerkennen ein Amt zur Fortdauer des Lebens der Kirche für notwendig, unterscheiden sich aber in der Frage, ob auch eine bestimmte Ordnung dieses Amtes für die Kirche wesensnotwendig ist. Alle Kirchen, so das Dokument, kennen eine Form des Amtes, für das sie eine Verankerung im Neuen Testament geltend machen können.[16] Daran schließt das Dokument wiederum die verschiedenen Auffassungen über die apostolische Sukzession an, kann aber bereits eine gewisse Annäherung der unterschiedlichen Positionen feststellen. Wesentlich ist in dieser Situation, daß ein neuer Ansatz für die theologische Diskussion gefunden wird.

"Man muß die Frage des Amtes nicht als ein isoliertes Problem, sondern im Lichte eines tiefen christologischen und eschatologischen Verständnisses der Lehre von der Kirche behandeln" (Nr. 38).

Dieses Anliegen klingt im weiteren an, wenn das Dokument von Lund im Rahmen der "Formen des Gottesdienstes" das Problem des Amtes als Vorsteherdienst

---

14 Vgl. G. Gaßmann, Die Entwicklung der ökumenischen Diskussion über das Amt, 458.

15 Vgl. Lund 1952, Nr. 35-39.

16 Diese verschiedenen Verankerungen werden dann in einer Anmerkung ausführlich dargelegt. Die Anmerkung schließt mit der Feststellung, daß neuere exegetische Erkenntnisse mittlerweile zu einer bedeutsamen Annäherung der verschiedenen Ausgangspunkte geführt haben (vgl. Lund 1952, 104, Anm. 1).

bei Gottesdiensten behandelt (Nr. 105-106): Die
meisten Kirchen sind der Auffassung, daß Christus
ein geordnetes Amt ins Leben gerufen hat, dem die
Leitung gewisser gottesdienstlicher Handlungen vorbehalten bleibt. Dabei sind sich die Kirchen über
die Grundlagen dieses Vorbehaltes uneinig. Folgende
Ansichten werden vertreten: die Gemeinde bestimmt
in der Führung des heiligen Geistes ein Glied zu
einem besonderen Dienst; der heilige Geist verleiht
einzelnen Gliedern der Kirche die erforderliche
Amtsgnade; das geordnete Amt unterscheidet sich
grundsätzlich vom Priestertum aller Gläubigen. Dahinter steckt die Frage nach dem priesterlichen und
prophetischen Charakter des Amtes, welche wiederum
auf den grundsätzlichen Problemen des Wesens der
Gnade, der Person und des Werkes Christi basieren.
Wenn es gelingt, diese Fragen zu klären, dann wird
es auch möglich sein,

> "die Unterschiede im Verständnis des apostoli-
> schen Amtes, seines Sinnes und seiner Gültig-
> keit zu überwinden" (Nr. 106).

In _Evanston_ 1954 wurde in der Beschreibung des
Einsseins der Kirche[17] festgehalten, daß Christus
seiner Kirche vielfältige Gnadengaben geschenkt hat,
um ihr Wachstum in Einheit zu gewährleisten. Dazu
hat er u.a.

> "Apostel, Propheten, Evangelisten, Hirten und
> Lehrer eingesetzt, damit die Einheit des Leibes
> ständig aufgebaut werde. Er hat die Heilige
> Schrift, die Predigt des Wortes, Taufe und hei-
> liges Abendmahl gegeben, durch die die Kirche
> die Vergebung der Sünden verkündigt und durch
> die in der Kraft des Heiligen Geistes der Glau-
> be geweckt und genährt wird" (Nr. 6).

Mit diesen Aussagen werden weitere Ansätze für

---

17 Vgl. Evanston 1954, Nr. 5-9.

die Amtsdiskussion in der Zukunft deutlich.[18]

Die Konferenz von Neu-Delhi 1961 hat dann in
der berühmten Einheitsformel[19] für eine geeinte
Kirche festgehalten,

"daß Amt und Glieder von allen anerkannt werden und daß alle gemeinsam so handeln und sprechen können, wie es die gegebene Lage im Hinblick auf die Aufgaben erfordert, zu denen Gott
sein Volk ruft" (Nr. 2).

Diese Anerkennung wird also zum Band kirchlicher
Einheit, wobei der Anerkennung der Ämter eine besondere Bedeutung und Verantwortung für die Einheit
der Kirche zugesprochen wird, denn,

"wenn wir ein gemeinsames, von allen anerkanntes
Amt erreichen würden, wären damit weitgehend
auch die Probleme gelöst, die sich bei der gegenseitigen Anerkennung der Glieder stellen"
(Nr. 17).

b) Die Aussagen von Montreal 1963

Auf der Konferenz von Montreal wird der erweiterte Rahmen, wie ihn die vorangehenden Konfe-
renzen für die Amtsdiskussion gesteckt haben, nochmals ausgedehnt, indem nicht nur die Verständigung
in der Lehre, sondern auch die des religiösen und
geistlichen Lebens der Kirche für notwendig erachtet
wird, da gerade in diesem Bereich

"noch verborgene Wurzeln sowohl der Uneinigkeit
als der tiefen Übereinstimmung"

liegen (Nr. 27).

Danach wird auf dieser Konferenz zum ersten Mal
nach Edinburgh 1937 das Amt wieder ausführlicher behandelt.[20] Ausschlaggebend dafür war, daß es in den

---

18 Vgl. G. Gaßmann, Die Entwicklung der ökumenischen
    Diskussion über das Amt, 459.

19 Vgl. oben, 327.

20 Das Erlösungswerk Christi und das Amt seiner Kirche,
    in: Montreal 1963, Nr. 77-104.

vergangenen Jahren, neben den Studien über das
Wesen der Kirche, zu einer bemerkenswerten Wiederentdeckung des königlichen Priestertums kam.

> "Die Wiederentdeckung einer zutreffenden Lehre
> vom Laientum hat die Erkenntnis mit sich ge-
> bracht, daß Dienst (ministry) die Verantwortung
> des ganzen Leibes ist und nicht nur derer, die
> ordiniert sind" (Nr. 77).

Damit ist deutlich geworden, daß das ordinierte Amt
nur in der Beziehung zum Priestertum aller Gläubigen richtig verstanden werden kann.[21] Das Dokument
bekennt sich dazu, daß wohl alle Kirchen anerkennen,
daß es ein besonderes Amt in der Kirche gab und auch
geben muß, daß aber völlig unklar sei, was alles zum
besonderen Dienst gehört (Nr. 80). Die nachfolgenden
Darlegungen versteht das Dokument als Anregungen für
das weitere Gespräch.

Auf der Grundlage des Ansatzes von Lund 1952
und Evanston 1954 erfolgt zunächst die christologische und ekklesiologische Grundlegung: Das Heilswerk
Christi wird durch die Kirche allen Menschen verkündet. Zunächst waren es die Apostel, die diese Sendung
wahrnahmen. Ihre Sendung wird durch die Kirche und
das Amt in ihr fortgeführt. Zum Amt wird dann gesagt:

> "Um die Kirche zu erbauen und sie für ihre Sen-
> dung auszurüsten, hat der Herr Jesus Christus
> Diener eingesetzt, die als Nachfolger der Apostel
> in der Kraft des Heiligen Geistes der vollbrach-
> ten Versöhnung in, mit und für den Leib dienen,
> indem sie sie durch die vom Herrn gegebenen Mittel
> verkündigen, bezeugen und mitteilen" (Nr. 87).

Diese Diener sind zum Dienst am Werk Christi berufen,
sie folgen Christus nach, werden ihm gleichgestaltet
und verkünden in seinem Namen. Sie nehmen so im hei-

---

21 Vgl. Eine Taufe, eine Eucharistie, ein Amt: Drei Er-
    klärungen erarbeitet und autorisiert von der Kom-
    mission für Glauben und Kirchenverfassung, 50.

ligen Geist an seinem prophetischen, priesterlichen
und königlichen Amt teil. Dabei steht das besondere
Amt in der Abhängigkeit vom heiligen Geist und seinen Gaben, die er allen Gliedern der Kirche verleiht.

Der heilige Geist ist es, der zum Dienst erwählt und befähigt. Die Erwählung zum besonderen Amt
erfordert "jedenfalls die Anerkennung und Bestätigung durch die Kirche" (Nr. 94). Diese Bestätigung
erfolgt nach dem Vorbild des Neuen Testamentes durch
die Ordination unter Gebet und Handauflegung. Dabei
wird dann festgehalten:

> "Die ordnungsgemäße Übertragung der Autorität in
> der Ordination wird in der Regel als eines der
> Mittel betrachtet, durch die die Kirche von Ge-
> neration zu Generation im apostolischen Glauben
> bewahrt wird" (Nr. 95).

Danach erfolgt eine Aufzählung der verschiedenen Auffassungen über die apostolische Sukzession,
die Ordination und die Ämterordnung und kritische
Fragen, die zur Prüfung der jeweiligen Praxis und
dadurch zu einer Annäherung der unterschiedlichen
Positionen führen soll.

Der besondere Dienst, so betont das Dokument,
besteht in der Verantwortung dafür, daß die anderen
Glieder die ihnen in der Taufe übertragene Verantwortung im Dienste der Kirche wahrnehmen können. Das
Dokument kommt hier abschließend auf die Vielfalt
und Mannigfaltigkeit in der Ausformung des Amtes zu
sprechen, die notwendig sind, damit die Kirche in
jeder geschichtlichen Situation ihren Dienst in Kirche und Welt adäquat wahrnehmen kann.

Mit den Aussagen von Montreal sind nun zwar die
klassischen Differenzen im Amtsverständnis auch nicht
ausgeräumt worden, aber sie haben den neuen Ansatz
deutlich weiter fruchtbar gemacht. Mit der christologischen Fundierung des Amtes, der christologischen

728

und pneumatologischen Bestimmung des Wesens der
Kirche, der Betonung des Dienstcharakters des Amtes
in einer dienenden Kirche, der Einbettung des Amtes
in das gemeinsame Priestertum aller Gläubigen und
der Überzeugung von der Notwendigkeit der Erneuerung
und der Vielfalt des Amtes in neuen geschichtlichen
Situationen gelang der Konferenz in Montreal die Befreiung der Isolierung des Amtes innerhalb der Lehre
und der Praxis der Kirche und damit die Befreiung
der Diskussion aus der Fixierung allein auf kontroverse Fragen. Damit war ein Weg gewiesen, der Grundlage und Offenheit für die weitere Auseinandersetzung mit den bestehenden Differenzen bot.[22]

4. Löwen 1971

Die Entwicklung der Amtsdiskussion zwischen
Montreal und Löwen 1971 war wesentlich mit geprägt
durch die offizielle Mitarbeit von katholischen Theologen in der Kommission für Glauben und Kirchenverfassung. Durch die katholische Beteiligung stellte
sich die Frage nach dem Amt mit größerer Deutlichkeit und Dringlichkeit; das anglikanische und orthodoxe Amtsverständnis bekam eine wesentliche Unter-
stützung. Da mit dem Zweiten Vatikanischen Konzil in
der anschließenden theologischen Diskussion die Reflexion über das Amt in einem ähnlichen Kontext wie
innerhalb der Kommission für Glauben und Kirchenverfassung geschah, konnte sich die katholische Kirche

---

22 Vgl. auch G. Gaßmann, Die Entwicklung der ökumeni-
    schen Diskussion über das Amt, 460f.

nahtlos in die ökumenische Diskussion einfügen.[23]
Alle weiteren Diskussionen geschahen von nun an
unter der Beteiligung katholischer Theologen.

Nach den Diskussionen in Montreal 1963 wurde
eine Untergruppe der Kommission mit einer besonderen Studie über das Amt beauftragt. Dieser allgemeine und weite Themenbereich wurde im Verlauf
der Studienarbeit auf die Bedeutung der Ordination
eingeschränkt und das Ergebnis[24] weltweit an andere
Studiengruppen versandt. Deren Stellungnahmen bildeten dann die Grundlage für eine Neubearbeitung,
deren Ergebnis der Kommission im Jahre 1971 in Löwen
vorgelegt wurde.[25]

Der Grund für die Notwendigkeit der Auseinandersetzung mit der Ordination besteht nach diesem Dokument zunächst darin, daß diese

"den innersten Kern der christlichen Botschaft
und des christlichen Handelns"

berührt[26], da der Kirche der Dienst der Versöhnung
anvertraut ist. Daran anschließend bietet das Dokument gleich eine kurze Begründung für das besondere

---

23 Vgl. G. Gaßmann, Die Entwicklung der ökumenischen
    Diskussion über das Amt, 461. G. Gaßmann hat 1973
    festgestellt: "Viele römisch-katholische Theologen
    gehen heute von ähnlichen biblischen und histori-
    schen Erkenntnissen, systematischen Erwägungen und
    aktuellen Problemen und Herausforderungen an die
    Amtsfrage heran wie ihre nicht-katholischen Ge-
    sprächspartner" (a.a.O. 461).

24 Die Bedeutung der Ordination: Ein Studiendokument
    der Kommission für Glauben und Kirchenverfassung,
    in: ÖD 4 (1968), 170-196. Vgl. zu diesem Dokument
    auch Das kirchliche Amt als ökumenisches Problem,
    in: HerKorr 23 (1969), 168-171.

25 Das ordinierte Amt, in: Löwen 1971, 77-102.

26 A.a.O. 77.

Amt: Christus kam in die Welt um zu dienen, um Heiligung und Einheit zu schenken.

> "Wie er Apostel berief und aussandte, um seinem
> Amt in der Welt Gestalt zu geben, so ruft und
> sendet er immer noch Diener aus, die weiterhin
> der Welt dienen."[27]

Weitere Gründe für die Auseinandersetzung mit dem Amt sind: die Frage des ordinierten Amtes macht für manche Kirchen Abendmahlsgemeinschaft unmöglich; die Notwendigkeit der Anpassung der Amtsformen an die sich wandelnde Zeit, um den Dienst der Versöhnung adäquat ausüben zu können; die neuen Anregungen und Erweiterungen durch das Zweite Vatikanische Konzil.[28]

Das Dokument von Löwen ist noch einmal eine breit angelegte und stark erweiterte Bestandesaufnahme der Probleme, aber auch ein Spiegel der bis dahin erbrachten Fortschritte. Dabei sind zu erwähnen: Annäherung im Verständnis der Ordination; die Suche nach einem Amtsverständnis in der modernen Welt; die Relativierung von Argumenten für die Notwendigkeit einer bestimmten Amtsstruktur durch die neue theologische Forschung. Diese Bestandesaufnahme wurde dann in einem weiteren Schritt systematisch geklärt und durchdrungen.[29]

---

27 Das ordinierte Amt, 78.

28 Vgl. a.a.O. 78f. Um unnötige Wiederholungen zu vermeiden, wird dieses wie auch das nachfolgende Dokument nicht näher vorgestellt, da ihre Ergebnisse in Accra 1974 III eingearbeitet wurden (vgl. unten, 734-757).

29 Vgl. auch G. Gaßmann, Die Entwicklung der ökumenischen Diskussion über das Amt, 464. Zur Amtsdiskussion in dieser Zeit vgl. auch das als Arbeitsunterlage deklarierte Dokument der gemeinsamen Arbeitsgruppe zwischen dem katholischen Einheitssekretariat und dem ÖRK (Katholizität und Apostolizität), das ebenfalls 1971 in Löwen vorgelegt wurde.

731

5. Marseille 1972

Auf der Konferenz in Löwen war es der Kommission gelungen, zwei grundlegende Texte über die
Taufe und die Eucharistie vorzulegen, die zur weiteren Vernehmlassung verschiedenen Gremien zuge-
leitet worden sind und bis zur Sitzung der Kommission im Jahre 1974 in Accra eine definitive Form
erhalten sollten.[30] Da nun die Fortschritte in der
Amtsfrage überaus ermutigend waren, wurde alles daran gesetzt, diesen beiden Texten auch einen ähnlichen über das Amt beizufügen. Diesem Ziel diente
die Einleitung einer neuen Studienphase im Jahre
1972 in Marseille.

Der Mitarbeiterstab der Kommission ging in
seiner erneuten Arbeit von zwei Grundpfeilern aus:
zum einen von den Ergebnissen früherer Dokumente
der Kommission für Glauben und Kirchenverfassung
(hier vor allem vom Dokument aus Löwen) und zum anderen von den bis zu jenem Zeitpunkt vorliegenden
Dokumenten aus dem bilateralen Dialog (mit besonderer Berücksichtigung der Gruppe von Dombes).

Der Bericht der Konsultation von Marseille[31]
behandelt folgende Themenbereiche: das ordinierte
Amt und die christliche Gemeinschaft, die Apostolizität der Kirche und die apostolische Sukzession,
die Ordination, die Erneuerung des Amtes, die Anerkennung und die Versöhnung der Ämter.

Das Dokument von Marseille wird als Zwischenbe-
richt verstanden, der als Grundlage für einen ab-
schließenden Bericht dient. Grundlegend wurde aber

---

30 Vgl. oben, 394; 540-548.

31 Das ordinierte Amt in ökumenischer Perspektive, in:
    ÖR 22 (1973), 231-256.

bereits hier ein erstaunlich breiter Konsens im
Verständnis des Amtes festgehalten, dem weite
Kreise (auch katholische) zustimmen konnten. Mit
diesem Dokument wurden realisierbare Schritte auf
dem Weg der gegenseitigen Ämteranerkennung aufge-
zeigt.[32]

Auf dem Weg zum oben genannten endgültigen
Bericht gab es aber noch einmal zwei Zwischenstufen: Auf einer Tagung in Genf wurden 1973 Umstel-
lungen vorgenommen und drei neue Abschnitte (Amt und
Autorität, Amt und Priestertum, Vielfalt der Amtsstrukturen) eingefügt. Dieser Text wurde dann der
Kommission auf ihrer Sitzung in Accra 1974 unterbreitet, welche wiederum einige Änderungswünsche an-
brachte. Diese waren folgender Art: deutlichere Betonung des Dienstcharakters des Amtes; klarere Umschreibung der Beziehung von gemeinsamem und besonderem Priestertum (hierbei bessere Herausstellung
des Zusammenhangs von königlichem und prophetischem
Dienst aller Gläubigen und dem priesterlichen Dienst
des ordinierten Amtes), Differenzierung der konver-
gierenden Überzeugungen hinsichtlich der apostolischen Sukzession und Modifizierung gewisser Aussagen
über die Frauenordination.[33]

---

32 Vgl. G. Gaßmann, Die Entwicklung der ökumenischen
    Diskussion über das Amt, 466f.; H. Schütte, Amt,
    Ordination und Sukzession, 402f. Vgl. auch Gerhard
    Ruhbach, Das ordinierte Amt in ökumenischer Per-
    spektive: Überlegungen zum Accra-Dokument und seine
    Rezeption, in: ÖR 25 (1976), 355-365.

33 Vgl. G. Gaßmann, Taufe - Eucharistie - Amt, 203f.;
    Eine Taufe, eine Eucharistie, ein Amt: Drei Erklä-
    rungen erarbeitet und autorisiert von der Kommission
    für Glauben und Kirchenverfassung, 50f.

Nach der Überarbeitung des Dokumentes aufgrund dieser vorgegebenen Anregungen, konnte dann zusammen mit den Dokumenten über Taufe[34] und Eucharistie[35] das nun nachfolgend vorzustellende Dokument über das Amt (Accra 1974 III) vorgelegt werden.

---

34 Vgl. oben, 394.

35 Vgl. oben, 540-548.

II. Das Amt: Accra 1974

Das Accra-Dokument über das Amt unterscheidet sich in Entstehung und Struktur von den Dokumenten über die Taufe und die Eucharistie. Während diese größtenteils aus einer Aneinanderreihung von Ergebnissen aus vorangehenden repräsentativen ökumenischen Versammlungen zusammengestellt wurden, ist das Amtsdokument auf Konsultationen erarbeitet worden, die sich auf frühere Ergebnisse abstützten. Dieses Vorgehen hat den Vorteil, daß der Text

> "gedanklich und stilistisch geschlossener und in seiner systematischen Ordnung präziser ist..."[36]

Es hat aber den Nachteil, daß der Text, da in kleineren ökumenischen Zusammenkünften erarbeitet, weniger repräsentativ ist.[37] Immerhin, so ist hier anzufügen, wurde der Text zum einen von der Kommission für Glauben und Kirchenverfassung angenommen und zum anderen bildet er eine Zusammenfassung der damaligen ökumenischen Debatte über das Amt[38], was ihm durchaus ein gewisses Gewicht gibt.

Das Dokument gliedert sich in die fünf folgenden Abschnitte, die nachfolgend unterschiedlich ausführlich vorgestellt werden: das ordinierte Amt in der christlichen Gemeinschaft, die apostolische Sukzession, die Ordination, das Amt in der heutigen Praxis und die Anerkennung der Ämter.

---

36 G. Gaßmann, Taufe - Eucharistie - Amt, 204.

37 Vgl. a.a.O. 205.

38 Vgl. Eine Taufe, eine Eucharistie, ein Amt: Drei Erklärungen erarbeitet und autorisiert von der Kommission für Glauben und Kirchenverfassung, 50.

1. Das ordinierte Amt und die christliche Gemeinschaft

Nachdem einleitend (Nr. 1) deutlich gemacht
worden ist, daß sich jedweder Dienst der Kirche auf
den Dienst und die Sendung Christi zurückverwiesen
weiß und dies immer die grundlegende Perspektive
zur Reflexion über den gemeinsamen Dienst und das
besondere Amt bleibt, wird nun in einem ersten Abschnitt die ekklesiologische Einordnung des besonderen Amtes dargelegt, über deren Notwendigkeit sich
fast alle Kirchen einig sind (Nr. 2).

a) Die christliche Gemeinschaft (Nr. 3-10)

Christus erbaut durch die ihn geschehene Versöhnung im heiligen Geist durch Wort und Sakrament
christliche Gemeinden. Die in der Kirche durch die
Gemeinschaft mit Gott durch Christus im heiligen
Geist erfahrene Gemeinschaft schenkt dem Gläubigen
Freiheit und neues Leben, das nach dem Willen Gottes
allen Menschen zuteil werden soll.

In der kirchlichen Gemeinschaft bedeutet die
Apostolizität ein wesentliches Kennzeichen und ist
zentral für das Verständnis des Amtes. Christus ist
durch seine Sendung durch den Vater gleichsam der
Urapostel. Die von ihm berufenen Apostel sind das
Fundament der vom heiligen Geist geschaffenen Gemeinschaft der Glaubenden.

> "Dieser Gemeinschaft übergab Christus die Auto-
> rität, die apostolische Sendung zu erfüllen.
> Der Heilige Geist verwirklicht diese Sendung,
> indem er sich selbst in dieser Gemeinschaft mit-
> teilt und manifestiert" (Nr. 5).

Die Apostolizität der Kirche wurzelt also in
der Sendung Christi und ist in Zeugnis und Dienst
immer an Zeugnis und Dienst der Apostel gebunden.
Christus ist es aber, der sie durch die Wirksamkeit
im heiligen Geist immer bewahrt. Nach dieser grundlegend theologischen Einführung betont das Dokument

für das Amtsverständnis auch nicht-theologische
Faktoren, die sich aus der geschichtlichen Verwirklichung der Kirche ergeben und beschreibt
kurz die daraus folgenden Probleme.

b) Das gemeinsame Amt aller Gläubigen (Nr. 11-12)

   Durch die Verkündigung des Evangeliums und
den Aufbau des Leibes Christi nimmt die Kirche
ihre Berufung zur Verkündigung und teilweisen Verwirklichung des Reiches Gottes wahr. Jedem in der
kirchlichen Gemeinschaft ist das Leben des Glaubens und die Rechenschaft von der Hoffnung aufgetragen. Für die Verkündigung des Wortes Gottes,
den Aufbau der Gemeinde und den Dienst an der Welt
braucht es eine Vielfalt von Tätigkeiten, für die
der Geist die Gaben gibt. Diese Gaben zeigen sich
in Taten der Liebe in Kirche und Welt.

   "Das ordinierte Amt kann daher nicht in Abson-
   derung vom allgemeinen Amt des ganzen Volkes
   verstanden oder ausgeübt werden" (Nr. 12).

   Nach dieser Einordnung des ordinierten Amtes
in den Dienst und die Sendung aller Gläubigen,
kommt nun das Dokument eingehend auf dieses Amt zu
sprechen.

c) Grundlage und Funktionen des ordinierten Amtes
   (Nr. 13-16)

   Das Amt der Apostel ist einmalig. Die darin ent-
haltene Verkündigung der Versöhnung aber mußte in
einer besonderen Weise weitergeführt werden. Dafür
kennt die Kirche seit ihren Anfängen ein besonderes
Amt, das bleibend wesentlich ist. Dieses Amt wurde
ausgeübt von Gläubigen innerhalb der Gemeinde, die
dazu Gaben und Autorität empfangen haben. Christus
beruft Menschen, bewegt, stärkt und sendet sie durch
den heiligen Geist zu seinem Werk. Das Amt wird so
zum Zeichen für die Priorität der göttlichen Initia-

tive und Autorität in der Kirche.

Als wesentliche und spezifische Funktion des
Amtes nennt das Dokument die Sammlung und Auferbauung der christlichen Gemeinschaft durch Verkündigung und Unterweisung des Wortes Gottes und die
Leitung des liturgischen und sakramentalen Lebens
der eucharistischen Gemeinschaft. Diese Funktions-
beschreibung macht die Beziehung und das Aufein-
ander-Angewiesensein von Gemeinde und Amt deutlich.
Diese Beziehung stellt auch klar, daß die Kirche
niemals Herr der Dinge ist, sondern alles von Christus empfängt.

d) Amt und Autorität (Nr. 17-19)

Die Aussonderung zum besonderen Amt bedeutet
Verpflichtung zum Dienst und Autorität zu seiner
Ausübung. Dabei meint Verpflichtung wesentlich
Teilhabe am Leid Christi, dem dadurch Dienenden
und Autorität als Gabe für den Dienst in und an
der Kirche und nicht individueller Besitz, da sie
Christus, vom Vater gegeben, allein gehört. Die Ausübung der verliehenen Autorität schließt die Beteiligung der ganzen Gemeinschaft ein und geschieht
nach dem Vorbild Christi: "in und durch G e m e i n-
s c h a f t" (Nr. 18). Das bedeutet konkret, daß dem
Amt nur in einer Gemeinde Autorität zukommt, die sie
auch anerkennt, wodurch es von Entstellung durch
Herrschaft bewahrt wird.

e) Amt und Priestertum (Nr. 20-22)

Hier unternimmt das Dokument zunächst eine Klärung des Begriffs "Priester", um danach deutlich zu
machen, daß sich dieser Sprachgebrauch auf das Priestertum Christi bezieht:

"Das Priestertum Christi und das Priestertum
der getauften Gemeinschaft ist eine Funktion
des Opfers und der Fürbitte" (Nr. 21).

Für den ordinierten Amtsträger bedeutet das: er erfüllt seinen priesterlichen Dienst durch Stärkung, Auferbauung und Kenntlichmachung des königlichen und prophetischen Priestertums der Gläubigen, indem er den Dienst am Evangelium, den Dienst der Leitung des liturgischen und sakramentalen Lebens der eucharistischen Gemeinschaft und den Dienst der Fürbitte wahrnimmt. Er unterscheidet sich vom alttestamentlichen Priestertum dadurch, daß er sein Leben für den Dienst und die Auferbauung darbringt.

f) Die Vielfalt des Amtes (Nr. 23-26)

Das ordinierte Amt wird in den verschiedenen Kirchen auf vielfältige Weise ausgeübt. Die verschiedenen Formen des Amtes sind in der geschichtlichen Eigenart der Kirche angelegt. Der Vielfalt im einen Amt sind in zweierlei Hinsicht Grenzen gesteckt: Zum einen durch die stete Rückbindung an den apostolischen Auftrag und zum anderen durch die Einsicht, daß grundlegende Leitungsstrukturen nicht unbegrenzt veränderbar sind.

Innerhalb der verschiedenen Ausformungen, so das Dokument, ist das dreifache Amt (Bischof, Presbyter, Diakon) zwar vorherrschend, schließt aber die Ausbildung anderer Formen nicht aus. Einheit in der Vielfalt ist dort möglich, wo in der Verschiedenheit die wesentlichen Elemente des Amtes identifiziert werden können. Zwei dieser Elemente sind die Episkope, verstanden als Aufsichtsdienst und das Presbyterat, verstanden als Dienst der Verkündigung und Sakramentenverwaltung. Diese beiden Elemente bedeuten durch Verkündigung und Aktualisierung des Evangeliums Dienst an der Gemeinschaft der Kirche und der Welt.

Mit diesen bisherigen Aussagen wird die Abhängigkeit des Amtes von Christus und den Aposteln und seine Untrennbarkeit vom und Zuordnung zum gemeinsamen Dienst der Gläubigen grundlegend deutlich gemacht. Diese beiden Grundlinien sind in allen weiteren Aussagen von wesentlicher Bedeutung.

2. Die apostolische Sukzession

a) Die apostolische Sukzession der ganzen Kirche (Nr. 27-29)

Die apostolische Sukzession kommt am wesentlichsten im Leben der Kirche als Ganzer zum Ausdruck. Diese Sukzession ist eine Manifestierung

"der Dauer und damit der Kontinuität von Christi eigener Sendung, an der die Kirche teilhat. Diese Teilhabe ist in der Gabe des Heiligen Geistes und in der Sendung der Apostel und ihrer Nachfolger verwurzelt und wird ihre Vollendung in der allumfassenden Verwirklichung des Reiches Gottes finden" (Nr. 27).

Um die Fülle der apostolischen Sukzession zu wahren, braucht es die Kontinuität in den bleibenden Merkmalen der Kirche der Apostel. Diese sind: Zeugnis geben vom apostolischen Glauben, Verkündigung und Aktualisierung des Evangeliums, Weitergabe der Amtsverantwortung, sakramentales Leben, Liebesgemeinschaft, Einheit der Ortskirche und Teilhabe an den Gaben, die Christus jedem gibt. Mit diesen Merkmalen ist das Amt in unterschiedlicher Weise verbunden und dient ihrer Bewahrung und Aktualisierung.

Die geordnete Weitergabe des Amtes ist dann das sichtbare Zeichen der Kontinuität der ganzen Kirche. Konsequenzen lauten hier: Wo eine geordnete Amtsweitergabe fehlt, stellt sich die Frage nach der Bewahrung der Apostolizität und wo das Amt nicht der Apostolizität der Kirche dient, muß seine Struktur verändert werden.

b) <u>Die apostolische Sukzession des Amtes (Nr. 30-32)</u>

Für viele Kirchen ist nun die apostolische
Sukzession durch die Sukzession der Bischöfe, verstanden als Dienst, Symbol und Schutz des apostolischen Glaubens und der apostolischen Gemeinschaft
gewährleistet. Einig sind sich heute die meisten
Kirchen, daß in der christlichen Gemeinschaft unterschiedliche Organisationsformen vorkommen können,
die alle eine Grundlage im Neuen Testament finden.
Bekannt und anerkannt ist auch, daß es neben der
Ordination durch Bischöfe solche durch ordinierte
Priester gab. Diese Tatsachen nun bedeuten keine Ab-
wertung der bischöflichen Sukzession, so das Dokument, sondern zeigen die Offenheit und Möglichkeit
der Kirche für zeitbedingte Ämterentfaltung.

c) <u>Neue Ansätze (Nr. 33-37)</u>

Aus diesen Erkenntnissen weist das Dokument auf
verschiedene Modifikationen in der Frage der apostolischen Sukzession hin:

- Wer den historischen Episkopat kennt, der anerkennt
  die bischöfliche Sukzession zunehmend als Zeichen
  (und nicht als Garantie) der Kontinuität der Kirche
  im apostolischen Glauben und in der apostolischen
  Sendung.
- Viele Kirchen halten mittlerweile die nicht-bischöfliche Sukzession als Ausdruck der Kontinuität des
  apostolischen Glaubens, des apostolischen Amtes und
  der apostolischen Sendung für möglich. Zudem, so
  wird dann hier angemerkt, ist zum einen die traditionelle Form der Amtsübergabe nicht immer genügend
  und zum anderen kann ein Amt entstehen, welches die
  Gemeinde akzeptiert und erst nachträglich offizielle
  Anerkennung findet oder der heilige Geist bewirkt
  ein neues Amt, das die Gemeinde freudig annehmen
  soll.

3. Die Ordination

      Folgerichtig kommt nun anschließend das Do-
kument auf die Frage der Ordination zu sprechen
und präzisiert damit seine Vorstellungen einer ge-
ordneten Amtsweitergabe.

a) Die Bedeutung der Ordination (Nr. 38-43)

      Die Kirche ordiniert im Namen Christi Glieder
ihrer Gemeinschaft und bringt damit die Nachfolge
der Sendung der Apostel und die Treue zu ihrer Lehre
zum Ausdruck.

> "Der Akt der Ordination bekundet die Bindung der
> Kirche an Jesus Christus und das apostolische
> Zeugnis und erinnert zugleich daran, daß es der
> auferstandene Herr ist, der wahre Ordinator, der
> die Gabe verleiht" (Nr. 38).

Damit sorgt die Kirche in der Eingebung des heiligen
Geistes für treue Evangeliumsverkündigung und den
Dienst im Namen Christi.

> "Die Handauflegung kann als das Zeichen der Gabe
> des Geistes verstanden werden, das die Ordnung
> dieses Amtes in der in Christus vollbrachten
> Offenbarung sichtbar bezeugt und die Kirche daran
> erinnert, auf ihn als die Quelle ihrer Beauftra-
> gung zu schauen" (Nr. 38).

      Die Ordination ist weiterhin ein Zeichen für
das Handeln Christi und der Gemeinschaft, durch welches der Ordinierte im Geist gestärkt und durch die
Bestätigung und die Fürbitte der Gemeinde getragen
wird.

      Danach handelt das Dokument über die Begriffts-
bestimmung, Herkunft und Hintergrund des Wortes "Ordination" um deutlich zu machen, daß der Ausgangspunkt für seinen Inhalt von wesentlicher Bedeutung
ist, weshalb es, auch im Bewußtsein um das Wirken
der Gnade in, mit und unter der Sprache, wichtig ist,
die Voraussetzungen zu kennen. Konkret für die Ordination bedeutet das dann: Das Neue Testament bietet,
aufgrund des beschreibenden Charakters seiner Begriffe

für die Ordination, keine Grundlage für eine bestimmte Theorie. Daher ist beim Ausarbeiten einer
Theorie und Praxis der Ordination das Bewußtsein
um den geistigen Prozeß wachzuhalten. Der ökumenische Dialog wird dabei die unterschiedlichen unter-
bewußten Dimensionen bei der Sinngebung veranschaulichen und macht so die gegenseitige Entdeckung der
jeweiligen symbolischen und erfahrungsmäßigen Reich-
tümer möglich.

b) Der Akt der Ordination (Nr. 44-49)

Der Akt der Ordination umfaßt gleichzeitig Epiklese, sakramentales Zeichen, Anerkennung der Gaben
und Verpflichtung. Dieses Grundverständnis wird nun
wie folgt ausgedeutet:

- Im Gebet wird Gott um die Ausrüstung des Ordinierten mit der Kraft des heiligen Geistes in der neu-
  en Beziehung zur Ortskirche, zur universalen Kirche und zur Welt gebeten. Dadurch wird die Zeichenhaftigkeit des Amtes für die göttliche Initiative
  deutlich gemacht.
- Das sakramentale Zeichen verdeutlicht, daß Gott,
  der die Gabe des Amtes schenkt, das Gebet erhört.
  Auch wenn die Kirche dadurch die Freiheit Gottes
  nicht antasten will, so ist doch die Ordination
      "ein im Glauben vollzogenes Zeichen, daß die
      bezeichnete geistliche Beziehung gegenwärtig
      ist in, mit und durch die gesprochenen Worte,
      vollzogenen Handlungen und benutzten kirchli-
      chen Formen" (Nr. 46).
- Durch ihre Bestätigung erkennt und anerkennt die
  Kirche im Ordinierten die Gaben des Geistes. Die
  Kirche verpflichtet sich zur Verantwortlichkeit,
  der Ordinierte zu seiner neuen Autorität und Verantwortung. Da nun die Ordination keine Ausson-
  derung als höhere Stufe des Christseins, sondern
  Sendung in den Dienst der Kirche bedeutet, muß

auch das Volk Gottes an der Ordination beteiligt
sein, genau wie auch an der Berufung, der Auswahl und der Ausbildung. Die Vornahme der Ordination im Gottesdienst, vor allem in der Eucharistiefeier, hat eine lange Tradition und bringt
die Sendung in den Dienst der Kirche am deutlichsten zum Ausdruck.

> "Die Verbindung von Ordination und Eucharistie
> hält der Kirche die Wahrheit vor Augen, daß es
> sich um einen Akt handelt, der einen Menschen
> in einen D i e n s t   d e r   'K o i n o n i a',
> einen Dienst an Gott wie an den Mitmenschen, ein-
> führt" (Nr. 49).

Diese Gemeinschaft manifestiert sich am deutlichsten in der Eucharistie. Die Ordination in ihr vorgenommen, macht auch den Hinweischarakter des ordinierten Amtes auf das Amt Christi deutlich. Der
Ordinierte wird so auch dem Dienst Christi geweiht,
der sich zur Erlösung der Welt hingibt.

c) <u>Bedingungen für die Ordination (Nr. 50-63)</u>

Aus dem oben über Bedeutung und Akt der Ordination Dargelegten geht klar hervor, daß, gerade angesichts vieler Experimente heute, in gewissen Gund-
anforderungen an einen zukünftigen Amtsträger unter
den Kirchen Übereinstimmung herrschen sollte. Folgende fünf Grundanforderungen nennt das Dokument. Der
Amtsträger sollte:

- einen Ruf vom Herrn haben, der durch den Ordinierten selber, die Gemeinschaft und geistliche Lehrer
  beurteilt wird;
- sich zum Auftrag verpflichtet wissen, welcher in
  einer klaren Beziehung zur Sendung der Kirche
  steht und wesentlich Sammlung und Aufbau einer
  missionarischen Gemeinde und Führung der Glieder
  dieser Gemeinde zu ihrem eigenen Dienst bedeutet;
- fähig sein, in Treue zum Evangelium und zur Herr-

schaft Christi dieses Evangelium in der gegebenen Situation zu verkünden, wobei das Erkennen
der Zeichen der Zeit, das Studium der Bibel und
der Theologie und das Vertrautsein mit den menschlichen Gegebenheiten wichtige Grundlagen bilden;
- Geistesgaben haben (Treue, Verläßlichkeit, Gebets-
treue, Geduld, Ausdauer, Mut, Demut, Hoffnung) und
sich in Schwachheit zum Zeichen der Einladung Gottes zu Vergebung und Buße berufen wissen;
- fähig sein zur Beziehung in gegenseitiger Verantwortlichkeit und Mitsorge zu anderen Ämtern und
allen Gliedern der Gemeinde.

Diese Faktoren gelten als grundlegend. Andere,
von manchen Kirchen traditionellerweise genannte
Grundanforderungen, sollten nach Meinung des Dokumentes aufgrund folgender Überlegungen neu überdacht
und gegebenenfalls modifiziert werden:

- Verheiratete und Ehelose können zum Dienst in der
Kirche berufen werden;
- die akademische, intellektuelle Ausbildung ist
wichtig, doch erfordern die unterschiedlichen Situationen des Dienstes noch weitere Typen der Vorbereitung auf diesen Dienst, wobei auch säkulare
Elemente mit zu berücksichtigen sind;
- die Ausübung des Dienstes ist haupt- oder neben-
amtlich möglich;
- die Offenheit für Ordinationen außerhalb der sichtbaren Organisation der Kirche sollte gewahrt bleiben;[39]
- auch wenn üblicherweise die Ordination ohne Vorbe-
halt und zeitliche Begrenzung empfangen wird, sind

---

39 Das Dokument nennt hier ordinierte Amtsträger, die
dann als Maurer, Industriemanager oder Fernsehjour-
nalisten arbeiten (vgl. Nr. 61).

Beurlaubungen oder Amtsaufgabe möglich, wobei
bei einer Wiederaufnahme der Tätigkeit in keinem
Fall eine Reordination notwendig ist.

Das Dokument ruft hier zum Schluß die Gleich-
berechtigung von Frauen und Männern, die ein kirchliches Amt ausüben, in Erinnerung und betont, daß
kein Amt ein spezielles Prestige für sich in Anspruch nehmen kann.

d) Die Ordination von Frauen (Nr. 64-69) [40]

Sowohl Männer als auch Frauen müssen die Bedeutung ihres spezifischen Beitrages zum Amt Christi
entdecken. Es wird heute immer deutlicher, so das
Dokument, daß es Aufgaben für Männer und solche für
Frauen geben kann, die im Dienst in und an der Kirche eine schöpferische Ergänzung bedeuten. Da es
nun Kirchen gibt, die die Ordination von Frauen aus
Überzeugung kennen und damit positive Erfahrungen
machen, andere diese aber deutlich ablehnen, ist eine
Auseinandersetzung über diese Frage, die theologische
und soziologische Aspekte beachtet, notwendig. Das
Dokument selber regt hier lediglich eine breite
Studie an [41] und weist kurz auf die Probleme hin, die
sich im Zusammenhang mit dieser Frage stellen: Mann

---

40 Die Ausführungen über die Ordination von Frauen wurden gegenüber der Vorlage modifiziert und abgeschwächt,
da die zu jener Zeit in der amerikanischen Protestantischen Episkopalkirche erfolgten und als ungültig
erklärten Frauenordinationen in der Kommission zu hef-
tigen Debatten Anlaß gaben (vgl. G. Gaßmann, Taufe -
Eucharistie - Amt, 204).

41 Richtlinien für eine solche Studie bieten die Aus-
wertungen von Accra 1974 III durch die Kommission
für Glauben und Kirchenverfassung: Taufe, Eucharistie und Amt: Auf dem Wege zu einem ökumenischen
Konsensus, 20-23.

und Frau sind von Gott erschaffen; die männliche
Denkweise ist heute im Entwickeln von Theorien
vorherrschend; viele männliche Amtsträger sind
durch neu aufkommende Rollenverständnisse verunsichert und frustriert. Alle solchen Aspekte
spielen zwar im Entstehen eines neuen Denkens eine
Rolle, sind jedoch für das kirchliche Amtsverständnis sekundär. Als primär ist folgende Grund-
überzeugung anzusehen:

> "Die Strukturen des Amtes werden von der Kir-
> che im Gehorsam gegenüber ihrem Verständis des
> Evangeliums, wie es vom Heiligen Geist in der
> sich ständig wandelnden gegenwärtigen Situa-
> tion ausgelegt wird, gestaltet" (Nr. 68).

Allein dies bildet dann die Grundlage für die Beurteilung der Frage nach der Ordination von Frauen.
Für manche Kirche ist diese Frage heute noch nicht
aktuell, für andere kann sie zu einem ernsthaften
Hindernis für die gegenseitige Ämteranerkennung
werden.[42] Auch hier ist nach Auffassung des Dokumentes Offenheit für das Wirken des heiligen Geistes
wichtig.

4. Das Amt in der Praxis heute

Auf die praktischen Aspekte im Zusammenhang mit
dem ordinierten Amt soll hier nur kurz eingegangen
werden. Zur Gänze kann die Vorstellung nicht aus-
fallen, da diese Aspekte, wie zum Teil bereits deutlich wurde, für das Dokument wesentlich sind für Verständnis des Amtes in den einzelnen Kirchen und für
eine mögliche Neuorientierung im ökumenischen Kontext.

---

42 Vgl. oben, 640f.; 697f.

a) Veränderung und Erneuerung in Kirche und Amt
   (Nr. 70-71)

   Die Kirche als Volk Gottes in der Geschichte
ist ein Teil der Welt. Diese geschichtliche Dimension der Kirche bringt auch immer wieder Modifi-
zierungen und Anpassungen des Amtes mit sich, damit
der Dienst in Kirche und Welt geleistet werden kann,
der da heißt:

> "in der Kraft des Heiligen Geistes den Anbruch
> des Reiches Gottes zu verkündigen und in ihrem
> eigenen Leben anzuzeigen" (Nr. 70).

Wenn sich heute in der Welt Umbrüche schneller vollziehen, dann muß sich auch die Kirche in ihrer Sendung und ihrem Leben darauf einstellen. Die Verände-
rungsfähigkeit ist ein Zeichen ihrer Vitalität.

b) Die Rolle des Amtsträgers (Nr. 72-78)

   Ein wesentliches Element der Kirchenerneuerung
ist die Erneuerung des Amtes. Mit jeder Lehre vom
Amt verbindet sich eine bestimmte Rollenerwartung,
welche bei einer Erneuerung mit bedacht werden muß.
Das Dokument erwähnt dann ziemlich ausführlich die
Probleme und Dilemmas, die sich aus der Spannung von
Rollenerwartung und Rollenverhalten ergeben. Erneuerung kann es hier nur geben, wenn Gemeinde und Amt,
Amt und Kirchenleitung in offener Weise Erwartungen
deklarieren und hinterfragen. Wesentlich dabei bleibt
das Wissen um die alleinige Autorität Christi und die
bedingungslose Rückbindung an ihn.

c) Neue und alte Ämter (Nr. 79-87)

   Aus dem Neuen Testament und der frühen Kirche
läßt sich eine sich entfaltende Vielfalt der Ämter
erkennen, nach derem Vorbild auch heute eine Vielfalt legitim und angezeigt erscheint. Dabei können
heute alte Ämter, die anpassungsfähig bleiben, durch
neue und auch experimentelle Ämter ergänzt werden.

Bei Neuerungen sind immer eventuelle ökumenische
Implikationen mit zu bedenken und die Entwicklungen
in anderen Kirchen zu beobachten. Ebenso ist bei
Neuerungen die Mitsprache aller Stufen der Kirche
(und nicht nur die des ordinierten Amtes) zu berücksichtigen.

Ausführlich äußert sich dann das Dokument zum
Modell eines ökumenisch ausgerichteten Teampfarramtes,
von dem es sich die konkrete Konfrontation mit ökumenischen Fragen und die Ebnung des Weges zur Ämteranerkennung erhofft. Zu dieser gegenseitigen Ämteranerkennung, der dann der folgende Abschnitt ausführlich gewidmet ist, wird hier gleich bemerkt, daß für
eine solche mehr nötig ist, als eine lediglich lehrmäßige Übereinstimmung.

5. Anerkennung und Versöhnung der Ämter

Das Dokument kennzeichnet seine Ausführungen
als mögliche und notwendige Stationen auf dem Weg
zu einer Versöhnung und Anerkennung der Ämter und
stellt sie grundlegend in den Zusammenhang mit der
Einheit der Kirche.

a) Die Einheit der Kirche und die Ämteranerkennung
(Nr. 88-92)

Ausgehend von der Zielbeschreibung kirchlicher
Einheit, in der im Jahre 1961 in Neu-Delhi die gegenseitige Ämteranerkennung als Grundbestandteil genannt wurde[43], wird hier noch einmal deutlich festgehalten: Für die Einheit der Kirche ist volle, gegenseitige Anerkennung der Ämter notwendig. Die Zulassung von Amtsträgern anderer Kirchen zur Ausübung
bestimmter Funktionen in der eigenen Kirche bedeutet

---

43 Vgl. oben, 327.

erst eine beschränkte Anerkennung. Die volle Einheit jedoch erfordert mehr. Sie fordert,

"daß die Berufung zum Amt und die Frucht des
Amtes überall anerkannt werden" (Nr. 88).

Zunächst schildert das Dokument aufgrund der
unterschiedlichen Geschichte der Spaltung die unterschiedlichen Auswirkungen eines gemeinsamen Amtsverständnisses: Die Trennung zwischen den Kirchen ist
in der Vergangenheit oft gerade durch die Ablehnung
des Amtes deutlich geworden. Dabei war nicht immer
das Amtsverständnis der anderen Kirche allein ausschlaggebend, sondern oft auch der bei der anderen
Kirche vermutete Irrtum, mit dem der Amtsträger in
Verbindung gebracht wurde. Zum wesentlichen Hindernis ist hier das Zeichen der apostolischen Sukzession
geworden. Daher dann wird die Anerkennung zwischen
verschiedenen Kirchen nicht in der gleichen Weise geschehen, je nachdem, ob das Hauptgewicht auf Glaubensfragen oder auf dem Amtsverständnis beruht.

Weiter wird ein gemeinsames Amtsverständnis
nicht auf alle Kirchen dieselben Auswirkungen haben,
auch wenn dieses für alle wesentlich ist. Daher kann
die gemeinsame Sicht und Praxis des Amtes für die
einen noch keine Änderungen in der gegenseitigen Beziehung nach sich ziehen, während dies für andere
den Durchbruch zur vollen Einheit zwischen ihnen bedeutet. Diese Sachverhalte machen deutlich, daß neben
einem gemeinsamen Amtsverständnis auch andere Bemühungen um Einheit unternommen werden müssen.

"Volle gegenseitige Anerkennung kann nur durch
eine Vielfalt einzelner Anstrengungen erreicht
werden" (Nr. 91).

Als wesentlich erachtet das Dokument das Bedenken der
Bedingungen, unter denen Spaltungen entstanden sind,
da sie den Weg zur Übereinstimmung weisen, die gemeinsame Neubesinnung angesichts der neuen Entwicklungen und das gemeinsame Weitergehen bestimmen.

b) <u>Unterschiedliche Grade der Anerkennung (Nr. 93-100)</u>

Der Weg zur Einheit kann nur in kleinen Schritten begangen werden. Die Kirchen sind heute in unterschiedlichen Etappen unterwegs. Die einen stehen sich bereits sehr nahe, zwischen anderen gibt es noch unüberwindbare Hindernisse. Hier nun stellt das Dokument zum besseren Verständnis der Situation verschiedene Formen und Grade der Anerkennung vor:

- Der kleinste Grad der Anerkennung drückt sich in der Achtung der Autorität des anderen Amtes aus, daß es im Namen einer Gemeinschaft spricht. Dies beinhaltet eine positive Wertung, aber noch kein Urteil über den geistlichen Wert des Amtes.[44]

- Ein bereits größerer Grad ist erreicht, wenn der kirchliche Charakter der anderen Gemeinschaft anerkannt wird, wobei dann das Amt in dieser Gemeinschaft nicht ohne geistliche Bedeutung verstanden werden kann. Der Amtsträger wird anerkannt als der zur Ausrüstung des Volkes Gottes und zur Erfüllung der Aufgaben, die dem ordinierten Amt zugewiesen sind, Berufene. Diesem Amt "fehlt lediglich die Fülle, die dem apostolischen Amt verheißen ist" (Nr. 95). Aufgrund einer solchen Anerkennung ist zunächst eine intensive Zusammenarbeit in mancherlei Hinsicht möglich. Das Dokument geht aber noch einen Schritt weiter: Kirchen auf dieser Stufe der Anerkennung

> "können sogar, wo dies die kirchlichen Verhältnisse erlauben, bei besonderen Gelegenheiten zusammen die Eucharistie verwalten, wenngleich

---

44 Das Dokument fügt hier an: "Wenngleich von dieser Haltung aus keine theologischen Folgerungen gezogen werden, enthält sie doch mehr theologische Implikationen, als die meisten Kirchen zugeben würden" (Nr. 94).

ihre Kirchen noch keine volle Übereinstimmung über die Eucharistie erreicht haben und
voneinander getrennt bleiben" (Nr. 96).

- Ein weiteres Stadium der Anerkennung bedeutet die
offizielle Anerkennung des anderen Amtes als von
Christus gegebenes apostolisches Amt, woraus dann
in einigen Fällen volle Abendmahlsgemeinschaft
resultiert, meistens aber eine intensivere Zusammenarbeit und gelegentliche gemeinsame Abendmahlsfeiern erfolgen.

- "Der entscheidende Schritt ist die gegenseitige
  Anerkennung der Gemeinschaften, die die gegen-
  seitige Anerkennung des Amtes mit impliziert"
  (Nr. 98).

Diese Anerkennung basiert auf der Übereinstimmung
darin, daß die andere Kirche (auch bei einer anderen Organisationsstruktur) in gleicher Weise Kirche Christi ist wie die eigene.

Abschließend legt hier das Dokument großen
Wert darauf, daß die Anerkennung der Kirchen und
der Ämter einen öffentlichen Akt mit einschließt,
von dem an dann die volle Einheit verwirklicht wird.
Verschiedene Formen eines solchen Aktes[45] werden
hier vorgestellt, erfahren aber keine Wertung. Das
Dokument betont aber die gemeinsame Abendmahlsfeier
als geeignetsten Ort für diesen öffentlichen Akt.

c) Weitere Schritte auf dem Weg zur Anerkennung
   (Nr. 101-106)

Neben der Wichtigkeit theologischer Diskussionen
betont das Dokument einleitend die Notwendigkeit der
Bereitschaft der Kirchen zur Veränderung. Für die Anerkennung der Ordinationspraxis wird hier zweierlei
für unabdingbar gehalten:

---

45 Vgl. Das geistliche Amt in der Kirche, Nr. 82.

- Die Ordinationsliturgie muß deutlich zum Ausdruck bringen, daß durch die Ordination das
apostolische Amt des Wortes Gottes und der Sakramente weitergegeben werden will.
- Die Ordinationsliturgie muß Epiklese und Handauflegung beinhalten (wobei die Epiklese das
sichern soll, was einige Kirchen mit "Sakramentalität" der Ordination umschreiben).

Im weiteren werden dann folgende, von verschiedenen Kirchen propagierte Schritte hinsichtlich der apostolischen Sukzession vorgestellt:

- Kirchen in der bischöflichen Sukzession müssen
den echten Gehalt des ordinierten Amtes in solchen Kirchen anerkennen, die die apostolische
Sukzession nicht in dieser Form bewahrt haben, da
Gott auch ihnen die Sukzession des apostolischen
Glaubens, ein Amt des Wortes und der Sakramente
geschenkt hat, wie das an den Früchten erkennbar
ist. Kirchen ohne die bischöfliche Sukzession
müssen dasselbe in Kirchen mit bischöflicher
Sukzession und das Fehlen der Fülle des Zeichens
der apostolischen Sukzession in der eigenen Kirche anerkennen. Hier betont das Dokument:

"Wenn volle sichtbare Einheit erreicht werden
soll, sollte die Fülle des Zeichens der apostolischen Sukzession wiedergewonnen werden"
(Nr. 104).
- Kirchen, die die bischöfliche Sukzession kennen,
sollten die Bedeutung des Bischofsamtes neu be-
kräftigen und den anderen Kirchen seine Bedeutung
als personal verkörpertes Zeichen der sichtbaren
Einheit der Kirche nahe bringen. Diese Kirchen
sollten auch gewisse ordinierte Ämter anerkennen,
die zwar nicht die bischöfliche, aber die presbyterale Sukzession kennen und in ihren Ämtern bischöfliche und presbyterale Funktionen vereinen.

Hier geht dann das Dokument noch einen Schritt
weiter und plädiert für gewisse Fälle auch für
die Anerkennung von Ämtern, die weder eine bischöfliche noch eine presbyterale Sukzession
kennen, die aber der Überzeugung sind, daß sie
eine Sukzession im apostolischen Glauben bewahren.

Damit beendet das Dokument seine sehr ausführlichen Darlegungen.

Zusammenfassung

Aus den Aussagen des Accra-Dokumentes über das
Amt geht deutlich die Übereinstimmung der Kirchen in
der Notwendigkeit eines ordinierten Amtes als Dienst,
dessen christologische Grundlegung und dessen Einbettung in die Sendung und den Dienst der gesamten Kirche
hervor.

Eine allmähliche Übereinstimmung wird festgestellt im Verständnis der Apostolizität der gesamten
Kirche, die sich in verschiedenen Formen manifestieren
kann (wobei die bischöfliche Sukzession als Zeichen
für die Kontinuität des apostolischen Glaubens und der
apostolischen Gemeinschaft und deren Manifestierung im
Dokument eine deutliche Würdigung erfährt) und im Verständnis der Ordination als Berufung Christi durch den
heiligen Geist, die unter Epiklese und Handauflegung
geschieht.

Annäherungen sind in folgenden Fragen erkennbar
(die zu einer Übereinstimmung aber noch weiterer Klärungen bedürfen): das Vorhandensein einer Form der
Episkope, die Notwendigkeit einer Vielfalt von Ämtern,
die Zeichenhaftigkeit des historischen Bischofsamtes
und ihre Beziehung zu anderen Manifestierungen von
Apostolizität, die genauere Bestimmung des Unterschiedes von gemeinsamem und speziellem Priestertum, die

Ausformung des Amtes als Dienst an der Einheit und die
Frage der Ordination von Frauen.

Ganz allgemein legt das Dokument Wert auf die legitime Vielfalt der Amtsstrukturen und die Anpassung
von Theorie und Praxis an den geschichtlichen Wandel,
wie er sich in der Welt und der Kirche laufend vollzieht.[46] Während in den Fragen der Taufe und der Eucharistie bereits in Accra weitgehende Übereinstimmungen konstatiert werden konnten, so gilt dies in einem solchen Umfang für die Frage des Amtes noch nicht.
Die Fortschritte sind zwar beträchtlich, doch ist die
ökumenische, multilaterale Diskussion über das Amt
noch nicht so weit fortgeschritten wie die Diskussionen über Taufe und Eucharistie. Mögliche Gründe
dafür sind zum einen der spätere Beginn der Diskussionen und zum anderen die enge Verbindung der Amtsfrage mit der institutionellen Gestalt der Kirche, deren Vielgestaltigkeit gerade in den im ÖRK zusammengeschlossenen Kirchen deutlich zum Ausdruck kommt. Angesichts der Fülle von verschiedenen Organisationsformen
und den damit verbundenen Amtsverständnissen ist eine
so präzise Darstellung der damit verbundenen Probleme
im gleichen Umfang wie z.B. in bilateralen Dokumenten
nicht möglich. In keinem anderen Accra-Dokument kommt
daher das Ringen um Klärung, das Bemühen um die gegenseitige Vorstellung von unterschiedlichen Positionen,
das Suchen nach Antworten, das Abklären von möglichen
Gemeinsamkeiten und das Anbieten von möglichen Wegen
der Annäherung so deutlich zum Ausdruck wie im Amts-
Dokument.

Gerade aber angesichts der Fülle der hier zur

---

46 Vgl. auch Taufe, Eucharistie und Amt: Auf dem Wege
    zu einem ökumenischen Konsensus, 13ff.

Sprache kommenden Kirchen kommt den gemeinsamen möglichen Aussagen trotz der Vernachlässigung vieler
spezifischer Unterschiede ein beachtliches Gewicht zu.
Die Stellungnahmen der Kirchen zu diesem Amts-Dokument
bieten

"ermutigende Zeichen für zunehmende Übereinstimmung
und sogar für weiteren Fortschritt in Richtung auf
einen sich entwickelnden Konsensus".[47]

Insofern dann stellt das Amts-Dokument in größerem Maße
ein Studiendokument auf dem Weg dar, als die anderen
Accra-Dokumente, die bereits einen recht großen Konsens
präsentieren konnten.[48]

In seinen Ausführungen bietet das Dokument ein
Fazit und eine wertvolle Zusammenfassung der Entwicklung und des Standes des gegenwärtigen ökumenischen
Gesprächs über das Amt. Auch aus dem Amts-Dokument spricht
die Überzeugung,

"daß die im Interesse ökumenischer Annäherung zweifel-
los notwendige Wiedergewinnung bestimmter 'katholischer' oder 'traditioneller' Auffassungen und Formen
...mit einem entschlossenen Willen zur Erneuerung,
zu zeitgemäßen Ausdrucksformen und zu einer offenen
und zum Dienst an allen Menschen verpflichteten Haltung gegenüber der Welt und ihren Problemen und Nöten
verbunden werden kann und muß".[49]

---

47 Taufe, Eucharistie und Amt: Auf dem Wege zu einem
    ökumenischen Konsensus, 13.

48 Vgl. auch G. Gaßmann, Taufe - Eucharistie - Amt,
    205f.; Ulrich Ruh, Gemeinsames Sprechen über Taufe,
    Eucharistie und Amt: Zu den "Konvergenzerklärungen"
    der Kommission für Glauben und Kirchenverfassung,
    in: HerKorr 36 (1982), 376f.; L. Vischer, Taufe,
    Abendmahl und Amt, 25.

49 G. Gaßmann, Taufe - Eucharistie - Amt, 206. Zu Accra
    1974 III vgl. auch Das Amt im ökumenischen Kontext:
    Stellungnahme des ökumenischen Studienausschusses
    der VELKD und des DNK/LWB, 168-173; G. Ruhbach, Das
    ordinierte Amt in ökumenischer Perspektive, 349-370.

Aufgrund der erbetenen Stellungnahmen verschiedener Gremien und aufgrund neuerer Untersuchungen über
das Amt wurde auch das Amts-Dokument aus dem Jahre 1974
überarbeitet und auf der Sitzung der Kommission für
Glauben und Kirchenverfassung im Jahre 1982 in Lima
den Kirchen, als Konvergenzerklärung gekennzeichnet,
erneut vorgestellt.

Im folgenden sollen nun noch kurz die Neuerungen
und Veränderungen gegenüber dem Accra-Dokument erwähnt
werden.

III. Das Amt: Lima 1982

Gegenüber dem Tauf-Dokument und dem Eucharistie-
Dokument wurde das Amts-Dokument zwischen Accra und
Lima in seiner Struktur am meisten verändert. Unter
Beibehaltung seiner Grundintention wurde es zum einen
gestrafft und gekürzt (so ist z.B. der praxisbezogene
Teil aus der Accra-Vorlage[50] entfallen) und zum ande-
ren in den Ausführungen über die Formen des ordinier-
ten Amtes um längere Ausführungen über das dreifache
Amt ergänzt (was eine Reduktion der Aussagen über die
Vielfalt des Amtes gegenüber dem Accra-Dokument[51] zur
Folge hatte).

Wie in den anderen Lima-Dokumenten auch, werden
gewissen Abschnitten Kommentare angefügt, die entweder
Gedanken aus dem Accra-Text aufnehmen oder neu hinzu-
kommende Klärungen enthalten.

In einem ersten Abschnitt wird das ordinierte Amt
wiederum von der Berufung des ganzen Volkes Gottes her
verstanden (Nr. 1-6). Hier wird deutlich gemacht, daß
die Klärung der Unterschiede im Amtsverständnis von der
Klärung der Frage der Ordnung des kirchlichen Lebens
nach dem Willen Christi und unter der Leitung des heiligen Geistes her zu unternehmen ist, welche Klarheit
bringen soll, wie

"das Evangelium verbreitet und die Gemeinschaft in
Liebe auferbaut werden kann" (Nr. 6).

Dem ordinierten Amt in der Kirche ist der zweite
Abschnitt gewidmet (Nr. 7-18). Neu aufgenommen wird
hier eine kurze Klärung der Begriffe Charisma, Dienst,
ordiniertes Amt und Priester. Dabei meint "Charisma"

---

50 Vgl. Accra 1974 III, Nr. 70-87.
51 Vgl. a.a.O. Nr. 23-26.

die Gabe, die der heilige Geist einem jeden Glied der
Kirche verleiht. Mit "Dienst" wird der Dienst umschrieben, zu dem alle in der Kirche, ordinierte und nicht-
ordinierte Glieder, berufen sind.

> "Der Ausdruck o r d i n i e r t e s A m t...
> bezieht sich auf Personen, die ein Charisma empfan-
> gen haben und die die Kirche zum Dienst ernennt
> durch die Ordination, durch Anrufung des Geistes
> und Handauflegung" (Nr. 7).

Mit "Priester" werden in gewissen Kirchen bestimmte
Pfarrer bezeichnet.[52]

In seinen weiteren Ausführungen betont auch dieses
Dokument die Realität und konstitutive Bedeutung des ordinierten Amtes. Aufgrund seiner geschichtlichen Entfaltung aber empfiehlt es den Kirchen zu vermeiden, die

> "spezifischen Formen des ordinierten Amtes direkt
> auf den Willen und die Einsetzung durch Jesus Chri-
> stus selbst zurückzuführen".[53]

Die repräsentative Funktion des ordinierten Amtes
wird im Lima-Dokument deutlicher als in Accra im Hinblick auf die Eucharistiefeier betont und dabei ausgeführt:

> "Besonders in der eucharistischen Feier ist das or-
> dinierte Amt der sichtbare Bezugspunkt der tiefen
> und allumfassenden Gemeinschaft zwischen Christus
> und den Gliedern seines Leibes. In der Feier der
> Eucharistie sammelt, lehrt und erhält Christus die
> Kirche. Es ist Christus, der zum Mahl einlädt und
> ihm vorsteht. In den meisten Kirchen wird diese Lei-
> tung durch einen ordinierten Amtsträger bezeichnet
> und repräsentiert" (Nr. 14).[54]

Im Kommentar dazu weist das Dokument darauf hin, daß
es zwar im Neuen Testament keine definitiven Aussagen
über die Leitung der Eucharistiefeier gibt, daß diese

---

52 Zum Begriff "Priester" vgl. ausführlicher: Lima
    1982 III, Nr. 17 und den dazu gehörigen Kommentar.

53 A.a.O. Nr. 11, Kommentar.

54 Vgl. auch Lima 1982 III, Nr. 29.

aber schon bald einem ordinierten Amtsträger übertragen wurde, was aufgrund dessen Charakter als Bezugspunkt für die Einheit der Kirche auch angemessen ist. Die Leitung der Eucharistiefeier

"ist unmittelbar verbunden mit der Aufgabe, die Gemeinschaft zu leiten, d.h. über ihr Leben zu wachen (episkopé) und ihre Wachsamkeit im Blick auf die Wahrheit der apostolischen Botschaft und das Kommen des Gottesreiches zu stärken".[55]

Die weiteren Ausführungen sind folgenden bekannten Themen gewidmet: Amt und Autorität, Amt und Priestertum, Ordination von Frauen.

Der dritte Abschnitt beschäftigt sich dann ausführlich mit den Formen des ordinierten Amtes (Nr. 19-33). Dabei nimmt das Lima-Dokument die Würdigung des dreifachen Amtes von Bischöfen, Presbytern und Diakonen aus dem Accra-Dokument[56] nicht nur auf, sondern stellt es mit gewissen Vorbehalten den Kirchen als Vorbild hin und formuliert: Dieses dreifache Amt könnte

"heute als ein Ausdruck der Einheit, die wir suchen, und auch als ein Mittel, diese zu erreichen, dienen... In Erfüllung ihrer Sendung und Dienstes brauchen die Kirchen Personen, die in verschiedener Weise die Aufgaben des ordinierten Amtes zum Ausdruck bringen und ausführen in seinen diakonischen, presbyteralen und episkopalen Aspekten und Funktionen" (Nr. 22).

Besonders wird dann der Dienst der Episkope erwähnt:

"Jede Kirche braucht diesen Dienst der Einheit in irgendeiner Form, um Kirche Gottes zu sein, der eine Leib Christi, ein Zeichen der Einheit aller im Gottesreich" (Nr. 23).

Mit seinen Vorstellungen des dreifachen Amtes identifiziert das Dokument keine konkrete Realisierung in einer der heutigen Kirchen. Im Gegenteil: es spricht sich angesichts der Tatsache, daß die verschiedenen Stufen sich

---

55 Lima 1982 III, Nr. 14, Kommentar.
56 Vgl. Accra 1974 III, Nr. 25-26.

unterschiedlich und zum Teil bis zur Bedeutungslosig-
keit entwickelt haben, für eine Reform der dreiglied-
rigen Amtsstruktur aus. Für die Ausübung eines so
strukturierten Amtes plädiert das Dokument für eine
persönliche, kollegiale und gemeinschaftliche Weise
und nimmt damit die Empfehlungen von Lausanne 1927
auf.[57]

Über die Funktionen von Bischof, Presbyter und
Diakon, so das Dokument, muß für eine gegenseitige
Anerkennung der Ämter keine volle Übereinstimmung bestehen, weshalb es dann seine Ausführungen (Nr. 29-31)
als vorläufige Vorschläge versteht.

Erst am Schluß dieses Abschnittes nimmt das Dokument das Anliegen aus Accra über die Vielfalt der
Dienste in der Kirche in kurzen Ausführungen über die
Vielfalt der Charismen auf. Dabei anerkennt es die
notwendige, vom Geist gewirkte Vielfalt der Charismen,
würdigt insbesondere den Dienst von Ordensgemeinschaf-
ten und betont hinsichtlich des ordinierten Amtes:

"Das ordinierte Amt, das selbst ein Charisma ist,
darf nicht zu einem Hindernis für die Vielfalt dieser Charismen werden. Im Gegenteil, es wird der
Gemeinschaft helfen, die Gaben zu entdecken, die
ihr vom Heiligen Geist verliehen sind, und wird
die Glieder des Leibes Christi ausrüsten, auf vielfältige Weise zu dienen" (Nr. 32).

Das Dokument gesteht hier abschließend auch zu, daß
der heilige Geist in der Geschichte der Kirche immer
wieder prophetische und charismatische Führer zur Bewahrung der Wahrheit des Evangeliums berufen hat, ja,
daß Reformen gelegentlich eines besonderen Amtes

---

57 Vgl. Lausanne 1927, 538. U. Ruh weist in diesem
Zusammenhang auf die im Dokument ungeklärte Beziehung von dreifachem Amt und seiner persönlichen,
kollegialen und gemeinschaftlichen Ausübung hin
(vgl. U. Ruh, Gemeinsames Sprechen über Taufe, Eucharistie und Amt, 378).

bedürfen.

Im vierten Abschnitt (Nr. 34-38) nimmt das Dokument die Accra-Aussagen über die apostolische Sukzession auf und ergänzt sie zum einen mit der Betonung der apostolischen Sukzession des ordinierten
Amtes innerhalb der vorrangigen Manifestation der
apostolischen Sukzession der ganzen Kirche und zum
anderen mit einem kurzen geschichtlichen Exkurs über
die unterschiedlichen Verständnisse der apostolischen
Sukzession.

Hinsichtlich der apostolischen Sukzession des
ordinierten Amtes wird ihre Funktion als Dienst an
der Kontinuität der Kirche herausgestellt: Die von
den Aposteln bestellten Amtsträger und danach die
Episkopen waren die ersten Hüter der Weitergabe des
Evangeliums, der rettenden Worte und Taten Jesu
Christi, welche das Leben der Kirche begründen. Diese

"bezeugten die apostolische Sukzession des Amtes,
die durch die Bischöfe der Alten Kirche in kolle-
gialer Gemeinschaft mit den Presbytern und Diakonen innerhalb der christlichen Gemeinschaft weitergeführt wurde".

Daraus schließt dann das Dokument:

"Es sollte deshalb ein Unterschied zwischen der
apostolischen Tradition der ganzen Kirche und der
Sukzession des apostolischen Amtes gemacht werden."[58]

In den Ausführungen im fünften Abschnitt zur Ordination (Nr. 39-50) wird "der Sache nach"[59] die Sakramentalität der Ordination nachdrücklich betont. Die Bedingungen für die Ordination werden gegenüber Accra[60]

---

58 Lima 1982 III, Nr. 34, Kommentar.

59 W. Kasper, Rückkehr zu den klassischen Fragen öku-
    menischer Theologie, 9.

60 Vgl. Accra 1974 III, Nr. 50-63.

aufgrund des Weglassens des Kapitels über die praktischen Aspekte des Amtes erheblich gekürzt. Das Dokument hält aber daran fest, daß die

> "ursprüngliche Verpflichtung zum ordinierten Amt
> ...gewöhnlich ohne Vorbehalt und Zeitbegrenzung
> vorgenommen werden"

sollte und daß eine Wiederaufnahme des ordinierten
Amtes (nach einer Beurlaubung z.B.) wohl die Zustimmung der Kirche erfordert, "aber keine erneute Ordination" (Nr. 48).

Ebenfalls stark verkürzt wurde in Lima der letzte
Abschnitt über die Anerkennung der Ämter (Nr. 51-55).
Weggefallen sind gegenüber Accra größtenteils die
grundlegenden Aussagen über die Einheit der Kirche und
die Anerkennung der Ämter und die Auflistung der verschiedenen Grade einer möglichen Anerkennung.[61] Bestehen bleiben die Mahnung an alle Kirchen zur Überprüfung der Formen des ordinierten Amtes und des Maßes
seiner Treue gegenüber seiner ursprünglichen Form. Abschließend wird auch hier die Notwendigkeit eines offiziellen Aktes der gegenseitigen Anerkennung durch die
zuständigen Autoritäten und als deren geeignetster Ort
die Eucharistiefeier betont.

Mit diesen erneuten Ausführungen in Lima hat die
Kommission für Glauben und Kirchenverfassung das Verständnis des kirchlichen Amtes, wie sie es in Accra
entwickelt hat, zwar nicht umgestossen oder wesentlich
verändert. Sie hat ihm aber durch die verstärkte Hin-
wendung zum dreifachen Amt und das Weglassen der Ausführungen über die gesellschaftliche und die kirchliche Situation des Amtes einen neuen, deutlicheren Akzent gegeben:

---

61 Vgl. Accra 1974 III, Nr. 88-100.

"Die Aufmerksamkeit für den Kontext ist so gegenüber der Orientierung an der altkirchlichen Tradition zurückgetreten."[62]

Ob mit dieser neuen Ausrichtung der Weg zur gegenseitigen Anerkennung z.B. für die orthodoxe und die
katholische Kirche gangbarer geworden ist, wird die
Rezeptionsgeschichte der nächsten Jahre zeigen.[63]

Diese Rezeption zu leisten, bittet die Kommission für Glauben und Kirchenverfassung alle Kirchen
eindringlich und verspricht, auf einer geplanten

---

62 U. Ruh, Gemeinsames Sprechen über Taufe, Eucharis-
    tie und Amt, 378.

63 Hierbei weist W. Kasper noch auf einen weiteren
    Aspekt hin: Wenn die Amts-Dokumente von Accra (Nr.
    104) und Lima (Nr. 53) den Kirchen in nicht-bi-
    schöflicher Sukzession die Prüfung der bischöfli-
    chen Verfassung empfehlen, dann würde ihnen diese
    Prüfung leichter fallen, wenn sich die Kirchen mit
    bischöflicher Verfassung zuerst einmal voll aner-
    kennen würden: "Damit ist deutlich ausgesprochen,
    daß dem bilateralen Dialog zwischen Orthodoxen und
    Katholiken wie zwischen Anglikanern und Katholiken
    für die Zukunft der ökumenischen Annäherung die
    Schlüsselrolle zukommt" (W. Kasper, Rückkehr zu den
    klassischen Fragen ökumenischer Theologie, 10).

Sitzung im Jahre 1987 ein weiters Mal Bilanz zu ziehen.[64]

Mit den Aussagen der Kommission für Glauben und Kirchenverfassung findet die Vorstellung der Ergebnisse aus dem bilateralen und multilateralen Dialog über das kirchliche Amt hier ein Ende. Das Lima-Dokument bildet im weiteren Sinne (d.h. ohne die Differenziertheiten, wie sie nur in bilateralen Dialogen möglich sind) eine Zusammenfassung des Diskussionsstandes der brisanten Probleme im Verständnis von Stellung, Funktion und Form des kirchlichen Amtes. Im folgenden Paragraphen soll nun eine allgemeine Zusammenfassung und eine kurze Vorstellung der theologischen Diskussion erfolgen.

---

[64] Zum Amt in Lima und der Notwendigkeit der Rezeption in der Zeit danach vgl. auch Emmanuel Lanne, Das ordinierte Amt: Ökumenische Konvergenz, in: M. Thurian (Hg.), Ökumenische Perspektiven von Taufe, Eucharistie und Amt, 138-146; William H. Lazareth, 1987 - Lima und danach, a.a.O. 201-212; Peter Neuner, Konvergenzen im Verständnis des geistlichen Amtes - Möglichkeiten der Rezeption: Eine katholische Überlegung zum Amts-Papier der Konvergenzerklärungen der Kommission für Glauben und Kirchenverfassung des Ökumenischen Rates der Kirchen, in: US 38 (1983), 198-206; Wolfhart Pannenberg, Herausforderung der Amtstheologie: Die Lima-Texte und die Diskussion um das Amt, in: LM 22 (1983), 408-413; U. Ruh, Ökumenische Richtpunkte, 209ff.; Gerhard Voss, Von Accra nach Lima, in: Cath(M) 26 (1982), 188-192; Geoffrey Wainwright, Versöhnung im Amt, in: M. Thurian (Hg.), Ökumenische Perspektiven von Taufe, Eucharistie und Amt, 147-157.

§ 18 ZUSAMMENFASSUNG UND THEOLOGISCHE DISKUSSION ÜBER
DAS KIRCHLICHE AMT

I. Zusammenfassung der Ergebnisse des ökumenischen
Dialoges

Ohne noch einmal auf alle Nuancen, verschiedenen
Akzentsetzungen und die unterschiedliche Herkunft der
einzelnen kirchlichen Traditionen einzugehen, sei
hier folgende Zusammenfassung versucht:

Aus allen Dokumenten geht der Zusammenhang des
Verständnisses von Kirche (vor allem in ihrer institutionellen Form) und Amt deutlich hervor. Die Dokumente versuchen daher grundlegend Klarheit darüber zu
gewinnen, wo im Gesamtzusammenhang des Glaubens und
der Kirche der Platz des Amtes ist. Das Anliegen ist
deutlich, das Amt von der Kirche her und nicht die
Kirche vom Amt her zu verstehen und damit das Amt einer
isolierten Behandlung zu entziehen. Auf diesem Hintergrund dann werden ehemalige kontroverse Einzelfragen
angegangen und auf ihm Möglichkeiten der Anerkennung
genannt.

1. Berufung und Sendung aller Getauften

Der Kirche, begründet und stetig auferbaut von
Christus im heiligen Geist, ist es aufgetragen, in
Weiterführung des einzigartigen Amtes Christi, der
Welt das Evangelium der Versöhnung zu verkünden, sa-
kramental wirksam werden zu lassen und durch das Le-
ben zu bezeugen. Dieser Auftrag betrifft in unter-

schiedlicher Weise jedes Glied der Gemeinschaft
der Kirche. Zu diesem Dienst gibt Christus im
heiligen Geist jedem Getauften und jeder Getauften seine Gabe und führt sie im Zusammenwirken
ihrer Vielfalt in der Wahrnehmung ihrer Sendung
zur Auferbauung der Kirche und zur Evangeliumsverkündigung in der Welt. Ihren Dienst kann die
Kirche nur im Miteinander ihrer verschiedener
Gaben, die einander zugeordnet sind, christusgemäß
wahrnehmen. Der Dienst des besonderen Amtes ist
eine besondere Gabe innerhalb der Kirche, kann
aber nur im Zusammenhang mit der Berufung und der
Sendung der ganzen Kirche verstanden und ausgeübt
werden.

2. Das besondere Amt

Das besondere (kirchliche, geistliche, ordinierte) Amt ist zwar allein im Zusammenhang des
Dienstes der ganzen Kirche, des gemeinsamen Priestertums aller Getauften, zu verstehen, es ist
aber nicht aus diesem direkt ableitbar und beruht
nicht auf einer Delegation durch die Kirche, sondern es hat seinen Grund in der Einsetzung nach dem
Willen Christi. Das ordinierte Amt beruht in besonderer Weise auf dem Fundament der einmaligen Sendung der Apostel, führt diese in einer neuen Weise
weiter, ist über die ganze Geschichte der Kirche
verbürgt und für die Kirche konstitutiv.

Die Einbettung des Amtes in die Berufung und
Sendung der Kirche bedeutet eine Bezogenheit und
Verwiesenheit von Amt und Gemeinde. Als von Christus
autorisiertes und vom heiligen Geist ausgerüstetes
Amt, steht es damit zum einen zusammen mit der Ge-
meinde Christus gegenüber und macht so die radikale
Verwiesenheit auf Christus den Mittler und wahren

Amtsträger deutlich, und zum anderen in der Ausübung seiner Aufgabe, wenn es im Namen und im
Auftrag Christi handelt, der Gemeinde gegenüber.
Dieses Gegenüber bedeutet niemals Herrschaft
oder Überordnung, sondern gemäß dem Vorbild Christi
immer Dienst. Dieser Dienst bedeutet grundlegend
Dienst in und an der Gemeinde, an der Kirche, und
beinhaltet die Ordnung, die Koordinierung der verschiedenen Gaben in der Kirche und die Ermöglichung
und Bestärkung des Dienstes des gesamten Volkes
Gottes.

3. Formen des kirchlichen Amtes

Aus dem Neuen Testament ist keine bestimmte
Form des kirchlichen Amtes ablesbar. Ein Blick in
die Geschichte zeigt das Amt unter Beibehalt der
wesentlichen Elemente als wandelbare Gegebenheit,
die offen für geschichtliche Ausformungen und Veränderungen ist. Je nach Zeit, Ort und Umständen
haben sich verschiedene Dienste und Ämter herausgebildet. Im Verlaufe der Gemeindebildungen hat sich
im zweiten und dritten Jahrhundert allmählich das
eine Amt in die drei Stufen Bischof, Presbyter und
Diakon ausgestaltet. Dieses dreifache Amt wird bis
heute in manchen Kirchen bewahrt und als für das
Leben der Kirche wesensnotwendig erachtet und gewinnt heute, ohne Ausschließlichkeit und nach Veränderungen, als Ausdruck und Mittel kirchlicher Einheit wieder ökumenische Bedeutsamkeit.

In manchen Kirchen, die diese dreifache Ausformung nicht in dieser Deutlichkeit bewahrt haben,
wird auf das Zusammenfallen von Bischofs- und Pres-
byterfunktionen aufgrund der Gemeindeentwicklung
und der speziellen Situation in der Reformationszeit hingewiesen und damit die Übereinstimmung in
der Sache betont.

4. Die Funktionen des kirchlichen Amtes

Die grundlegenden Funktionen des Amtes bestehen in der Verkündigung des Evangeliums, der Sakramentenverwaltung, dem Aufbau und der Leitung der christlichen Gemeinschaft auf allen Ebenen gemäß Christus und dem Fundament der Apostel.

Einig sind sich alle an den Gesprächen beteiligten Kirchen in der Überzeugung, daß aufgrund der Stellung des besonderen Amtes innerhalb der Kirche als öffentliche Wahrnehmung des Dienstes der gesamten Kirche und ihrer Einheit ihm der Vorsitz und die Leitung bei der Eucharistiefeier zukommt. Allein die reformierten Kirchen machen darüber hinaus geltend, daß in Anbetracht der Tatsache des freien Wirkens Christi im heiligen Geist für die Leitung der Eucharistiefeier in gewissen Fällen auch ein nicht-ordinierter Gläubiger benannt werden kann.[1]

Der Tendenz der Dokumente folgend, das Ganze des ordinierten Amtes gemeinsam zu verstehen, die gemeinsamen Grundlagen herauszustellen, wird das spezifische Verhältnis von Amt und Eucharistie selten ausdrücklich thematisiert. Grundlegend in den Dokumenten ist für diese Frage, daß sowohl der Eucharistie als auch dem Amt für die Einheit der Kirche herausragende Bedeutung zukommt und sie daher eine Zuordnung erfahren. Von dieser Zuordnung dann

---

1   Diese Praxis der Beauftragung zur Leitung der Eucharistie kennen auch einige evangelische Kirchen in Deutschland, obwohl, wie dargelegt, prinzipiell nur die ordinierten Amtsträger zur Sakramentenverwaltung berechtigt sind (vgl. W. Pannenberg, Differenzen und ihre Folgen, in: H. Fries [Hg.], Das Ringen um die Einheit der Christen, 132f.).

sagen die einen, sie sei sinnvoll, die anderen,
sie sei unabdingbar. Somit kann Übereinstimmung
in der grundsätzlichen Zuordnung von Amt und Eucharistie auf dem Hintergrund der Funktion des
Amtes als Evangeliumsverkündigung, Sakramentenverwaltung und Hirtendienst im Dienste des Auf-
baus, der Leitung und der Einheit festgestellt
werden.

5. Die apostolische Sukzession

Die Apostolizität ist ein Wesensmerkmal der
Kirche Christi und als solches wesentlich für das
Amt der Kirche und in der Kirche.

Die Apostolizität gründet in der Sendung
Christi vom Vater, deren Wahrnehmung auf Erden
Christus den von ihm berufenen Aposteln übertragen hat. Die gesamte Kirche ist apostolisch, weil
sie in der Wahrnehmung ihrer von Christus stammenden Berufung und Sendung auf das Fundament der
Apostel verwiesen ist, die als erste Zeugnis für
Jesus Christus gegeben haben. In diesem Sinne steht
die gesamte Kirche in der apostolischen Nachfolge.
Diese Nachfolge bedeutet Kontinuität in den wesentlichen Merkmalen des apostolischen Auftrages: Zeugnisgabe des apostolischen Glaubens, Evangeliumsverkündigung, Weitergabe der Amtsverantwortung, sakramentales Leben, Diakonia, Einheit der Kirche und
gemeinsame Teilhabe an den vom Herrn geschenkten
Gaben. Durch die Geschichte der Kirche hindurch
fand das Verständnis der apostolischen Sukzession
unterschiedliche Ausformungen: Einmal wurde das Gewicht mehr auf die inhaltliche Kontinuität, einmal,
in der Abwehr von Irrtümern und Fehldeutungen, mehr
auf eine spezielle, sichtbare Kontinuität gelegt.
Über dieses Verständnis der apostolischen Sukzession,

in der die gesamte Kirche in kontinuierlicher Fortführung des apostolischen Auftrages steht, herrscht
unter den Kirchen Einigkeit. Analog zur Stellung
des ordinierten Amtes innerhalb der Dienste der gesamten Kirche, anerkennen die Kirchen auch eine
Sukzession in diesem Amt. In den ökumenischen Dokumenten wird diese Sukzession als ein wertvolles und
wichtiges Moment der Apostolizität der Kirche gewürdigt, das aber nicht als ausschließliches Zeichen
und mechanische Garantie für die Wahrung der apostolischen Kontinuität verstanden werden darf. Die Dokumente tendieren dahin, die Sukzession im Amt als
Zeichen für die ihr vorgeordnete Kontinuität der
apostolischen Lehre anzuerkennen.

Innerhalb dieses Verständnisses findet dann
auch die bischöfliche Sukzession ihr Würdigung. Sie
ist für die einen die einzig wahre Manifestierung
der Apostolizität der Kirche, für die anderen eine
zwar bereits früh geübte und sinnvolle Tradition,
jedoch nicht die einzig legitime, allein die Wahrheit verbürgende Tradition, neben der die Praxis
der Sukzession von ordinierten Presbytern (von allen
aufgrund geschichtlicher Tatsachen anerkannt) keine
Bedeutung mehr hätte, mithin ungültig wäre.

Damit kann zu diesem heiklen Punkt in der Amtsdiskussion festgehalten werden, daß sich die Kirchen
über die Grundlagen der apostolischen Sukzession als
Kontinuität der ganzen Kirche im apostolischen Glauben und Leben einig sind, daß die besondere Sukzession des ordinierten Amtes anerkannt wird und daß
darin dem historischen Bischofsamt eine große Bedeutung zukommt.

Das Problem liegt nun für die einen Kirchen
darin, dieses Bischofsamt wieder als Zeichen der Kontinuität und Einheit aufzuwerten und für die anderen

darin, das Vorhandensein des historischen Bischofsamtes nicht zum einzigen Kriterium der apostolischen Sukzession der Kirche und damit der Gültigkeit der anderen Ämter zu machen.

In der Frage der apostolischen Sukzession ist
allgemein eine große Annäherung (im anglikanisch-
katholischen Gespräch ein wesentlicher Konsens),
aber noch keine Einigkeit erreicht worden.

6. Die Ordination

Die Kirchen sind sich darin einig, daß die Berufung ins besondere Amt durch die Ordination geschieht. Mit der Ordination macht die Kirche ihre
Bindung an Christus und das apostolische Zeugnis
und damit Christus als eigentlichen Ordinator deutlich. Die Kirche ordiniert von Christus im heiligen
Geist berufene, befähigte und gesandte Glieder ihrer
Gemeinschaft zur treuen Evangeliumsverkündigung und
zum Dienst im Namen Christi in und an ihr.

Die Ordination geschieht allgemein durch ordinierte Amtsträger unter Anrufung des heiligen Geistes
(Epiklese), Handauflegung (welche die Geistesgabe
bezeichnet) und unter Beteiligung der Gemeinde, wobei viele Kirchen als sinnvollsten Ort der Ordina-
tionshandlung die Eucharistiefeier bezeichnen.

Der Kontroverspunkt in der Frage der Ordination
liegt darin, ob sie ein Sakrament sei oder nicht.
Ganz allgemein kann man sagen, daß die Kirchen die
Ordination als sakramentale Wirklichkeit verstehen,
auch wenn viele von ihnen sie aufgrund eines anderen
Sakramentenbegriffes nicht als Sakrament bezeichnen.
Insofern kann hier von einer Frage der Terminologie
und einer Übereinstimmung in der gemeinten Sache gesprochen werden.

Die Kirchen sind sich darüber einig, daß die Ordination als Inanspruchnahme und Indienstnahme der ganzen Person unbefristet und unwiederholbar ist. Mit einer funktionalen (gegenüber einer ontologischen) Deutung der Ordination (welche deutlich macht, daß diese kein individueller Heilsbesitz darstellt) ist auch eine Annäherung in der Frage des "character indelebilis" möglich geworden.

Diese Grundübereinstimmung wird auch dann nicht in Frage gestellt, wenn einige Kirchen die Praxis der Frauenordination kennen und vertreten, obwohl diese Praxis zu einem weiteren Hindernis auf dem Weg der Versöhnung der Ämter werden kann.

Was ist nun nach all dem zu einer Übereinstimmung im Verständnis des kirchlichen Amtes zu sagen, in dem sich die Kirchen deutlicher als im Verständnis von Taufe und Eucharistie unterschieden haben?

Bleibt die Frage des Petrusdienstes ausgeklammert, dann kann nach der Dokumentenlage eine große Übereinstimmung festgestellt werden. Diese Übereinstimmung bezieht sich auf die Übereinstimmung im grundlegenden Verständnis, im Einigsein über die wesentlichen und bedeutsamen Aspekte des kirchlichen Amtes. Allgemein wird auf verschiedene Weise konstatiert, daß ohne Zweifel noch lange nicht alle Probleme ausgeräumt sind, daß es Verschiedenheiten und Unterschiede gibt, daß diese teilweise legitim und der notwendigen Vielfalt wegen auch nicht beseitigt werden müssen, teilweise der weiteren Klärung und Behandlung bedürfen. Soweit wie das anglikanisch-katholische Gespräch, das nichts Gegensätzliches oder Trennendes im Amtsverständnis mehr sieht, können die anderen Dokumente in dieser Deutlichkeit nicht gehen, doch ist hinter den meist vorsichtigen Formulierungen herauszulesen und wird für gewisse

Aspekte teilweise auch genannt, daß das Amtsver-
ständnis nicht mehr zwingend kirchentrennend ist.[2]
Dementsprechend fallen dann auch die Antworten und
Vorschläge für eine zentrale Frage im Bemühen um
Versöhnung und Anerkennung der Kirchen aus: der ge-
genseitigen Anerkennung der Ämter.

7. Gegenseitige Ämteranerkennung

Die Frage der Anerkennung des Amtes in einer
anderen Kirche stellt sich in den vorgestellten Dokumenten heute vor allem für die katholische Kirche, da durch die Anerkennung der katholischen Kirche als wahre Kirche Christi mit wahrer Evangeliumsverkündigung und Sakramentenverwaltung und damit
der Anerkennung der "Gültigkeit" ihrer Sakramente
auch eine implizite teilweise Anerkennung ihres
Amtes gegeben ist.

Die Frage der Anerkennung wird in allen vorgestellten Dokumenten angesprochen, aber auf verschiedene Weise unterschiedlich beantwortet. Während der
Anerkennung im anglikanisch-katholischen Gespräch
bereits Schritte zur Einleitung der Anerkennung möglich und angebracht erscheinen, sind im evangelisch-
katholischen Dialog noch nähere Prüfungen der Frage
der Anerkennung erforderlich.

Dokumente der Kommission für Glauben und Kirchenverfassung halten die Anerkennung zwischen vielen Kirchen für möglich und legen den anderen die

---

2   Nach den meisten Dokumenten läßt sich sagen, "daß
     sicher kirchentrennende Gegensätze hinsichtlich
     der Amtsfrage - abgesehen vom Petrusamt - nicht
     mehr bestehen, daß positiv sogar eine weitgehende
     Übereinstimmung erreicht wurde" (H. Schütte, Amt,
     Ordination und Sukzession, 410).

Überprüfung der Möglichkeit einer Anerkennung
dringend nahe.

Die meisten Dokumente legen Modelle einer
(unter Umständen auch teilweisen) Anerkennung in
verschiedenen Stufen dar. Gemeinsam ist allen die
Überzeugung, daß zum einen in Richtung gegenseitiger Ämteranerkennung nun aufgrund der Gesprächsergebnisse dringend weitere und konkrete Schritte
möglich sind und unternommen werden müssen und sie
gelangen zum anderen mit dieser Bitte an die Kirchenleitungen, da die gegenseitige Anerkennung nur
durch einen offiziellen und öffentlichen Akt der
kirchlichen Autoritäten geschehen kann.[3]

Für die konkrete Frage, ob heute Abendmahlsgemeinschaft möglich sei und für die Beurteilung
heute praktizierter Interkommunion läßt sich aus
den Dokumenten wenig ablesen. Die Dokumente beschäftigen sich mit den Möglichkeiten und dem gegenwärtigen Stand für eine gegenseitige Ämteranerkennung,
und sie tun dies im Blick auf die volle Kirchen-
und damit Abendmahlsgemeinschaft. Zwar ist im wei-
testen Sinn in den anstehenden Fragen kein kirchentrennender Charakter mehr auszumachen, doch indem
die Dokumente diese Feststellung dieser Tatsache und
damit die Ämteranerkennung den kirchlichen Autoritäten zuweisen und diese heute noch nicht ausgesprochen ist, bleibt sich die Situation für heute praktizierte, teilweise Abendmahlsgemeinschaft auch nach
all den festgestellten Gemeinsamkeiten im Amtsver-

---

3 Eine sehr detaillierte, mit Dokumentenauszügen versehene Zusammenfassung der Gespräche über das kirchliche Amt bietet auch S. Regli, Ökumenische Konsenserklärungen mit römisch-katholischer Beteiligung
über Taufe, Eucharistie und Amt: Ergebnisse, 152-169.

ständnis vorläufig gleich: Das Ziel für alle ist
die volle Kirchen- und Abendmahlsgemeinschaft.
Aber für teilweise, gelegentliche Abendmahlsgemeinschaft auf dem Weg dahin plädieren die einen
mit dem Hinweis auf die, nun auch im Amt, erreichten Gemeinsamkeiten; dagegen plädieren die anderen
aufgrund der noch vorhandenen Unterschiede und der
fehlenden offiziellen Anerkennung. Wichtig in dieser Situation ist allen Dokumenten, und darum sei
hier noch einmal kurz darauf hingewiesen, die gerade nach Lima häufig beschworene notwendige Rezeption aller Dialogergebnisse. Die Dokumente und
die sie kommentierenden Autoren sind sich einig:
Es ist mit den bis heute gemachten Aussagen, den
erreichten Übereinstimmungen, auch bei verbleibenden Unterschieden, der Zeitpunkt gekommen und ein
Fundament erstellt, wo Theologie allein nicht mehr
Fortschritte auf dem Weg zur Einheit erzielen kann.
Die Kirchen müssen nun mit ihren Bekenntnissen zur
Einheit ernstmachen, indem sie sich auf allen Ebenen mit der neuen Gegebenheit der Gemeinsamkeit in
vielen Punkten des Glaubens konkret auseinandersetzen. Eine erste Frucht solcher Rezeption würde gerade in der Amtsfrage darin bestehen, daß die Kirchen in der heute notwendigen und sie umtreibenden
Erneuerung des Amtes die Entwicklung in der ökumenischen Diskussion mit einbeziehen.

> "Die vielbeschworene Wechselbeziehung zwischen
> Erneuerung und Einheit könnte und müßte hier
> modellhaft durchexerziert werden. Sich nicht
> auf sie einzulassen, wäre nichts anderes als
> vorökumenischer Provinzialismus, eine Leugnung
> jener bemerkenswerten Entwicklung, die das öku-
> menische Ringen um eine Überwindung der kirchen-
> trennenden Differenzen im Verständnis und in der
> Struktur des Amtes der Kirche und um eine ge-
> meinsame Bewältigung neuer Probleme und Aufga-
> ben"

in den letzten Jahren durchgemacht hat.[4]

---

4   G. Gaßmann, Die Entwicklung der ökumenischen Dis-
    kussion über das Amt, 467. W. Kasper würdigt die
    erreichten Ergebnisse in der Amtsdiskussion mit
    folgenden drastischen Worten: "Auf jeden Fall kann
    die viel beschworene Uneinigkeit über das Verständ-
    nis des kirchlichen Amtes nicht mehr als Feigen-
    blatt eines ökumenischen Fixismus benutzt werden"
    (W. Kasper, Skandal einer Trennung, 47). Auch wenn
    H. Schütte zu einer sehr positiven Würdigung der
    ökumenischen Gesprächsergebnisse kommt, so macht
    er doch hinsichtlich der evangelischen Beteiligung
    auf den meist mangelnden Hinweis aufmerksam, "daß
    es auch andere, entgegenstehende Positionen in den
    protestantischen Kirchengemeinschaften gibt" (H.
    Schütte, Amt, Ordination und Sukzession, 429). Die-
    ser Vorbehalt wird auch durch folgenden baptisti-
    schen Beitrag verdeutlicht: Eduard Schütz, Die Frei-
    kirchen vor der ökumenischen Diskussion um das kirch-
    liche Amt, in: US 37 (1982), 133-141.

II. Zur Theologischen Diskussion

Die Literatur zum Thema "Amt" ist sehr umfang-
reich; die darin zum Vorschein gebrachten Grundlinien, Argumente, Ansatzpunkte und Vorschläge sind
es in noch größerem Ausmaß. Diese Vielfalt auch nur
annähernd darzustellen, ist im Rahmen dieser Arbeit
nicht möglich.[5] Auch eine Beschränkung auf explizit
ökumenisch ausgerichtete Beiträge ist kaum möglich,
da sich, vor allem in den vergangenen zehn bis fünfzehn Jahren, Publikationen zur Amtsfrage, indirekt
zumindest, meistens auf die in der ökumenischen Diskussion aufgebrochene Fragestellung beziehen. So soll
hier, auch um Wiederholungen zu vermeiden, lediglich
skizzenhaft der Frage nach Grundlagen, Möglichkeiten
und Grenzen einer gegenseitigen Ämteranerkennung, vor
allem aus katholischer Sicht, nachgegangen werden.

---

5   Die Vorstellung verschiedener theologischer Auf-
    fassungen hat H. Schütte in seinem bereits ge-
    nannten Buch "Amt, Ordination und Sukzession" in

hervorragender Weise geleistet. Zum Amt aus katholischer Sicht vgl. z.B.   Karl J.   Becker, Wesen und Vollmacht des Priestertums nach dem Lehramt, Der priesterliche Dienst II, QD Bd. XXXXVII,
Freiburg-Basel-Wien 1970; J. Finkenzeller, Kirchliche Ämter und Dienste: Ihr Verständnis nach den
Grundsätzen der Deutschen Bischofskonferenz zur
Ordnung der pastoralen Dienste, in: ThG 21 (1978),
129-139; ders., Von der Botschaft Jesu zur Kirche
Christi, 99-132; Alexandre Ganoczy, Amt, Episkopat
und Primat, in: Katholizität und Apostolizität:
Theologische Studien einer gemeinsamen Arbeits-
gruppe zwischen der Römisch-Katholischen Kirche
und dem Ökumenischen Rat der Kirchen, 152-187;
Erwin Iserloh, Amt und Ordination, in: Amt im Wi-
derstreit, 67-76; Walter Kasper, Die Funktion des
Priesters in der Kirche, in: GuL 42 (1969), 102-
116; H. Küng, Die Kirche, 429-562; Josef Ratzinger,
Das neue Volk Gottes, Düsseldorf 1972, 25-42; Paul-
Werner Scheele, Amt und Ämter in katholischer
Sicht, in: Das Amt im ökumenischen Kontext: Eine
Studienarbeit des ökumenischen Studienausschusses
der Vereinigten Evangelisch-lutherischen Kirche
Deutschlands, 33-49; Leo Scheffczyk, Das Amt als
Christusrepräsentation: Das kirchliche Amt im Verständnis der katholischen Theologie, in: KNA, Kritischer Ökumenischer Informationsdienst Nr. 22/
1973, 5-8; ders., Das kirchliche Amt im Verständnis der katholischen Theologie, in: Amt im Widerstreit, 17-25; Otto Semmelroth, Das priesterliche
Gottesvolk und seine amtlichen Führer, in: Conc(D)
4 (1968), 41-47. - Zum Amt aus evangelisch-luthe-
rischer Sicht vgl. z.B. F. Hübner, Das Bischofsamt
und die Apostolizität der Kirche, 298-307; Regin
Prenter, Haushalter über Gottes Geheimnisse: Kirchliches Amt und Ordination in lutherischer Sicht, in:
Amt und Ordination in ökumenischer Sicht, 114-151.
- Zur evangelisch-reformierten Sicht vgl. z.B. Jörg
Baur, Das kirchliche Amt im Protestantismus, in:
Das Amt im ökumenischen Kontext: Eine Studienarbeit
des ökumenischen Ausschusses der Vereinigten Evan-
gelisch-lutherischen Kirche Deutschlands, 103-138;
Heinrich Ott, Kirchliches Amt und Ordination aus
der Sicht eines reformierten Theologen, in: Amt und
Ordination in ökumenischer Sicht, 152-164.

Der allgemeine Grundtenor kann folgendermassen
umschrieben werden:[6] Hinsichtlich der Amtsfrage ist
in den letzten Jahren in allen Kirchen etwas in Gang

---

6   Vgl. zu diesem Abschnitt z.b. folgende ökumenisch
    ausgerichteten Beiträge: U. Asendorf, Katholizität
    und Amt bei Luther, 196-208; Wolfgang Beinert,
    Amt und Eucharistiegemeinschaft, in: Cath(M) 26
    (1972), 154-171; Wim Boelens, Um das Wesen des
    kirchlichen Amtes, in: US 23 (1968), 73-80; Alfred
    Burgsmüller u. Reinhard Frieling, Einleitung, in:
    Amt und Ordination im Verständnis evangelischer
    Kirchen und ökumenischer Gespräche, 11-35; J. Fin-
    kenzeller, Zum Verständnis des kirchlichen Amtes
    heute, 214-217; H. Fries, Die aktuellen Kontrovers-
    punkte, 62-70; ders. u. W. Pannenberg, Das Amt in
    der Kirche, 111-115; Walter Kasper, Neue Akzente
    im dogmatischen Verständnis des priesterlichen
    Dienstes, in: Conc(D) 5 (1969), 164-170; ders.,
    Zur Frage der Anerkennung der Ämter in den luthe-
    rischen Kirchen, in: TThQ 151 (1971), 97-109; ders.,
    Konvergenz und Divergenz in der Amtsfrage, in: Conc
    (D) 8 (1972), 297ff.; ders., Ökumenischer Konsens
    über das kirchliche Amt?, in: StZ 191 (1973), 219-
    230; ders., Skandal einer Trennung, 45ff.; Karl
    Lehmann, zur Frage der ökumenischen Anerkennung der
    kirchlichen Ämter, in: Alexander Völker, Karl Leh-
    mann u. Hans Dombois (Hg.), Ordination heute, Kir-
    chen zwischen Planen und Hoffen Heft 5, 54-77;
    Gerald F. Moede, Amt und Ordination in der ökumeni-
    schen Diskussion, in: Amt und Ordination in ökume-
    nischer Sicht, 9-71; W. Pannenberg, Sakramente und
    kirchliches Amt, 82-86; ders., Das Abendmahl - Sa-
    krament der Einheit, 36-39; J. Pruisken, Interkom-
    munion im Prozeß, 80-89; Karl Rahner, Kleine Rand-
    bemerkungen zur Frage des Amtsverständnisses, in:
    Auf Wegen der Versöhnung, 213-219; ders., Schein-
    probleme in der ökumenischen Diskussion, in: ders.,
    Schriften zur Theologie Bd. XIII, Zürich-Einsiedeln-
    Köln, 1978, 55ff.; ders., Vorfragen zu einem ökume-
    nischen Amtsverständnis, 65-76; E. Schlink, Das
    Problem der Abendmahlsgemeinschaft, 160-165; M.
    Thurian, Die eine Eucharistie, 33-35; V. Vajta, In-
    terkommunion - mit Rom?, 82-93; Maurice Villain,
    Ist eine apostolische Sukzession außerhalb der Ket-
    te der Handauflegungen möglich?, in: Conc(D) 4
    (1968), 277f. - Zu weiterer Literatur vgl. die um-
    fangreiche Zusammenstellung von Vinzenz Pfnür, Kir-
    che und Amt: Neuere Literatur zur ökumenischen Dis-
    kussion um die Amtsfrage, Cath(M).B 1 (1975).

geraten. Die früher eingenommenen Positionen werden aufgrund exegetischer, dogmatischer und geschichtlicher Untersuchungen überprüft, ein neues Verständnis bahnt sich allmählich an. Vieles ist dabei heute noch ungeklärt, unausgegoren, unberücksichtigt und unabsehbar. Es werden aber immer mehr Linien deutlich, die zu einer Anerkennung der Ämter führen, für welche für die einen der Zeitpunkt bereits gekommen[7], für andere absehbar und wiederum für andere noch in weiter Ferne liegt. Diese allgemeine Kennzeichnung läßt sich aufgrund folgender Momente aufzeigen:

1. Die Gesprächssituation

Das ökumenische Gespräch (geprägt von der Bereitschaft, aufeinander zu hören und gemeinsame Grundlagen und Wege zur Einheit zu suchen) hat mit den Jahren unweigerlich zu einer intensiven Auseinandersetzung mit dem Verständnis des kirchlichen Amtes geführt, von der nicht nur an interkonfessionellen Gesprächen beteiligte und interessierte Theologen, sondern die meisten Theologen und Kirchenleitungen auf die eine oder andere Weise betroffen sind. Verbunden mit dieser Triebfeder zur Auseinandersetzung wird in vielen Kirchen eine Krise des Amtes festgestellt, für die zwar durchaus mehrheitlich nicht-theologische Gründe geltend gemacht werden, die aber gerade in einer ökumenischen und "profanen" Umbruchsituation einer theologischen Klärung und Lösung bedarf. Diese beiden Faktoren bedeuten eine Herausforderung an die Kirchen, in der sich

---

7   Vgl. z.B. die konkreten Vorschläge, wie sie Heinrich Fries u. Karl Rahner in ihrem neuen Buch: Einigung der Kirche - reale Möglichkeiten, QD Bd. C, Freiburg-Basel-Wien 1983, vorlegen.

diese mittlerweile solidarisch wissen und sie haben
einen Erkenntnisprozeß in Gang gesetzt, der in kür-
zester Zeit zu Ergebnissen geführt hat, die lange
nicht nur für nicht möglich gehalten wurden, sondern die heute im Bestreben nach Erneuerung der Kirche im Dienste der Welt und der christlichen Einheit
zu Hoffnung für eine Ämteranerkennung und für die
theologische Überwindung der Amtskrise Anlaß geben.
Im folgenden soll nicht weiter auf die Amtskrise verwiesen werden, da sie noch mehr als die spezifisch
ökumenische Fragestellung im Zusammenhang der sie
bewirkenden nicht-theologischen Faktoren bedacht werden muß.

2. Das Grundproblem

Die Ämter der reformatorischen Kirchen gelten
in der Sicht der katholischen Kirche als ungültig,
da sie nicht in der ununterbrochenen apostolischen
Sukzession der Bischöfe stehen, wodurch auch ihrer
Eucharistiefeier die volle Gültigkeit abgesprochen
wird und Abendmahlsgemeinschaft unmöglich ist. Wo
die apostolische Sukzession als in historischer Kontinuität der Bischöfe stehend erkannt werden kann,
ist eine gewisse Kirchengemeinschaft einschließlich
einer gewissen Sakramentengemeinschaft möglich, auch
wenn hinsichtlich der Lehre und des Glaubens (noch)
keine vollständige Übereinstimmung besteht (so z.B.
bei den orthodoxen Kirchen). Ist diese lückenlose
apostolische Sukzession nicht vorhanden, so kann es
auch angesichts zahlreicher Übereinstimmungen in verschiedenen Aspekten von Lehre und Glauben keine Anerkennung der Ämter und der Sakramente geben (so z.B.

bei der anglikanischen Kirchengemeinschaft[8]). Damit wird der enge Zusammenhang von apostolischer
Sukzession, kirchlichem Amt und gültigen Sakramenten deutlich und die Frage der apostolischen
Sukzession als Angelpunkt der Amtsfrage benannt,
mit dem dann die Fragen der Grundlegung, der Abgrenzung, der Funktion des Amtes und der Ordination in Beziehung gebracht werden. Ausgangspunkt
in dieser Frage ist die Apostolizität der Kirche,
zu der sich im Glaubensbekenntnis alle Kirchen bekennen und die sie damit (auch) für sich in Anspruch nehmen. Mit dem allgemeinen Bekenntnis zur
Apostolizität der Kirche ist auch gleich der Ansatzpunkt für die ökumenische Diskussion genannt:
Die Apostolizität eignet der ganzen Kirche. Die
Frage ist, wie sie tradiert, gewahrt und sichtbar
gemacht wird.

3. Ein neuer Ansatzpunkt

Mit der ekklesiologischen Neuorientierung
durch das Zweite Vatikanische Konzil ist eine neue
Einschätzung der anderen christlichen Gemeinschaften als Kirchen und kirchliche Gemeinschaften möglich geworden. Obwohl nun diesen Gemeinschaften
ekklesiale Momente zuerkannt werden, so fehlen unter diesen aber die apostolische Sukzession und das
kirchliche Amt. Hier wird nun auf den Widerspruch
hingewiesen, daß mit der Anerkennung von Kirchlichkeit auch eine gewisse Anerkennung des Amtes (da es

---

8   Vgl. H. Reissner, Interkommunion - Weg oder Ziel?,
     28. Vgl. hier auch John J. Hughes, Absolut Null
     und Nichtig: Zur Ablehnung der anglikanischen Weihen
     durch die Bulle Leos XIII. "Apostolicae curae" vom
     13. September 1896, Studia Anglicana Bd. II, Trier
     1970.

für die Kirche wesentlich ist) und der apostolischen Sukzession (in welcher Form auch immer) gegeben ist.[9]

> "Wenn den Kirchen aus der Reformationszeit das
> Ekklesia-sein zugesprochen wird, so kann ihnen
> die successio apostolica nicht abgesprochen
> werden, sie muß ihnen in irgendeiner Form zu-
> erkannt werden."[10]

Zwar ist nun heute zum einen diese an sich folgerichtige teilweise Anerkennung noch nicht ausgesprochen und zum anderen sind damit noch nicht alle Fragen entschieden, doch ist mit dieser Gegebenheit ein Fundament gelegt, das zum mindesten allen weiteren Überlegungen über das Amt in anderen Kirchen zugrunde liegen und in seinen Konsequenzen weitergeführt werden muß.

4. Mögliche Konsequenzen

Im oben genannten Ansatzpunkt gründen nun Versuche von Theologen verschiedener Kirchen, einander darzulegen, daß die eigene Kirche das bewahrt hat,

---

9 Vgl. z.B. W. Beinert, Amt und Eucharistiegemeinschaft, 168ff.; W. Boelens, Erwägungen zur Interkommunion, 239; J. Finkenzeller, Zum Verständnis des kirchlichen Amtes heute, 215f.; H. Fries, Ein Glaube, eine Taufe, getrennt beim Abendmahl?, 70f.; ders., Das Problem des Amtes in der Sicht der katholischen Theologie, 137f.; W. Kasper, Zur Frage der Anerkennung der Ämter in den lutherischen Kirchen, 105ff.; ders., Skandal einer Trennung, 46; A. Müller, Amt als Kriterium der Kirchlichkeit? Kirchlichkeit als Kriterium des Amtes?, 123-128; Maurice Villain, Wie können wir theologisch und praktisch zu einer gegenseitigen Anerkennung der Ämter kommen?: Eine katholische Antwort, in: Conc (D) 8 (1972), 293. Vgl. demgegenüber Jerôme Hamer, Die ekklesiologische Terminologie des Vaticanums II und die protestantischen Ämter, in: Cath(M) 26 (1972), 146-153.

10 J. Finkenzeller, Zum Verständnis des kirchlichen Amtes heute, 215.

in ihr das geglaubt und gelebt wird, was für die
Kirche der Apostel wesentlich war und mittels welcher Instrumente sie das getan hat. Dabei wird
nach dem gemeinsamen Fundament geforscht, das Gemeinsame hinter dem Verschiedenen gesucht und gegenseitig auf Fehlentwicklungen aufmerksam gemacht.[11]
Der Diskussionsrahmen bildet die implizite teilweise Anerkennung des Amtes, die mit der Anerkennung von (wenn auch bruchstückhaftem) Kirchesein
(worin auch Elemente des rechten Abendmahlsglaubens
enthalten sind) gegeben ist. Sie gipfelt darin, daß
von der Anerkennung des Wirkens des heiligen Geistes
außerhalb der katholischen Kirche und den erkennbaren Früchten das Amt und seine Gültigkeit nicht
unberührt bleiben kann.[12] Dieser ekklesiologische
Fortschritt mit und nach dem Konzil[13] ermutigt dazu, von einer juridischen Verengung in der Frage der

---

11 K. Lehmann beschreibt das folgendermaßen: "Aus zentralen Frageansätzen..., die von Grundüberlegungen
einer kritisch gesichteten 'Substanz' des Überlieferten her auch den katholischen Theologen nach vorne
weisen, kann unter bestimmten Voraussetzungen ein
gewisses Minimum an Übereinkunft in der Amtsfrage
resultieren" (K. Lehmann, Dogmatische Vorüberlegungen, 109).

12 Komplementär gilt von evangelischer Seite: Wo das
Wort recht verkündet und die Sakramente recht ver-
waltet werden, da ist wahre Kirche und da ist auch
wahres Amt (vgl. Friedhelm Krüger, Kriterium und
Grade einer Anerkennung kirchlicher Ämter, in:
ÖR 23 [1974], 318ff.).

13 Dieser wird jedoch nicht allgemein im oben genannten Sinn anerkannt. Vgl. z.B. Heinrich Bacht, Amtsverständnis und Abendmahlsgemeinschaft, in: StZ 191
(1973), 231-239; ders., Zum Problem der Interkommunion, 286-290; P. Bläser, Das Problem "Interkommunion", II, 7f.; E. Iserloh, Die Interkommunion,
61-64; L. Scheffczyk, Die Heilszeichen von Brot und
Wein, 130f.

Gültigkeit des eigenen und damit der Ungültigkeit des evangelischen Amtes weg[14] und zu einer grundlegend ekklesiologischen Besinnung von Ort, Stellung, Bedeutung, Form und Funktion nicht nur des eigenen, sondern analog zur impliziten Anerkennung, auch einer Würdigung des evangelischen Amtes zu kommen.

Auf dem Hintergrund neuer exegetischer Forschungen[15], der Auseinandersetzung z.B. mit den Aussagen des Konzils von Trient und heutigen evangelischen Amtsverständnisses wird es möglich, zu würdigen, was die evangelischen Kirchen durch ihr Amt an christusgemäßer Authentizität des aposto-

---

14 Vgl. zu einer Öffnung des juridischen Gültigkeitsverständnisses hinsichtlich von Amt und Eucharistie z.B. W. Boelens, Erwägungen zur Interkommunion, 239; W. Kasper, Skandal einer Trennung, 45; F. Krüger, Kriterium und Grade einer Anerkennung kirchlicher Ämter, 321f.; M. Raske, Offene Kommunion - Christen feiern gemeinsam das Mahl des Herrn, 71; Hans Jörg Urban, Eine katholische Selbstbesinnung zur Ämterfrage, in: US 30 (1975), 73-76; ders., "Göttliches" und "menschliches" Recht in der Kontroverse um das Amt in der Kirche, in: US 28 (1973), 314-320; M. Villain, Ist eine apostolische Sukzession außerhalb der Kette der Handauflegungen möglich?, 282f.

15 Vgl. z.B. P. Bläser, Amt und Eucharistie im Neuen Testament, in: ders. (Hg), Amt und Eucharistie, Paderborn 1973, 9-50; W. Boelens, Um das Wesen des kirchlichen Amtes, 73ff.; John McKenzie, Amtsstrukturen im Neuen Testament, in: Conc(D) 8 (1972), 239-245; Jürgen Roloff, Die ökumenische Diskussion um das Amt im Licht des Neuen Testamentes, in: Das Amt im ökumenischen Kontext: Eine Studienarbeit des ökumenischen Ausschusses der Vereinigten Evangelisch-lutherischen Kirche Deutschlands, 139-164; Heinrich Schlier, Neutestamentliche Grundelemente des Priestertums, in: Cath(M) 27 (1973), 209-233.

lischen Auftrages gewahrt haben. Dabei liegen die
Schwerpunkte neben dem Dienst der Diakonie in der
Bindung des Amtes an die Verkündigung des Evangeliums und die Verwaltung der Sakramente. Gemeinsam
ist die Überzeugung:

> "Der Amtsträger soll durch den Dienst am Wort
> und am Sakrament den Auftrag Christi und der
> Apostel erfüllen und die Kirche auferbauen."[16]

In das Amt führt nach dem Verständnis der
meisten evangelischen Kirchen die Ordination als
Bevollmächtigung zur Ausübung des Dienstes. In diesem Dienst steht der Amtsträger, obwohl als Glied
der Kirche auch in der Gemeinde, dieser als Verkünder und Sakramentenspender im Namen und Auftrag
Christi gegenüber.

Von dem so verstandenen Dienst in und an der
Kirche und dem Faktum der Ordination durch die kirchliche Gemeinschaft und ordinierte Amtsträger her,
wird dann über die Sakramentalität dieser Ordination
gehandelt. Wo diese, geschehend unter Epiklese und
Handauflegung, als Zeichen der von Christus im Geist
verheißenen und verliehenen Gabe verstanden wird,
kann, da unterschiedliche Sakramentsbegriffe dogmen-
geschichtlich nicht zu leugnen sind, diese der Sache

---

16 J. Finkenzeller, Zum Verständnis des kirchlichen
Amtes heute, 217.

nach als gegeben anerkannt werden.[17] Wenn dabei
das Reizwort "character indelebilis" keine Schwierigkeiten mehr macht, dann hat das seinen Grund in
der Möglichkeit der funktionalen (anstelle der
metaphysischen) Umschreibung des damit Gemeinten:
die Beauftragung des Ordinierten auf Lebenszeit
und die Inanspruchnahme seiner ganzen Person.[18]

Im Zusammenhang der Ordination stellt sich
die Frage nach der Wahrung der apostolischen Sukzession, für die der Amtsträger innerhalb der apostolischen Sukzession der Kirche in Lehre und Glaube eine besondere Bedeutung hat. Hierbei stellt
sich die Frage nach der Möglichkeit einer presby-

---

17 Vgl. zu der Diskussion hier z.B. Jean-Jacques von
    Allmen, Ist die Ordination ein Sakrament?: Eine
    protestantische Antwort, in: Conc(D) 8 (1972),
    254-258; Jos Lescrauwaet, Ist die Ordination ein
    Sakrament?: Eine katholische Antwort, a.a.O. 258-
    261; Jean Zizioulas, Ist die Ordination ein Sakra-
    ment?: Eine orthodoxe Antwort, a.a.O. 250-254.
    Vgl. demgegenüber P. Bläser, Sinn und Bedeutung
    der Ordination nach den in der evangelischen Kir-
    che Deutschlands geltenden Ordinationsformularen,
    in: Ordination und kirchliches Amt: Veröffentlichung
    des ökumenischen Arbeitskreises evangelischer und
    katholischer Theologen, Gewidmet Lorenz Kardinal
    Jaeger und Wilhelm Stählin, hg. Reinhard Mumm,
    Paderborn 1976, 141-164.

18 Vgl. z.B. Hervé-Marie Legrand, Das "unauslöschliche
    Merkmal" und die Theologie des Weiheamtes, in: Conc
    (D) 8 (1972), 262-267.

788

teralen Sukzession.[19] Diese kann mit dem Hinweis
auf die oben genannte Bewahrung der christusgemäßen
Authentizität des apostolischen Auftrages (wobei
heute auch in der katholischen Kirche die ununter-
brochene Kette der bischöflichen Handauflegungen
von einem mechanischen Verständnis befreit ist[20]),
mit geschichtlich bedingten Unmöglichkeiten und des
daraus resultierenden Zusammenfallens von Bischofs-
und Presbyterfunktion und -stellung (deren Unterschied auch in der katholischen Kirche bis heute
nicht befriedigend geklärt ist[21]) und des Brauches

19 Vgl. zu der Diskussion hier z.B. Wolfgang Beinert,
    Was ist apostolisch?, in: Amt im Widerstreit, 30-
    36; A. Ebneter, Die Gemeinschaft des Glaubens, 81-
    100; Josef Finkenzeller, Überlegungen zum Verständ-
    nis der apostolischen Nachfolge in der gegenwärti-
    gen theologischen Diskussion, in: Ortskirche - Welt-
    kirche, 325-356; H. Fries u. K. Rahner, Einigung
    der Kirchen - reale Möglichkeiten, 116ff.; H. Küng,
    Die Kirche, 419-425; 519-522; Harry McSorley, An-
    erkennung einer presbyteralen Sukzession?, in:
    Conc(D) 8 (1972), 245-250; Edmund Schlink, Die apo-
    stolische Sukzession, in: KuD 7 (1961), 79-114;
    M. Villain, Ist eine apostolische Sukzession außer-
    halb der Kette der Handauflegungen möglich?, 275-
    284; Wege zum Verständnis der "Apostolischen Suk-
    zession": Lutherische und reformierte Gedanken, in:
    HerKorr 16 (1961/62), 41-45.

20 Vgl. z.B. K. Lehmann, Dogmatische Vorüberlegungen,
    107f.

21 Vgl. z.B. Bernard Dupuy, Besteht ein dogmatischer
    Unterschied zwischen der Funktion der Priester und
    der Funktion der Bischöfe?, in: Conc(D) 4 (1968),
    268-274; H. Küng, Die Kirche, 504-508.

von Ordinationen durch ordinierte Presbyter in der
alten Kirche bejaht werden.[22]

Zur Frage von Form und Struktur des einen
Amtes in der Kirche wird mit dem Hinweis auf das
Neue Testament und die Geschichte der Kirche auf
eine Vielfalt von Entfaltungsmöglichkeiten aufmer-
sam gemacht[23] und die Notwendigkeit eines immer
deutlicheren Herausstellens des Wandelbaren gegenüber dem Unwandelbaren, des menschlich Variablen
gegenüber dem nach dem Willen Gottes Konstanten betont. Hinsichtlich des dreifachen Amtes von Bischof,
Presbyter und Diakon wird seine allmähliche Herausbildung, seine allmähliche Verfestigung und seine
Bedeutung heute betont, seine ausschließliche Ka-
nonisierung aufgrund göttlichen Rechtes mit dem
Zweiten Vatikanischen Konzil jedoch hinterfragt.

Aufgrund solcher, oft nur ansatzhaft behandel-
ter und hier nur kurz angedeuteter Überlegungen,
wird dann auch auf den "defectus ordinis" aus dem
Ökumenismusdekret Nr. 22 verwiesen und dieser nicht
im Sinne eines völligen Fehlens, sondern im Sinne
eines Mangels interpretiert, wobei das Amt in den
evangelischen Kirchen zwar nicht die ganze Fülle
des apostolischen Amtes, aber seine wesentlichen

---

22 Vgl. demgegenüber z.B. Peter Bläser, Zur Diskus-
    sion um die Bedeutung des Amtes für den Vollzug
    der Eucharistie, in: Cath(M) 26 (1972), 86-107;
    Bernhard Kötting, Zur Frage der "successio apo-
    stolica" in frühkirchlicher Sicht, in: Cath(M) 27
    (1973), 234-247.

23 Vgl. z.B. H. Fries, Ein Glaube, eine Eucharistie,
    getrennt beim Abendmahl?, 76f.; W. Kasper, Skandal
    einer Trennung, 46; F. Krüger, Kriterium und Grade
    einer Anerkennung kirchlicher Ämter, 327f.; Karl
    Rahner, Der theologische Ansatzpunkt für die Be-
    stimmung des Wesens des Amtspriestertums, in:
    Conc(D) 5 (1969), 194-197.

Elemente bewahrt hat.[24] Der Weg zur Wiedergewinnung dieser Fülle führt für die Kirchen aus der
Reformation über die Anerkennung und Wiederentdeckung des Bischofsamtes, wobei der katholischen
Kirche empfohlen wird, ihr Verständnis des Bischofsamtes weiterhin aus einer juridischen Ver-
klammerung zu lösen und es aufgrund des ekklesiologischen Gesamtzusammenhanges zu erneuern, wobei teilweise auch an ein Eingeständnis eines
durch die Abspaltungen entstandenen Mangels an
voller Katholizität und Apostolizität gedacht
wird.[25]

5. Die Bedeutung einer Anerkennung

Wenn aufgrund der oben skizzierten Überzeugungen an Anerkennung gedacht wird, dann in etwa
in folgendem Rahmen:[26] Anerkennung bedeutet in keinem Fall die Aufgabe und Leugnung der eigenen Überzeugung, die kritiklose Übernahme anderer Überzeugungen, die schnelle Fusionierung mit den anderen
Kirchen und das Herstellen einer Mischform, das ge-
wachsene Traditionen zur Unkenntlichkeit verkommen
läßt.

Anerkennung basiert auf der Erkenntnis von Gemeinsamkeiten in wesentlichen Elementen. Sie bedeutet positiv: Wahrnehmen und Ernstnehmen der anderen
Wirklichkeit im Sinne einer positiven Würdigung und

24 Vgl. demgegenüber P. Bläser, Sinn und Bedeutung
    der Ordination nach den in der evangelischen Kir-
    che Deutschlands geltenden Ordinationsformularen,
    142f.
25 Vgl. z.B. U. Kühn, Das geistliche Amt in der Kir-
    che, 329.
26 Vgl. zum folgenden H. Fries, Was heißt Anerkennung?,
    110-121.

nicht in einer negativen, nur ablehnenden Haltung.
Diese positive Anerkennung bedeutet die Möglichkeit, das andere zu sehen

"als eine legitime Möglichkeit, die in dem Bereich, in dem ich selbst stehe und den ich als
meinen eigenen bejahe, zwar eine andere Darstellung und Verwirklichung zeigt; aber dieser
verhindert es nicht, das andere in der Weise
der Bejahung zu würdigen und als mögliche Form
von Wirklichkeit als Verwirklichung zu quali-
fizieren".[27]

Anerkennung verlangt keine volle Identifizierung
mit dem anderen in Sache und Form, die Beschaffen-
heit des anderen jedoch, auch wenn mit Mängeln behaftet, verhindert die durch die Bejahung gegebene
Anerkennung nicht. Voraussetzungen für eine Anerkennung in diesem Sinne sind dann: das Vorhandensein von unbestritten Gemeinsamem hinter Verschiedenheiten, die Realisierung des Gemeinsamen in le-
bendiger und verdeutlichender Vielfalt und die Einheit in legitimer Pluralität, wobei die Pluralität
auf die Einheit verweisen und sie veranschaulichen
muß und diese nicht verdunkeln oder den Zusammenhang mit ihr vermissen lassen darf.

Anerkennung bedeutet, kurz zusammengefaßt,

"nicht Preisgabe und Verrat des Eigenen, sondern
die in der Treue zum Eigenen ermöglichte neue
Sicht des anderen".[28]

Im Hinblick auf das Amt, auf das hin diese
Grundlegungen wesentlich unternommen werden, bedeutet Anerkennung aufgrund der geschichtlichen Weiterentwicklung der Situation des reformatorischen Ursprungs und des Wegfalls der damaligen Voraussetzungen, daß die Unterschiede im Amtsverständnis
nicht verschwinden und Profile nicht abgeschliffen

---

27 H. Fries, Was heißt Anerkennung?, 111.

28 A.a.O. 118.

werden, aber

> "daß diese, die bisher das unübersteigbare
> Hindernis für die Einheit der Kirchen bedeu-
> teten, neu und mit anderen Augen gesehen wer-
> den".[29]

Im Zusammenhang mit einer möglichen gegenseitigen Ämteranerkennung ist ein großes Problem noch
einmal deutlich angesprochen, das die Kirchen in
weiteren Gesprächen beschäftigen wird und das lange
Zeit wenig berücksichtigt blieb: die vertiefte gemeinsame Frage nach dem Wesen und der Verwirklichung
von Kirche. Wenn aus einer teilweisen Anerkennung
von Kirchlichkeit eine teilweise Anerkennung des
Amtes in dieser Kirche erfolgt (wofür bereits manche auch in einer offiziellen Form plädieren), dann
folgt aus einer vollen gegenseitigen Ämteranerkennung auch die Anerkennung des ganzen Kirche-Seins
der anderen christlichen Gemeinschaft. In diesem Zusammenhang dann ist es zu verstehen, wenn eine solche Anerkennung auch aufgrund großer Übereinstimmungen und nicht mehr kirchentrennender Unterschiede auf
ein "Noch nicht" verwiesen und eine (auch der
partiellen Amtsanerkennung analogen teilweise) Abendmahlsgemeinschaft abgelehnt wird.

---

29 H. Fries, Was heißt Anerkennung?, 119. Vgl. zur
    Frage der theologischen und praktischen Möglich-
    keit einer gegenseitigen Anerkennung aus ortho-
    doxer, lutherischer, freikirchlicher, methodisti-
    scher, anglikanischer und katholischer Sicht die
    Beiträge von Boris Bobrinskoy, Ulrich Kühn, Frank-
    lin Littell, Albert Outler, Massey Shepherd und
    Maurice Villain, in: Conc(D) 8 (1972), 267-296.

ZUSAMMENFASSUNG UND AUSBLICK

I. Zusammenfassung

1. Das Problem der "Interkommunion"

a) Die Situation

Das Problem der "Interkommunion" zielt auf die
Mitte der bis heute andauernden Trennung der christlichen Kirchen und Konfessionen. Mit dem Zerbrechen
kirchlicher Einheit ging zwingend die Aufkündigung
der Gemeinschaft am Tisch des Herrn einher. Uneinigkeit in Glaubensfragen verunmöglichte zu verschiedenen Zeiten die Kirchengemeinschaft und damit deren
Zentrum und Lebensmitte, die Abendmahlsgemeinschaft.

Daß kirchliche Uneinigkeit und Trennung in der
Eucharistie Ungehorsam gegenüber dem Willen Christi
bedeutet (der die Einheit aller an ihn Glaubenden
will, der die Eucharistie als Mahl der Gemeinschaft,
als Herzstück der Einheit, als Lebensmitte seines
Leibes eingesetzt hat), war wohl allen Kirchen bewußt, doch wurden (auch bei vereinzelten Einigungs-
bemühungen) lange Zeit kaum Möglichkeiten gesehen,
die trennenden Hindernisse abzubauen und Schritte
auf die Einheit und gemeinsame Eucharistiefeier
(ihrem entscheidenen Kriterium) hin zu unternehmen.
Die Fronten waren zu verhärtet und wurden aus mannig-
fachen Gründen auch hartnäckig verteidigt.

Nachdem zunächst ausgangs des 19. Jahrhunderts
die Missionskirchen nicht mehr bereit waren, die im-
portierten Kirchentrennungen zu akzeptieren, regte
als erste die anglikanische Kirchengemeinschaft Gespräche über kirchliche Einheit an, die in der Mitte
des 20. Jahrhunderts über verschiedene Wege zur Gründung des Ökumenischen Rates der Kirchen geführt haben. Damit war ein deutliches Zeichen für ein schnell
wachsendes Bewußtsein gesetzt: die Wiederherstellung
kirchlicher Einheit wurde für die meisten Kirchen zu

einem immer wichtigeren, in relativ naher Zukunft
erscheinenden Ziel; die Trennungen immer mehr und
deutlicher zu einem Ärgernis, einem Skandal.

Neben der Einheit als Wesensmerkmal von Kirche, die es in jedem Fall zu bewahren oder wieder
herzustellen gilt, wird heute die Uneinigkeit der
Kirchen von diesen selber als großes Hemmnis angesehen, da sie sich angesichts einer in mancher Hinsicht zerstrittenen Welt zum Zeugnis der Versöhnung
und dem Dienst der Einigung verpflichtet wissen,
welche aber im Zustand der eigenen Trennung zu geben immer problematischer werden.

An der ökumenischen Bewegung, wie sie sich im
ÖRK artikuliert, hat die katholische Kirche nicht
teilgenommen und zählt noch heute nicht zu seinen
Mitgliedskirchen. Dieser Umstand besagt nichts über
eine Ökumene-Unwilligkeit ihrerseits, sondern ist
Ausdruck ihres spezifischen Kirchen- und damit Ein-
heitsverständnisses. Einheit war für die katholische Kirche lange Zeit nur denkbar als Rückkehr der
getrennten christlichen Gemeinschaften zu ihr, die
Wiedervereinigung mit ihr und die volle Integration
in sie. Dieses exklusive Verständnis erfuhr auf dem
Zweiten Vatikanischen Konzil eine bedeutsame Veränderung, nachdem dem eigenen Kirchesein zwar die
volle und wahre Realisierung dessen, was Kirche
Christi ist, attestiert, aber auch anderen christlichen Gemeinschaften Kirchesein und damit Heilsbe-
deutsamkeit zuerkannt wurde.

Damit ist ein zweiter Höhepunkt in der allgemeinen ökumenischen Bewegung dieses Jahrhunderts
genannt: die katholische Kirche wird zum Gesprächs-
partner im Bemühen um die volle kirchliche Einheit
der Christen. Erste konkrete Konsequenzen sind neue
Regelungen hinsichtlich ökumenischer Begegnungen in

Gemeinde und Liturgie (wie sie gerade hinsichtlich
von Abendmahlsgemeinschaft auch andere Kirchen er-
lassen haben), das Entstehen von unzähligen interkonfessionellen Dialoggruppen und die offizielle
Entsendung von Mitarbeitern in die Kommission für
Glauben und Kirchenverfassung, der eigentlich theologischen Abteilung des ÖRK. Der Eintritt der katholischen Kirche in die ökumenische Bewegung und Diskussion bewirkte, daß die ökumenische Stimmung in
manchen engagierten Kreisen zu konkreten (z.T. spon-
tanen) Akten von "Interkommunion" führte, die als
legitimer Ausdruck von bereits erlebter, teilweiser
Kirchengemeinschaft auf verschiedenen Ebenen empfun-
den wurden.

Was immer Hintergrund und Ziel der ökumenischen
Bewegung war und ist, volle Abendmahlsgemeinschaft,
bekam durch solche teilweise Abendmahlsgemeinschaft
im Zeitraum ca. zwischen 1965 und 1975, durch praktisch erlebte und theologisch für möglich gehaltene
Annäherung eine ganz besondere Aktualität. Diese
die Stimmung jener Zeit deutlich zum Ausdruck brin-
genden, manchmal euphorischen, charismatischen oder
unbotmäßigen, je nach dem, Aufbrüche, zogen vielgestaltige Konsequenzen nach sich: Theologen nahmen in
Publikationen Stellung, analysierten, ermutigten,
mahnten und warnten; manche Kirchenleitungen reagier-
ten mit Handreichungen und/oder Verdeutlichungen der
geltenden Regelungen.

Praktizierte Kirchengemeinschaft u.a. in Form
von Abendmahlsgemeinschaft, theologische und kirchen-
verantwortliche Reaktionen haben in verschiedener
Hinsicht die Aktualität und Dringlichkeit der Notwendigkeit kirchlicher Einheit einem breiteren Pu-
blikum deutlich gemacht und die Diskussion um trennende Hindernisse angeregt und mitbestimmt.

In den vielen zwischenkirchlichen Gesprächskreisen, die sich mit dem Problem der Abendmahlsgemeinschaft beschäftigten, wurde immer deutlicher,
daß mit dieser Frage eine Reihe anderer, sie be-
stimmende Probleme zusammenhängen. Es stellte sich
die Frage nach Gehalt und Gestalt kirchlicher Einheit, nach der Bedeutung der Taufe für die Einheit,
nach dem Verständnis der Eucharistie und des kirchlichen Amtes. Vielerlei Fragen, die auch Ursachen
für Kontroversen in der Vergangenheit oder von solchen wesentlich betroffen waren.

Nach den genannten aktionsreichen, aufbruchbe-
stimmten Jahren ist es heute in dieser Frage eher
ruhig geworden: die Regelungen der Kirchen sind bekannt; die Gesprächskommissionen arbeiten intensiv
an den theologischen Hintergrundfragen im Hinblick
auf die Kirchengemeinschaft, mit der die Abendmahlsgemeinschaft dann untrennbar verbunden ist; einzelne
Gemeinden, Gruppen und Kreise praktizieren selbstverständlich eine teilweise Abendmahlsgemeinschaft.
Die ökumenische Atmosphäre ist wieder eher nüchtern,
die sachliche Auseinandersetzung dominiert und die
Praxis hat sich auf diesen oder jenen status quo ein-
gependelt, die Diskussion um die Frage der Zeichen-
und Mittelfunktion heute praktizierter Abendmahlsgemeinschaft für kirchliche Einheit hat jede Seite für
sich entschieden.

Das Problem der "Interkommunion" hat heute nicht
mehr die Aktualität wie noch vor zehn Jahren, wenn
damit mehr oder weniger spektakuläre Interkommunion-
Feiern oder ständiges Aufscheinen in der theologischen Literatur gemeint ist. Die Frage nach Ermöglichung von Abendmahlsgemeinschaft aber als Ziel und
Zentrum voller kirchlicher Einheit steht heute nicht
nur explizit als Triebfeder hinter allem Suchen nach

dieser Einheit, sondern erfährt durch die Annäherung in ehemals kontroversen Fragen und aufgrund
einer zum einen selbstverständlich praktizierenden
und zum anderen ebenso selbstverständlich ökumenisch
desinteressierten kirchlichen Basis (wobei beide
Haltungen als die Einheit gefährdend betrachtet
werden) neue Aktualität und Dringlichkeit.

b) Der Begriff

Der Begriff "Interkommunion" wurde zuerst in
der anglikanischen Gemeinschaft für die Kirchengemeinschaft ihrer verschiedenen Provinzen verwendet
und erst allmählich auf unterschiedliche Formen von
(allerdings in jedem Fall unvollkommener) Abendmahlsgemeinschaft eingegrenzt.

Die Vielzahl der durch diesen Begriff zum Ausdruck gebrachten Formen eucharistischer Gemeinschaft
(universale Einladung, partielle Zulassung, gemeinsame Eucharistiefeiern etc.) zum einen und seine in
sich widersprüchliche Bedeutung zum anderen ließ zu
wiederholten Malen den Versuch entstehen, eine klare
und eindeutige Begriffsskala zu schaffen und den Begriff "Interkommunion" zu eliminieren.

Die Verschiedenartigkeit der Beziehungen der
Kirchen zueinander aufgrund unterschiedlicher Voraussetzungen machte es aber von Anfang an sehr schwer,
eine einheitliche, alle Situationen erfassende Begrifflichkeit zu schaffen. So erfuhr die Skala von
Lund 1952 (volle Abendmahlsgemeinschaft, Interkommunion und Interzelebration, Interkommunion, gegenseitig offene und geschlossene Kommunion) sehr früh schon
Kritik und wurde 1969, ausgehend vom theologisch fundierten Begriff der "communio" (verstanden als Vollform kirchlicher Einheit) von den beiden Begriffen
"Gemeinschaft" und "Zulassung" (begrenzte, allgemeine,
gegenseitige) und als natürliche Erweiterung von

zweiterem mit den Begriffen "gemeinsame Zelebration"
und "Interzelebration" abgelöst. Diese Begriffe nun
(genauso wie der von der katholischen Kirche ver-
wendete Begriff der "communicatio in sacris" für
die Gemeinschaft in den Sakramenten mit einer anderen Kirche) sind noch heute (erweitert durch andere
Umschreibungen wie z.B. "eucharistische Gastfreundschaft") in Geltung, haben sich aber in der Diskussion um die Abendmahlsgemeinschaft kaum so richtig
durchgesetzt und werden heute nur spärlich verwendet.
Je weiter sich die Diskussion von den aktuellen An-
lässen weg und den Abendmahlsgemeinschaft verunmög-
lichenden Hindernissen zuwandte, um so mehr trat die
volle Abendmahlsgemeinschaft als unmittelbare Folge
voller Kirchengemeinschaft in den Vordergrund und
sank das Interesse an differenzierenden Beschreibungen für praktizierte Gemeinschaft am Tisch des Herrn.
Erst im Zuge dieser Entwicklung kam es mittlerweile
zum allmählichen, relativ deutlichen Verschwinden
des Begriffs "Interkommunion".

c) Die kirchlichen Regelungen

Die Regelungen und Empfehlungen hinsichtlich von
Abendmahlsfeiern, in denen sich irgendeine Form von
kirchlicher Gemeinschaft ausdrückt, sind heute von
Kirche zu Kirche verschieden. Gemeinsam ist ihnen,
wenn sie die interkonfessionellen Beziehungen betreffen, das Anliegen, auf keinen Fall bestehende Uneinigkeit zu ignorieren und bereits erreichte Einigkeit
zu gefährden oder eine Einheit vorzutäuschen, die es
noch gar nicht gibt. Dieses Anliegen macht auch die
Spannung deutlich, in der die Regelungen stehen (und
aus denen sie oft auch erst entstanden sind): die
Spannung zwischen dem Wissen um den untrennbaren Zusammenhang von Kirchen- und Abendmahlsgemeinschaft;
die Spannung zwischen der Lehre der Kirche und der

Erfahrung der kirchlichen Basis und das daraus ent-
stehende Drängen; die Spannung aus der Vielfalt der
Kirchen, für die konkrete Antworten, Regelungen zu-
treffen müssen; die Spannung zwischen vorauseilenden
theologischen Erkenntnissen und der weniger schnell
zu bewegenden kirchlichen Basis. Die Antworten der
Kirchen auf die Frage nach Möglichkeit und Umfang
von Interkommunion in Form von Empfehlungen oder verbindlichen Richtlinien erfolgen je nach dem ekklesiologischen Grundverständnis der einzelnen Kirche. Die
Verlautbarungen betreffen die Zulassung zum Abendmahl der eigenen und die Erlaubnis zum Zutritt zum
Abendmahl einer anderen Kirche, weniger aber die
Frage von gemeinsamen Abendmahlsfeiern.

Die römisch-katholische Kirche erlaubt teilweise Sakramentengemeinschaft (einschließlich Eucharistiegemeinschaft) mit den orthodoxen Kirchen.
Christen aus reformatorischen Kirchen können die Eucharistie von einem katholischen Priester in Ausnahmefällen (Todesgefahr, Gefängnis, Verfolgung) er-
bitten. Dem katholischen Christen ist die Teilnahme
am evangelischen Abendmahl (d.h. dessen Empfang) in
keinem Fall erlaubt. (Eine Ausnahme bildet hier die
Regelung des elsässischen Bischofs L. Elchinger, der
die Ausnahmefälle auch auf die Situation der Misch-
ehe ausdehnt und die Teilnahme am je anderen Abendmahl für seine Diözese bei Wahrung der Gegenseitig-
keit erlaubt.)

Ähnlich (und noch konsequenter gehandhabt) ist
die Praxis der orthodoxen Kirchen, für die bei verbleibender Trennung keine Form von Interkommunion
denkbar ist. Ausnahmen sind hier zum einen aufgrund
des Ökonomie-Gedankens möglich, wenn es in einem Not-
fall um das Heil eines einzelnen geht und zum anderen
Äußerungen der russisch-orthodoxen Kirche, die auf

das Angebot der römisch-katholischen Kirche auf dem
Zweiten Vatikanischen Konzil positiv reagiert hat
(deswegen aber von anderen Patriarchaten heftig
kritisiert wurde).

In der anglikanischen Kirchengemeinschaft ent-
scheidet der einzelne Bischof (der Vorsteher einer
selbständigen Kirchenprovinz) über die Zulassung
zum Abendmahl in seiner Kirche und über den Zutritt
eines anglikanischen Christen zum Abendmahl einer
anderen Kirche. Die Lambeth-Konferenz hat sich 1968
(empfehlend) für die Zulassung anderer Christen
(wenn sie getauft und in der eigenen Kirche abend-
mahlsberechtigt sind) zum anglikanischen Abendmahl
ausgesprochen und den Zutritt anglikanischer Christen
zum Abendmahl einer anderen Kirche gutgeheißen, wenn
in dieser Kirche das apostolische und nizänische
Glaubensbekenntnis Geltung hat und eine Einladung
zum Empfang des Abendmahls besteht (wobei dieser Zutritt nicht der Normalfall sein sollte).

Die altkatholische Kirche gewährt den Zutritt
zu ihrem Abendmahl im Einzelfall und auf Anfrage
einem Christen auf dessen eigene Verantwortung hin,
wenn er sich der altkatholischen Kirche verbunden
fühlt, auf dem Boden des altkirchlichen Bekenntnisses
steht und sich zur Realpräsenz Christi im Abendmahl
bekennt.

Die Kirchen aus der Reformation kennen keine
einheitlichen Regelungen. Kirchenvereinigungen (wie
z.B. die VELKD) kennen die selbstverständliche Kan-
zel- und Abendmahlsgemeinschaft, deren Generalsynoden
erarbeiten Handreichungen für die interkonfessionellen Beziehungen im Sinne von Empfehlungen. Kirchen-
bünde (wie z.B. der RWB, der LWB, die EKD, die EKU)
treffen keine allgemein gültigen Erklärungen, erarbeiten aber Empfehlungen, aufgrund derer die einzel-

nen Gliedkirchen selber Regelungen treffen. In beiden Fällen ermöglichen die Regelungen zum größten Teil den Zutritt anderer Christen zum eigenen Abendmahl und erlauben den Zutritt der eigenen Christen zum Abendmahl einer anderen Kirche. Begründet werden diese Regelungen meistens mit seelsorgerlichen Aspekten; in diesem Zusammenhang wird auch auf die Vorläufigkeit und Unvollkommenheit solchen Tuns und manchmal auf dessen Ausnahmecharakter hingewiesen. Gemahnt wird oft die Rücksichtnahme auf die Regelungen anderer Kirchen. Bedingungen sind normalerweise die Taufe, die Abendmahlsberechtigung in der eigenen Kirche und der Glaube an die Erfüllung der Verheißung des Wortes Christi im Abendmahl; zum Teil wird eine Absprache unter Kirchenverantwortlichen vorausgesetzt, zum Teil genügt die Liebe zum Herrn Jesus Christus und die Verbundenheit mit ihm.

Die im ÖRK zusammengeschlossenen Kirchen kennen untereinander keine sich durch diesen Zusammenschluß ergebende Abendmahlsgemeinschaft, da sich der Rat (anders als z.B. die VELKD) nicht als Kirche versteht. So finden sich unter den verschiedenen Kirchen innerhalb des ÖRK verschiedene Abkommen hinsichtlich zwischenkirchlicher Beziehungen. Diese reichen von Abkommen über partielle Abendmahlsgemeinschaft über die Erklärung voller Kanzel- und Abendmahlsgemeinschaft bis hin zur organischen Union und vollen Kirchengemeinschaft.

Die Regelungen aller Kirchen sind im Blick auf die noch ausstehende Einheit der Kirche notwendigerweise von der Vorläufigkeit geprägt und bringen das auch teilweise deutlich zum Ausdruck. Steigende interkonfessionelle Vereinbarungen über Abendmahlsgemeinschaft ohne volle Kirchengemeinschaft (z.B. zwischen evangelischen Kirchen) und eine zunehmend er-

weiterte Handhabung verbindlicher Regelungen (z.B.
in der katholischen Kirche) sind Ausdruck dieser
Vorläufigkeit und zeigen zugleich eine gewisse Flexibilität und Offenheit, neuen Situationen und Anfragen in der Praxis gerecht zu werden, ohne dabei
das Ziel, die volle Kirchengemeinschaft, aus dem
Auge zu verlieren oder eine noch nicht vorhandene
Einheit vortäuschen zu wollen oder theologische
Überzeugungen aufgeben zu müssen.

d) Die Diskussion

Das interkonfessionelle Gespräch, vor dem
Zweiten Vatikanischen Konzil vor allem innerhalb
des ÖRK, danach auch in unzähligen multilateralen
und bilateralen Gremien mit katholischer Beteiligung geführt, ist geprägt vom Willen, aufeinander
zu hören und einzugehen, das Gemeinsame zu betonen
und das Trennende, um es überwinden zu können,
deutlich zu benennen. In allen Gesprächen kommt
der Wille zur Gemeinschaft, zur Wiederherstellung
der Einheit der Kirche deutlich zum Ausdruck. In
ihnen spiegelt sich eine neu entdeckte Brüderlichkeit wider (und wird in den Gesprächskreisen selber
deutlich erfahren), wie sie an der kirchlichen Basis (zum Teil in anderer Form) erlebt und gelebt
wird. So sind sie denn auch meistens geprägt vom
Drängen der Basis, die sich von Theologen und Kirchenleitungen klärende Worte, vor allem aber die Er-
öffnung weiterer Möglichkeiten erhofft, um der erfahrenen Gemeinschaft auch sakramentalen Ausdruck
verleihen zu können und so weitere Impulse für eine
engere Gemeinschaft zu erhalten.

Die interkonfessionellen Gespräche über Interkommunion sind (ähnlich wie die kirchlichen Regelungen) geprägt von der Spannung zwischen Lehre und
Leben. Je nach Status (z.B. offiziell-inoffiziell),

Art (z.B. multilateral-bilateral), Größe (z.B. weltweit-lokal) und Umstand (z.B. ad hoc-ständig) einer Gesprächsgruppe wird diese Spannung zu lösen versucht oder werden Möglichkeiten gesucht, sie auszuhalten.

Gemeinsam ist zunächst allen, daß sie sich gegen eine leichtfertige und unbedachte Praxis der Interkommunion aus einer punktuellen Hochstimmung oder Bequemlichkeit heraus aussprechen: vorschnelles Handeln leugnet das hohe Gut der Einheit der Kirche und die Ernsthaftigkeit der Gründe für die Trennungen in der Vergangenheit. So bieten die meisten Dokumente Situationsanalysen, die versuchen, den ökumenischen Aufbruch und die erfahrene Gemeinschaft zunächst einmal zwischen der schmerzlichen Vergangenheit der Trennung und der noch ausstehenden vollen Einheit in der Zukunft einzuordnen. Dabei wird immer die Ernsthaftigkeit des Drängens der Basis bejaht, Verständnis für Notsituationen ausgedrückt und die Freude über die neue Situation betont.

Wesentlich ist zunächst, so die Dokumente gemeinsam, all das miteinander zu tun, was, ohne die Regelung einer Kirche zu verletzen, heute bereits möglich ist: Gespräche, Wortgottesdienste, karitatives Handeln, soziales Engagement: Gemeinschaft in der Eucharistie ist nicht ohne gemeinsames Leben und gemeinsamen Glauben, nicht ohne gegenseitiges Kennen und Vertrautsein möglich. Da nun diese Gemeinschaft manchen Christen gegeben zu sein scheint, erfahren sie die Unmöglichkeit der gemeinsamen Eucharistie als schmerzlich und erachten sie als hindernd für das weitere Zusammenkommen, für eine vertiefte Gemeinschaft.

Auf diese Erfahrung reagieren die meisten Dokumente mit einer Bitte an die Kirchenleitungen, die

geltenden Regelungen zu überprüfen und die Ausnahmesituationen für gewisse Anlässe vor allem auf
Mischehen, verantwortungsbewußte Kleingruppen und
kooperierende Gemeinden auszudehnen. Mehrheitlich
abgelehnt werden die allgemeine Sitte gemeinsamer
Eucharistiefeiern und die simultan und sukzessiv
verbundenen Eucharistiefeiern, da bei den ersten
die Gefahr der Vortäuschung einer noch nicht vorhandenen Einheit und des allzu schnellen Überge-
hens noch vorhandener Trennungen besteht und bei
den zweiten eher die Trennung als eine gewisse Einheit zum Ausdruck gebracht wird. Die Bitte um Erweiterung der Ausnahmeregelungen erscheint den
meisten Dokumenten als das heute allein mögliche,
aber auch notwendige. Sie ist getragen vom Verant-
wortungsbewußtsein um die Gläubigen, welche per-
sönlich unter der Trennung der Kirchen leiden und
denen kirchliche Einheit nicht mehr ein fernes Ziel
ist. Eine solche Ausdehnung wird als Übergangslösung
für einzelne Kreise gesehen und ist immer an gewisse
Voraussetzungen gebunden: wie etwa der Glaube an
Christus als den Herrn der Kirche und der Eucharistie, die Bereitschaft zur Gemeinschaft auf allen
Ebenen, die Vertiefung des Glaubens in Gesprächen,
der Einsatz für die Einheit der ganzen Kirche. Für
die Annäherung der Kirchen betonen aber alle Dokumente, auch diejenigen, die eine erweiterte Inter-
kommunion-Praxis nicht nur als Ausnahmeregelung,
sondern als dem heutigen Stand erreichter Einheit
auf verschiedenen Ebenen entsprechend selbstverständlich und legitim erachten, die Notwendigkeit der
theologischen Auseinandersetzung mit ehemals kontroversen Fragen: Wenn Uneinigkeit in Glaubensfragen
zur Aufhebung der Kirchen- und Abendmahlsgemeinschaft
geführt hat, dann ist heute zu fragen, in welchen
Punkten diese weiterhin besteht (und wenn dies der

Fall ist, inwieweit sie eine Kirchentrennung noch
rechtfertigt) und in welchen Punkten Einigkeit
festgestellt werden kann.

Nachdem in der Rechtfertigungslehre kein kirchentrennender Charakter mehr besteht, ist allen
Dokumenten, die sich mit der Frage der Abendmahlsgemeinschaft auseinandersetzen, die Klärung des
Verständnisses der Eucharistie und des kirchlichen
Amtes wichtig: Ein gemeinsames Verständnis der Eucharistie ist unabdingbar, wenn man sie gemeinsam
feiern will und führt in die Mitte dessen, was wahre
Kirche Christi, was wahre Gemeinschaft im Leibe
Christi ist; ein gemeinsames Verständnis der Eucharistie führt notwendigerweise zur Frage nach einem
gemeinsamen Verständnis des kirchlichen Amtes, weil
sich für viele Kirchen allein im rechten Amt die
wahre Kirche Christi äußert und nur dieses zum gültigen Vollzug der Eucharistie bevollmächtigt.

Grundsätzlich sind die Diskussionen über all
die Jahre, in denen sich interkonfessionelle Gremien mit der Möglichkeit von Interkommunion heute
(d.h. mit Abendmahlsgemeinschaft ohne volle Kirchengemeinschaft) beschäftigen, von zwei Grundpositionen
geprägt:

- Für die eine Grundpostition (vor allem durch die
  katholische Kirche und die orthodoxen Kirchen vertreten) ist die Eucharistie Zeichen und Ausdruck
  voller kirchlicher Einheit und Mittel, diese zu be-
  stärken und zu fördern. Diese Gemeinschaft ist dann
  gegeben, wenn im Wesentlichen der kirchlichen Glau-
  benslehre und der kirchlichen Ordnung volle Übereinstimmung besteht. Diese volle Übereinstimmung in
  Glauben und Kirchlichkeit ist nach der Meinung dieser Seite noch nicht gegeben, weshalb, von Ausnahmen in wenigen Notsituationen abgesehen, keine Form

von Gemeinschaft bei der Eucharistie möglich ist.
Damit wird die Bedeutung der Eucharistie als Werkzeug kirchlicher Einheit nur für die Vollendung
einer bereits bestehenden Gemeinschaft gesehen und
nicht als Mittel auf dem Weg zu einer immer volleren Einheit, indem sie auch bewirkt, was sie verheißt: Einheit der Menschen mit Gott und untereinander.

Ein solcher Einheitsmaximalismus kann zwar andere
christliche Gemeinschaften als solche anerkennen,
aber sie nicht mit dem eigenen ekklesiologischen
Grundverständnis identifizieren; er kann von daher
die Taufe, die er zwar als gültig und als ein erstes Band der Einheit anerkennt, noch nicht als
grundlegende Voraussetzung für teilweise Abendmahlsgemeinschaft erkennen, da mit ihr untrennbar der
Glaube und das Bekenntnis verbunden sind. Ebenso
kann er die Eucharistie nicht losgelöst von einem
in seinem Sinne gültigen Amt als gültig betrachten, womit ein Zutritt zur Eucharistiefeier einer
anderen Kirche mit einem anderen Amtsverständnis
auf jeden Fall hinfällig wird. Er wird in Interkommunion-Feiern eine Unmöglichkeit sehen, da die
Gläubigen danach wieder als Getrennte auseinander-
gehen, die Feier selber also Einheit vortäuscht,
zu der die Kirchen erst ansatzhaft unterwegs sind
und die letztlich ein Geschenk der Gnade Gottes
sein wird. Ein solcher Einheitsmaximalismus anerkennt zum großen Teil die vielseitig erreichten
Konsense in vielen, früher kirchentrennenden Fragen, mißbilligt aber die Ansicht, daß über den
Weg der Annäherung in einzelnen Fragen auch bereits diesem Stand von Gmeinsamkeit entsprechend
vereinzelt Interkommunion-Feiern möglich seien;
er fordert hier noch weitere und umfassendere Abklärungen. Ausnahmen sind nach der Meinung dieser

Position möglich, darüber hinaus aber kann es
keine Form von gemeinsamen Eucharistiefeiern
geben, auch nicht die, daß ein Gläubiger aus
freiem Gewissensentscheid die Eucharistie in
einer anderen Kirche empfängt, da er mit diesem
Empfang seinen integralen kirchlichen Glauben
preisgibt. Somit ist nach der Überzeugung dieser Position heute zwar ein ökumenisches Miteinander möglich, wichtig und gefordert, es muß
aber vorläufig noch auf seine sakramentale Vertiefung verzichten.

- Die zweite Grundposition (vor allem durch viele
evangelische Kirchen und einige katholische Kreise vertreten) betont den Mittelcharakter der Eucharistie auch für die Situation des Unterwegs-
seins zur vollen kirchlichen Einheit. Sie legt
Wert auf die Tatsache, daß Christus durch sein
Versöhnungshandeln am Kreuz bereits grundsätzlich
Einheit gestiftet hat und sieht diese in manchen
Gegebenheiten des Miteinanders in Kirche und Welt
heute zum Ausdruck gebracht. Entsprechend dem jeweiligen Stand kirchlicher Einheit sind daher (vor
allem in erweiterten Ausnahmesituationen) gemeinsame Eucharistiefeiern nicht nur möglich, sondern
auch angebracht und der weiteren Einheitssuche
förderlich. Von Vertretern dieser Position wird
großes Gewicht auf die Wirksamkeit der Eucharistie
gelegt, ohne allerdings dabei die Notwendigkeit
des außerliturgischen, kontinuierlichen Zusammenwachsens aus dem Auge zu verlieren.

Man weiß hier darum, daß die volle Einheit noch
aussteht und als Geschenk der Gnade Gottes empfangen wird. Zu dieser Einheit sind heute jedoch alle
Kirchen unterwegs; keine Kirche kann angesichts
der Trennungen für sich die volle Verwirklichung

der wahren, einen Kirche Christi in Anspruch
nehmen. Wenn das Sakrament der Eucharistie als
Ausdruck einer gewissen Einheit und als Mittel
zu einer immer größeren, volleren und tieferen
Einheit verstanden wird, dann kann sie nicht nur
unter bereits voll Geeinten, sondern darf und
soll sie (im Vertrauen auf Christus, der selbst
alle an seinen Tisch einlädt, die Gemeinschaft
mit ihm und untereinander wünschen) auch unter
Christen, deren Kirchen noch nicht geeint sind,
die aber Gemeinschaft auf manchen Ebenen erfahren, in gewissen Situationen gemeinsam gefeiert
werden. Grundlage dafür bildet die Taufe, das
allgemein anerkannte Sakrament der Eingliederung
in die eine Kirche Christi. Die Anerkennung anderer christlicher Gemeinschaften durch das Zweite
Vatikanische Konzil als kirchliche Gemeinschaften
hat Auswirkungen auf die Gültigkeit und Wirksamkeit ihres kirchlichen Amtes und damit auf die
der Eucharistie, womit, neben den bedeutenden Annäherungen im Verständnis von Eucharistie und Amt
als Zeichen für die ständig wachsende Einheit in
Glauben und Lehre, ein wesentliches Argument gegen
die wechselseitige Teilnahme an Eucharistiefeiern
entfällt. Gelegentliche Akte eucharistischer Gastfreundschaft (aber keine Feiern mit Interzelebration), so wird hier argumentiert, gehen auf exi-
stentielle Notlagen vieler Christen ein, entsprechen dem heutigen Stand kirchlicher Einheit und
dienen dem weiteren, umfassenderen Zusammenwachsen
aller Christen, das in einem unabläßig wachsenden
Miteinander auf allen Ebenen geschehen muß.

2. Die Einheit der Kirche

Die Frage der Abendmahlsgemeinschaft als Zentrum
der Kirchengemeinschaft, das Problem der Interkommu-

nion, zielt auf die Mitte kirchlicher Einheit. Zur
Einheit der Kirche Christi als eines ihrer Wesens-
merkmale bekennen sich alle Kirchen. Jede Kirche
betont, daß es wahre Kirche Christi nur geben kann,
wenn sie eine ist. Die Diskussionen um Abendmahlsgemeinschaft haben in einem zunehmenden Maß die unterschiedlichen Auffassungen von Kirche und Einheit
deutlich gemacht, aufgrund derer die Kirchen zu
heute möglicher Abendmahlsgemeinschaft Stellung
nehmen. Unterwegs sein zur Einheit macht das Wissen
um die jeweils andere Vorstellung von Einheit, die
Anerkennung der eigenen Unvollkommenheit angesichts
der Trennung und die gemeinsame Ausrichtung auf das
gemeinsame Ziel der Verwirklichung der "einzigen"
Einheit der Kirche Christi notwendig.

a) Unterschiedliche Auffassungen von Einheit

Die im vorangegangenen Abschnitt genannten zwei
Grundpositionen kommen im Hinblick auf das Verständnis kirchlicher Einheit folgendermaßen zum Ausdruck:

- Die volle und ganze Wahrheit der Kirche ist offenbart, eine Kirche hat alle ihre wesentlichen Kennzeichen bewahrt und ist deshalb die wahre Verwirklichung der Kirche Christi auf Erden. Einheit kann
  es nur dann geben, wenn diese in dieser Kirche vorhandenen Kennzeichen angenommen werden.

  So nehmen die katholische und die orthodoxe Kirche
  für sich in Anspruch, wahre Verwirklichung der Kirche Christi auf Erden zu sein, was sich für sie in
  der Einheit von Wort, Sakrament und Amt äußert,
  welche durch das Stehen in der ununterbrochenen
  apostolischen Sukzession des Amtes gewährleistet
  ist, welches die authentische Bewahrung, Entfaltung
  und Verkündigung der offenbarten Wahrheit in einer
  bindenden Lehre und Kirchenordnung verbürgt und so
  die wahre Einheit der Kirche deutlich macht. Die

Einbindung in diese Kirche bedeutet auch das
Hineingenommensein in den Leib Christi.

- Keine der heutigen Kirchen ist die einzig wahre
  Kirche. Vielmehr sind die verschiedenen Kirchen
  wirkliche Teile der einen wahren Kirche Christi.
  Sichtbare Einheit wird es durch die immer stärkere gegenseitige Anerkennung der Elemente geben, die die jeweils andere Kirche bewahrt hat.

  So äußert sich für die Kirchen aus der Reformation die wahre Kirche Christi in der reinen Verkündigung des Evangeliums und der rechten Verwaltung der Sakramente. In ihnen lehrt Christus
  selber und schenkt sich den Gläubigen, worauf
  diese mit ihrem Glauben antworten. Hinter der
  Wahrheit des Evangeliums, die in Christus durch
  den Geist anwesend ist und die Kontinuität ihrer
  apostolischen Verkündigung, treten Amt, Bekenntnis und Kirchenordnung zurück, sind aber deswegen
  nicht bedeutungslos, sondern für das Leben der
  Kirche wichtig.

  Eine Zwischenstellung nimmt die anglikanische
  Kirche ein. Sie hat mit der katholischen und der
  orthodoxen Kirche die wesensmäßige Bedeutung des in
  der historischen Sukzession stehenden Amtes als Ga-
  rant der Einheit und der Kontinuität der Kirche gemeinsam. Mit den evangelischen Kirchen verbindet
  sie die Überzeugung, gültig an der wahren Kirche
  Christi teilzuhaben. Lehre, Glauben und Kirchenordnung treten für die anglikanische Kirche hinsichtlich der Bewahrung der Einheit hinter der Bedeutung
  des gültigen Amtes zurück.

b) Gemeinsame Grundelemente

  In den verschiedenen interkonfessionellen Gesprächen über die kirchliche Einheit hat es sich ge-

zeigt, daß es sehr schwer ist, ein gemeinsames Verständnis von Einheit zu entwickeln. Zwar gibt es
immer mehr Grundlagen in Leben und Glauben der Kirchen, die Gemeinsamkeit zum Ausdruck bringen und
kirchliche Einheit oft in greifbare Nähe rücken
lassen: der gemeinsame Glaube an Jesus Christus als
den Herrn der einen Kirche, das grundlegende Band
der Taufe, Konvergenzen in Lehrfragen, Zusammenarbeit an der Basis etc. Doch noch immer sind zwischen
den großen Kirchen kaum konkrete Schritte möglich,
es tauchen immer wieder Fragen auf, die noch der
Klärung bedürftig erscheinen und damit Kirchengemeinschaft in weitere Ferne rücken lassen.

Vier Dimensionen sind es, die in den meisten
christlichen Gemeinschaften die Einheitsvorstellungen,
auch wenn mit unterschiedlich starker Akzentuierung,
grundlegend bestimmen:

- Die christologische Dimension:
  Gott hat Christus, seinen Sohn, in die Welt gesandt, um alle Menschen zu erlösen und sie mit sich
  zu versöhnen und zu einen. Christus vermittelt das
  Heil und sammelt das neue Volk Gottes. In Christi
  Leben, Tod und Auferstehung ist das Reich Gottes
  angebrochen, durch seinen Tod hat er die Menschen
  in eine neue Gemeinschaft mit Gott und untereinander im Volk Gottes, dessen König er ist, geführt.
  Diese Einheit in und durch Christus ist zum einen
  unsichtbar, dem Glauben allein zugänglich, zum
  anderen aber muß sie, analog dem irdischen Leib
  Jesu, sichtbar werden: das in Christus geeinte Volk
  Gottes muß als eine Kirche in der Welt sichtbar
  werden. Auf die grundlegende Einheit durch Christus
  dürfen die an ihn Glaubenden vertrauen, um die
  sichtbare Einheit müssen sie sich in der Ausrichtung
  auf ihn, den Einheitsstifter, mit bemühen, da sie
  durch menschliches Verschulden zerbrach.

- **Die pneumatologische Dimension:**
  Die von Christus gestiftete Einheit wird durch
  das Wirken des heiligen Geistes bewahrt und je
  neu wirksam gemacht. Durch seine vielfältigen
  Gnadengaben schafft er Einheit in Vielfalt. Der
  Geist ermutigt die Gemeinschaft der Glaubenden
  zum Dienst an der Welt nach dem Willen Gottes als
  Dienst an der Versöhnung und an der Einheit und
  hält Christus als kraftspendende Mitte lebendig.

- **Die ekklesiologische Dimension:**
  Am deutlichsten konkretisiert sich die von Christus
  gewirkte Einheit in der Kirche, in ihr verwirklicht
  sich das Reich Gottes ansatzhaft, in ihr werden die
  Verheißungen Gottes wirksam, in ihr ist Christus
  durch den Geist in Wort und Sakrament wirksam gegenwärtig. Der Kirche als dem sichtbaren Leib
  Christi ist es aufgetragen, die von Christus geschenkte Einheit, die auf die ganze Menschheit ausgerichtet ist, treu seiner Stiftung im Dienste der
  Versöhnung in der Welt deutlich zu machen. Ein Gott,
  ein Herr, ein Glaube, eine Taufe und ein Brot sind
  ihre grundlegenden Merkmale.

  Am intensivsten innerhalb der Kirche wird die Einheit, die Frucht des Erlösungswerkes Christi, in
  der Eucharistie repräsentiert. Sie ist die sakramentale Klammer zwischen unsichtbarer und sichtbarer Einheit. Sie ist das deutlichste Sakrament der
  Einheit, weil in ihr die Einheit der Menschen mit
  Gott und untereinander durch das Einssein mit Christus je neu gewirkt wird und zum Ausdruck kommt.

- **Die eschatologische Dimension:**
  Der Anbruch des Reiches Gottes geschieht in der
  Kirche ansatzhaft. Einheit in Vollform, vollendete
  Einheit von Mensch (Schöpfung) und Gott wird es
  erst beim endgültigen Wiederkommen Christi am Ende

der Zeiten geben. Zu dieser Einheit ist die Kirche (die Kirchen) in jedem Fall erst unterwegs.
Bereits geschenkte Einheit in Christus durch
sein Versöhnungshandeln und das Ausstehen ihrer
Vollendung sind die beiden Pole, zwischen denen
die Spannung aller kirchlichen Einheitssuche besteht. Zwischen Gabe und Vollendung steht die
Aufgabe der Kirche, dem, was sie zutiefst ist und
verkörpert, im Heute immer deutlicheren und glaub-
würdigeren Ausdruck zu verleihen und so darauf
hinzuweisen, was sie dereinst sein wird, wenn die
Kirche zu bestehen aufgehört hat: die vollendete
Gemeinschaft der mit Gott und untereinander versöhnten Menschheit.

Diese Sicht tritt zugleich zwei möglichen Mißverständnissen entgegen: Gott wird zwar letztlich
die volle Einheit schenken, die Christen sind aber
als Versöhnte in den Dienst der Versöhnung, der
Einheit miteinbezogen, keine Form von Trennung dürfen sie tatenlos hinnehmen. Jedes Suchen und Verwirklichen von Einheit wird vor der Vollendung der
Zeiten mit dem Makel der Unvollkommenheit behaftet
und auf die Vollendung durch Gott angewiesen sein;
die Christen dürfen sich dieser Vollendung gewiß
sein, ihr Tun muß und kann nicht vollkommen sein.

c) Die Diskussion

Übereinstimmung besteht in der Tatsache, daß in
und durch Christus die Einheit vorgegeben ist. Die
Christen müssen daher die Einheit nicht grundlegend
neu schaffen, sondern diese vorgegebene grundlegende
Einheit neu entdecken und sichtbar machen, die durch
ihr schuldhaftes Verhalten verdunkelt und verdeckt
wird, aber niemals grundsätzlich zerstört werden
konnte. Die vorgegebene Einheit in Christus kommt
heute trotz der Trennungen durch mancherlei Elemente

zum Ausdruck: durch das Bekenntnis zum dreieinigen Gott und zu Jesus Christus, dem Herrn und Erlöser, die Taufe als Sakrament der Vergebung der Sünden, das apostolische Glaubensbekenntnis und die Anerkennung der heiligen Schrift als oberste Norm des Glaubens und des Lebens usw. Gemeinsam ist daher allen die Überzeugung von der Dringlichkeit, die ihnen mögliche Einheit mit allen ihnen zur Verfügung stehenden Mitteln zu fördern. Wesentliche Voraussetzungen sind dabei nach übereinstimmender Meinung die Buße, das Eingeständnis von der Mitschuld an der Trennung, die Hoffnung gegen alle Resignation und Verhärtung, Ausdauer und kontinuierliches Weitergehen des begonnenen Weges.

Das Problem der kirchlichen Einheit liegt nun im Sichtbarmachen der vorgegebenen Einheit. Damit ist die Frage nach Institution und Identität der Kirchen von heute angeschnitten, die alle von sich selber in Anspruch nehmen, wahre Kirche Christi zu sein und sie zu verkörpern: die reformatorischen Kirchen mit der Priorität des Wortes, die katholische Kirche mit der Priorität des Amtes. Beide Seiten verstehen sich im Dienste desselben Auftrages: Verkündigung des Versöhnungshandelns Gottes in Christus aufgrund des apostolischen Fundamentes in der Kraft des heiligen Geistes. Für beide bedeutet die Taufe die Eingliederung in den Leib Christi, in das Volk Gottes durch den Geist, die Eucharistie den deutlichsten Ausdruck der Einheit dieses Leibes und die Erhaltung und Erneuerung in ihm und ein Leben aus dem Glauben, der Hoffnung und der Liebe das Zeugnis der erfahrenen Erlösung durch Christus und der Gemeinschaft mit ihm. Beide Seiten betonen die Unverrückbarkeit dieses Fundamentes, aber auch die Vielfalt der konkreten Ausgestaltung der geglaubten Überzeugung je nach Ort, Zeit und Umständen, die ein

Zeugnis für das Wirken des heiligen Geistes durch
vielfältige Gnadengaben ist.

So zeigt sich heute in ökumenischen Gesprächen
über die Einheit, daß im zentralen Fundament dessen,
was Kirche als sichtbarer Leib Christi ist und worin es Einheit geben muß, Übereinstimmung besteht.
Theologische Untersuchungen fördern Übereinstimmungen in vielen Glaubensfragen zutage, die das gemeinsame Fundament verbreitern. Vielfach ist man nun der
Meinung, man könne gewisse Schritte einer institutionellen Vereinigung vollziehen, weil dafür das bisher anerkannte Fundament ausreicht. Die verschiedenen
Identitäten der Kirchen im Prozeß der Einigung werden
dabei zum Teil als Ausdruck einer legitimen Vielfalt
verstanden, zum Teil der Veränderung im weiteren Zusammenwachsen übergeben, wobei dieses Zusammenwachsen
vom verstärkten gemeinsamen Handeln, Forschen, der
gemeinsamen Ausrichtung auf Aufgaben in Kirche und
Welt aufgrund des gemeinsamen Lesens der heiligen
Schrift und des gemeinsamen Hörens auf den Willen
Christi bestimmt ist. Diese Veränderung wird mit dem
Hinweis auf die geschichtliche Entwicklung der Kirche von ihrem Anfang an für möglich, legitim und notwendig gehalten. Ein weiteres Argument lautet hier:
Lehre und Ordnung einer Kirche können nie das Gesamt
des Glaubensgeschehens im Leben der Christen und der
Kirchen einfangen.

Wenn dem immer wieder mit dem Hinweis auf die
Notwendigkeit weiterer Abklärungen (vor allem hinsichtlich der Ekklesiologie) widersprochen wird (wobei diese Abklärungen das Gesamt der Kirche noch
deutlicher herausstellen, eine die bisherigen Konsense und Konvergenzen umfassende Grundlage schaffen
und die volle Identifikation mit dieser Gesamtheit
ermöglichen sollen), dann kommt hier die Aporie der

Suche nach Einheit und der Möglichkeit, Einheit
heute auch zu verwirklichen, deutlich zum Ausdruck.

Beiden Seiten geht es um die Verwirklichung
der wahren Kirche Christi; beide wissen um den Indikativ der Einheit und um den Imperativ zur Einheit; beide argumentieren aus der Sorge, den Willen
Christi in und mit seiner Kirche nicht zu verfäl-
schen und zu entstellen. Beide ahnen in der Ferne
das Ziel, das mit körperschaftlicher Vereinigung,
versöhnter Verschiedenheit oder konziliarer Gemeinschaft umschrieben wird. Auf dem Weg dahin scheinen
aber heute für viele Kirchen aus mannigfaltigen und
oft nur ansatzhaft erkennbaren Gründen (vor allem
auch nichttheologischer Natur) keine institutionellen Schritte möglich zu sein.

3. Konvergenzen und Divergenzen im Verständnis von
   Taufe, Eucharistie und Amt

Im Verlauf der interkonfessionellen Gespräche
über Einheit und dann in der intensiven Phase über
die Frage der Interkommunion wurde immer mehr die
Notwendigkeit deutlich, im Kern dessen, was man als
tiefsten Ausdruck von Einheit gemeinsam feiern möchte, der Eucharistie, ein gemeinsames Verständnis zu
erfragen, zu entdecken und zu entwickeln. Von der
Klärung des Verständnisses der Eucharistie und den
untrennbar damit zusammenhängenden Fragen nach Taufe
und kirchlichem Amt wurde die notwendige Übereinstimmung im Glauben und damit die Beseitigung der
wesentlichsten Hindernisse erhofft. Daß diese Hoffnung nach Vorlage recht weit gehender Übereinstimmungen in diesen Fragen nicht im erwarteten Umfang
und nicht mit der erwarteten Schnelligkeit in Erfüllung gehen werden, haben die oben gemachten Andeutungen mittlerweile deutlich gemacht. Diese Fest-

stellung ändert aber nichts an der Notwendigkeit
dieser Klärungen, nichts an der großen Bedeutung
der erreichten Konsense und Konvergenzen und nichts
an der Tatsache, daß die Gespräche und ihre Ergebnisse die Kirchen einander einen wichtigen Schritt
näher und sie so der vollen Einheit entgegen gebracht haben.

a) Taufe

Über das Verständnis der Taufe mußte nicht
ausführlich gehandelt werden, da sie übereinstimmend
als Teilhabe an Christi Leben, Tod und Auferstehung
und so als Eingliederung in die Kirche, den Leib
Christi verstanden wird und allen das erste sakramentale Band der fundamentalen Einheit zwischen allen
Getauften bedeutet.

Übereinstimmung besteht auch hinsichtlich des
Zusammenhangs von Taufe und Eucharistie: die Taufe
als erste Eingliederung in den Leib Christi und der
mit ihr gegebene Glaube und das Bekenntnis bedürfen
der andauernden Stärkung und Förderung. Die Taufe
weist von ihrem innersten Wesen her auf die Teilhabe
an Leib und Blut Christi hin und ist die erste Voraussetzung für die Teilnahme an der Eucharistiefeier:
nimmt die Einheit in der Taufe ihren Anfang, so kommt
sie in der Eucharistie zur Vollendung. Die Nicht-Zulassung von Getauften zur Eucharistie stellt daher
heute ein Dilemma dar: in der Taufe Einheit - in der
Eucharistie Trennung. Wenn nun von den einen aus
diesem Zusammenhang (und aus der wachsenden Übereinstimmung in Glaubensfragen) konkrete Schritte für
eine Abendmahlsgemeinschaft gesehen und gefordert
werden, melden die anderen Vorbehalte hinsichtlich
der gegenseitigen Taufanerkennung an (sie kann z.B.
nicht wechselseitig vollzogen werden), weisen auf
die Taufe als Initiationssakrament hin, welches der

Vervollkommnung hinsichtlich des vollständigen Bekenntnisses und des Glaubens bedarf, betonen damit die sakramentale Grunddifferenz von Taufe und Eucharistie und fordern vor einer Abendmahlsgemeinschaft die volle Übereinstimmung in diesem Glauben und Bekenntnis, was die Identifikation mit dem Gesamt der Kirche bedeutet.

Damit ist die Taufe wohl ökumenisch anerkannt und bedeutsam, doch kann ihre ökumenische Relevanz heute noch nicht voll zum Tragen kommen.

b) Eucharistie

In den Diskussionen um das Verständnis der Eucharistie, des Abendmahls, hat sich allmählich ein Grundbegriff als weiter Rahmen herausgestellt, der das Gesamtgeschehen der Eucharistie ins Auge faßt; innerhalb dessen haben dann ehemals kontroverse Aspekte ihren Platz: die Anamnese (Gedächtnis, Memoria). Sie wird verstanden als aktives Erinnern, in dem sich der ganze Christus (mit seiner ganzen Person, seinem Leben, Sterben und Auferstehn) in der Mitte der an ihn Glaubenden gegenwärtig macht und sich ihnen in den Gestalten von Brot und Wein zum Heile schenkt.

Auf diesem Hintergrund wird nun übereinstimmend zum Opfercharakter der Eucharistie gesagt: im Zusammenhang mit der Gegenwart aller Heilstaten Christi in der Eucharistie wird auch sein Opfer, der Tod am Kreuz, vergegenwärtigt. In der Eucharistie wird Christus mit seiner Hingabe am Kreuz für uns, für die Welt, gegenwärtig und wirksam. Christus hat sich ein für allemal hingegeben zum Heil der Menschen. Er wird in der Eucharistie mit seiner Hingabe gegenwärtig und bleibt auch hier der vorzugsweise Handelnde. Die Einmaligkeit seines Opfers macht deutlich,

daß die Kirche niemals ein eigenes Opfer darbringen
kann. Sie kann allein mit ihrem Haupt und Herrn an
seinem Opfer teilnehmen, in dieses Opfer hineingenommen und zusammen mit ihm dargebracht werden.

In dieser Frage ist eine weitreichende Übereinstimmung erreicht, die trotz offener Fragen (z.B.
nach der näheren Bestimmung des Mitopferns der Kirche) als Überwindung alter Kontroversen bezeichnet
wird.

Das Verständnis der Eucharistie als Anamnese
beinhaltet das Bekenntnis zur Gegenwart des ganzen
Christus in der Eucharistie und zu seiner Gegenwart
während der ganzen Eucharistiefeier. Seine vielfältige Gegenwart in der Welt erhält in der Eucharistie
eine besondere Dichte, da er sich hier den Gläubigen
als Geschenk seiner selbst anbietet: mit Wein und
Brot empfängt der Gläubige Leib und Blut Christi.
Durch den Empfang der Gaben Christi erhält der Gläubige an Christi Leben, Tod und Auferstehung Anteil,
gelangt er je neu in die Gemeinschaft mit Christus,
mit den anderen Gläubigen und wird in dieser Gemeinschaft erhalten und bestärkt. Die Gegenwart Christi
in der Eucharistie ereignet sich aber unabhängig vom
Glauben der Gläubigen. Die Epiklese macht die pneumatologische Dimension der Eucharistie deutlich: Die
Gegenwart Christi ereignet sich durch Christi verheißendes Wort durch die Kraft des heiligen Geistes.
Verschieden beurteilt wird das Ziel der Herabrufung
des Geistes: die Gemeinde und/oder Brot und Wein.
Heute ist man sich im Bestreben einig, eine Liturgie
zu schaffen, die beide Seiten berücksichtigt.

Volle Übereinstimmung besteht heute im "Daß"
der realen und wahrhaften Gegenwart Christi in der
Eucharistie. Die Unterschiede beziehen sich auf die
Frage des "Wie" dieser Gegenwart, welche aber nach

einhelliger Überzeugung letztlich nicht geklärt
werden kann und auch nicht geklärt werden muß,
mithin keine Trennung in der Frage des Verständnisses der Realpräsenz rechtfertigt und dem Prozeß des gemeinsamen suchenden Verstehens übergeben werden kann.

Große Konvergenzen bestehen im Zusammenhang
mit der Frage der Realpräsenz auch hinsichtlich
der Dauer der eucharistischen Gegenwart und damit
hinsichtlich der Behandlung der Gaben von Brot
und Wein "extra usum". Die an den Dialogen beteiligten Kirchen bekennen sich zu einer würdigen
Aufbewahrung der Gaben und bemühen sich um die
Herausstellung der ursprünglichen Bedeutung der
Aufbewahrung in Lehre und Praxis zur Austeilung
im Zeichen der Gemeinschaft an Gläubige, die zu
der konkreten Gemeinde gehören, an der Teilnahme
ihrer Eucharistiefeier aber (z.B. wegen Krankheit
oder Gefängnis) verhindert sind.

Aus dem Verständnis der Anamnese wird auch die
eschatologische Dimension der Eucharistie deutlich:
in ihr wird auch der erhöhte Herr in seiner Gemeinde heute gegenwärtig, hat die Gemeinde auch mit dem
Erhöhten Gemeinschaft. In diesem Sinn ist die Eucharistie auch Vorwegnahme des endzeitlichen Mahles
des Herrn, wenn er wiederkommt.

Aus dem Verständnis der Eucharistie als der
tiefsten Verwirklichung der Kirche als Gemeinschaft
der Glaubenden mit Christus, von dem sie Versöhnung
und Heil empfangen, und der Gemeinschaft untereinander, ergibt sich auch die in dieser Gemeinschaft
implizierte Sendung der Versöhnten im Dienste der
Versöhnung in der Welt.

Im Verständnis der Eucharistie, das wird heute

allgemein anerkannt, ist eine so große Übereinstimmung erzielt worden, daß es nicht mehr trennend zwischen den Kirchen steht. Ein Vergleich der Ergebnisse der Dialoge aus dem katholisch-evangelischen Bereich mit denen aus dem inner-evangelischen Bereich (auch bei unterschiedlicher Ausgangslage für die Gespräche) bestätigt, daß die Übereinstimmungen für die meisten Kirchen gelten. Eine wesentliche Aufgabe der Kirchen besteht heute darin, dieses gemeinsame Verständnis in ihrem Leben und in ihren Liturgien voll präsent und den Gläubigen vertraut zu machen.

In der Beurteilung der Ergebnisse der ökumenischen Gespräche wird allgemein die große Übereinstimmung und die sich darin ausdrückende Annäherung der Kirchen in einer sie zutiefst bestimmenden Frage anerkannt. Konsequenzen aus dieser Übereinstimmung hinsichtlich einer bereits heute möglichen Abendmahlsgemeinschaft werden durch die bereits bekannten Positionen unterschiedlich beurteilt: Für die einen ist mit dem gemeinsamen Verständnis der Realpräsenz eines der wichtigsten Hindernisse beseitigt und die Unmöglichkeit der gemeinsamen Eucharistie nach der ausgesprochenen Übereinstimmung in dem, was man gemeinsam feiern möchte, undenkbar - für die anderen kann auch ein weitgehend gemeinsamer Eucharistieglaube nicht darüber hinwegtäuschen, daß der grundlegende und notwendige Zusammenhang von Eucharistie und Kirche im Vollsinn damit noch nicht geklärt ist und er daher noch nicht zur gemeinsamen Eucharistiefeier berechtigen kann. Beide Seiten warnen vor einer Überbewertung einer Übereinstimmung in der Eucharistielehre, wobei aber die einen auf die erfahrene Gemeinschaft mit Christus und den damit verbundenen Wirkungen hinweisen und die anderen das Eingebundensein der Gläubigen in den weiteren Rahmen

des Gesamt von kirchlichem Glauben und Leben betonen.

Wenn (auch in den Konsensdokumenten) dieses
Ergebnis kaum mit dem Prädikat "nicht mehr kirchentrennend" versehen wird, dann liegt das wohl am untrennbaren Zusammenhang von Eucharistie und Amt.
Die Dokumente über die Eucharistie erwähnen meistens
diesen Zusammenhang, behandeln ihn aber nicht ausdrücklich, sondern widmen dem Amt eigene Untersuchungen.

c) Amt

Der Zusammenhang von Eucharistie und Amt ist
allgemein anerkannt, hat aber in den verschiedenen
Kirchen ein unterschiedliches Gewicht. In den reformatorischen Kirchen steht "üblicherweise" ein
kirchlicher Amtsträger der Abendmahlsfeier vor und
leitet sie, wobei die Gültigkeit des Abendmahls
nicht von diesem Dienst abgeleitet wird. Nach katholischem Verständnis ist nur jene Eucharistie
gültig, die von einem gültig geweihten Priester gefeiert wird; dabei ergibt sich dessen gültige Weihe
aus dem Vollzug durch einen Bischof, der in der apostolischen Sukzession steht, was durch die ununter-
brochene Kette von Handauflegungen deutlich gemacht
wird. Wo daher die Ordination in diesem Sinn fehlt,
ist das Amt ungültig und fehlt der Eucharistiefeier
die vollständige und ursprüngliche Wirklichkeit, ist
mithin letztlich ungültig und kann einem Katholiken
der Zutritt nicht erlaubt werden. Ist demgegenüber
die historische Sukzession gewährleistet (z.B. in
den orthodoxen Kirchen), so gelten die Sakramente
als gültig und eine gewisse Sakramentengemeinschaft,
einschließlich der Abendmahlsgemeinschaft, ist möglich.

Die Kernfrage im evangelisch-katholischen Ge-

spräch ist daher die apostolische Sukzession, ihr
Verständnis und die Form ihrer Bewahrung. Die Übereinstimmung im Verständnis der Eucharistie, aber
auch die Hochachtung des evangelischen Abendmahls
durch das Zweite Vatikanische Konzil, die hier aus-
gesprochene Anerkennung von Kirchlichkeit der anderen christlichen Gemeinschaften und die Überzeugung,
die Gültigkeit der Eucharistie nicht allein von der
an bestimmte Voraussetzungen gebundene Gültigkeit
des kirchlichen Amtes abhängig zu machen, haben zur
intensiven Auseinandersetzung über das Verständnis
des Amtes in der Kirche geführt.

In den Gesprächen wird allgemein das Grundan-
liegen deutlich, nicht die Kirche vom Amt her zu
verstehen, sondern das Amt von der Kirche her, das
Amt im Gesamtzusammenhang von Glauben und Kirche
einzuordnen. Diese grundsätzliche Sicht ermöglicht
dann die Einordnung und Klärung von ehemals kontroversen Fragen.

Dieser grundlegenden Auffassung folgend, wird
zunächst von der Berufung und Sendung aller Getauften gehandelt: Der Kirche ist die Weiterführung des
einzigartigen Amtes Christi in der Kraft des heiligen Geistes durch die Verkündigung des Evangeliums
der Versöhnung in Wort, Sakramenten und Zeugnis aufgetragen. Was der Kirche als ganzer übergeben ist,
ist auch jedem ihrer einzelnen Glieder übertragen,
zusammen bilden sie das königliche Priestertum. An
diesem Auftrag nimmt jeder Gläubige auf seine Weise
und mit dem ihm vom heiligen Geist verliehenen Gnadengaben teil, in dieses Amt ist er durch die Taufe
verpflichtend hineingenommen. Durch die verschiedenen Dienste führt der heilige Geist die Kirche in
ihrer Sendung in die Welt und erbaut durch sie immer
neu die Kirche, die Gemeinschaft im Leib Christi.

Allein im Zusammenhang mit den verschiedenen
Diensten der Kirche ist der besondere Dienst des
kirchlichen Amtes zu verstehen, wenn er auch nicht
aus dem gemeinsamen Priestertum aller Gläubigen ableitbar ist, sondern auf der Einsetzung nach dem
Willen Christi beruht. Das besondere Amt der Kirche
gründet auf dem Fundament der Apostel, deren Auftrag es in anderer Weise weiterführt; über die ganze
Geschichte der Kirche ist es als konstitutiv verbürgt.

In den Rahmen des gemeinsamen Priestertums aller
Gläubigen eingeordnet, steht das besondere Amt, zusammen mit der Gemeinde, Christus, dem Herrn und eigentlichen Amtsträger, gegenüber; als von Christus
autorisierter und vom heiligen Geist ausgerüsteter
Dienst steht das Amt an Christi Statt der Gemeinde
gegenüber.

Unter den verschiedenen geschichtlichen und aufgrund des Neuen Testamentes möglichen Ausformungen
des kirchlichen Amtes hat sich die Form der Drei-
gliederung von Bischof, Presbyter und Diakon allmählich herausgebildet. Sie wird in machen Kirchen
bis heute bewahrt, zum Teil als wesensnotwendig eingestuft und gewinnt in unserer Zeit immer mehr ökumenische Bedeutsamkeit.

Die grundlegenden Funktionen des besonderen Amtes sind die Verkündigung des Evangeliums, die Sakramentenverwaltung, der Aufbau und die Leitung (Koordinierung der verschiedenen Charismen) der Kirche
auf allen Ebenen gemäß dem Willen Christi und dem
Fundament der Apostel. Aufgrund der zentralen Bedeutung der Eucharistie innerhalb der Kirche und des
besonderen Dienstes für die Kirche kommt dem Amt der
Vorsitz bei der Eucharistiefeier zu.

Hinsichtlich des Kernproblems, der apostolischen

Sukzession, wird zunächst wiederum auf die Sendung
der gesamten Kirche hingewiesen. Die Apostolizität
ist ein Wesensmerkmal der Kirche, zu dem sich alle
Kirchen bekennen; sie alle nehmen für sich in Anspruch, in ihr zu stehen. Die gesamte Kirche ist
aufgrund des Fundamentes ihres Auftrags und ihrer
Sendung, der Apostel, apostolisch und steht in der
Verwiesenheit auf dieses Fundament in der Nachfolge
der ersten Zeugen. Apostolisch ist die Kirche in
der kontinuierlichen Wahrnehmung des apostolischen
Auftrages, dessen Merkmale lauten: Zeugnisgabe des
apostolischen Glaubens, Evangeliumsverkündigung,
Weitergabe der Amtsverantwortung, sakramentales Leben, Diakonie, kirchliche Einheit und gemeinsame
Teilhabe an den Charismen.

Die Kirchen sind sich darüber einig, daß innerhalb der apostolischen Sukzession der gesamten Kirche der Sukzession im Amt eine besondere Bedeutung
zukommt. Einigkeit besteht auch darin, daß die Amts-
sukzession nicht mechanistisch mißverstanden werden
darf und daß sie der Sukzession in der apostolischen
Lehre und im apostolischen Leben der Kirche nicht
vorgeordnet ist, sondern die Apostolizität der ganzen Kirche sichtbar macht. In diesem Sinne hat dann
auch die bischöfliche Sukzession ihre große Bedeutung. Wenn ihr gegenüber auch die Möglichkeit einer
presbyteralen Sukzession (aus der Geschichte der Kirche bekannt und anerkannt und von vielen reformatorischen Kirchen aus geschichtlich bedingter Notwendigkeit bewahrt) als legitim herausgestellt wird,
dann richtet sich das gegen den Absolutheitsanspruch
der bischöflichen Sukzession als Bewahrerin der Apostolizität der Kirche allein; gleichzeitig kommt die
Überzeugung der Kirchen mit presbyteralen Sukzession
zum Ausdruck, ebenso in der authentischen apostolischen Tradition zu stehen. Ein Konsens kann sich in

dieser Frage abzeichnen, wenn das bis heute theologisch ungeklärte Verhältnis zwischen Bischof und
Presbyter besser geklärt und die geschichtlich bedingte Diversifizierung der beiden Funktionen als
erneutes, notbedingtes, aber legitimes Zusammenfallen in der Reformationszeit erkannt werden kann.
Somit kann heute in dieser Frage Konvergenz, aber
noch keine volle Übereinstimmung konstatiert werden.

Nach der allgemeinen Überzeugung und Praxis der
Kirchen verleiht die Ordination einem Gläubigen das
besondere Amt. Durch die Ordination von Gliedern der
Kirche, die vom heiligen Geist berufen, befähigt und
gesandt sind, durch einen Ritus, der unter Handauflegung von ordinierten Amtsträgern, Anrufung des
Geistes und aktiver Teilnahme der gesamten Gemeinde
(vorzugsweise in der Eucharistie) geschieht, macht
die Kirche ihre Bindung an Christus und das apostolische Zeugnis und damit Christus als den eigentlichen Ordinator deutlich. In der bislang unterschiedlich beantworteten Frage nach der Sakramentalität der
Ordination kann heute allgemein (bei einem unterschiedlichen Sakramentenbegriff) Übereinstimmung in
der Sache festgestellt werden: die Ordination kennzeichnet sakramental die unbefristete und unwieder-
holbare Inanspruchnahme und Indienstnahme der gesamten Person des Ordinanden.

Die Frage des "character indelebilis" kann gegenüber einer früheren metaphysisch-ontologischen
Deutung heute funktional gedeutet werden: Durch die
Ordination wird kein individuelles Heil vermittelt;
sie bedeutet vielmehr die Anerkennung des besonderen
Charismas für die bleibende, besondere Verantwortung
im Dienst in und an der Kirche.

Die Frage der Frauenordination stellt zwar ein
Hindernis für die volle Übereinstimmung im Amtsver-

ständnis dar, kann aber den erreichten theologischen Grundkonsens hinsichtlich des Wesens des
Amtes und seiner Bedeutung nicht gefährden.

Allgemein (und immer unter der Ausklammerung
der Papstfrage) wird im Gespräch über das Verständnis des ordinierten Amtes Übereinstimmung in seinen
Grundlagen und seinen wesentlichen Aspekten festgestellt und anerkannt. Damit ist allerdings erst
eine, wenn auch erstaunliche Konvergenz erreicht;
von einer vollen Übereinstimmung analog den Ergebnissen der Tauf- und Eucharistiegespräche wird aber
selten gesprochen. Das heißt nicht, daß verbleibende Unterschiede weiterhin zwingend kirchentrennend
sein müssen. Dieser Gedanke steht hinter den Bitten,
Anregungen und Forderungen der verschiedenen Ge-
sprächskreise an ihre Kirchenleitungen, Wege zu einer
gegenseitigen Anerkennung der Ämter zu suchen, zu
schaffen und mutig zu beschreiten.

Die Frage nach einer bereits heute möglichen gegenseitigen Anerkennung der Ämter (die in jedem Fall
in einem offiziellen, öffentlichen und liturgischen
Akt zu geschehen hätte) und damit nach einem ersten
deutlich sichtbaren Schritt auf die volle Einheit der
Kirchen und so auf die Abendmahlsgemeinschaft hin,
wird unterschiedlich beantwortet: Die einen halten
die Zeit für die volle Anerkennung gekommen, andere
halten eine teilweise Anerkennung (z.B. auf Ortsebene) für möglich, die Mehrheit kann aber einen solchen
Schritt noch nicht befürworten und hält weitere Abklärungen für notwendig.

Die Frage der Anerkennung der Ämter ist, wie
die Regelung der katholischen Kirche hinsichtlich der
orthodoxen Kirchen zeigt, letztlich das Kriterium für
die Abendmahlsgemeinschaft. Dieses Anliegen erscheint
dann auch in den Dokumenten immer wieder als Zielvor-

stellung. Die Entscheidung über die Anerkennung
liegt nach Vorlage der Diskussionsergebnisse heute
vor allem bei den Kirchenleitungen.

Die Frage der Anerkennung der Ämter ist heute
vor allem der katholischen Kirche zur Prüfung übergeben, da nach evangelischer Überzeugung dort wahre
Kirche und damit auch wahres Amt ist, wo das Evangelium rein verkündet und die Sakramente rechtmäßig
verwaltet werden, was sie hinsichtlich der katholischen Kirchen anerkennen. Wenn heute auch im katholischen Raum die Möglichkeit einer Anerkennung der
Ämter in den reformatorischen Kirchen ins Auge gefaßt wird, dann hat das seinen Grund in der ekklesiologischen Neuorientierung des Zweiten Vatikanischen Konzils: Wenn anderen christlichen Gemeinschaften (unter ihnen vor allem der anglikanischen Kirchengemeinschaft) ein teilweises Kirchesein attestiert wird, dann kann das aufgrund des untrennbaren Zusammenhangs von Kirche und Amt, von Kirche und
Apostolizität nicht ohne Konsequnzen für das Amt in
diesen Gemeinschaften bleiben. Wenn nun unter den anerkannten ekklesialen Elementen in den anderen Kirchen das Amt und die apostolische Sukzession nicht
aufscheinen, dann besteht hier ein Widerspruch. (Auf
diesem Hintergrund beruht dann auch die Forderung
mancher Gruppen nach Interkommunion, die aus einer
teilweisen Anerkennung von Kirchesein die teilweise
Amtsanerkennung und damit eine teilweise Abendmahlsgemeinschaft ableiten.) Dieser Widerspruch ist bis
heute nicht gelöst und zusammen mit den erreichten
Übereinstimmungen im Verständnis der Ordination und
der apostolischen Sukzession noch nicht entsprechend
zum Durchbruch gekommen.

II. Ausblick

1. Ökumene heute

Das Ziel aller ökumenischen Bewegungen lautet: "Sichtbare Einheit in einem Glauben und in einer eucharistischen Gemeinschaft."[1] Die grundlegende Einheit ist uns in und durch Christus bereits heute geschenkt. Ihre sichtbare Verwirklichung im Aussprechen des gemeinsamen Glaubens fällt heute noch schwer, die gemeinsame Eucharistiefeier zwischen manchen Kirchen ist daher noch eine Unmöglichkeit. Damit ist das allgemeine Ziel und der allgemeine Weg bezeichnet. Daß sich heute alle Kirchen in vielfältiger Weise auf dem Weg zur vollen Einheit befinden ist Tatsache. Noch nie seit der großen Trennung in der Reformation war das Bekenntnis und das Streben nach Einheit so ausgeprägt wie in diesem Jahrhundert, noch nie hat die theologische Übereinstimmung zwischen den Kirchen ein so großes Ausmaß erreicht.

Wo sich jedoch die Kirchen auf dem Weg zur Einheit genau befinden, kann heute niemand präzise sagen, weil die Einheitsbemühungen so vielfältig und vielschichtig sind, daß eine allgemeine Bestimmung schwerfällt.[2] Selbst in bilateralen Beziehungen kann angesichts immer neu auftauchender Fragen die Stufe des gemeinsamen Weges nicht genau bestimmt werden. In einer Beobachtung sind sich aber viele einig: die Zeit des impulsiven Aufbruchs ist gegenwärtig vorbei;

---

1   Lukas Vischer, Einheit im Glauben, in: M. Thurian (Hg.), Ökumenische Perspektiven von Taufe, Eucharistie und Amt, 19.

2   Vgl. W. Beinert, Stand und Bewegung des ökumenischen Geschehens, 1.

in der Ökumene wird heute Stagnation, ja sogar Re-
tardierung verzeichnet. Mögliche Ursachen werden
auf drei Ebenen gesehen: bei den Kirchenleitungen
gibt es eine Kluft zwischen dem verbalen Bekenntnis zur Einheit und den konkreten Schritten zu dieser Einheit hin; die Theologen sind sich uneins
über die Gestalt kirchlicher Einheit; neben dem
ökumenischen Engagement mancher Kreise an der kirchlichen Basis fehlt in der Praxis doch ein breit aus-
geprägtes ökumenisches Bewußtsein.[3] Ein großes Problem, das sich auf alle diese Ebenen auswirkt, ist
die Frage nach der Vermittlung und der Rezeption der
theologischen Gesprächsergebnisse und die Vermittlung und die Rezeption von Gemeindeerfahrungen, von
der die Glaubenserfahrung der gesamten Kirche abhängt, so daß vom Glauben der Kirche gesprochen werden könnte. Ebenso begegnet auf allen Ebenen das Problem der nichttheologischen Faktoren, die offensichtlich sehr schwer zu erkennen und in den Griff zu bekommen sind. Die Tatsache, daß jedesmal in der Geschichte der Ökumene, wenn die Einheit durch wesentliche Übereinstimmungen zum Greifen nahe gerückt
scheint, ein Beharren in der Trennung, ein neuer

---

3   Vgl. W. Beinert, Stand und Bewegung des ökumenischen
     Geschehens, 5-13; Johannes Brosseder, Abendmahlsge-
     meinschaft als Weg zur Kirchengemeinschaft?, in: Auf
     Wegen der Versöhnung, 220f.; Wilfried Joest, Grenzen
     und Wege: Gedanken zur Frage des Einswerdens der
     Kirchen, a.a.O. 164; Peter Neuner, Stufen auf dem
     Weg zur kirchlichen Einheit, a.a.O. 261f.; S. Regli,
     Ökumenische Konsenserklärungen mit römisch-katholi-
     scher Beteiligung über Taufe, Eucharistie und Amt:
     Ergebnisse, 169; L. Vischer, Einheit im Glauben, 20;
     Franz Wolfinger, Einheit durch Einigung: Gedanken
     zu den Zielvorstellungen von Einheit, in: Auf Wegen
     der Versöhnung, 249.

Trend zur Konfessionalisierung festgestellt werden
kann[4], vermag zwar einerseits zu trösten, trägt
aber andererseits noch nichts zur Überwindung der
Stagnation bei; für die einen mag das eine kostbare
Besinnungsphase, für die anderen eine gefährliche
Verzögerung sein. Könnte man nun angesichts heutiger Verständigung, allgemeiner Annäherung in brüderlicher Atmosphäre und der vielbesprochenen Vielfalt der Kirche nicht beim heutigen Zustand stehen
bleiben? Nein, denn:

> "Die zwischen christlichen Kirchen und Gruppen
> aufgebrochenen Unterschiede haben zum Zerbre-
> chen ihrer Abendmahlsgemeinschaft geführt. Das
> ist das sichtbarste Zeichen und wohl der schmerz-
> lichste Ausdruck wirklicher S p a l t u n g."[5]

Der Grund, weiterhin intensiv um die kirchliche Einheit zu ringen, ist und bleibt die Möglichkeit der
Gemeinschaft derer am einen Tisch, die sich zum
einen Herrn Jesus Christus bekennen.

Der Weg zur Abendmahlsgemeinschaft, Zentrum und
Mitte der Kirche und deutlichster Ausdruck ihrer Einheit, wird weiterhin über den Weg der kontinuierlichen gegenseitigen Annäherung führen. Angesichts der
heutigen ökumenischen Situation kann beim Beschreiten dieses Weges die Frage nicht mehr lauten:

---

4   Vgl. P. Neuner, Stufen auf dem Weg zur kirchlichen
    Einheit, 262f.

5   W. Joest, Grenzen und Wege, 171. Der Methodist
    J. Deschner beantwortet die Frage nach der Notwen-
    digkeit kirchlicher Einheit folgendermaßen: "Für
    die Gesundheit der Kirchen, für die Gesundheit der
    Zukunft des Ökumenischen Rates und für die Zukunft
    der menschlichen Gemeinschaft ist die Einheit äußerst
    wichtig. Von der Einheit der Kirche hängt das Leben
    ab" (John Deschner, Schritte auf dem Weg zur Einheit,
    in: US 38 [1983], 229).

"warum sind wir getrennt, sondern: warum bleiben
wir es jetzt noch immer?"[6]
Auf diese Frage scheint es heute noch keine Antwort
zu geben, jedoch werden verschiedene Modelle für
die Überwindung der heutigen Situation genannt.

2. Wege in die Zukunft

Trotz ökumenischer Stagnation gibt es heute
keinen Grund zur Resignation oder Pessimismus; was
heute im theologischen Gespräch und auf Gemeinde-
ebene trotz allem geschieht, bietet dazu keinen Anlaß. In diesem Bewußtsein werden Lösungen angeboten,
die kurz gefaßt lauten: Einheit durch Einigung. Dieses Programm drückt sich in den verschiedensten, sich
teilweise überschneidenden Modellen aus, deren profi-
liertesten die versöhnte Verschiedenheit (lutherische
Kreise), die korporative Vereinigung (katholische
Kreise) und die konziliare Gemeinschaft (ÖRK) sind.

Einigung bedeutet ein Prozeß, ein allmähliches
Fortschreiten und meint nicht, daß von heute auf mor-
gen alles erreicht werden kann und erreicht werden
muß. Dabei kann es partielle Einigung geben, die auch
eine partielle Abendmahlsgemeinschaft mit ein-

---

6   W. Beinert, Stand und Bewegung des ökumenischen Ge-
    schehens, 16.

schließt[7]; dabei kann die Gestalt der einmal zu
erreichenden Einheit offen bleiben; dabei wird die
Gefahr einer dritten Konfession (mit einer Einigung auf dem kleinsten gemeinsamen Nenner) gebannt
und der Reichtum aller Kirchen eingebracht werden;
dabei kann es Ungleichzeitigkeiten im Erreichen des
jeweiligen Zieles geben.[8]

Wesentliches Kriterium für alle Schritte der
Einigung ist die Übereinstimmung im Glauben. Ökumenisch gewendet bedeutet dies: welches Maß an Glaubenseinheit ermöglicht welches Maß an Kircheneinheit. Diese Frage kann heute nicht einheitlich beantwortet werden. Das gilt vor allem dann, wenn die
Einheit der Lehre gemeint ist. Hinsichtlich kirchlicher Lehre wird oft bezweifelt, daß es heute noch
Diskrepanzen gibt, die mit dem je eigenen Glaubensverständnis völlig unvereinbar sind.[9] Zusammen mit

---

7 Für eine partielle Einigung mit partieller Abendmahlsgemeinschaft spricht sich auch folgender Text
   aus: Die Kirchen (die evangelische und die katholische) "gehen davon aus, daß Kirchengemeinschaft
   und Abendmahlsgemeinschaft einander bedingen. Die
   eucharistische Gemeinschaft als ein Element der vollen kirchlichen Gemeinschaft ist nicht unabhängig
   von deren übrigen Elementen zu sehen. Wo die übrigen
   Elemente der kirchlichen Gemeinschaft fehlen, kann
   auch keine eucharistische Gemeinschaft bestehen. Es
   ist jedoch zu fragen, ob alle Elemente in voller Ausprägung und höchster Dichte gegeben sein müssen, damit die volle eucharistische Gemeinschaft verwirklicht werden kann. Wie die Kirchengemeinschaft, so
   kennt auch die eucharistische Gemeinschaft Stufun-
   gen" (J.J. Degenhardt, H. Tenhumberg u. H. Thimme,
   Kirchen auf gemeinsamem Wege, 80f.).

8 Vgl. P. Neuner, Stufen auf dem Weg zur kirchlichen
   Einheit, 278-282.

9 Vgl. z.B. Karl Rahner, Was kann realistischerweise
   Ziel der ökumenischen Bemühungen um die Einheit im
   Glauben sein?, in: H. Fries (Hg.), Das Ringen um
   die Einheit der Christen, 185.

835

den darüber hinaus gehenden Übereinstimmungen und
unter Anwendung des vom Zweiten Vatikanischen Konzil genannten Prinzips der "Hierarchie der Wahrheiten" ist in dieser Hinsicht eine grundlegende
Glaubenseinheit (durch offizielle Anerkennung)
denkbar.[10] Offene Fragen, die es unbestrittener-
maßen noch gibt, müssen geklärt werden; sie werden aber im Prozeß der weiteren Einigung gesehen,
der durch die grundgelegte, offiziell bestätigte
Einheit verpflichtend ist und damit in einem
größeren Maß gemeinsam geschehen muß.

Demgegenüber wird neben der grundlegenden Auseinandersetzung mit fundamental-ökumenischen Problemen die Lösung aus der gegenwärtigen Aporie in
der Zuwendung zu ekklesiologischen Grundfragen und
deren Klärung gesehen, wobei dann heute noch weiterhin offene Fragen wie z.B. die Mariologie und Hei-
ligenverehrung als Prüfsteine für die bereits erreichten Konsense gesehen werden.[11]

Ohne zwischen diesen beiden Positionen entscheiden zu wollen oder zu können, wird sich auch
die Kommission für Glauben und Kirchenverfassung
nach den Untersuchen zu Taufe, Eucharistie und Amt
als wesentlicher Ausdruck des gemeinsamen Glaubens
in den kommenden Jahren theologisch mit einer erweiterten Ebene von Glaubenseinheit befassen. Das
Studienprojekt trägt den Titel "Auf dem Wege zu
einem gemeinsamen Ausdruck des apostolischen Glaubens" und hat die Klärung zum Ziel,

---

10 Vgl. z.B. H. Fries u. K. Rahner, Einigung der Kir-
    chen - reale Möglichkeiten, 17ff.

11 Vgl. W. Beinert, Stand und Bewegung des ökumeni-
    schen Geschehens, 10.

"wie der zu allen Zeiten bekannte apostolische
Glaube von den Kirchen heute rezipiert und gemeinsam bekannt werden könne"[12],

was mehr bedeutet als nur das Aussprechen derselben
Glaubensbekenntnisse.

Wenn nun als allgemein anerkanntes Zwischenziel
genannt werden kann:

"Rezeption und gegenseitige Anerkennung unter den
Bedingungen einer hierarchia veritatum als Weg
zur Einigung versöhnter Verschiedenheit, Einheit
in pluraler Gestalt sich nicht exkommunizierender
Gemeinschaften..."[13],

dann ist damit ein umfassender Prozeß des Dialogs
gemeint, der zwar die Lehre berücksichtigt, sich aber
nicht allein auf sie beschränken kann.

3. Ökumenisches Leben

In den meisten ökumenischen Gesprächen wird
eines in großer Einmütigkeit immer wieder herausgestellt: nur wenn an der kirchlichen Basis der jeweils mögliche Rahmen ausgenützt wird, wenn all das
gemeinsam getan wird, was gemeinsam möglich ist,
kann Einheit wachsen. Diese an sich selbstverständliche Feststellung und deren ständige Wiederholung
beruht auf folgenden Erfahrungen: zum einen scheint
die Herstellung kirchlicher Einheit allzu stark den
Kirchenleitungen und Theologen überantwortet zu sein;
zum anderen, damit zusammenhängend, ist die kirchliche Basis im Vollsinn zu wenig ökumenisch interes-
siert, oder die innerkirchliche Einheit erhält ange-

---

12 L. Vischer, Einheit im Glauben, 20. Vgl. zu diesem
    neuen Projekt z.B. auch J. Deschner, Schritte auf
    dem Weg zur Einheit, 221ff.; W. H. Lazareth, 1987
    - Lima und danach, 205-209.

13 F. Wolfinger, Einheit durch Einigung, 259.

sichts anderer Fragen (heute vor allem derjenigen
nach Friedenssicherung in einem existentiellen
Sinn, Umwelt und Dritten Welt) eine untergeordnete
Dringlichkeit.

Einheit wird wesentlich durch die Einigung
der Christen entstehen. Durch den Dialog über Glau-
bens- und Lebensfragen, durch den Austausch von
Glaubens- und Lebenserfahrungen, durch das immer
bessere gegenseitige Kennenlernen, durch den Abbau
von Vorurteilen, durch gemeinsames Handeln und gemeinsames Engagement in kirchlichen und weltlichen
Belangen, wird am Ort, in konkreten Pfarrgemeinden
eine neue Atmosphäre entstehen, die die oft genannten, die Einheit hindernden nichttheologischen Faktoren allmählich zum Verschwinden bringen, in der
die Versöhnung der Menschen mit Gott und untereinander, die Gemeinschaft, die uns in und durch Christus geschenkt ist, nicht nur gelehrt, sondern exi-
stentiell erfahren wird; eine Atmosphäre also auch,
die über den Raum der Kirche hinaus in die Welt hin-
ein versöhnend wirkt und so Zeugnischarakter hat. So
gilt dann für die Abendmahlsgemeinschaft:

> "Wenn Eucharistie- und Glaubensgemeinschaft inner-
> lichst verbunden sind, ist der wichtigste Schritt
> zum einen Tisch des Herrn, daß man immer mehr im
> Glauben vereint ist, wobei es entscheidend ist,
> daß der Glaube in der Liebe lebt... Je mehr wir
> t u n , w a s e i n t, um so eher schlägt die
> Stunde der vollen Gemeinschaft, um so schneller
> erübrigt sich die Interkommunion zugunsten der
> uneingeschränkten Kommunion."[14]

---

14 P.-W. Scheele, Eucharistie und Glaubensgemeinschaft,
127.

BIBLIOGRAPHIE

Die mit einem * gekennzeichneten Publikationen wurden
nicht in die Arbeit eingearbeitet, sind aber für das Gesamtthema relevant. Gewisse Dokumentensammlungen, denen
Texte entnommen sind, erscheinen wegen der beigefügten Kommentare noch einmal unter B.

Die Texte des Zweiten Vatikanischen Konzils sind entnommen: Karl Rahner u. Herbert Vorgrimler. Kleines Konzilskompendium: Sämtliche Texte des Zweiten Vatikanischen Konzils mit Einführungen und ausführlichem Sachregister.
11. Aufl. Freiburg-Basel-Wien 1976.

A. TEXTE

Abendmahlsgemeinschaft. Abschnitt C. des Vorbereitungsdoku-
    mentes für das ökumenische Pfingsstreffen in Augsburg
    1971, in: Interkommunion - eine ökumenische Aufgabe?
    Hg. Karlheinz Schuh. Essen o.J. [1971], 84-92.

Abendmahlsgemeinschaft von Christen verschiedener Bekennt-
    nisse, in: Eucharistische Gastfreundschaft: Ökumenische
    Dokumente. Hg. Reinhard Mumm. Kirche zwischen Planen
    und Hoffen Heft 11. Kassel 1974, 57f.

Abendmahlsgottesdienste bei ökumenischen Veranstaltungen.
    Montreal: Vierte Weltkonferenz für Glauben und Kirchen-
    verfassung. 12. bis 26. Juli 1963, in: Die Einheit der
    Kirche: Material der ökumenischen Bewegung. Hg. Lukas
    Vischer. TB Nr. 30. München 1965, 231-236.

Ad Petri cathedram. Rundschreiben unseres Heiligen Vaters
    Johannes XXIII. über die Förderung der Wahrheit, der
    Einheit und des Friedens im Geiste der Liebe vom 29.
    Juni 1959, in: Kirchlicher Anzeiger für die Erzdiözese
    Köln 99 (1959), 223-244.

Alle unter einem Christus. Stellungnahme der Gemeinsamen
Römisch-katholischen/Evangelisch-lutherischen Kommission zum Augsburger Bekenntnis, in: Gemeinsame rö-
misch-katholische/evangelisch-lutherische Kommission.
Wege zur Gemeinschaft. Paderborn-Frankfurt a.M. 1980,
53-63.

Amsterdam: Erste Vollversammlung des Ökumenischen Rates der
Kirchen. 22. August bis 4. September 1948, in: Die Einheit der Kirche, 82-93.

Das Amt, in: Accra 1974: Sitzung der Kommission für Glauben
und Kirchenverfassung. Berichte, Reden, Dokumente. Hg.
Geiko Müller-Fahrenholz. ÖR.B 27 (1975), 109-139.

Amt, in: Taufe, Eucharistie und Amt: Konvergenzerklärungen
der Kommission für Glauben und Kirchenverfassung des
Ökumenischen Rates der Kirchen ("Lima-Dokument") 1982,
in: Dokumente wachsender Übereinstimmung: Sämtliche Berichte und Konsenstexte interkonfessioneller Gespräche
auf Weltebene 1931-1982. Hg. Harding Meyer, Hans Jörg
Urban u. Lukas Vischer. Paderborn-Frankfurt a.M. 1983,
567-585.

Das Amt im ökumenischen Kontext. Stellungnahme des Ökumeni-
schen Studienausschusses der VELKD und des DNK/LWB, in:
Das Amt im ökumenischen Kontext: Eine Studienarbeit des
Ökumenischen Ausschusses der Vereinigten Evangelisch-
Lutherischen Kirche Deutschlands. Hg. Jörg Baur. Stutt-
gart 1980, 165-182.

Das Amt in der Kirche. Überlegungen orthodoxer und katholischer Theologen, in: US 33 (1978), 90-94.

Amt und Ordination. Eine Erklärung über die Lehre vom Amt.
Internationale Anglikanisch/Römisch-katholische Kommission, in: Vom Dialog zur Gemeinschaft: Dokumente zum
anglikanisch-lutherischen und anglikanisch-katholischen
Gespräch. ÖkDok Bd. II. Hg. Günther Gaßmann, Marc Lienhard u. Harding Meyer. Frankfurt a.M. 1975, 136-148.

Amt und Ordination. Erläuterung Salisbury 1979, in: Dokumente
wachsender Übereinstimmung, 155-158.

Amt und universale Kirche: Unterschiedliche Einstellungen zum
päpstlichen Primat, in: Das kirchenleitende Amt: Dokumente zum interkonfessionellen Dialog über Bischofsamt
und Papstamt. ÖkDok Bd. V. Hg. Günther Gaßmann u. Harding Meyer. Frankfurt a.M. 1980, 49-97.

Die apostolische Sukzession und die Gemeinschaft der Ämter.
Studie aus dem Ökumenischen Institut der Universität
Heidelberg, in: Reform und Anerkennung kirchlicher Ämter:
Ein Memorandum der Arbeitsgemeinschaft ökumenischer Uni-
versitätsinstitute. München 1973, 123-162.

Die Arnoldshainer Abendmahlsvereinbarung, in: LM 8 (1969), 84f.

Arnoldshainer Konferenz. Vereinbarung über Kanzel- und
Abendmahlsgemeinschaft. Vom 14. Februar 1969, in:
AblEKD Heft 10/1970, 553.

Die Arnoldshainer Thesen, in: Auf dem Weg. Lutherisch-re-
formierte Kirchengemeinschaft. Berichte und Texte.
Hg. Sekretariat für Glauben und Kirchenverfassung.
Polis Nr. 33. Zürich 1967, 60-65.

Auf dem Weg zur Eucharistiegemeinschaft. Synode 1972. Ge-
samtschweizerisch verabschiedet am 1./2.3.1975, in:
Ökumenischer Auftrag in unseren Verhältnissen. Synode
72 Diözese Basel. Solothurn 1975, V/20-V/25.

Auf dem Wege zu ein und demselben eucharistischen Glauben?:
Lehrkonsensus über die Eucharistie (Gruppe von Dombes),
in: Um Amt und Herrenmahl: Dokumente zum evangelisch/
römisch-katholischen Gespräch. Hg. Günter Gaßmann u.a.
ÖkDok. Hg. Günther Gaßmann, Marc Lienhard u. Harding
Meyer, Bd. I. 2. Aufl. Frankfurt a.M. 1974, 104-112.

Aufforderung zum Empfang der hl. Kommunion. Katholisches
Bistum der Alt-Katholiken in Deutschland, in: Eucharistische Gastfreundschaft, 47.

Aufruf an alle Christen. Lambeth Konferenz 1920, in: Ökumenische Dokumente: Quellenstücke über die kirchliche
Einheit. Hg. Hans-Ludwig Althaus. Göttingen 1962, 210-
214.

Aus einer Eklärung "Die Evangelisch-lutherischen Freikirchen
und die Entscheidung von Eisenach im Juli 1948". Vom
31. Oktober 1948, in: Koinonia: Arbeiten des Ökumenischen Ausschusses der Vereinigten Evangelisch-Lutherischen Kirche Deutschlands zur Frage der Kirchen- und
Abendmahlsgemeinschaft. Hg. vom Lutherischen Kirchenamt
der Vereinigten Evangelisch-Lutherischen Kirche Deutschlands. Berlin 1957, 236.

*"Ein Ausdruck des Bemühens". Stellungnahme zu den "Thesen
zur Kirchengemeinschaft", in: LM 10 (1971), 416-420.

Ausführungsbestimmungen der Deutschen Katholischen Bischofskonferenz zum Ökumenischen Direktorium vom 5. März 1968,
in: Handreichung für evangelisch-katholische Begegnungen.
Hg. E. Baden. Berlin-Hamburg 1969, 54-61.

Auszug aus der Schrift "Wege der Kirchen zueinander", in: Eucharistische Gastfreundschaft, 63-68.

Autorität in der Kirche I. Gemeinsame Erklärung zur Frage der
Autorität, ihrer Natur, ihrer Praxis und ihrer Konsequenzen der Anglikanisch/Römisch-Katholischen Internationalen
Kommission. Venedig 1976. ("Venedig-Erklärung"), in: Dokumente wachsender Übereinstimmung, 159-170.

Autorität in der Kirche I. Erläuterung Windsor 1981, a.a.O.
170-177.

Autorität in der Kirche II. Windsor 1981, a.a.O. 177-190.

Die Bedeutung der Eucharistie: Pastoraler Konsens (Gruppe von Dombes), in: Um Amt und Herrenmahl, 113-116.

Die Bedeutung der Ordination. Ein Studiendokument der Kommission für Glauben und Kirchenverfassung, in: ÖD Bd. IV, Nr. 3 (1968), 170-196.

Bekenntnis und Einheit der Kirche, in: Auf dem Weg, 66-92.

Bericht der evangelisch-lutherisch/römisch-katholischen Studienkommission: "Das Evangelium und die Kirche", in: Harding Meyer. Luthertum und Katholizismus im Gespräch: Ergebnisse und Stand der katholisch/lutherischen Dialoge in den USA und auf Weltebene. ÖkPer Nr. 3. Frankfurt a.M. 1973, 143-174.

Bericht der Gemeinsamen Anglikanisch/Römisch-katholischen Vorbereitungskommission. Malta, 2. Januar 1968, in: Vom Dialog zur Gemeinschaft, 118-128.

Bericht der theologischen Kommission "Glauben und Kirchenverfassung": Eine Taufe - Eine Eucharistie - Ein Amt. Hg. Schweizerischer Evangelischer Kirchenbund. Biel 1976.

Bericht der von der Lambethkonferenz und dem Lutherischen Weltbund autorisierten Gespräche 1970-1972, in: Vom Dialog zur Gemeinschaft, 43-81.

Bericht des anglikanisch-lutherischen Dialogs in den USA, a.a.O. 82-111.

Bericht des Ausschusses für Glauben und Kirchenverfassung, in: Bericht aus Uppsala 1968: Offizieller Bericht über die vierte Vollversammlung des Ökumenischen Rates der Kirchen. Uppsala, 4.-20. Juli 1968. Hg. Norman Goodall. Genf 1968, 233-239.

Bericht des Vollversammlungsausschusses für Glauben und Kirchenverfassung, in: US 23 (1968), 243-247.

Beschluß: Ökumene, in: Gemeinsame Synode der Bistümer in der Bundesrepublik Deutschland. Hg. Ludwig Bertsch. 2. Aufl. Freiburg-Basel-Wien 1976, 774-791.

Botschaft des Patriarchen Alexius von Moskau an den Zentralausschuß. St. Andrews 1960, in: Ökumenische Dokumente, 160ff.

Cum compertum. Monitum des Heiligen Officiums 1948, a.a.O. 181f.

De motione "oecumenica". Instruktion über die Ökumenische Bewegung unter Pius XII., vom 20. Dezember 1948, in: HLK, 412-420.

Edinburgh: Zweite Weltkonferenz für Glauben und Kirchenverfassung. 3. bis 18. August 1937. Schlußbericht, in: Die Einheit der Kirche, 42-82.

Einheit der Kirche: Das Ziel und der Weg, in: Accra 1974, 61-77.

Empfehlungen des Oberkonsistoriums der Kirche Augsburgi-
scher Konfession im Elsaß und in Lothringen im Blick
auf die Eucharistische Gastfreundschaft, in: LR 25
(1975), 142ff.

Empfehlungen einer Tagung über Kirchenunionen. Bossey,
9.-15. April 1967. Vorgelegt der Kommission für Glauben und Kirchenverfassung. FO/67: 27rev. Juni 1967.

Empfehlungen für die ökumenischen Bemühungen am Ort. Eine
Handreichung für katholische Pfarrgemeinden (Konferenz
der bayrischen Bischöfe), in: US 37 (1982), 341ff.

Entschließung des Rates des französischen Protestantischen
Kirchenbundes, in: Die Pfingsteucharistie 1968. Ökumenische Centrale, Materialdienst Nr. 15, Juli 1969.

Das episkopale Amt: Überlegungen und Vorschläge zum Wächter-
amt und zum Amt der Einheit in der Teilkirche, in: Das
kirchenleitende Amt, 22-44.

Erklärung der Allgemeinen Evangelisch-Lutherischen Konferenz
(Prof. D. Sommerlath) zu Treysa II. Vom 1. Februar 1948,
in: Koinonia, 196.

Erklärung der Arbeitsgemeinschaft der Ökumenischen Universitätsinstitute vom 15. Februar 1973, in: Amt im Widerstreit. Hg. Karlheinz Schuh. Berlin 1973, 146ff.

Erklärung der Deutschen Bischofskonferenz zur Instruktion des
Einheitssekretariates über die Zulassung zur Heiligen
Kommunion in besonderen Fällen, in: Instruktion über die
Zulassung zur Kommunion in besonderen Fällen. Nachkon-
ziliare Dokumentation Bd. XXXXI. Trier 1975, 46ff.

Erklärung der Evangelisch-Lutherischen Freikirche und der Evangelisch-lutherischen Kirche Altpreußens. Vom Januar 1948,
in: Koinonia, 237.

Erklärung der Evangelisch-Lutherischen Freikirche und der
Selbständigen evangelisch-lutherischen Kirche. Vom 7.
April 1949, a.a.O. 237f.

Erklärung der Kanzel- und Abendmahlsgemeinschaft zwischen der
Pfälzischen Landeskirche und dem Internationalen Congre-
gational Council. Vom 1. März 1956, in: Koinonia, 215f.

Erklärung der orthodoxen Delegierten zu dem Bericht der I.
Sektion (Evanston 1954), in: Ökumenische Dokumente, 149-
152.

Erklärung der zweiten Kirchenversammlung von Treysa zur inner-
kirchlichen Lage. Vom 5./6. Juni 1947, a.a.O. 196.

Erklärung des Ökumenischen Ausschusses der Vereinigten Evan-
gelisch-lutherischen Kirche Deutschlands zur Frage der
Apostolischen Sukzession vom 26. November 1957, in:
ÖR 7 (1958), 33-40.

844

Eine Erklärung des Vorsitzenden der ökumenischen Kommission der Bischofskonferenz, Lorenz Kardinal Jaeger, in: Amt im Widerstreit, 141.

Erklärung über die zwischenkirchliche Anerkennung der Taufe in Belgien, in: LR 23 (1973), 84-88.

Erklärung zur christlichen Einheit. Bericht des II. Komitees. Lambeth-Konferenz 1958, in: Ökumenische Dokumente, 214-217.

Die Eucharistie, in: Accra 1974, 101-108.

Eucharistie, in: Taufe, Eucharistie und Amt: Konvergenzerklärungen der Kommission für Glauben und Kirchenverfassung des Ökumenischen Rates der Kirchen ("Lima-Dokument") 1982, in: Dokumente wachsender Übereinstimmung, 557-567.

Die Eucharistie. Eine lutherisch/römisch-katholische Stellungnahme, in: H. Meyer. Luthertum und Katholizismus im Gespräch, 97-110.

Die Eucharistie im ökumenischen Denken. Studienkommission über den Gottesdienst. Nr. 3. FO/68:17b. Dezember 1968.

Die Eucharistie im ökumenischen Denken. Ein Dokument der Kommission für Glauben und Kirchenverfassung, in: ÖD Bd. IV, Nr. 3 (1968), 152-157.

Eucharistie und Amt. Eine lutherisch/römisch-katholische Stellungnahme, in: H. Meyer. Luthertum und Katholizismus im Gespräch, 111-142.

Eucharistische Gastbereitschaft. Stellungnahme des Instituts des Lutherischen Weltbundes für Ökumenische Forschung, Straßburg, zur Frage lutherisch-katholischer Abendmahlsgemeinschaft, in: Eucharistische Gastfreundschaft, 131-145.

Evangelisch-Reformierte Kirche im Kanton Solothurn. Kirchenverfassung-Kirchenordnung. Trimbach 1977.

Evangelisch-reformierte Landeskirche des Kantons Zürich. Kirchengesetz von 1963 - Kirchenordnung von 1967. Stand Mai 1981. Zürich 1981.

Evangelium - Sakramente - Amt. Ein Dokument des ökumenischen Arbeitskreises evangelischer und katholischer Theologen, in: HerKorr 33 (1979), 306-309.

Evanston: Zweite Vollversammlung des Ökumenischen Rates der Kirchen. 15. bis 31. September 1954. Glauben und Kirchenverfassung. Bericht der Sektion I: Unser Einssein in Christus und unsere Uneinigkeit als Kirchen, in: Die Einheit der Kirche, 145-159.

Die Feier des einen Gottesvolkes: Ökumenische Gottesdienste zwischen Routine und Aufbruch. Ein Studiendokument des Instituts für ökumenische Forschung in Straßburg, in: ÖR 20 (1971), 211-223.

Für ein gemeinsames eucharistisches Zeugnis der Kirchen.
Arbeitsdokument der ökumenischen Gesprächskommissionen
der Schweiz, in: SKZ 141 (1973), 629-638.

Für eine Versöhnung der Ämter: Elemente eines Konsensus
zwischen Katholiken und Protestanten (Gruppe von Dombes),
in: Um Amt und Herrenmahl, 116-128.

Die Gegenwart Christi in Kirche und Welt: Gespräche zwischen
dem reformierten Weltbund und dem römischen Einheitssekretariat, in: US 33 (1978), 2-24.

Die Gegenwart Christi in Kirche und Welt: Auswertung der Reaktionen auf den römisch-katholisch/reformierten Gesprächsbericht, in: US 37 (1982), 43-46.

Gemeinsame Arbeitsgruppe zwischen der römisch-katholischen
Kirche und dem Ökumenischen Rat der Kirchen. Erster
offizieller Bericht, in: US 23 (1968), 15-23.

Gemeinsame Erklärung über die Lehre von der Eucharistie. Internationale Anglikanisch/Römisch-katholische Kommission,
in: Vom Dialog zur Gemeinschaft, 129-135.

Die Gemeinsame Erklärung von Papst Paul VI. und dem Erzbischof von Canterbury. Rom, 24. März 1966, a.a.O. 115ff.

Gemeinsame Eucharistiefeier konfessionsverschiedener Christen. Erklärung des Sekretariats zur Förderung der Einheit der Christen vom 7.1.1970, in: KNA, Konzil-Kirche-
Welt Nr. 3/1970, 8-11.

Gemeinsame römisch-katholische/evangelisch-lutherische Kommission. Das Herrenmahl. 5. Aufl. Paderborn-Frankfurt
a.M. 1979.

Dies. Wege zur Gemeinschaft. Paderborn-Frankfurt a.M. 1980.

Dies. Das geistliche Amt in der Kirche. Paderborn-Frankfurt
a.M. 1981.

Gottesdienst. Angenommener Bericht der Sektion V, in: Bericht
aus Uppsala 1968, 82-89.

Gutachten der Arbeitsgemeinschaft lutherischer Pastoren im
Rheinland zur Erklärung des Lutherrates zu den Beschlüssen
der altpreußischen Bekenntnissynode zu Halle. Vom 29. Juli
1937, in: Koinonia, 203ff.

Die Haltung der katholischen Kirche zur Frage der Interkommunion. Eine Stellungnahme der von den katholischen Bischöfen von England und Wales gebildeten Ökumenischen
Kommission, in: KNA, Konzil-Kirche-Welt Nr. 16/1969, 5-8.

Das Heilige Abendmahl. Eine Studie von Glauben und Kirchenverfassung. FO/65:85(b). Oktober 1965.

Die Heilige Eucharistie. Bericht an die Kommission für Glauben
und Kirchenverfassung. FO/67:34(b). Juni 1967.

Die Heilige Eucharistie, in: Bristol 1967: Studienergebnisse
der Kommission für Glauben und Kirchenverfassung.
ÖR.B 7/8 (1967), 83-94.

Der Heilige Geist und die Katholizität der Kirche, in: Bericht aus Uppsala 1968, 8-16.

Humani generis. Rundschreiben Papst Pius XII. vom 12. August 1950, in: HLK, 255-275.

Im Namen der orthodoxen Kirchen durch Erzbischof Germanos
vorgelegte Erklärung zur Einheit der Kirche (Amsterdam 1948), in: Ökumenische Dokumente, 145f.

Instruktion für besondere Fälle einer Zulassung anderer
Christen zur eucharistischen Kommunion in der katholischen Kirche. Sekretariat für die Einheit der Christen. Nachkonziliare Dokumentation Bd. XXXXI. Trier
1975, 19-41.

Interkommunion. Eine Studie und Stellungnahmen. Ökumenische
Centrale, Sonderausgabe des Materialdienstes, März 1976.

Interkommunion heute. Report der Kirche von England von 1968,
in: Interkommunion und Einheit. Dokumente aus England.
Hg. Augustin Pütz. Studia Anglicana Bd. III. Trier 1971,
93-290.

Interkommunion in einer gespaltenen Kirche. Aus dem Report
der Lambeth-Konferenz 1968, a.a.O. 290-302.

Interkommunion oder Gemeinschaft?: Auf dem Wege zur Gemeinschaft in der Eucharistie. Ein Studiendokument der Kommission für Glauben und Kirchenverfassung, in: ÖR 18
(1969), 574-592.

Katholisch-orthodoxe Dialog-Kommission. Das Geheimnis der
Kirche und der Eucharistie im Licht des Geheimnisses
der Heiligen Dreifaltigkeit, in: US 37 (1982), 334-340.

Katholizität und Apostolizität: Katholizität und gemeinsames
Zeugnis. Studien im Auftrag der Gemeinsamen Arbeitsgruppe, in: Löwen 1971: Studienberichte und Dokumente
der Sitzung der Kommission für Glauben und Kirchenverfassung. Hg. Konrad Raiser. ÖR.B 18/19 (1971), 136-161.

Die Kirche, die Kirchen und der Ökumenische Rat der Kirchen:
Die ekklesiologische Bedeutung des Ökumenischen Rates
der Kirchen. Sitzung des Zentralausschusses des Ökumenischen Rates in Toronto 1950, in: Ökumenische Dokumente, 104-113.

Kirchengemeinschaft und Kirchentrennung. Bericht der lutherisch-reformierten Gespräche in Leuenberg (Schweiz)
1969/70, in: Auf dem Weg II. Gemeinschaft der reformatorischen Kirchen. Polis Nr. 41. Zürich 1971, 8-21.

Kirchliche Einheit. Ein Beitrag der Ökumenischen Ausschüsse
    der Evangelischen Kirche der Union (EKU) zur Frage der
    kirchlichen Einheit. Ökumenische Centrale, Material-
    dienst Nr. 8, Mai 1980.

Kommuniqué des Erzbischofs von Paris, in: Die Pfingsteucha-
    ristie 1968. Ökumenische Centrale, Materialdienst Nr.
    15, Juli 1969, 7ff.

Konkordie reformatorischer Kirchen in Europa (Leuenberger
    Konkordie), in: Konkordie und Kirchengemeinschaft re-
    formatorischer Kirchen im Europa der Gegenwart. Texte
    der Konferenz von Driebergen/Niederlande (18. bis 24.
    Februar 1981). Hg. André Birmelé. ÖkPer Nr. 10. Frank-
    furt a.M. 1982, 13-22.

Konsensus über das Abendmahl in Holland, in: Auf dem Weg,
    49ff.

Konsensustexte über die Taufe, das Wort Gottes und die Hei-
    lige Schrift sowie über das Herrenmahl in Frankreich,
    in: Auf dem Weg II, 153-164.

Die Konziliarität und die Zukunft der ökumenischen Bewegung,
    in: Löwen 1971, 226-230.

Lehrautorität und Unfehlbarkeit in der Kirche: Gemeinsame
    Erklärung, in: Das kirchenleitende Amt, 97-172.

Die Lehre von der Eucharistie: Erläuterung Salisbury 1979,
    in: Dokumente wachsender Übereinstimmung, 143-148.

Die liturgische Feier des Herrenmahls, in: Gemeinsame rö-
    misch-katholische/evangelisch-lutherische Kommission.
    Das Herrenmahl, 48-84.

Lund: Dritte Weltkonferenz für Glauben und Kirchenverfassung.
    15. bis 28. August 1952, in: Die Einheit der Kirche,
    93-144.

Die lutherisch-reformierten Gespräche in Nordamerika, in:
    Auf dem Weg, 110-118.

Die lutherisch-reformierten Gespräche in Frankreich, a.a.O.
    93-109.

Lutherische und reformierte Kirchen in Europa auf dem Wege
    zueinander, a.a.O. 9-30.

Mehr als Einheit der Kirchen. Studiendokument für die Fünfte
    Vollversammlung des LWB, in: LR 20 (1970), 54-63.

Memorandum, in: Reform und Anerkennung kirchlicher Ämter:
    Ein Memorandum der Arbeitsgemeinschaft ökumenischer
    Universitätsinstitute. München 1973, 11-25.

Memorandum des Ökumenischen Ausschusses der Vereinigten Evan-
    gelisch-Lutherischen Kirche Deutschlands zum Verhältnis
    von Kirchengemeinschaft und Abendmahlsgemeinschaft. Vom
    18. September 1954, in: Koinonia, 9-12.

Memorandum über das zukünftige Programm von Glauben und Kirchenverfassung. FO/64:2(b). Februar 1964.

Montreal: Vierte Weltkonferenz für Glauben und Kirchenverfassung. 12. bis 26. Juli 1963, in: Die Einheit der Kirche, 181-250.

Mortalium animos. Rundschreiben Papst Pius'XI., vom 6. Januar 1928, in: HLK, 397-411.

Das Mysterium des kirchlichen Amtes. Dokument des "Frankfurter Gesprächs", in: US 28 (1973), 321-327.

Mystici corporis Christi. Rundschreiben unseres Heiligen Vaters Papst Pius XII. über den mystischen Leib Jesu Christi und unsere Verbindung mit Christus in ihm. 9. Aufl. Luzern 1961.

Die nächsten Schritte auf dem Weg zur Einheit der Kirche (Salamanca-Bericht), in: Wandernde Horizonte auf dem Weg zu kirchlicher Einheit: Vorstellungen von Einheit und Modelle der Einigung. Hg. Reinhard Groscurth. Frankfurt a.M. 1974, 159-186.

Neu-Delhi: Dritte Vollversammlung des Ökumenischen Rates der Kirchen. 18. November bis 6. Dezember 1961, in: Die Einheit der Kirche, 159-181.

Ökumenische Gottesdienste, in: Gemeinsame Synode der Bistümer in der Bundesrepublik Deutschland, 212-216.

"Ökumenische Handreichung": Hilfe für das Miteinander der Christen, in: KNA, Konzil-Kirche-Welt Nr. 2/1969, 5-8; Nr. 3/1969, 5ff.

Ökumenische Mindestforderungen. Evangelisch-Lutherische Kirche in Bayern, in: US 37 (1982), 344-347.

Ökumenische Übereinstimmung im Amt. Dokument der Kommission für Glauben und Kirchenverfassung. FO/72:6. Juli 1972.

Die ökumenische Zusammenarbeit auf regionaler, nationaler und örtlicher Ebene. Dokument des Sekretariats für die Einheit der Christen. Verlautbarungen des Apostolischen Stuhls Nr. 27. Sekretariat der Deutschen Bischofskonferenz. 2. unveränderte Aufl. Bonn 1980.

Ökumenisches Direktorium: Richtlinien zur Durchführung der Konzilsbeschlüsse über die ökumenische Aufgabe. Erster Teil. Nachkonziliare Dokumentation Bd. VII. Trier 1967.

Ökumenisches Direktorium: Richtlinien zur Durchführung der Konzilsbeschlüsse über die ökumenische Aufgabe. Zweiter Teil: Ökumenische Aufgaben der Hochschulbildung. Nachkonziliare Dokumentation Bd. XXVII. Trier 1970.

Offene Kommunion. Eine Gesprächsunterlage der Arbeitsgemeinschaft von Priestergruppen in der BRD, in: US 25 (1970), 225-228.

Offene Kommunion. Theologisch-pastorales Gutachten des
Studienkreises Catholica (Mittelbaden). Ökumenische
Centrale, Materialdienst Nr. 8, Juni 1971.

Ordination und Amt. Stellungnahme des ökumenischen Arbeitskreises evangelischer und katholischer Theologen, in: HerKorr 28 (1974), 249f.

Ordination und Sakramentalität. Studie aus den Ökumenischen Instituten der Universität München, in: Reform
und Anerkennung kirchlicher Ämter, 189-207.

Das ordinierte Amt, in: Löwen 1971, 77-102.

Das ordinierte Amt in ökumenischer Perspektive. Dokument
der Kommission für Glauben und Kirchenverfassung, in:
ÖR 22 (1973), 231-256.

Orthodoxe Erklärung zur Einheit der Kirche. Oberlin 1957,
in: Ökumenische Dokumente, 154-160.

Pastorale Zusammenarbeit der Kirchen im Dienst an der
christlichen Einheit: Beschluß, in: Gemeinsame Synode
der Bistümer in der Bundesrepublik Deutschland, 774-
791.

Die pastoralen Empfehlungen des Pastoralkonzils der Nieder-
ländischen Kirchenprovinz zum Berichtsentwurf über die
Ökumene: "Die Einheit, die der Herr wirkt", in: US 25
(1970), 96-99.

Ratschläge für gemeinsame Veranstaltungen evangelischer und
römisch-katholischer Christen vom 7. Januar 1965, in:
Ratschläge für interkonfessionelle Begegnung. Missio-
nierende Gemeinde Heft 12. Berlin 1965, 9-19.

Ratschläge für ökumenische Begegnungen. Text der Theologischen Kommission des LWB, in: LR 20 (1970), 63-74.

Die reformierten Kirchen und die ökumenische Bewegung.
17. Generalversammlung des Reformierten Weltbundes.
Princeton 1954, in: Ökumenische Dokumente, 197-204.

Richtlinien der katholischen Bischöfe der Niederlande für
Feiern "offener Kommunion", in: US 28 (1973), 21ff.

Richtlinien für ökumenische Gottesdienste. Bistum St. Gallen,
in: SKZ 136 (1968), 452f.

Richtlinien und Empfehlungen für das gemeinsame Beten und
Handeln der Kirchen in der Schweiz. Hg. vom Vorstand
des Schweizerischen Evangelischen Kirchenbundes, von
der Konferenz der römisch-katholischen Bischöfe der
Schweiz und vom Bischof und Synodalrat der christkatholischen Kirche der Schweiz. Zürich o.J. [1970].

Rundschreiben unseres Heiligen Vaters Paul VI. über die
Lehre und den Kult der Hl. Eucharistie: "Mysterium
fidei". 3. September 1965, in: Kirchlicher Anzeiger
für die Erzdiözese Köln 105 (1965), 478-491.

850

Der Schlußbericht der Arnoldshainer Abendmahlskommission, in: LM 1 (1962), 132ff.

Schreiben der deutschen Bischöfe über das priesterliche Amt. Eine biblisch-dogmatische Handreichung. Sonderdruck, hg. vom Sekretariat der Deutschen Bischofskonferenz. Trier 1969.

Schreiben Seiner Heiligkeit Papst Johannes Paul II. an alle Bischöfe der Kirche ."Über das Geheimnis und die Verehrung der heiligsten Eucharistie". Verlautbarungen des Apostolischen Stuhls Nr. 15. Sekretariat der Deutschen Bischofskonferenz. Bonn, 24. Februar 1980.

Sekretariat der Deutschen Bischofskonferenz, Bonn u. Kirchenkanzlei der Evangelischen Kirche in Deutschland (EKD), Hannover. Erklärung zur 1600-Jahr-Feier des Glaubensbekenntnisses von Nizäa-Konstantinopel. Pfingsten 1981.

Sekretariat für die Einheit der Christen. Erklärung zu einigen Auslegungen der Instruktion für besondere Fälle einer Zulassung anderer Christen zur eucharistischen Kommunion in der katholischen Kirche. 17. Oktober 1973, in: Instruktion über die Zulassung zur Kommunion in besonderen Fällen, 50-59.

Sendschreiben der Bischofssynode der orthodoxen Kirche in Amerika über christliche Einheit und Ökumenismus, in: Ökumenische Bewegung 1973-1974. Hg. Hanfried Krüger. ÖR.B 29 (1973/74), 39-51.

Sendschreiben des Patriarchats Konstantinopel an die Kirche Christi allenthalben. Januar 1920, in: Ökumenische Dokumente, 139-142.

Sendschreiben des Patriarchen Athenagoras von Konstantinopel an die orthodoxen Schwesterkirchen betreffs des Weltrates der Kirchen. 31. Januar 1952, a.a.O. 146-149.

Stellungnahme der Arnoldshainer Konferenz zum Memorandum "Reform und Anerkennung kirchlicher Ämter", in: Amt und Ordination im Verständnis evangelischer Kirchen und ökumenischer Gespräche. Hg. Alfred Burgsmüller u. Reinhard Frieling. Arnoldshainer Konferenz. Gütersloh 1974, 120ff.

Stellungnahme der Deutschen Bischofskonferenz, in: Amt im Widerstreit, 149f.

Stellungnahme der Glaubenskommission der Deutschen Bischofskonferenz zum Memorandum, a.a.O. 139f.

Stellungnahme der Theologischen Kontaktkommission der (evangelischen und katholischen) Kirchenleitungen in Hessen zum Memorandum "Reform und Anerkennung kirchlicher Ämter", in: Amt und Ordination im Verständnis evangelischer Kirchen und ökumenischer Gespräche, 122-127.

Stellungnahme des theologischen Ausschusses der Vereinigten Evangelisch-lutherischen Kirche in Deutschland,
in: LR 10 (1960/61), 69-72.

Stellungnahme einer Arbeitsgruppe des Ausschusses für
Glauben und Kirchenverfassung, a.a.O. 72ff.

Das Synodendokument über das priesterliche Dienstamt, in:
HerKorr 25 (1971), 584-591.

Die Taufe, in: Accra 1974, 94-100.

Taufe, in: Taufe, Eucharistie und Amt. Konvergenzerklärungen der Kommission für Glauben und Kirchenverfassung
des Ökumenischen Rates der Kirchen ("Lima-Dokument")
1982, in: Dokumente wachsender Übereinstimmung, 549-
557.

Taufe, Konfirmation und Eucharistie: Auf dem Weg zur Gemeinschaft in den Sakramenten (Studien über Taufe, Eucharistie und Amt), in: Löwen 1971, 34-52.

Thesen und Fragen der Driebergener Konferenz, in: LR 10
(1960/61), 77-80.

Thesen zur Kirchengemeinschaft, in: LM 9 (1970), 368f.

Über die Zukunft von Glauben und Kirchenverfassung.
St. Andrews 1960, in: Ökumenische Dokumente, 68f.

"Überlegungen zur Ordination heute". Wortlaut des Theologischen Ausschusses der Arnoldshainer Konferenz, in:
US 28 (1973), 314-320.

Unser Einssein in Christus und unsere Uneinigkeit als Kirchen, in: Einerlei Hoffnung eurer Berufung. Sammelband
der Studienhefte zur Zweiten Vollversammlung des Ökumenischen Rates der Kirchen. Evanston, Illinois, USA,
1954. Zürich-Frankfurt a.M. 1954, 9-65.

Unser ökumenischer Auftrag. Empfehlungen der alt-katholischen Kirche in Bayern, in: US 37 (1982), 347f.

Utrechter Erklärung vom 7. November 1966. Theologische Erklärung der römisch-/altkatholischen Gesprächsgruppe
mit Zustimmung des Episkopats beider Kirchen in den
Niederlanden, in: US 22 (1967), 10f.

Verlautbarungen zur "Eucharistischen Gastfreundschaft".
Deutschland: Bischöfliche Verordnung zur Feier der
heiligen Eucharistie, in: Urs Küry. Die altkatholische
Kirche: Ihre Geschichte, ihre Lehre, ihr Anliegen.
2. Aufl. hg. von Christian von Oeyen. Stuttgart 1978,
465.

Verlautbarungen zur "Eucharistischen Gastfreundschaft".
Schweiz: Bericht des Bischofs zur Synode 1972, a.a.O.
465.

Verordnung der Evangelischen Synode des Kantons Thurgau zur Kirchenordnung vom 20. Februar 1978. (Vom 25. Juni 1979). Kreuzlingen 1979.

*Verzeichnis der gegenwärtigen Unionsverhandlungen, in: Kirchenunionen und Kirchengemeinschaft. Hg. Reinhard Groscurth. Frankfurt 1971, 109-114.

Verzeichnis der Unionskirchen seit 1925, a.a.O. 99-107.

Vierter offizieller Bericht der Gemeinsamen Arbeitsgruppe zwischen der Römisch-katholischen Kirche und dem Ökumenischen Rat der Kirchen, in: Bericht aus Nairobi 1975, 272-284.

Der Vorstand des Schweizerischen Evangelischen Kirchenbundes. Die evangelischen Kirchen der Schweiz in der ökumenischen Bewegung, in: SKZ 149 (1981), 353-356.

Vorstellungen der Einheit und Modelle der Einigung. Ein vorläufiges Studiendokument. Ökumenischer Rat der Kirchen. Kommission für Glauben und Kirchenverfassung. Ökumenische Centrale, Materialdienst Nr. 17, November 1973.

Wesen und Gestalt des kirchlichen Amtes. Studie aus dem Institut für ökumenische Forschung der Universität Tübingen, in: Reform und Anerkennung kirchlicher Ämter, 163-188.

Wo steht der anglikanisch-katholische Dialog? Eine Stellungnahme der Glaubenskongregation, in: HerKorr 36 (1982), 288-293.

Wortlaut der offiziellen Verlautbarung des Vatikans: Secretariatus ad christianorum unitatem fovendam. E Civitate Vaticana, die den 14. März 1966. Seiner Eminenz, dem hochwürdigsten Herrn Bernard Jan Card. Alfrink, Erzbischof von Utrecht, in: US 22 (1967), 11f.

Zur Frage der Taufe. Hg. Schweizerischer Evangelischer Kirchenbund, Römisch-katholische Kirche der Schweiz u. Christkatholische Kirche der Schweiz. Oktober 1971.

Zur Frage einer Teilnahme an Eucharistie- bzw. Abendmahlsfeiern anderer Konfessionen. Eine Handreichung der Generalsynode der VELKD, in: US 30 (1975), 256-260.

Zur Krise des kirchlichen Amtes in der katholischen Kirche. Studie aus dem Katholisch-Ökumenischen Institut der Universität Münster, Abteilung I, in: Reform und Anerkennung kirchlicher Ämter, 29-92.

Zur Krise des kirchlichen Amtes in evangelischer Sicht. Studie aus dem Ökumenischen Institut der Universität Bochum, a.a.O. 93-121.

Zusammenfassender Bericht der Kommission für Glauben und Kirchenverfassung über den wachsenden Konsensus im Verständnis der Eucharistie, in: US 23 (1968), 237-242.

B. DARSTELLUNGEN

Abendmahl ohne Schranken?: Die Einladung zur offenen Kommunion und die Absagen, in: LM 12 (1973), 139-144.

Abendmahl - Passahmahl - Opfermahl, in: HerKorr 4 (1949/50), 284ff.

Abendmahlsgemeinschaft im Bereich der EKD, in: Achim Krämer. Gegenwärtige Abendmahlsordnung in der evangelischen Kirche in Deutschland. Ius ecclesiasticum Bd. XVI. München 1973, 169-224.

Die Abendmahlsgemeinschaft in der EKD, in: LM 5 (1966), 204ff.

Abendmahlsgespräch der EKD, in: LR 16 (1966), 407-410.

Accra 1974: Sitzung der Kommission für Glauben und Kirchenverfassung. Berichte, Reden, Dokumente. Hg. Geiko Müller-Fahrenholz. ÖR.B 27 (1975).

Addis Abeba 1971: Vorträge bei der Tagung des Zentralausschusses des Ökumenischen Rates der Kirchen. Hg. Hanfried Krüger. ÖR.B 17 (1971).

Ahlbrecht, Ansgar. Bemerkungen zum ökumenischen Direktorium, in: US 22 (1967), 141-146.

Ders. Neue katholische Gesichtspunkte zur Frage der Kommuniongemeinschaft, in: Freiheit in der Begegnung. Zwischenbilanz des ökumenischen Dialogs. Otto Karrer zum 80. Geburtstag gewidmet. Hg. Jean-Louis Leuba u. Heinrich Stirnimann. Frankfurt a.M.-Stuttgart 1969, 297-313.

Alivisatos, Hamilcar. Orthodoxe Grundforderungen gegenüber der katholischen Kirche?, in: Conc(D) 2 (1966), 259-262.

Allchin, Arthur M. Das Zeugnis der anglikanischen Gemeinschaft, in: Conc(D) 2 (1966), 269-273.

Allmen, Jean Jacques von. Ökumene im Herrenmahl. Kassel 1968.

Ders. Die Abendmahlsgemeinschaft aus reformierter Sicht, in: Conc(D) 5 (1969), 250-254.

Ders. Ist die Ordination ein Sakrament?: Eine protestantische Antwort, in: Conc(D) 8 (1972), 254-258.

Das Amt im ökumenischen Kontext: Eine Studienarbeit des Ökumenischen Ausschusses der Vereinigten Evangelisch-Lutherischen Kirche Deutschlands. Hg. Jörg Baur. Stuttgart 1980.

Amt im Widerstreit. Hg. Karlheinz Schuh. Berlin 1973.

Amt und Ordination im Verständnis evangelischer Kirchen und ökumenischer Gespräche. Hg. Alfred Burgsmüller u. Reinhard Frieling. Arnoldshainer Konferenz. Gütersloh 1974.

Amt und Ordination in ökumenischer Sicht. Der priesterliche Dienst V. Hg. Herbert Vorgrimler. QD Bd. L. Freiburg-Basel-Wien 1973.

*Andersen, Wilhelm. Möglichkeiten und Grenzen einer Abendmahlsgemeinschaft heute. München 1947.

Anglikanisch-katholischer Konsens über die Eucharistie, in: HerKorr 26 (1972), 59ff.

Ansätze gemeinsamen Eucharistie-Verständnisses: Empfehlungen zur Accra-Studie "Eucharistie". Ökumenische Centrale, Materialdienst Nr. 7, Mai 1977.

Ansons, Gunars J. Ein Schritt zur Versöhnung. Ökumenische Centrale, Materialdienst Nr. 9, Juni 1973.

Arbeitsbuch für den XX. Internationalen Alt-Katholiken-Kongreß (IAK) in Bonn. 3. bis 6. September 1970. Hg. Werner Küppers. Bonn 1970.

*Arnold, Franz Xaver. Zeichen der Einheit, in: Max Thurian, Eucharistie, Einheit am Tisch des Herrn. Mainz 1963, XI-XXVI.

*Die Arnoldshainer Abendmahlsthesen in der ökumenischen Situation, in: LR 10 (1960/61), 67-74.

Asendorf, Ulrich. Katholizität und Amt bei Luther: Perspektiven heutiger ökumenischer Theologie, in: StZ 194 (1976), 196-208.

Auer, Johann B. Theologie der Eucharistie in katholischer Sicht, in: Eucharistie, Zeichen der Einheit: Erstes Regensburger Ökumenisches Symposion. Hg. Ernst Chr. Suttner. Regensburg 1970, 52-66.

Auf dem Weg. Lutherisch-reformierte Kirchengemeinschaft. Berichte und Texte. Hg. Sekretariat für Glauben und Kirchenverfassung. Polis Nr. 33. Zürich 1967.

Auf dem Weg II. Gemeinschaft der reformatorischen Kirchen. Polis Nr. 41. Zürich 1971.

Auf dem Weg zur Anerkennung der anglikanischen Weihen?, in: HerKorr 28 (1974), 70f.

Auf dem Weg zur Einheit des Glaubens. Hg. im Auftrag Pro Oriente. Innsbruck 1976.

Auf dem Weg zur Interkommunion?, in: HerKorr 23 (1969), 558-562.

Auf Wegen der Versöhnung: Beiträge zum ökumenischen Gespräch. Heinrich Fries zum siebzigsten Geburtstag am 31. Dezember 1981. Hg. Peter Neuner u. Franz Wolfinger. Frankfurt a.M. 1982.

Das Augsburger Bekenntnis Deutsch. 1530-1980. Revidierter Text. Hg. Günther Gaßmann. Göttingen 1978.

Auseinandersetzung um Interkommunion in England, in: HerKorr 32 (1978), 165ff.

Averbeck, Wilhelm. Der Opfercharakter des Abendmahls in der neueren evangelischen Theologie. Paderborn 1967.

Ders. Gegenseitige Anerkennung des Amtes?: Bemerkungen zu einem lutherisch-katholischen Dokument aus Amerika, in: Cath(M) 26 (1972), 172-191.

Bacht, Heinrich. Zum Problem der Interkommunion, in: Cath(M) 24 (1970), 270-291.

Ders. Gemeinschaft an getrennten Tischen, in: Christen wollen das eine Abendmahl. Mainz 1971, 9-18.

Ders. Amtsverständnis und Abendmahlsgemeinschaft, in: StZ 191 (1973), 231-239.

Ders. Eine neue Phase im Interkommunion-Gespräch?: Das Altarssakrament ist kein Vehikel der Christusbewegung, in: KNA, Kritischer Ökumenischer Informationsdienst Nr. 7/ 1973, 5-9.

*Ders. Kritische Fragen zu Verkündigungsauftrag und Struktur der Ämter, in: Amt im Widerstreit, 59-66.

Backhaus, Ambrosius. Das Herrenmahl: Eine orthodoxe Betrachtung zu dem gleichnamigen Dokument der römisch-katholischen/evangelisch-lutherischen Kommission. Ökumenische Centrale, Materialdienst Nr. 17, November 1980.

Bamm, Gregory. Die ekklesiale Wirklichkeit der anderen Kirchen, in: Conc(D) 1 (1965), 291-303.

Basdekis, Athanasios. Bemerkungen zu den Konsensustexten über die Taufe und Eucharistie, besonders aus der Sicht der Orthodoxie, in: ÖR 25 (1976), 64-72.

Bäumlin, Klaus. Das Ärgernis Abendmahl, in: Ref. 28 (1979), 624-629.

Baumgartner, Jakob. Neue reformierte Abendmahlsliturgien, in: SKZ 149 (1981), 34-37.

Baur, Jörg. Das kirchliche Amt im Protestantismus, in: Das Amt im ökumenischen Kontext, 103-138.

Bea, Augustinus. Eucharistie und die Einheit der Christen, in: StZ 90 (1965), 401-413.

Beaupère, René. Um welche Einheit geht es?: Anfrage eines römischen Katholiken zehn Jahre nach dem Ökumenismus—Dekret, in: Wandernde Horizonte auf dem Weg zu kirchlicher Einheit, 45-66.

Becker, Karl J. Wesen und Vollmachten des Priestertums nach dem Lehramt. Der piresterliche Dienst II. QD Bd. XXXXVII. Freiburg-Basel-Wien 1970.

Becker, Werner. Das Konzilsdekret "De Oecumenismo", in: US 20 (1965), 83-100.

Begegnung: Beiträge zu einer Hermeneutik des theologischen Gesprächs. Heinrich Fries gewidmet von Freunden, Schülern und Kollegen. Hg. Max Seckler u.a. Graz-Wien-Köln 1972.

Begrenzte Gottesdienstgemeinschaft zwischen römisch-katholischer Kirche und der Alt-katholischen Kirche, in: US 28 (1973), 266.

Beinert, Wolfgang. Grundlagen und Möglichkeiten der Zusammenarbeit zwischen Katholiken und Protestanten, in: Cath(M) 19 (1965), 268-281.

Ders. Die Enzyklika "Mysterium fidei" und neuere Auffassungen über die Eucharistie, in: TThQ 147 (1967), 159-176.

Ders. Amt und Eucharistiegemeinschaft, in: Cath(M) 26 (1972), 154-171.

Ders. Was ist apostolisch?, in: Amt im Widerstreit, 30-36.

Ders. Stand und Bewegung des ökumenischen Geschehens: Versuch einer Bilanz, in: Cath(M) 37 (1983), 1-16.

Berger, Ruppert. Eucharistie - Mahl und Opfer, in: LebZeug 1 (1970), 52-63.

Bericht aus Nairobi 1975: Ergebnisse - Erlebnisse - Ereignisse. Offizieller Bericht der fünften Vollversammlung des Ökumenischen Rates der Kirchen. 23. November bis 10. Dezember 1975 in Nairobi/Kenia. Hg. Manfried Krüger u. Walter Müller-Römheld. 2. Aufl. Frankfurt a.M. 1976.

Bericht aus Uppsala 1968. Offizieller Bericht über die vierte Vollversammlung des Ökumenischen Rates der Kirchen. Uppsala, 4. - 20. Juli 1968. Hg. Norman Goodall. Genf 1968.

Bertalot, Renzo. Verständigung mit der evangelischen Abendmahlslehre?, in: Conc(D) 3 (1967), 295-298.

Betz, Johannes. Der Opfercharakter des Abendmahls im interkonfessionellen Dialog, in: Theologie im Wandel. Festschrift zum 150jährigen Bestehen der katholisch-theologischen Fakultät an der Universität Tübingen, 1817-1967. TThR Bd. I. München-Freiburg 1967, 469-491.

Ders. Eucharistie, in: HThG Bd. I. 2. Aufl. München 1973, 371-390.

Bieber, Rüdiger. Die Theologen sind überfordert, in: Publik-Forum Nr. 9/1982, 24.

Bischof Dietzfelbinger zur Abendmahlsgemeinschaft, in: LM 6 (1967), 566ff.

Blank, Josef. Eucharistie und Kirchengemeinschaft nach Paulus, in: US 23 (1968), 172-183.

Ders. Was heißt nach dem Neuen Testament: Das Herrenmahl feiern?, in: Was hindert uns?: Das gemeinsame Herrenmahl der Christen. Regensburg 1981, 9-55.

Bläser, Peter. Eucharistie und Einheit in der Verkündigung des NT, in: ThGl 50 (1960), 419-432.

Ders. Die Kirche und die Kirchen, in: Cath(M) 18 (1964), 89-107.

Ders. Ökumenische Bedeutung der Taufe: Die Diskussion um die Taufe in der heutigen evangelischen Theologie, in: KNA, Konzil-Kirche-Welt Nr. 9/1970, 5-8.

Ders. Das Altkatholisch-Römisch-Katholische Gespräch, in: KNA, Konzil-Kirche-Welt Nr. 39/1970, 10ff; Nr. 41/1970, 9-13.

Ders. Das Problem "Interkommunion", in: KNA, Kritischer Ökumenischer Informationsdienst Nr. 34/1971, 5-8; Nr. 35/ 1971, 5-8; Nr. 36/1971, 5-8.

Ders. Zur Diskussion um die Bedeutung des Amtes für den Vollzug der Eucharistie, in: Cath(M) 26 (1972), 86-107.

Ders. (Hg.). Amt und Eucharistie. Paderborn 1973.

Ders. Amt und Eucharistie im Neuen Testament, a.a.O. 9-50.

Ders. Zum anglikanisch/römisch-katholischen Gespräch, in: Cath(M) 27 (1973), 31-44.

Ders. Sinn und Bedeutung der Ordination nach den in der evangelischen Kirche Deutschlands geltenden Ordinationsformularen, in: Ordination und kirchliches Amt. Veröffentlichung des Ökumenischen Arbeitskreises evangelischer und katholischer Theologen. Gewidmet Lorenz Kardinal Jaeger und Wilhelm Stählin. Hg. Reinhard Mumm. Paderborn 1976, 141-164.

Ders. Das Ende der Spaltung zwischen römisch-katholischer Kirche und Anglikanischer Gemeinschaft in Sicht?: Gemeinsame Erklärung über die "Autorität in der Kirche", in: US 32 (1977), 2-5.

Ders. Bemerkungen zum Dokument "Das geistliche Amt in der Kirche", in: US 37 (1982), 331ff.

Bobrinskoy, Boris. Wie können wir theologisch und praktisch zu einer gegenseitigen Anerkennung der Ämter kommen?: Eine orthodoxe Antwort, in: Conc(D) 8 (1972), 267-274.

Böckle, Franz. Interkommunion, in: StZ 185 (1970), 309-320.

Ders. Kritische Fragen, in: Alfons Kirchgässner u. Horst Bühler. Interkommunion in Diskussion und Praxis. Eine Dokumentation. Düsseldorf 1971, 98-108.

Boeckler, Richard. Interkommunion und Einheit, in: LM 15 (1976), 421ff.

Boelens, Wim. Die Arnoldshainer Abendmahlsthesen. Assen 1964.

Ders. Das Abendmahlsgespräch in der evangelischen Kirche, in: Conc(D) 3 (1967), 312-321.

Ders. Erwägungen zur Interkommunion, in: Seels. 38 (1968), 235-242.

Ders. Um das Wesen des kirchlichen Amtes, in: US 23 (1968), 73-80.

Bouyer, Louis. Gedanken zur möglichen Wiederherstellung der Kommunionsgemeinschaft zwischen der orthodoxen und der katholischen Kirche - Aktuelle Perspektiven, in: Auf dem Weg zur Einheit des Glaubens, 127-133.

Brandenburg, Albert. Interkommunion, in: LThK Bd. V (1960), 729f.

Ders. Irenik (Irenismus), a.a.O. 749f.

Ders. Keine ungute Polarisation: Einige Anmerkungen zur Interkommunion, in: KNA, Konzil-Kirche-Welt Nr. 15/1970, 5f.

Ders. Report zum Interkommunionproblem, in: Interkommunion - eine ökumenische Aufgabe?, 50-56.

Ders. Zur Einführung, in: Cath(M) 26 (1972), 85.

*Ders. Die Einheit der Kirche, in: Cath(M) 27 (1973), 89ff.

Ders. Sakrament der Einheit oder Erlebnis der Frustration?, in: Amt im Widerstreit, 84-90.

Ders. Kernfragen der Leuenberger Konkordie: Der Versuch zu einer gewissen Einheit zu kommen, in: KNA, Ökumenische Information Nr. 8/9/1974, 5ff.; Nr. 10/1974, 5f.

*Ders. Eucharistie und Ökumene, in: Instruktion über die Zulassung zur Kommunion in besonderen Fällen, 61-85.

Ders. ... gastweise Teilnahme: Die Fragen der offenen Kommunion in den verschiedenen Dokumenten, in: KNA, Ökumenische Information Nr. 4/1975, 5-9; Nr. 5/1975, 5-8.

Ders. Kirchliches Amt, Petrusdienst und Ökumene: Ansätze einer Konvergenz zwischen lutherischen und katholischen Christen, in: StZ 193 (1975), 613-623.

*Bridston, Keith R. Kircheneinheit 1960, in: LR 10 (1960/61), 358-365.

Bristol 1967: Studienergebnisse der Kommission für Glauben und Kirchenverfassung. ÖR.B 7/8 (1967).

Brosseder, Johannes. Abendmahlsgemeinschaft als Weg zur Kirchengemeinschaft, in: Auf Wegen der Versöhnung, 220-230.

Brown, Raymond E. Einheit und Verschiedenheit in der neu-
    testamentlichen Ekklesiologie, in: ÖR 13 (1964), 63-
    73.

Brückner, Reinhard. Plädoyer für die begrenzte Zulassung
    ev. und kath. Christen bei der Eucharistie - bzw.
    Abendmahlsfeier anhand einer Darstellung der Diskus-
    sion bis zum Herbst 1971. Ökumenische Centrale, Ma-
    terialdienst Nr. 1, Januar 1972.

Brunner, Peter. Koinonia: Grundlagen und Grundformen der
    Kirchengemeinschaft, in: ders. Pro Ecclesia. Berlin-
    Hamburg 1966, 305-322.

Ders. Kirche ohne Eucharistie?: Wege zur Verwirklichung von
    "Interkommunion", in: Christen wollen das eine Abend-
    mahl. Mainz 1971, 51-58.

Ders. Realpräsenz und Transsubstantiation: Ist die Lehre
    von der eucharistischen Gegenwart Christi zwischen Ka-
    tholiken und Lutheranern noch kirchentrennend?, in:
    Begegnung, 291-310.

*Ders. Beiträge zur Lehre von der Ordination unter Bezug
    auf die geltenden Ordinationsformulare, in: Ordina-
    tion und kirchliches Amt, 53-133.

*Bühler, Hans. Aktuelle Gesichtspunkte zur reformatorischen
    Abendmahlslehre, in: SKZ 141 (1973), 639.

Bullinger, Heinrich. Das Zweite Helvetische Bekenntnis. Hg.
    1966 vom Kirchenrat des Kantons Zürich zum Gedächtnis
    des Erscheinens vor vierhundert Jahren - 1566. Zürich
    1966.

Burgsmüller, Alfred u. Frieling, Reinhard. Einleitung, in:
    Amt und Ordination im Verständnis evangelischer Kirchen
    und ökumenischer Gespräche, 11-35.

Christen wollen das eine Abendmahl. Mainz 1971.

Christliche Einheit: Forderungen und Folgerungen nach Uppsa-
    la. Hg. Reinhard Groscurth. SÖR Nr. 7. Genf 1969.

*Christliche Einheit - zur gegenwärtigen Lage, in: LR 14
    (1964), 272ff.

Congar, Yves. Ein Mittler, in: Gemeinsame römisch-katholische/
    evangelisch-lutherische Kommission. Das geistliche Amt in
    der Kirche, 127-134.

Degenhardt, Johannes Joachim, Tenhumberg, Heinrich u. Thimme,
    Hans. Kirchen auf gemeinsamem Wege. Bielefeld-Kevelaer
    1977.

Deschner, John. Schritte auf dem Weg zur Einheit der Kirche.
    Bericht vor dem Zentralausschuß des ÖRK in Utrecht, in:
    Utrecht 1972: Vorträge und Berichte bei der Tagung des
    Zentralausschusses des Ökumenischen Rates der Kirchen.
    Hg. Hanfried Krüger. ÖR.B 23 (1973), 57-70.

Deschner, John. Schritte auf dem Weg zur Einheit, in: US 38 (1983), 217-229.

Döring, Heinrich. Kirchen - unterwegs zur Einheit: Das Ringen um die sichtbare Einheit der Kirchen in den Dokumenten der Weltkirchenkonferenzen. Eine phänomenologisch-theologische Betrachtung. Abhandlungen zur Philosophie, Psychologie, Soziologie, der Religion und Ökumenik. Heft 17 bis 20 der neuen Folge. Hg. Josef Hasenfuss. München-Paderborn-Wien 1969.

Ders. Steine auf dem Weg zur Einheit: Überlegungen zur Rezeption ökumenischer Konsensdokumente, in: Auf Wegen der Versöhnung, 138-163.

Dokumente wachsender Übereinstimmung: Sämtliche Berichte und Konsenstexte interkonfessioneller Gespräche auf Weltebene 1931-1982. Hg. Harding Meyer, Hans Jörg Urban u. Lukas Vischer. Paderborn-Frankfurt a.M. 1983.

Doornkaat, Hans ten. Mittel oder Ziel?: Das Problem der Interkommunion unter den Mitgliedskirchen des Ökumenischen Rates, in: ZdZ 23 (1969), 109-112.

Das Dritte Forum für bilaterale Gespräche über "Rezeption" von Dialogergebnissen, in: US 37 (1982), 38-43.

Dupuy, Bernard. Besteht ein dogmatischer Unterschied zwischen der Funktion der Priester und der Funktion der Bischöfe?, in: Conc(D) 4 (1968), 268-274.

*Ebneter, Albert. Außerhalb der Kirche kein Heil?, in: Orien. 31 (1967), 99-103.

Ders. Die Gemeinschaft des Glaubens, in: ders., Pietro Selvatico u. Benno Gassmann. Hat Glauben noch Sinn?: Grundfragen nach Kirche, Gott und Welt. Zürich 1972, 81-110.

Ders. Eucharistie und Ökumene, in: Orien. 44 (1980), 134f.

Ders. Wo steht der Dialog zwischen Katholiken und Reformierten?, in: Orien. 45 (1981), 7-10.

Egenter, Richard. Epikie, in: LThK Bd. III (1959), 934f.

Eggenspieler, Alfred. Eucharistisches Opfer in ökumenischer Sicht, in: SKZ 139 (1971), 69-72.

Einerlei Hoffnung eurer Berufung. Sammelband der Studienhefte zur Zweiten Vollversammlung des Ökumenischen Rates der Kirchen. Evanston, Illinois, USA, 154. Zürich-Frankfurt a.M. 1954.

Einheit der Kirche - Einheit der Menschheit: Perspektiven aus Theologie, Ethik und Völkerrecht. Hg. Otto Hermann Pesch. Freiburg-Basel-Wien 1978.

Die Einheit der Kirche: Material der ökumenischen Bewegung. Hg. Lukas Vischer im Auftrag des Referates für Glauben und Kirchenverfassung. TB Nr. 30. München 1965.

Elchinger, Léon A. Weisungen für die Gläubigen der Diözese Straßburg über die eucharistische Gastfreundschaft für die konfessionsverschiedenen Ehen, in: Eucharistische Gastfreundschaft, 120-131.

Elert, Werner. Abendmahl und Kirchengemeinschaft in der alten Kirche hauptsächlich des Ostens. Berlin 1954.

Ders. Abendmahl und Kirchengemeinschaft in der alten Kirche, in: Koinonia, 57-78.

Enderle, Georges. Zeichen der Hoffnung: Für die Einheit der Christen. Straßburgs Bischof Elchinger zur eucharistischen Gastfreundschaft, in: Publik-Forum Nr. 2/1973, 14f.

*Engelhardt, Hanns. Abendmahlszulassung und Grundordnung der EKD, in: LM 5 (1966), 458ff.

Epting, Karl Ch. Über Lehrkonsens zur Einheit?: "Glauben und Kirchenverfassung" an einem Wendepunkt. Die ersten fünfzehn Jahre, in: LM 9 (1970), 535f.

Erharter, Helmut. Legalität und Experiment, in: Seels. 38 (1968), 3-6.

Erni, Raymund u. Papandreou, Damaskinos. Eucharistiegemeinschaft: Der Standpunkt der Orthodoxie. Freiburg 1974.

Die Eucharistie im katholischen und ökumenischen Disput, in: HerKorr 22 (1968), 125-130.

Eucharistie, Zeichen der Einheit. Erstes Regensburger Ökumenisches Symposion. Hg. Ernst Chr. Suttner. Regensburg 1970.

Eucharistische Gastfreundschaft: Ökumenische Dokumente. Hg. Reinhard Mumm. Kirche zwischen Planen und Hoffen Heft 11. Kassel 1974.

Die eucharistische Liturgie von Lima, in: US 38 (1983), 164-172.

Euw, Charles K. von. Der Einheit verpflichtet: Die ökumenische Erneuerung in der katholischen Kirche in den USA, in: KNA, Konzil-Kirche-Welt Nr. 53/1968, 5ff.

Evangelisch-katholische Abendmahlsgemeinschaft? Veröffentlichung des Ökumenischen Arbeitskreises evangelischer und katholischer Theologen. Hg. Gerhard Krems u. Reinhard Mumm. Regensburg-Göttingen 1971.

Evangelium - Welt - Kirche. Schlußbericht und Referate der römisch-katholischen/evangelisch-lutherischen Studienkommission "Das Evangelium und die Kirche", 1967 - 1971. Auf Veranlassung des Lutherischen Weltbundes und des Sekretariats für die Einheit der Christen hg. von Harding Meyer. Frankfurt a.M. 1975.

Evdokimov, Paul. Welches sind die Hauptanliegen der orthodoxen Kirche gegenüber der katholischen Kirche?, in:
Conc(D) 2 (1966), 263-268.

Fahrnberger, Gerhard. Episkopat und Presbyterat in den Diskussionen von Trient, in: Cath(M) 30 (1976), 119-152.

Feige, Ulrich M. Begrenzte Möglichkeiten. Synode: Volle Eucharistiegemeinschaft nur bei Kirchengemeinschaft, in:
KNA, Ökumenische Information Nr. 48/1975, 5f.

Feiner, Johannes. Die geltenden Normen und ihre Absicht, in:
Gottesdienst 3 (1969), 10ff.

*Ders. Der ökumenische Gottesdienst, in: SKZ 147 (1979),
770-773.

Feiner, Johannes u. Vischer, Lukas. Neues Glaubensbuch: Der
gemeinsame christliche Glaube. 4. Aufl. Freiburg-Basel-
Wien 1973.

Finkenzeller, Josef. Überlegungen zum Verständnis der apostolischen Nachfolge in der gegenwärtigen theologischen
Diskussion, in: Ortskirche - Weltkirche. Festausgabe
für Julius Kardinal Döpfner. Hg. Heinz Fleckenstein u.a.
Würzburg 1973, 325-356.

Ders. Von der Botschaft Jesu zur Kirche Christi: Zweifel -
Fragen - Probleme - Antworten. München 1974.

Ders. Zum Verständnis des kirchlichen Amtes heute, in: ThG 17
(1974), 207-217.

Ders. Kirchliche Ämter und Dienste: Ihr Verständnis nach den
Grundsätzen der Deutschen Bischofskonferenz zur Ordnung
der pastoralen Dienste von 1977, in: ThG 21 (1978),
129-139.

Fiolet, Herman. Die Abendmahlsgemeinschaft aus katholischer
Sicht, in: Conc(D) 5 (1969), 255-259.

Fragen der Kirche heute. Hg. Adolf Exeler. Würzburg 1971.

Freiheit in der Begegnung: Zwischenbilanz des ökumenischen
Dialogs. Otto Karrer zum 80. Geburtstag gewidmet. Hg.
Jean-Louis Leuba u. Heinrich Stirnimann. Frankfurt a.M.-
Stuttgart 1969.

Frieling, Reinhard. Evangelisch-katholische Abendmahlsgemeinschaft?, in: A. Kirchgässner u. H. Bühler. Interkommunion in Diskussion und Praxis, 94-98.

Ders. Konziliare Gemeinschaft, in: Wandernde Horizonte auf
dem Weg zur kirchlichen Einheit, 137-157.

Ders. Trauriges Ergebnis der Interkommunion-Debatte, in: MdKI
27 (1976), 80.

Fries, Heinrich. Die Eucharistie und die Einheit der Kirche,
in: Pro mundi vita. Festschrift zum Eucharistischen Welt-
kongreß 1960. München 1960, 165-180.

Fries, Heinrich. Ökumene am Ort, in: ÖR 18 (1969), 548-560.

Ders. Ökumenischer Stillstand?: Das theologische Gespräch
- Konsens und Schwierigkeiten, in: Cath(M) 38 (1974),
98-113.

Ders. Ökumenisches Amtsverständnis?, in: StZ 192 (1974),
555-564.

Ders. Ein Glaube, eine Taufe, getrennt beim Abendmahl?
Graz-Wien-Köln 1971.

Ders. Das Problem des Amtes in der Sicht der katholischen
Theologie, in: KuD 18 (1972), 118-138.

Ders. Einheit, in: HThG Bd. I. 2. Aufl. München 1973, 291-
302.

Ders. Reform und Anerkennung kirchlicher Ämter: Ein Wort
zum Memorandum der Arbeitsgemeinschaft ökumenischer
Universitätsinstitute, in: Cath(M) 27 (1973), 188-208.

Ders. Was heißt Anerkennung, in: Amt im Widerstreit, 5-10.

Ders. Ökumene statt Konfessionen?: Das Ringen der Kirche um
Einheit. Frankfurt a.M. 1977.

Ders. Eucharistie und Ökumene: Thesen zur Diskussion, in:
Was hindert uns?, 137-143.

Ders. Die aktuellen Kontroverspunkte, in: ders. (Hg.). Das
Ringen um die Einheit der Christen: Zum Stand des evangelisch-katholischen Dialogs. Düsseldorf 1983, 56-72.

Ders. Einheit der Kirche - Einheit der Menschheit, a.a.O.
148-160.

*Ders. Pastorale Probleme zwischen den Konfessionen, a.a.O.
108-120.

Ders. Das Ringen um die Einheit der Christen: Zum Stand des
evangelisch-katholischen Dialogs. Schriften der Katholischen Akademie in Bayern Bd. CIX. Hg. Franz Henrich.
Düsseldorf 1973.

Ders. Zwischenbilanz der ökumenischen Bewegung. a.a.O. 31-41.

Fries, Heinrich u. Pannenberg, Wolfhart. Das Amt in der Kirche, in: US 25 (1970), 107-115.

Dies. Abendmahl und Abendmahlsgemeinschaft, in: US 26 (1971),
68-88.

Fries, Heinrich u. Rahner, Karl. Einigung der Kirchen - reale
Möglichkeiten. QD Bd. C. Freiburg-Basel-Wien 1983.

Fry, Clark F. Die Einheit der Kirche, in: LR 6 (1956/57),
342-357.

*Fürer, Ivo. Die ökumenische Situation in Europa, in: SKZ 148
(1980), 570-574.

Galitis, Georg. Das Problem der Interkommunion in orthodoxer Sicht: Eine biblisch-ekklesiologische Untersuchung, in: ÖR 16 (1967), 265-285.

Ganoczy, Alexandre. Amt, Episkopat, Primat, in: Katholizität und Apostolizität. Theologische Studien einer
gemeinsamen Arbeitsgruppe zwischen der Römisch-Katholischen Kirche und dem Ökumenischen Rat der Kirchen.
Hg. Reinhard Groscurth. KuD.B 2 (1971), 152-187.

Gaßmann, Günther. Die sich vereinigende Kirche: Ein umfassender Unionsplan für die Kirchen der USA, in: LM 9
(1970), 281ff.

Ders. Dialoge um der Einheit willen: Ökumenische Fortschritte durch bilaterale Gespräche?, in: LM 10 (1971), 570-
575.

*Ders. Kirchenunionen - eine unausweichliche Herausforderung?,
in: Kirchenunionen und Kirchengemeinschaft, 67-77.

Ders. Die Entwicklung der ökumenischen Diskussion über das
Amt, in: ÖR 22 (1973), 454-468.

Ders. Heißes Eisen auf kleiner Flamme: Zum Memorandum über
die Anerkennung kirchlicher Ämter, in: LM 12 (1973),
195-198.

Ders. Die Notwendigkeit offizieller Lehrgespräche, in: Amt
im Widerstreit, 129-133.

Ders. Der anglikanisch-lutherische und anglikanisch-katholische Dialog - geschichtlicher Hintergrund, gegenwär-
tiger Stand und Vergleich, in: Vom Dialog zur Gemeinschaft, 9-40.

Ders. Taufe - Eucharistie - Amt: Überblick über einen ökumenischen Studienprozeß, in: ÖR 24 (1975), 179-206.

*Ders. Zukunftsperspektiven kirchlicher Einheit, in: LR 25
(1975), 231-236.

Ders. Das anglikanische Amtsverständnis, in: Das Amt im ökumenischen Kontext, 83-101.

*Ders. Zum bilateralen Dialog zwischen Rom - Canterbury und
Canterbury - Wittenberg, in: KuD 29 (1983), 149-165.

Gaßmann, Günther u. Meyer, Harding. Zehn Jahre Ökumenismusdekret, in: LR 25 (1975), 144-151.

Die Gegenwart Christi in den Zeichen, in: Glaubensverkündigung für Erwachsene. Deutsche Ausgabe des Holländischen
Katechismus. Freiburg-Basel-Wien 1969, 384ff.

Geiger, Max. Unterwegs zur europäischen Kirchengemeinschaft:
Überlegungen eines reformierten Theologen zur Leuenberger Konkordie, in: ThZ 28 (1972), 75-86.

Genf 1973: Vorträge und Berichte bei der Tagung des Zentralausschusses des Ökumenischen Rates der Kirchen. Hg.
Hanfried Krüger. ÖR.B 24 (1974).

*Gensichen, Hans-Werner. Die Einheit der Kirche in Christus,
in: LR 7 (1957/58), 244-251.

Gerken, Alexander. Die Gegenwart Christi in der Eucharistie:
Analyse und Interpretation neuerer Deutungen der Realpräsenz, in: StZ 191 (1973), 553-562.

Ders. Gemeinsames und Trennendes im katholischen und evangelischen Abendmahlsverständnis, in: Cath(M) 27 (1973),
312-328.

Ders. Theologie der Eucharistie. München 1973.

Ders. Jesus unter uns: Was geschieht in der Eucharistiefeier? 3. Aufl. Münster 1979.

Gewährt die katholische Kirche offene Kommunion?, in: HerKorr
22 (1968), 520ff.

*Goertz, Hans-Jürgen. Amt und Ordination in "Glauben und Kir-
chenverfassung": Ein Bericht mit Konsequenzen für die
"Arbeitsgemeinschaft christlicher Kirchen in Deutschland", in: US 28 (1973), 286-302.

Goppelt, Leonhard. Kirchengemeinschaft und Abendmahlsgemeinschaft nach dem Neuen Testament, in: Koinonia, 24-33.

*Gordon, Ernst u. Chart, Great. Anglikanisch-methodistische
Union - Ja und Nein, in: Orien. 36 (1972), 153f.

*Gottschalk, Johannes. Die Gegenwart Christi im Abendmahl:
Eine dogmatische Abhandlung über die 4. und 5. Arnoldshainer Abendmahlsthese von 1957. Koinonia: Beiträge zur
ökumenischen Spiritualität und Theologie. Hg. Thomas
Sartory, Bd. VIII. Essen 1966.

*Grote, Heiner. Interkommunion und Amt, in: MdKI 26 (1975),
62ff.

Gstrein, H. Interkommunion mit Hindernissen: Was wissen wir
von der Abendmahlspraxis der Ostkirche?, in: KNA, Konzil-Kirche-Welt Nr. 51/1968, 12f.

Gutwenger, E. Das Geheimnis der Gegenwart Christi in der Eucharistie, in: ZKTh 88 (1966), 185-197.

Haag, Herbert, Pascha, in: BL, 1312-1316.

Haas, Alfred. Die Abendmahlsgemeinschaft in der EKD. Theologische Existenz heute Nr. 81. München 1960.

Häring, Bernhard. Zukünftige Einheit der Kirchen: Wollen wir
Routine oder prophetische Konkretion?, in: LM 9 (1970),
298-302.

Hahn, Hans-Christoph. Die Einheit der Kirche in evangelischer
Sicht, in: US 19 (1964), 33-52.

Hamer, Jerôme. Die ekklesiologische Terminologie des Vaticanums II und die protestantischen Ämter, in: Cath(M) 26 (1972), 146-153.

Hampe, Johann Chr. Einheit als Bedingung - Einheit als Impuls, in: Interkommunion - eine ökumenische Aufgabe?, 57-64.

Handreichung für evangelisch-katholische Begegnungen. Hg. E. Baden. Berlin-Hamburg 1969.

Hasselmann, Niels. Das Amt in der Ökumene, in: LM 16 (1977), 560.

Ders. (Hg.). Kirche im Zeichen der Einheit: Texte und Überlegungen zur Frage der Formen kirchlicher Einheit. Göttingen 1979.

Hauke, Manfred. Die Problematik um das Frauenpriestertum vor dem Hintergrund der Schöpfungs- und Erlösungsordnung. Konfessionskundliche und kontroverstheologische Studien Bd. XLVI. Paderborn 1982.

Hebblethwaite, Peter. Rom und Canterbury: Nach dem Besuch von Dr. Ramsey, in: Orien. 30 (1966), 109ff.

Ders. Anglikanisch-katholischer "Schlußbericht": Das Ergebnis einer 12jährigen Zusammenarbeit in der gemischten Gesprächskommission, in: Orien. 46 (1982), 50-53.

Heilslehre der Kirche. Dokumente von Pius IX. bis Pius XII. Hg. Anton Rohrbasser. Freiburg (CH) 1953.

Helbling, Hanno. Mahlgemeinschaft - Dienstgemeinschaft, in: Interkommunion - Hoffnungen zu bedenken. Hg. Heinrich Stirnimann. ÖBFZPhTh 5 (1971), 43-50.

*Heubach, Joachim. Ein neues Verständnis für das Abendmahl: Zeichen der Hoffnung und Einheit, in: Was hindert uns?, 125-135.

Historische Wiederbegegnung zwischen Rom- und Altkatholiken, in: US 22 (1967), 9f.

Höfer, Josef. Eucharistie und Kirchenrecht, in: Evangelisch-katholische Abendmahlsgemeinschaft?, 47-75.

Höfer, Liselotte. Interkommunion: Standort und Ausblick, in: FZPhTh 17 (1970), 450-462.

Höffner, Joseph. 12 Fragen und 12 Antworten zur Interkommunion. Hg. Presseamt des Erzbistums Köln. 5. ergänzte Aufl. 1975.

Hoekendijk, Johannes Chr. Weltoffenes Abendmahl, in: ders. Die Zukunft der Kirche und die Kirche der Zukunft. Stuttgart 1964, 58-81.

Hoffmann, Joseph. Erwartung und Verpflichtung, in: US 35 (1980), 203-219.

Hoffmann, Paul u. Meyer, Harding. Kirchengemeinschaft.
    Kirche und Abendmahl Bd. II: Umfang und Grenzen der
    Kirchengemeinschaft in Leben und Praxis der lutheri-
    schen Kirche in Lateinamerika, Asien, Afrika und
    Australien sowie der lutherischen Minderheitskirche
    in Europa. Berlin 1969.

*Høyjen, Peder. Der gemeinsame Weg ist schwer: Vor der neu-
    en Runde im katholisch-lutherischen Dialog, in: LM 12
    (1973), 119-121.

Ders. Lehrkonsens und Koinonia: Erwägungen zur ökumenischen
    Methodologie, a.a.O. 199-201.

Ders. Gefährdet Leuenberg die innerlutherische Einheit?, in:
    LM 13 (1974), 5f.

Ders. Wie einig sind Lutheraner?: Zur Lage nach Leuenberg,
    in: LM 14 (1975), 115f.

Ders. "Das Herrenmahl" - Ein ökumenischer Fortschritt?, in:
    US 35 (1980), 243-247.

Hollenweger, Walter. Interkommunion ist viel zu wenig, in:
    Das Abendmahl im Neuen Testament und in der frühen Kir-
    che. Schloß Craheim 1969, 65-71.

Hotz, Robert. Die ökumenische Bewegung und ihre orthodoxen
    Wächter, in: Orien. 33 (1969), 198ff.

*Houtepen, Anton. Konkordie und Kirchengemeinschaft - Refor-
    matorische Kirchen auf dem Weg zu einer effektiven Kir-
    chengemeinschaft?, in: Konkordie und Kirchengemeinschaft
    reformatorischer Kirchen im Europa der Gegenwart, 77-91.

Ders. Rezeption, Tradition, Kommunion, in: Max Thurian (Hg.).
    Ökumenische Perspektiven von Taufe, Eucharistie und Amt.
    Paderborn-Frankfurt a.M. 1983, 158-178.

Hübner, Friedrich. Das Bischofsamt und die Apostolizität der
    Kirche, in: LR 15 (1965), 298-307.

Hughes, John J. Absolut Null und Nichtig: Zur Ablehnung der
    anglikanischen Weihen durch die Bulle Leos XIII. "Apo-
    stolicae curae" vom 13. September 1896. Studia Anglicana
    Bd. II. Trier 1970.

*Interkommunion aufgeschoben: Zwischenbilanz im Ringen um ge-
    meinsame Eucharistie, in: LM 14 (1975), 507-511; 557-562.

Interkommunion bei ökumenischen Veranstaltungen?, in: LR 11
    (1961), 211-220.

*Interkommunion bleibt die Ausnahme: Einheitssekretariat prä-
    zisiert Instruktionen von 1972, in: KNA, Kritischer Öku-
    menischer Informationsdienst/Konzil-Kirche-Welt Nr. 46/
    1973, 1.

Interkommunion - eine ökumenische Aufgabe? Hg. Karlheinz
    Schuh. Essen o.J. [1971].

*Interkommunion eine pastorale Frage? Downside Symposion
über "Kirchengliedschaft und Interkommunion", in:
KNA, Kritischer Ökumenischer Informationsdienst Nr.
23/1972.

Interkommunion - Hoffnungen zu bedenken. Hg. Heinrich
Stirnimann. ÖBFZPhTh 5 (1971).

Interkommunion - Konziliarität. Zwei Studien im Auftrag
des Deutschen Ökumenischen Studienausschusses. Hg.
Richard Boeckler. ÖR.B 25 (1974).

Interkommunion und Einheit: Dokumente aus England. Hg.
Augustin Pütz. Studia Anglicana Bd. III. Trier 1971.

Iserloh, Erwin. Gedanken zur Interkommunion: "Getrennt im
Abendmahl, dem Zeichen der Einheit und des Friedens",
in: Interkommunion - eine ökumenische Aufgabe?, 18-25.

Ders. Gedanken zur Interkommunion: Getrennt im Abendmahl,
dem Zeichen der Einheit und des Friedens, in: KNA,
Kritischer Ökumenischer Informationsdienst Nr. 11/
1971, 5-8.

Ders. Die Interkommunion, in: Fragen der Kirche heute, 50-
64.

Ders. Amt und Ordination, in: Amt im Widerstreit, 67-76.

Ittel, Gerhard W. Zur Reform und Anerkennung kirchlicher
Ämter: Zustimmung - Anfragen - Kritik aus evangelischer Sicht zum Ämter-Memorandum der Arbeitsgemeinschaft ökumenischer Universitätsinstitute, in: US 30
(1975), 66-72.

Jedin, Hubert. Eine Frage der Sprachregelung?, in: Amt im
Widerstreit, 26-29.

Joest, Wilfried. Grenzen und Wege: Gedanken zur Frage des
Einswerdens der Kirchen, in: Auf Wegen der Versöhnung,
164-174.

Kaiser, Matthäus. Interkommunion nach dem zweiten vatikanischen Konzil, in: Eucharistie, Zeichen der Einheit,
99-112.

Kaiser, Markus. Eucharistie und Ökumene: Theologengezänk
angesichts der Weltnot?, in: SKZ 136 (1968), 470f.

Kaiser, Philipp. Ein neues Eucharistieverständnis in der
katholischen Theologie?: Zur Frage nach der Transsubstantiation und der Transsignifikation, in: ÖR 20
(1971), 401-411.

Kallis, Anastasios. Gemeinschaft der Agape: Zum Eucharistieverständnis der Orthodoxie, in: Was hindert uns?, 79-89.

Kandler, Karl-Hermann. Luther, Arnoldshain und das Abendmahl. Berlin 1970.

Kandler, Karl-Hermann. Nur ein Kompromiß?: Kritische Anfragen zum Leuenberger Lehrkonsens, in: LM 12 (1973),
   670ff.

Karrer, Otto. Die Eucharistie im Gespräch der Konfessionen,
   in: US 15 (1960), 229-250.

Käsemann, Ernst. Einheit und Vielfalt in der neutestamentlichen Lehre von der Kirche, in: ÖR 13 (1964), 58-63.

*Ders. Zur ekklesiologischen Verwendung der Stichworte
   "Sakrament" und "Zeichen", in: Wandernde Horizonte
   auf dem Weg zur kirchlichen Einheit, 119-136.

Kasper, Walter. Der ekklesiologische Charakter der nicht-
   kathol. Kirchen, in: TThQ 145 (1965), 42-62.

Ders. Die Funktion des Priesters in der Kirche, in: GuL 42
   (1969), 102-116.

Ders. Neue Akzente im dogmatischen Verständnis des priesterlichen Dienstes, in: Conc(D) 5 (1969), 164-170.

Ders. Skandal einer Trennung: Offene Kommunion als Zeichen
   der Hoffnung, in: Christen wollen das eine Abendmahl,
   40-50.

Ders. Das Amtsverständnis dispensiert nicht, in: A. Kirchgässner u. H. Bühler. Interkommunion in Diskussion und
   Praxis, 109f.

Ders. Zur Frage der Anerkennung der Ämter in den lutherischen Kirchen, in: TThQ 151 (1971), 97-109.

Ders. Konvergenz und Divergenz in der Amtsfrage, in: Conc(D)
   8 (1972), 297ff.

Ders. Ökumenischer Fortschritt im Amtsverständnis?, in: Amt
   im Widerstreit, 52-58.

Ders. Ökumenischer Konsens über das kirchliche Amt?, in: StZ
   191 (1973), 219-230.

Ders. Die Einheit der Kirche nach dem II. Vatikanischen Konzil, in: Cath(M) 33 (1979), 262-277.

Ders. Rückkehr zu den klassischen Fragen ökumenischer Theologie. Bericht über die Vollversammlung von "Glauben
   und Kirchenverfassung" in Lima, in: US 37 (1982), 9ff.

Katholisch-lutherischer Konsens über die Eucharistie, in:
   HerKorr 32 (1978), 592ff.

Katholizität und Apostolizität. Theologische Studien einer
   gemeinsamen Arbeitsgruppe zwischen der Römisch-Katholischen Kirche und dem Ökumenischen Rat der Kirchen.
   Hg. Reinhard Groscurth. KuD.B 2 (1971).

Katz, Hans. Vom Ökumenismusdekret zur Interkommunion: Zur
   Frage der Mitarbeit der Diaspora an den ökumenischen
   Aufgaben, in: Die evangelische Diaspora 43 (1973).
   Jahrbuch des Gustav-Adolf-Werkes, 22-35.

Kaufmann, Ludwig. Abendmahlsgemeinschaft getrennter Brüder?, in: Orien. 33 (1969), 255-260.

*Kaufmann, Otto K. Gemeinsame Eucharistiefeier, in: Inter-
kommunion - Hoffnungen zu bedenken, 51-63.

Kertelge, Karl. Abendmahlsgemeinschaft und Kirchengemeinschaft im NT und in der alten Kirche, in: Interkommunion - Konziliarität, 20-51.

Ders. Koinonia: "Gemeinschaft" in neutestamentlicher Sicht
und ihre ökumenische Relevanz, in: ÖR 27 (1978), 445-
458.

Kimme, August. Der Inhalt der Arnoldshainer Abendmahlsthesen. Luthertum Heft 23. Berlin 1960.

Das kirchenleitende Amt. Dokumente zum interkonfessionellen
Dialog über Bischofsamt und Papstamt. Hg. Günther Gaßmann u. Harding Meyer. ÖkDok Bd. V. Frankfurt a.M. 1980.

Kirchenunionen und Kirchengemeinschaft. Hg. Reinhard Groscurth. Frankfurt a.M. 1971.

Kirchgässner, Alfons. Kommunion und Interkommunion, in:
Diak. 4 (1969), 92-105.

Ders. Gastfreundschaft auf hoher Ebene: Zum Problem "Interkommunion" an der Basis, in: Christen wollen das eine
Abendmahl, 19-28.

Kirchgässner, Alfons u. Bühler, Horst. Interkommunion in
Diskussion und Praxis. Eine Dokumentation. Düsseldorf
1971.

Das kirchliche Amt als ökumenisches Problem, in: HerKorr 23
(1969), 168-171.

*Kirchliche Einheit oder Einheitskirche?, in: HerKorr 15
(1960/61), 461-465.

Kiss, Igor. Die Hindernisse und die Möglichkeiten der Interkommunion heute, in: CV 3 (1960), 270-278.

*Klein, Aloys. Von der Krise zur Anerkennung des kirchlichen
Amtes, in: Amt im Widerstreit, 103-109.

Klein, Aloys u. Schuh, Karlheinz. Abendmahl - Eucharistie -
Gemeinschaft: Lutheraner beschlossen eine "Handreichung",
in: KNA, Ökumenische Information Nr. 43/1975, 5-8.

Klein Laurentius. Nur bei voller Einheit?: Fragen zum Thema
Interkommunion, in: Gottesdienst 3 (1969), 9f.

*Knoch, Otto. Einheit am Tisch des Herrn: Spannung und Ge-
meinschaft zwischen Juden- und Heidenchristen in der
Kirche des Neuen Testaments. in: Interkommunion - eine
ökumenische Aufgabe?, 11-17.

*Koch Kurt. Wege zur ökumenischen Gemeinschaft, in: SKZ 149
(1981), 126-129; 158-161; 190-193.

König, Friedrich. Leuenberger Konkordie soll einen Lern-
prozeß einleiten, in: LM 12 (1973), 178.

Kötting, Bernhard. Zur Frage der "successio apostolica"
in frühkirchlicher Sicht, in: Cath(M) 27 (1973),
234-247.

Koinonia: Arbeiten des Ökumenischen Ausschusses der Vereinigten Evangelisch-Lutherischen Kirche Deutschlands
zur Frage der Kirchen- und Abendmahlsgemeinschaft.
Hg. vom Lutherischen Kirchenamt der Vereinigten Evangelisch-Lutherischen Kirche Deutschlands. Berlin 1957.

Konfession und Ökumene: Aspekte, Probleme, Aufgaben. Hg.
Helmut Ristow u. Helmut Burgert. Berlin 1965.

Konkordie und Kirchengemeinschaft reformatorischer Kirchen
im Europa der Gegenwart: Texte der Konferenz von Drie-
bergen/Niederlande (18. bis 24. Februar 1981). Hg.
André Birmelé. ÖkPer Nr. 10. Frankfurt a.M. 1982.

Konsens zwischen Altkahtoliken und katholischer Kirche, in:
HerKorr 29 (1975), 269ff.

Konstantinidis, Chrysostomos. Interkommunion aus der Sicht
der Orthodoxie, in: Eucharistie, Zeichen der Einheit,
86-98.

Kontroversen um die Interkommunion, in: HerKorr 23 (1969),
266-269.

Korstik, Wilhelm. Bedeutung und Stellung des Abendmahles in
den verschiedenen Kirchen. Ökumenische Centrale, Materialdienst Nr. 11, August 1977.

Krämer, Achim. Gegenwärtige Abendmahlsordnung in der evangelischen Kirche in Deutschland. Ius ecclesiasticum
Bd. XVI. München 1973.

Krahl, Wolfgang. Das Schisma zwischen Rom und Utrecht: Ein
historischer Überblick, in: US 22 (1967), 12f.

*Kretschmar, Georg. Probleme des orthodoxen Amtsverständ-
nisses, in: Das Amt im ökumenischen Kontext, 9-32.

Krüger, Friedhelm. Kriterium und Grade einer Anerkennung
kirchlicher Ämter, in: ÖR 23 (1974), 313-331.

*Kirche zwischen Gott und Welt. Vorträge in Uppsala 1968 in
Ergänzung des Uppsala-Berichtbandes. Hg. Hanfried Krüger. ÖR.B 9/10 (1969).

Krusche, Peter. Die Aktualität des Problems der Interkommunion im Kontext der geistigen und der gesellschaftlichen Entwicklung, in: Interkommunion - Konziliarität,
7-19.

Kühn, Ulrich. Wie können wir theologisch und praktisch zu
einer gegenseitigen Anerkennung der Ämter kommen?: Eine
lutherische Antwort, in: Conc(D) 8 (1972), 275-278.

Kühn, Ulrich. Das Abendmahl - Eucharistie der Gemeinde Jesu:
Zum ekklesiologischen Ansatz des Abendmahlsverständnisses. Gottfried Voigt zum 65. Geburtstag am 13. Juli
1979, in: KuD 25 (1979), 289-302.

*Ders. Auf dem Weg zum gemeinsamen Aussprechen des aposto-
lischen Glaubens heute, in: US 37 (1982), 96-102.

Ders. Das geistliche Amt in der Kirche: Zum gleichnamigen
Dokument der Gemeinsamen römisch-katholischen/evange-
lisch-lutherischen Kommission, in: US 37 (1982), 324-
330.

Ders. Rezeption als Erfordernis und Chance, in: M. Thurian
(Hg.). Ökumenische Perspektiven von Taufe, Eucharistie
und Amt, 179-189.

Künftige gemeinsame Aktivitäten zwischen der römisch-katholischen Kirche und dem Ökumenischen Rat der Kirchen,
in: Genf 1973, 52-60.

Küng, Hans. Die Kirche. Ökumenische Forschungen. Hg. ders.
u. Josef Ratzinger. I. Ekklesiologische Abteilung.
Bd. I. 2. Aufl. Freiburg-Basel-Wien 1968.

Ders. Kommentar zu der Pfingsteucharistie 1968, in: Die
Pfingsteucharistie 1968. Ökumenische Centrale, Materialdienst Nr. 5, Juli 1969, 11ff.

Ders. Mut zum ökumenischen Experiment, in: Conc(D) 5 (1969),
249f.

Ders. Stellungnahme, in: A. Kirchgässner u. H. Bühler. Interkommunion in Diskussion und Praxis, 90-94.

Künneth, Friedrich-Wilhelm. Abendmahlsgemeinschaft und Unterscheidung der Geister: Stellungnahme zur Instruktion
des Einheitssekretariats, in: KNA, Kritischer Ökumenischer Informationsdienst Nr. 31/1972, 6ff.

Küry, Urs. Die altkatholische Kirche: Ihre Geschichte, ihre
Lehre, ihr Anliegen. 2. Aufl. Hg. Christian von Oeyen.
Stuttgart 1978.

Lanne, Emmanuel. Das ordinierte Amt: Ökumenische Konvergenz,
in: M. Thurian (Hg.). Ökumenische Perspektiven von Taufe, Eucharistie und Amt, 138-146.

Lazareth, William H. Lima-Bericht des Sekretariates für
Glauben und Kirchenverfassung, in: US 37 (1982), 15-30.

Ders. 1987 - Lima und danach, in: M. Thurian (Hg.). Ökumenische Perspektiven von Taufe, Eucharistie und Amt, 201-
212.

Lazareth, William H. u. Nissiotis, Nikos. Vorwort, in: Taufe,
Eucharistie und Amt. Konvergenzerklärungen der Kommis-
sion für Glauben und Kirchenverfassung des Ökumenischen
Rates der Kirchen ("Lima-Dokument") 1982, 545-549.

Leeuwen, Peter von. Zwischenkirchliches Gespräch über Amt und Amtsanerkennung in den Niederlanden, in: Conc(D) 8 (1972), 310-313.

Legrand, Hervé-Marie. Das "unauslöschliche Merkmal" und die Theologie des Weiheamtes, a.a.O. 262-267.

Legrand, Hervé u. Vikström, John. Die Zulassung der Frau zum Amt, in: Gemeinsame römisch-katholische/evangelisch-lutherische Kommission. Das geistliche Amt in der Kirche, 102-126.

Lehmann, Karl. Ungelöste Fragen um das kirchliche Amt: Ein konkreter Vorschlag, in: KNA, Konzil-Kirche-Welt Nr. 16/1970, 5-8.

Ders. Abendmahlsgemeinschaft und die Wirklichkeit der einen Kirche: Die Wurzel der Trennung - die Chance ihrer Heilung, in: Christen wollen das eine Abendmahl, 59-71.

Ders. Dogmatische Vorüberlegungen zum Problem der Interkommunion, in: Evangelisch-katholische Abendmahlsgemeinschaft?, 77-141.

Ders. Zur Frage der ökumenischen Anerkennung der kirchlichen Ämter, in: Alexander Völker, Karl Lehmann u. Hans Dombois (Hg.). Ordination heute. Kirche zwischen Planen und Hoffen Heft 5. Kassel 1972, 54-77.

Ders. Ämteranerkennung und Ordinationsverständnis, in: Cath (M) 27 (1973), 248-262.

Ders. Streit um die ökumenische Anerkennung kirchlicher Ämter, in: Amt im Widerstreit, 151-156.

Ders. Nach dem Streit um das Ämtermemorandum: Kleine Antwort auf W. Pannenbergs Beitrag, in: Cath(M) 28 (1974), 157-160.

Ders. Wie kann die Einheit der Kirche erreicht werden?: Die nächsten Schritte auf dem Weg zur Einheit. Versuch einer römisch-katholischen Antwort, in: Accra 1974, 47-53.

*Ders. Die Gegenwart des Opfers Jesu Christi im Herrenmahl der Kirche: Zur Bedeutung eines neuen ökumenischen Dokumentes, in: KuD 29 (1983), 139-148.

Lengsfeld, Peter. Sind heute die traditionellen Konfessionsdifferenzen noch von Bedeutung?, in: US 26 (1971), 27-36.

Ders. Die Einheit der Kirche - Voraussetzungen und Forderungen, in: US 31 (1976), 48-52.

Lescrauwaet, Jos. Ist die Ordination ein Sakrament?: Eine katholische Antwort, in: Conc(D) 8 (1972), 258-261.

Die letzte Sitzung des holländischen Pastoralkonzils, in: HerKorr 24 (1970), 203ff.

Leuba, Jean-Louis. Aktuelle Aussichten der Interkommunion, in: Interkommunion - Hoffnungen zu bedenken, 27-42.

Leudesdorff, René. Ökumenische Treffen - ex?: Bischöfe contra Gläubige, in: LM 10 (1971), 553f.

*Lieberg, Hellmut. Character indelebilis, in: US 18 (1963), 263-273.

Lienhard, Marc. Lutherisch-reformierte Kirchengemeinschaft heute. ÖkPer Nr. 2. Frankfurt 1972.

Ders. Miteinander kommunizieren in gemischten Ehen, in: LM 12 (1973), 49.

Ders. Eucharistische Gastbereitschaft in Frankreich, in: Eucharistische Gastfreundschaft, 17-27.

Ders. Erwartung und Verpflichtung, in: US 35 (1980), 220-229.

Lingner, Olav. Das Mögliche ist erreicht: Leuenberg: Spannung bleibt, in: LM 12 (1973), 235f.

Littell, Franklin. Wie können wir theologisch und praktisch zu einer gegenseitigen Anerkennung der Ämter kommen?: Eine freikirchliche Antwort, in: Conc(D) 8 (1972), 286-290.

Löwen 1971: Studienberichte und Dokumente der Sitzung der Kommission für Glauben und Kirchenverfassung. Hg. Konrad Raiser. ÖR.B 18/19 (1971).

Loewenich, Walther von. Die Abendmahlskontroverse in der Reformation: Ein kritischer Bericht, in: Was hindert uns?, 91-103.

*Lohse, Bernhard. Zur Ordination in der Reformation, in: Ordination und kirchliches Amt, 11-18.

Lotz, Walter. Das Mahl der Gemeinschaft: Zur ökumenischen Praxis der Eucharistie. Kassel 1977.

Lotz, Walter u. Hinten, Karlheinz. Mit den Augen des andern: Ökumenische Ehe am Tisch des Herrn. Kassel-Essen 1971.

Lütticken, Johannes. Vor einem Durchbruch zur anglikanisch-katholischen Interkommunion?: Zur gemeinsamen Erklärung der Anglikanisch/Römisch-katholischen Kommission über die Eucharistielehre, in: US 27 (1972), 8ff.

Ders. Anglikanisch-katholischer Konsens über das Amt, in: US 28 (1973), 266f.

Ders. Anatomie eines ökumenischen Dialogs: Zum Abschlußbericht der anglikanisch-katholischen Kommission, in: HerKorr 37 (1982), 297-301.

Ders. Zum Abschlußbericht der anglikanisch-katholischen Kommission, in: US 38 (1983), 74-80.

*Lyttkens, Carl-Henryk. Die Frage der Abendmahlsgemein-
   schaft in den nordischen Kirchen, in: Vilmos Vajta
   (Hg.). Kirche und Abendmahl. Studien und Dokumente
   zur Frage der Abendmahlsgemeinschaft im Luthertum.
   Berlin-Hamburg 1963, 109-132.

Macquarrie, John. Anglikanisch-methodistisches Gespräch
   über die Vereinigung der Ämter, in: Conc(D) 8 (1972),
   308ff.

Madey, Johannes. Sakramentengemeinschaft von Orthodoxen und
   Katholiken: Zum Problem der vollen "Communicatio in
   sacris", in: Kyrios 10 (1970), 245-251.

Ders. Die apostolische Sukzession in der Sicht der Orthodoxie, in: Amt im Widerstreit, 46-51.

Ders. Koinonia: Bemerkungen zur Frage der christlichen Einheit in ostkirchlicher Sicht, in: Cath(M) 27 (1973),
   166-181.

Mai, Georg. Bedeutsamer Schritt: Zum Schlußdokument der internationalen anglikanisch-katholischen Dialogkommission, in: Publik-Forum Nr. 9/1982, 24f.

"Malta-Papier" kein authentisches Dokument: Eucharistie und
   Amt nicht voneinander zu trennen, in: KNA, Kritischer
   Ökumenischer Informationsdienst Nr. 14/1972, 12f.

*Manecke, Dieter. Ketzerisches zur Interkommunion, in:
   aktion kirchenreform. informationsdienst November/
   Dezember 1969 - akid Nr. 4, 23.

Manns, Peter. Theologische und ökumenische Randbemerkungen:
   Stellungnahme zur Instruktion des Einheitssekretariats,
   in: KNA, Kritischer Ökumenischer Informationsdienst Nr.
   31/1972, 4ff.

Martensen, Daniel F. Zum Konsensus gefordert: Eine erste
   Analyse lutherischer und anderer Stellungnahmen zu den
   Erklärungen der ÖRK-Kommission für Glauben und Kirchen-
   verfassung über Taufe, Eucharistie und Amt. LWB-Report
   Nr. 8. Genf 1980.

Martensen, Hans L. Ubiquitätslehre, in: LThK Bd. X(1965),
   442f.

Marquet, Claudette. Pfingsten 1968: Interkommunion in Paris.
   Monatlicher Informationsbrief über Evangelisation Nr.
   5/6, Mai/Juni 1970. DWME 70/22.

Mauder, Albert. Communicatio in sacris: Überlegungen zu den
   Problemen gemeinsamer Gottesdienste getrennter Kirchen,
   in: ÖR 27 (1978), 173-185.

May, Georg. Katholische und evangelische Richtlinien zur
   communicatio in sacris, in: ÖAKR 16 (1965), 309-349.

876

McAdoo, Henry R. Amt und Eucharistie im Anglikanismus, in: Amt und Ordination in ökumenischer Sicht. Der priesterliche Dienst V. Hg. Herbert Vorgrimler. QD Bd. L. Freiburg-Basel-Wien 1973, 165-195.

McKenzie, John. Amtsstrukturen im Neuen Testament, in: Conc(D) 8 (1972), 239-245.

McSorley, Harry. Anerkennung einer presbyteralen Sukzession?, a.a.O. 245-250.

Meinhold, Peter. "Was uns eint - was uns trennt": Verantwortbare Unterschiede zwischen den getrennten Kirchen, in: KNA, Konzil-Kirche-Welt Nr. 11/1970, 5-8.

Ders. Interkommunion - schon jetzt?, in: Interkommunion - eine ökumenische Aufgabe?, 76-83.

Ders. "Communio sanctorum": Beitrag zu einer "Theologie der Interkommunion", in: KNA, Kritischer Ökumenischer Informationsdienst Nr. 32/1972, 5ff.; Nr. 33/1972, 5ff.; Nr. 34/1972, 5-8.

Meinhold, Peter u. Iserloh, Erwin. Abendmahl und Opfer. Stuttgart 1960.

Meister, Johannes. Grundlinien der Kirchen- und Abendmahlsgemeinschaft in der evangelischen Christenheit Deutschlands, in: V. Vajta (Hg.). Kirche und Abendmahl, 13-48.

Ders. Die Frage der Abendmahlsgemeinschaft seit den Arnoldshainer Thesen, in: LM 3 (1964), 308-312.

Meuser, Fred W. Das Problem der Kanzel- und Abendmahlsgemeinschaft unter Lutheranern in Amerika, in: V. Vajta (Hg.). Kirche und Abendmahl, 207-227.

Meyendorff, John. Zum Eucharistieverständnis der orthodoxen Kirchen, in: Conc(D) 3 (1967), 291-294.

Meyer, Harding. Interkommunion heute, in: ÖR 18 (1969), 495-500.

Ders. Das Evangelium und unsere Einheit, in: LR 22 (1972), 317-329.

Ders. Zwischenkirchliche Gespräche über Amt und Amtsanerkennung: Katholisch-lutherische Gespräche, in: Conc(D) 8 (1972), 300ff.

Ders. Luthertum und Katholizismus im Gespräch: Ergebnisse und Stand der katholisch/lutherischen Dialoge in den USA und auf Weltebene. ÖkPer Nr. 3. Frankfurt a.M. 1973.

Ders. Die bilateralen Gespräche und ihre Zukunft, in: LR 25 (1975), 236-248.

Ders. Mischehen und eucharistische Gemeinschaft, a.a.O. 134-144.

*Ders. Die Eucharistie als Gemeinschaftsmahl, in: Gemeinsame römisch-katholische/evangelisch-lutherische Kommission. Das Herrenmahl, 105-108.

*Meyer, Harding. Eucharistie - Wort - Verkündigung, in:
    Gemeinsame römisch-katholische/evangelisch-lutheri-
    sche Kommission. Das Herrenmahl, 90ff.

Ders. Amt und Ordination: Grundkonsens und legitime Ver-
    schiedenheit, in: H. Fries (Hg.). Das Ringen um die
    Einheit der Christen, 89-106.

Ders. Größere Weite - wachsende Tiefe - klareres Ziel,
    a.a.O. 42-53.

Ders. Pastorale Probleme zwischen den Konfessionen: Kon-
    fessionsverschiedene Ehen und Abendmahlsgemeinschaft,
    a.a.O. 134-146.

Ders. "Rezeption" - vom Konsens zur Gemeinschaft, a.a.O.
    169-175.

Meyer, Harding u. Pfnür, Vinzenz. Die Gegenwart Christi in
    der Eucharistie, in: Gemeinsame römisch-katholische/
    evangelisch-lutherische Kommission. Das Herrenmahl,
    85-90.

Moede, Gerald F. Amt und Ordination in der ökumenischen
    Diskussion, in: Amt und Ordination in ökumenischer
    Sicht, 9-71.

Mödlhammer, Johann W. Amtsfrage und Eucharistieverständnis:
    Eine Überlegung zum theologischen Standort des katho-
    lisch-evangelischen Gespräches, in: Cath(M) 28 (1974),
    135-139.

Moltmann, Jürgen. Welche Einheit?: Der Dialog zwischen den
    Traditionen des Ostens und des Westens. FO/77:5. Mai
    1977.

Montefiore, Hugh. Kommentar zur Erklärung des ökumenischen
    Ausschusses der Vereinigten Evangelisch-lutherischen
    Kirche Deutschlands zur Frage der Apostolischen Sukzes-
    sion vom 26. November 1957, in: ÖR 7 (1958), 140-143.

*Mortimer, Robert. Das Bischofsamt und die Apostolizität
    der Kirche, in: LR 15 (1965), 292-297.

Motel, Hans-Beat. Die "Offene Kommunion" aus freikirchlicher
    Sicht: Kommentar zu den pastoralen Richtlinien zur
    offenen Kommunion, in: KNA, Kritischer Ökumenischer
    Informationsdienst Nr. 32/1972, 8f.

Mudge, Lewis S. Konvergenz über die Taufe, in: M. Thurian
    (Hg.). Ökumenische Perspektiven von Taufe, Eucharistie
    und Amt, 30-42.

Mühlen, Heribert. Die Bedeutung der Differenz zwischen Zen-
    traldogmen und Randdogmen für den ökumenischen Dialog,
    in: Freiheit in der Begegnung, 191-227.

Ders. Das mögliche Zentrum der Amtsfrage: Überlegungen zu
    vier ökumenischen Dokumenten, in: Cath(M) 27 (1973),
    329-358.

Mühlen, Heribert. Wohin würde eine gegenseitige Anerkennung führen?, in: Amt im Widerstreit, 91-102.

Mühlsteiger, J. Sanctorum communio, in: ZKTh 92 (1970), 113-132.

Müller, Alois. Amt als Kriterium der Kirchlichkeit? Kirchlichkeit als Kriterium des Amtes?, in: Theologische Berichte 9, 97-128.

Ders. Ökumene des Abendmahls?: Anfragen eines Katholiken, in: Ref. 28 (1979), 601-607.

Müller, Hans M. Der Lehrbegriff der Leuenberger Konkordie und die Frage der Kirchengemeinschaft, in: KuD 25 (1979), 2-16.

Müller, Rolf. Der Schwabinger Arbeitskreis "Ökumenische Ehe": Ein Modell aus der Praxis der Interkommunion, in: Interkommunion - Konziliarität, 106-110.

Mumm, Reinhard. Warum keine Abendmahlsgemeinschaft?, in: LM 8 (1969), 592-595.

Ders. Was trennt uns denn noch?: Unwägbarkeiten im evangelisch-katholischen Dialog, in: LM 9 (1970), 339ff.

Ders. Neue ökumenische Dokumente über die Zusammenhänge von Eucharistie und Amt, in: Eucharistische Gastfreundschaft, 9-16.

*Neue Verlautbarungen zur Interkommunion, in: HerKorr 27 (1973), 607f.

Neuner, Peter. Neue Aspekte zur Abendmahlsgemeinschaft: Die theologische Bedeutung der begrenzten Gottesdienstgemeinschaft mit den Altkatholiken, in: StZ 192 (1974), 169-180.

Ders. Stufen auf dem Weg zur kirchlichen Einheit, in: Auf Wegen der Versöhnung, 261-282.

Ders. Konvergenzen im Verständnis des geistlichen Amtes - Möglichkeiten der Rezeption: Eine katholische Überlegung zum Amts-Papier der Konvergenzerklärungen der Kommission für Glauben und Kirchenverfassung des Ökumenischen Rates der Kirchen, in: US 38 (1983), 198-206.

Newbigin, Lesslie. Die Einheit der Kirche nach dem Neuen Testament, in: ÖR 10 (1961), 89-101.

Niemeier, Gottfried (Hg.). Lehrgespräch über das heilige Abendmahl: Stimmen und Studien zu den Arnoldshainer Thesen der Kommission für das Abendmahlsgespräch der EKD. München 1961.

Ders. (Hg.). Zur Lehre vom Heiligen Abendmahl: Bericht über das Abendmahlsgespräch der Evangelischen Kirche in Deutschland 1947-1962 und Erläuterungen seiner Ergebnisse. München 1964.

Nikolaou, Th. Der heikelste Nagel des Kreuzes: Eine orthodoxe Stellungnahme zur Interkommunion, in: KNA, Ökumenische Information Nr. 44/1975, 5-9.

Nissiotis, Nikos. Die Theologie der Ostkirche im ökumenischen Dialog: Kirche und Welt in orthodoxer Sicht.
Stuttgart 1968.

Noth, Gottfried. Die ökumenische Einheit als Gabe und Aufgabe an die Kirche, in: LM 4 (1965), 2-7.

Novak, Michael. Freiheit und Vielfalt der Formen, in: Conc
(D) 1 (1965), 41-46.

*Ökumene in der Schweiz: Orientierungshilfe für die ökumeni-
sche Arbeit in den Gemeinden. Hg. Gesprächskommission
des Schweizerischen Evangelischen Kirchenbundes und der
Römisch-katholischen Bischofskonferenz der Schweiz u.
Gesprächskommission der Christkatholischen Kirche der
Schweiz und der Römisch-katholischen Bischofskonferenz
der Schweiz. Einsiedeln 1982.

Die ökumenische Bewegung 1948-1961. Hg. Ernst Kinder. Kir-
chengeschichtliche Quellenhefte. Hg. Prof. Stupperich,
Heft 12/13. Gladbeck 1963.

Ökumenische Bewegung 1973-1974. Hg. Hanfried Krüger. ÖR.B.
29 (1973/74).

Ökumenische Dokumente: Quellenstücke über die kirchliche
Einheit. Hg. Hans-Ludwig Althaus. Göttingen 1962.

Ökumenische Gespräche über Amt und Eucharistie, in: HerKorr
25 (1971), 165ff.

*Der ökumenische Gottesdienst: Grundsätze und Modelle. Hg.
vom Vorstand des Schweizerischen Evangelischen Kirchenbundes, von der Konferenz der Römisch-Katholischen Bischöfe der Schweiz u. vom Bischof und Synodalrat der
Christkatholischen Kirche der Schweiz. Zürich-Einsie-
deln-Köln 1979.

Der ökumenische Rat sucht den Konsens: Vollversammlung des
ÖRK 1977 in Genf, in: HerKorr 31 (1977), 437ff.

Ökumenischer Auftrag in unseren Verhältnissen. Synode 72.
Diözese Basel. Solothurn 1975.

Ordination und kirchliches Amt: Veröffentlichung des Ökume-
nischen Arbeitskreises evangelischer und katholischer
Theologen. Gewidmet Lorenz Kardinal Jaeger und Wilhelm
Stählin. Hg. Reinhard Mumm. Paderborn 1976.

Ortskirche - Weltkirche. Festausgabe für Julius Kardinal
Döpfner. Hg. Heinz Fleckenstein u. a. Würzburg 1973.

Ott, Heinrich. Kirchliches Amt und Ordination aus der Sicht
eines reformierten Theologen, in: Amt und Ordination in
ökumenischer Sicht, 152-164.

Ott, Ludwig. Das Weihesakrament, in: HDG Bd. IV/5 (1969),
     112-127.

*Outler, Albert. Wie können wir theologisch und praktisch
     zu einer gegenseitigen Anerkennung der Ämter kommen?:
     Eine methodistische Antwort, in: Conc(D) 8 (1972),
     278-283.

Pannenberg, Wolfhart. Das Abendmahl - Sakrament der Einheit,
     in: Christen wollen das eine Abendmahl, 29-39.

Ders. Die Problematik der Abendmahlslehre aus evangelischer
     Sicht, in: Evangelisch-katholische Abendmahlsgemein-
     schaft?, 9-45.

Ders. Ökumenische Einigung über die gegenseitge Anerkennung
     der kirchlichen Ämter?: Zu den Intentionen des Memo-
     randums der ökumenischen Universitätsinstitute, in:
     Cath(M) 28 (1974), 140-156.

*Ders. Die Antwort der Kirchen auf die Herausforderungen der
     Zeit: Überwindung der Spaltungen, in: H. Fries (Hg.).
     Das Ringen um die Einheit der Christen, 161-168.

Ders. Differenzen und ihre Folgen, a.a.O. 121-133.

Ders. Entwicklung und (Zwischen-) Ergebnisse der ökumeni-
     schen Bewegung seit ihren Anfängen, a.a.O. 14-30.

Ders. Sakramente und kirchliches Amt, a.a.O. 73-88.

Ders. Herausforderung der Amtstheologie: Die Lima-Texte und
     die Diskussion um das Amt, in: LM 22 (1983), 408-413.

*Ders. Der Schlußbericht der anglikanisch-römisch-katholi-
     schen Internationalen Kommission und seine Beurteilung
     durch die römische Glaubenskongregation, in: KuD 29
     (1983), 166-173.

*Papandreou, Damaskinos. Eucharistie und Amt in der Kirche.
     Köln 1976.

*Ders. Die bilateralen Dialoge der Orthodoxen Kirche: Über-
     legungen und Perspektiven, in: KuD 29 (1983), 100-114.

*Perels, Otto. Abendmahlsgemeinschaft, in: LM 8 (1969), 67ff.

Pesch, Otto H. Einheit der Kirche - Einheit der Menschheit:
     Eine theologische Besinnung. Albert Brandenburg zum
     70. Geburtstag, in: Einheit der Kirche - Einheit der
     Menschheit, 15-49.

Ders. Ein Stück Rezeption, in: US 35 (1980), 200ff.

Pesch, Rudolf. Wie Jesus das Abendmahl hielt: Der Grund der
     Eucharistie. 2. Aufl. Freiburg-Basel-Wien 1977.

Peters, Albrecht. Realpräsenz: Luthers Zeugnis von Christi
     Gegenwart im Abendmahl. Berlin 1960.

Ders. Zum Schlußbericht der Arnoldshainer Abendmahlskommis-
     sion, in: LM 1 (1962), 202-209.

Petri, Heinrich. Interkommunion bleibt Ausnahme: Anmerkungen zur Nota des Einheitssekretariats, in: KNA, Kritischer Ökumenischer Informationsdienst Nr. 47/ 1973, 9f.

Ders. Können Konsensfeststellungen die Kirchenspaltung überwinden?, in: Amt im Widerstreit, 122-128.

Die Pfingsteucharistie 1968. Ökumenische Centrale, Materialdienst Nr. 15, Juli 1969.

Pfnür, Vinzenz. Das Problem des Amtes in heutiger lutherisch/katholischer Begegnung, in: Cath(M) 28 (1974), 114-134.

Ders. Kirche und Amt: Neuere Literatur zur ökumenischen Diskussion um die Amtsfrage. Cath(M).B 1 (1975).

Ders. Eucharistie - Mahl der Sünder?, in: Gemeinsame römisch-katholische/evangelisch-lutherische Kommission. Das Herrenmahl, 109-114.

Ders. Die Messe als Sühnopfer für Lebende und Verstorbene ex opere operato, a.a.O. 101-105.

Ders. Die Wirksamkeit der Sakramente sola fide und ex opere operato, a.a.O. 93-100.

Pfürtner, Stephan. Wie weit reicht der Konsens in der Rechtfertigungslehre?, in: Orien. 45 (1981), 95-98.

Plathow, Michael. Verbindliches Lehren und einender Konsens: Die Frage nach der Kanonizität des biblischen Kanons und nach der evangelischen Lehrgewalt, in: US 37 (1982), 117-132.

Prenter, Regin. Haushalter über Gottes Geheimnisse: Kirchliches Amt und Ordination in lutherischer Sicht, in: Amt und Ordination in ökumenischer Sicht, 114-151.

*Probleme der Interkommunion: Ein KNA-Interview mit Prof. Dr.Dr. Eduard Stakemeier, in: KNA, Konzil-Kirche-Welt Nr. 20/21/1969, 5-10.

Pruisken, Johannes. Interkommunion im Prozeß: Abendmahlsgemeinschaft als Zeichen und Mittel kirchlicher Einigung. Koinonia: Beiträge zur ökumenischen Theologie und Praxis. Hg. Peter Lengsfeld, Bd. XIII. Essen 1974.

Quanbeck, Warren A. Die Beziehungen zwischen Katholizismus und Luthertum, in: Vilmos Vajta (Hg.). Evangelium und Einheit: Bilanz und Perspektiven der ökumenischen Bemühungen. Göttingen 1971, 129-141.

Rademacher, Max. Orthodoxie und Interkommunion, in: Interkommunion - eine ökumenische Aufgabe?, 65-75.

Rahner, Karl. Die Gegenwart Christi im Sakrament des Herrenmahls nach dem kathol. Bekenntnis im Gegenüber zum evangel.luther. Bekenntnis, in: Cath(M) 12 (1958), 105-128.

Rahner, Karl. Die eine Kirche und die vielen Kirchen, in: Orien. 32 (1968), 155-159.

Ders. Der theologische Ansatzpunkt für die Bestimmung des Wesens des Amtspriestertums, in: Conc(D) 5 (1969), 194-197.

Ders. Vom Sinn und Auftrag des kirchlichen Amtes, in: Amt im Widerstreit, 142-145.

Ders. Vorfragen zu einem ökumenischen Amtsverständnis. QD Bd. LXV. Freiburg-Basel-Wien 1974.

Ders. Einheit der Kirche - Einheit der Menschheit, in: Einheit der Kirche - Einheit der Menschheit, 50-76.

Ders. Scheinprobleme in der ökumenischen Diskussion, in: ders. Schriften zur Theologie Bd. XIII. Zürich-Ein-siedeln-Köln 1978, 48-68.

Ders. Kleine Randbemerkungen zur Frage des Amtsverständnis-ses, in: Auf Wegen der Versöhnung, 213-219.

Ders. Was können die Kirchenleitungen tun?: Um konkrete Schritte in der Ökumene, in: Orien. 46 (1982), 42f.

Ders. Was kann realistischerweise Ziel der ökumenischen Be-mühungen um die Einheit im Glauben sein?, in: H. Fries (Hg.). Das Ringen um die Einheit der Christen, 176-192.

Rahner, Karl u. Vorgrimler, Herbert. Kleines Konzilskompen-dium: Sämtliche Texte des Zweiten Vatikanums mit Ein-führungen und ausführlichem Sachregister. 11. Aufl. Freiburg-Basel-Wien 1976.

Raiser, Konrad. Über Lehrkonsens zur Einheit?: "Glauben und Kirchenverfassung" an einem Wendepunkt. Ökumene in der Krise?, in: LM 9 (1970), 537f.

Ders. Die Identität der Kirche in ökumenischer Sicht, in: LR 26 (1976), 50-55.

Ders. Mehr als Zusammenarbeit?: Aspekte der Gemeinsamen Ar-beitsgruppe zwischen der römisch-katholischen Kirche und dem Ökumenischen Rat der Kirchen 1972-1982, in: ÖR 32 (1983), 269-291.

Raske, Michael. Offene Kommunion - Christen feiern gemeinsam das Mahl des Herrn, in: Fragen der Kirche heute, 65-72.

Ratzinger, Josef. Ist die Eucharistie ein Opfer?, in: Conc(D) 3 (1967), 299-304.

Ders. Das Problem der Transsubstantiation und die Frage nach dem Sinn der Eucharistie. Gottlieb Söhngen zum 75. Ge-burtstag (21. Mai 1967), in: TThQ 147 (1967), 129-158.

Ders. Das neue Volk Gottes. Düsseldorf 1972.

Ders. Bemerkungen zur Frage der apostolischen Sukzession, in: Amt im Widerstreit, 37-45.

Rauch, Albert. Koinonia - zur Frage der Interkommunion.
IV. Regensburger ökumenisches Symposion 17.-24.7.1972,
in: US 28 (1973), 2-6.

Reform und Anerkennung kirchlicher Ämter: Ein Memorandum
der Arbeitsgemeinschaft ökumenischer Universitätsinstitute. München 1973.

Regli, Sigisbert. Weitgehend eins in der Lehre vom Herrenmahl, in: SKZ 147 (1979), 547ff.

*Ders. Standortbestimmung in der reformiert-katholischen
Ökumene, a.a.O. 478-483.

Ders. Ökumenische Konsenserklärungen mit römisch-katholischer Beteiligung über Taufe, Eucharistie und Amt: Ergebnisse, in: Theologische Berichte 9, 129-171.

Reissner, Hanswerner. Interkommunion - Weg oder Ziel? Leu-
tesdorf 1969.

Riedlinger, Helmut. Die Eucharistie in der Ekklesiologie
des zweiten vatikanischen Konzils, in: Eucharistie,
Zeichen der Einheit, 75-85.

Roloff, Jürgen. Die ökumenische Diskussion um das Amt im
Licht des Neuen Testamentes, in: Das Amt im ökumenischen Kontext, 139-164.

Roux, Hébert. Zwischenkirchliche Gespräche in Frankreich:
"Les Dombes", in: Conc(D) 8 (1972), 305-308.

Ruh, Ulrich. Gemeinsames Sprechen über Taufe, Eucharistie
und Amt: Zu den "Konvergenzerklärungen" der Kommission
für Glauben und Kirchenverfassung, in: HerKorr 36
(1982), 376-379.

Ders. Glaubenskongregation: Vorbehalte zum anglikanisch-katholischen Schlußbericht, a.a.O. 214f.

Ders. Ökumenische Richtpunkte, a.a.O. 209ff.

*Ders. Amtsdiskussion: Klarstellung der Glaubenskongregation,
in: HerKorr 37 (1983), 440ff.

Ruhbach, Gerhard. Das ordinierte Amt in ökumenischer Perspektive, in: ÖR 25 (1976), 349-370.

Ryan, Herbert. Zwischenkirchliche Gespräche über Amt und
Amtsanerkennung: Anglikanisch-katholische Gespräche, in:
Conc(D) 8 (1972), 302-305.

Saier, Oskar. "Communio" in der Lehre des 2. vatikanischen
Konzils: Eine rechtsbegriffliche Untersuchung. München
1973.

Sala, G.B. Transsubstantiation und Transsignifikation, in:
ZKTh 92 (1970), 1-34.

Salachas, Dimitri. Der theologische Dialog zwischen der römisch-katholischen und der orthodoxen Kirche: "Das Mysterium der Kirche und der Eucharistie im Lichte des Geheimnisses der Heiligen Dreifaltigkeit", in: Cath(M) 37 (1983), 140-161.

*Sanders, Wilm. Ökumenische Gottesdienste: Gedanken aus zwölf Jahren Praxis, in: ÖR 27 (1978), 186-202.

Sartory, Thomas. Eucharistisches Gedankengut bei unseren getrennten Brüdern, in: US 15 (1960), 251-265.

Ders. (Hg.). Die Eucharistie im Verständnis der Konfessionen. Recklinghausen 1961.

Ders. Eucharistie - rettendes Gericht für die getrennte Christenheit, a.a.O. 421-433.

Schauf, Heribert. Communicatio in sacris, in: LThK Bd. V (1969), 24ff.

Scheele, A. Sind wir ökumenisch fehlprogrammiert?, in: HerKorr 27 (1973), 319ff.

Scheele, Paul-Werner. Hilfe aus Dombes?, in: Amt im Widerstreit, 77-83.

Ders. Konfession und Ökumene, in: Cath(M) 27 (1973), 135-151.

Ders. Eucharistie und Glaubensgemeinschaft: Anmerkungen zu dem Votum der Studiengruppe Interkommunion des Deutschen Ökumenischen Studienausschusses (DÖSTA), in: Interkommunion - Konziliarität, 122-127.

Ders. "Zeichen der Hoffnung". Weihbischof Paul-Werner Scheele über das Dokument "Das Herrenmahl", in: KNA, Dokumentation Nr. 16/1979, 1-5.

Ders. Amt und Ämter in katholischer Sicht, in: Das Amt im ökumenischen Kontext, 33-49.

Scheffczyk, Leo. Dogmatische Erwägungen zur Frage der Grenzen der "Offenen Kommunion", in: Cath(M) 26 (1972), 126-145.

Ders. Das Amt als Christusrepräsentation: Das kirchliche Amt im Verständnis der katholischen Theologie, in: KNA, Kritischer Ökumenischer Informationsdienst Nr. 22/1973, 5-8.

Ders. Eucharistische Gastfreundschaft?: Fragen zum Straßburger Dokument über "Die eucharistische Gastfreundschaft für die konfessionsverschiedenen Ehen", in: MthZ 24 (1973), 255-266.

Ders. Die Heilszeichen von Brot und Wein: Eucharistie als Mitte christlichen Lebens. München 1973.

Ders. Das kirchliche Amt im Verständnis der katholischen Theologie, in: Amt im Widerstreit, 17-25.

885

Scheffczyk, Leo. Perspektiven und Brennpunkte der eucharistischen Lehrentwicklung, in: Was hindert uns?, 57-78.

Schillebeeckx, Edward. Die eucharistische Gegenwart: Zur Diskussion über die Realpräsenz. Düsseldorf 1967.

Ders. Das kirchliche Amt. Düsseldorf 1981.

Schlier, Heinrich. Neutestamentliche Grundelemente des Priesteramtes, in: Cath(M) 27 (1973), 209-233.

Ders. Über das Prinzip der kirchlichen Einheit im Neuen Testament, a.a.O. 91-110.

Schlink, Edmund. Die apostolische Sukzession, in: KuD 7 (1961), 79-114.

Ders. Einheit und Mannigfaltigkeit der Kirche, in: Christliche Einheit. Hg. Reinhard Groscurth. SÖR Nr. 7. Genf 1969, 34-54.

Ders. Das Problem der Abendmahlsgemeinschaft zwischen der evangelisch-lutherischen und der römisch-katholischen Kirche, in: Evangelisch-katholische Abendmahlsgemeinschaft?, 143-187.

Ders. Die "Hierarchie der Wahrheiten" und die Einigung der Kirchen, in: Jahrbuch 1972/73 des Ecumenical institute for advanced theological studies, 27-42.

Schmid, Rudolf u. Vogelsanger, Peter. Eingabe: Im Auftrag der 6. Ökumenischen Akademikertagung gerichtet an den Vorstand des Schweizerischen Evangelischen Kirchenbundes und an die Schweizerische römisch-katholische Bischofskonferenz, in: Interkommunion - Hoffnungen zu bedenken, 74ff.

*Schmidt, Kurt D. Die Frage der Interkommunion, in: Koinonia, 128-137.

Schmidt-Clausen, Kurt. Die Rezeption ökumenischer Konsenstexte durch die Kirchen: Erwägungen zu künftigen Aufgaben der ökumenischen Bewegung, in: ÖR 27 (1978), 1-13.

Schmidt-Lauber, Hans-Christoph. Das Herrenmahl: Zum evangelisch-lutherisch/römisch-katholischen Dialog auf Weltebene. D. Gerhard Gülzow zum 75. Geburtstag, in: KuD 26 (1980), 70-87.

Schneider, Theodor. Wandlungen im Kirchen- und Abendmahlsverständnis des 19. und 20. Jahrhunderts, in: Interkommunion - Konziliarität, 52-77.

Ders. Opfer Jesu Christi und der Kirche: Zum Verständnis der Aussagen des Konzils von Trient, in: Cath(M) 31 (1977), 51-65.

Schnell, Hugo. Vor der Bewährungsprobe, in: LM 12 (1973), 230.

Schoonenberg, Piet. Inwieweit ist die Lehre von der Transsubstantiation historisch bestimmt?, in: Conc(D) 3
(1967), 305-311.

Schritte zur Interkommunion mit der anglikanischen Kirche,
in: ThG 16 (1973), 19-27.

Schütte, Heinz. Die katholische Kirche der Gegenwart: Was
trennt noch von evangelischen Kirchengemeinschaften?,
in: KNA, Konzil-Kirche-Welt Nr. 12/13/1970, 5ff.

Ders. "Interkommunion" - Eine kontroverstheologische Frage,
in: Interkommunion - eine ökumenische Aufgabe?, 40-49.

*Ders. Zu Unterschieden im Amtsverständnis evangelischer
Theologen, in: Cath(M) 27 (1973), 381-385.

Ders. Amt, Ordination und Sukzession im Verständnis evange-
lischer und katholischer Exegeten und Dogmatiker der
Gegenwart sowie in Dokumenten ökumenischer Gespräche.
Düsseldorf 1974.

Ders. Sakramente und Kirche: Das Herrenmahl im ökumenischen
Dialog, in: KNA, Ökumenische Information Nr. 27/1979,
5-10; Nr. 28/1979, 5-9.

Ders. Das Herrenmahldokument: Ein Schritt zur sichtbaren
Einheit in einem Glauben und in einer eucharistischen
Gemeinschaft, in: Was hindert uns?, 105-124.

Schütz, Eduard. Die Freikirchen vor der ökumenischen Diskussion um das kirchliche Amt, in: US 37 (1982), 133-
141.

Schuh, Karlheinz. Das Problem "Interkommunion", in: Interkommunion - eine ökumenische Aufgabe?, 3-7.

Ders. Problem "Kanzel- und Abendmahlsgemeinschaft": Die Interkommunion beinhaltet keine juridischen Fragen, in:
KNA, Kritischer Ökumenischer Informationsdienst Nr. 9/
1971, 6ff.

Ders. Leuenberg und Straßburg: Anfrage an das reformatori-
sche Abendmahlsverständnis, in: KNA, Kritischer Ökumenischer Informationsdienst Nr. 25/1973, 5ff.

Schultze, Bernhard. Das Problem der communicatio in sacris,
in: ThGl 51 (1961), 437-446.

Schulz, Frieder. Dokumentation der Ordinationsliturgien, in:
Gemeinsame römisch-katholische/evangelisch-lutherische
Kommission. Das geistliche Amt in der Kirche, 57-101.

Schulz, Hans-Joachim. Ökumenische Glaubenseinheit aus eucharistischer Überlieferung. Paderborn 1976.

Schweiz: Bericht des Bischofs zur Synode 1972, in: U. Küry.
Die altkatholische Kirche, 465.

Seibel, Wolfgang. Aufgaben der ökumenischen Arbeit, in: StZ
191 (1973), 217f.

Semmelroth, Otto. Das priesterliche Gottesvolk und seine amtlichen Führer, in: Conc(D) 4 (1968), 41-47.

Shepherd, Massey. Wie können wir theologisch und praktisch zu einer gegenseitigen Anerkennung der Ämter kommen?, in: Conc(D) 8 (1972), 283-286.

Slenczka, Reinhard. Abendmahlspraxis - Abendmahlslehre - Abendmahlsgemeinschaft, in: ÖR 21 (1972), 186-201.

*Ders. Kirchengemeinschaft und theologischer Konsens: Eine Thesenreihe, in: KuD 29 (1983), 174-179.

Sommerlath, Ernst. Die Problematik der Abendmahlsgemeinschaft in der Ökumene, in: Konfession und Ökumene, 242-253.

Ders. Die Abendmahlsgemeinschaft in der Ökumene, in: LM 5 (1966), 499-506.

Suttner, Ernst Chr. Interkommunion, eine Lösung des Uniertenproblems?, in: Eucharistie, Zeichen der Einheit, 113-124.

Das Synodendokument über das priesterliche Amt, in: HerKorr 25 (1971), 584-591.

Stakemeier, Eduard. Theologische Realitäten: Zur ökumenischen Frage der Abendmahlsgemeinschaft, in: SKZ 136 (1968), 149-152.

Ders. Interkommunion als ökumenisches Problem, in: LebZeug 1 (1970), 64-84.

Ders. Zur Frage der Abendmahlsgemeinschaft, in: SKZ 138 (1970), 97-101.

Ders. Theologische Realitäten: Zur ökumenischen Frage der Abendmahlsgemeinschaft, in: Interkommunion - eine ökumenische Aufgabe?, 26-39.

Stähelin, Walter. Der offizielle Dialog zwischen der Christkatholischen und der Römisch-katholischen Kirche der Schweiz, in: IKZ 27 (1982), 103-106.

Stalder, Kurt. Möglichkeiten der Abendmahlsgemeinschaft?: Zur Diskussion der Interkommunion, in: Altkatholisches Jahrbuch 69. Hg. Oberbehörde der Altkatholischen Kirche Österreichs. Wien 1970. 67f.

Ders. Schon genügend geprüft?: Fragen zur Interkommunion aus der Sicht eines Altkatholiken, in: Gottesdienst 3 (1969), 21f.

Stangl, Josef. Die heilige Eucharistie - Sakrament der Einheit, in: Th. Sartory (Hg.). Die Eucharistie im Verständnis der Konfessionen, 433-442.

Stanley, David. Ökumenisch bedeutsame Aspekte der neutestamentlichen Lehre von der Eucharistie, in: Conc(D) 3 (1967), 287-290.

Steck, Karl G. Was trennt uns von der römischen Kirche? Das Gespräch Heft 13. Wuppertal-Barmen 1959.

Ders. Über die Einheit im Bekennen: Ist "consensus de doctrina" heute nötig und möglich?, in: LM 9 (1970), 352-356.

Stirnimann, Heinrich. Anerkennungen, in: IKZ 27 (1982), 75ff.

Stirnimann, Heinrich u. Vischer, Lukas. Papsttum und Petrusdienst. ÖkPer Nr. 7. Frankfurt a.M. 1975.

Strecker, Georg. Ein weiterer Schritt voran: Ergebnisse der katholisch-lutherischen Studienkommission, in: LM 10 (1971), 642-647.

Taufe, Eucharistie und Amt: Auf dem Wege zu einem ökumenischen Konsensus. Eine Antwort an die Kirchen. Faith and order paper No. 84. Genf 1977.

Taufe, Eucharistie und Amt. Konvergenzerklärungen der Kommission für Glauben und Kirchenverfassung des Ökumenischen Rates der Kirchen ("Lima-Dokument") 1982, in: Dokumente wachsender Übereinstimmung, 545-585.

Eine Taufe, eine Eucharistie, ein Amt. Drei Erklärungen erarbeitet und autorisiert von der Kommission für Glauben und Kirchenverfassung. Hg. Geiko Müller-Fahrenholz. Sonderdruck aus ÖR.B 27. 4. Aufl. Frankfurt a.M. 1979.

Theologie im Wandel. Festschrift zum 150jährigen Bestehen der katholisch-theologischen Fakultät an der Universität Tübingen 1817-1967. TThR Bd. I. München-Freiburg 1967.

Thimme, Hans. Gemeinschaft am Tisch des Herrn. Ökumenische Centrale, Materialdienst Nr. 6, Mai 1977.

Thunberg, Lars. "Das Herrenmahl" - Bewertung einer ökumenischen Bilanz, in: US 35 (1980), 230-242.

Thurian, Max. Eucharistie: Einheit am Tisch des Herrn? Mainz-Stuttgart 1963.

Ders. Interkommunion, in: ÖR 12 (1963), 150-164.

Ders. Sichtbare Einheit. Gütersloh 1963.

Ders. Die eine Eucharistie. Mainz 1976.

Ders. Das eucharistische Gedächtnis: Lob- und Bittopfer, in: ders. (Hg.). Ökumenische Perspektiven von Taufe, Eucharistie und Amt, 110-123.

Ders. Die eucharistische Liturgie von Lima: Einführende Bemerkungen, in: US 38 (1983), 158-163.

Ders. (Hg.). Ökumenische Perspektiven von Taufe, Eucharistie und Amt. Paderborn-Frankfurt a.M. 1983.

Tillard, J.M.R. Die theologischen Grundlinien der Konvergenz über die Eucharistie, a.a.O. 124-137.

889

Torrance, T.F. Abendmahlsgemeinschaft und Vereinigung der Kirchen, in: KuD 3 (1957), 240-250.

*Trütsch, Josef. Taufe, Sakrament der Einheit - Eucharistie, Sakrament der Trennung?, in: Theologische Berichte 9, 67-95.

*Ders. Orthodox und katholisch - Perspektiven der Einheit, in: SKZ 149 (1981), 717-721.

Um Amt und Herrenmahl: Dokumente zum evangelisch/römisch-katholischen Gespräch. Hg. Günther Gaßmann u.a. ÖkDok. Hg. Günther Gaßmann, Marc Lienhard u. Harding Meyer, Bd. I. 2. Aufl. Frankfurt a.M. 1974.

Urban, Hans Jörg. Bemerkungen aus katholischer Sicht zum Verständnis des kirchlichen Amtes im Memorandum, in: US 28 (1973), 280ff.

Ders. "Göttliches" und "menschliches" Recht in der Kontroverse um das Amt in der Kirche, a.a.O. 314-320.

Urban, Hans Jörg u. Voss, Gerhard. Eine katholische Selbstbesinnung zur Ämterfrage, in: US 30 (1975), 73-76.

Utrecht 1972: Vorträge und Berichte bei der Tagung des Zentralausschusses des Ökumenischen Rates der Kirchen. Hg. Hanfried Krüger. ÖR.B 23 (1973).

Vajta, Vilmos. Unser Einssein in Christus und unsere Uneinigkeit als Kirchen, in: LR 4 (1954), 110-124.

Ders. Das Problem der Kirchenunion in Südafrika, in: LR 6 (1956/57), 122-146.

Ders. Die Einheit der Kirche und die Feier des Heiligen Abendmahls, in: ders. (Hg.). Kirche und Abendmahl, 307-344.

Ders. (Hg.). Kirche und Abendmahl. Studien und Dokumente zur Frage der Abendmahlsgemeinschaft im Luthertum. Berlin-Hamburg 1963.

Ders. Interkommunion - mit Rom? Göttingen 1969.

Ders. Die unmögliche "Interkommunion", in: ÖR 18 (1969), 560-568.

Ders. Die konkreten Möglichkeiten der Zulassung, in: A. Kirchgässner u. H. Bühler. Interkommunion in Diskussion und Praxis, 82-90.

Ders. Die Annahme der Menschen im Abendmahl, in: ÖR 22 (1973), 35-54.

Ders. Gottesdienstpraxis überprüfen: Ein unbeachteter Aspekt der Leuenberger Konkordie, in: LM 12 (1973), 209f.

Ders. Die Dringlichkeit der Interkommunion, in: Interkommunion - Konziliarität, 77-105.

VELKD stimmt Leuenberg zu. Dietzfelbinger: Stellungnahme der Katholischen Kirche ernstnehmen, in: KNA, Kritischer Ökumenischer Informationsdienst Nr. 46/1973.

Vereinbarung zwischen der lutherischen und der katholischen Kirche. Philippinen, in: LR 23 (1973), 88-91.

Vicedom, Georg F. Abendmahlsgemeinschaft in der Ökumene, in: Konfession und Ökumene, 202-211.

Villain, Maurice. Ist eine apostolische Sukzession außerhalb der Kette der Handauflegungen möglich?, in: Conc(D) 4 (1968), 275-284.

Ders. Wie können wir theologisch und praktisch zu einer gegenseitigen Anerkennung der Ämter kommen?, in: Conc(D) 8 (1972), 290-296.

*Vischer, Lukas. Wesen und Bedeutung der Berichte von Glauben und Kirchenverfassung, in: Die Einheit der Kirche, 9-28.

Ders. Eucharistie - Zeichen der Einheit: Einige historische Überlegungen. Dokument der Kommission für Glauben und Kirchenverfassung. FO/66:59. Oktober 1966.

Ders. ... ein wirklich universales Konzil?: Bericht über Glauben und Kirchenverfassung vor dem Zentralausschuß des Ökumenischen Rates der Kirchen in Canterbury im August 1969, in: US 24 (1969), 247-254.

*Ders. Unionen in der ökumenischen Bewegung heute: in: Kirchenunionen und Kirchengemeinschaft, 25-47.

Ders. Von Einheit zur Vereinigung: Wachsende Gemeinschaft - ungelöste Spannungen, in: LM 10 (1971), 188-192.

Ders. Die Zeit der Entscheidung ist gekommen: Bericht über die Einheit der Kirchen, in: Addis Abeba 1971, 59-67.

Ders. Bericht über die gemeinsame Arbeitsgruppe zwischen der römisch-katholischen Kirche und dem Ökumenischen Rat der Kirchen, in: Utrecht 1972, 74-82.

*Ders. Ökumenische Skizzen. Frankfurt a.M. 1972.

Ders. Bericht über die Einheit, in: ÖR.B 24 (1974), 41-51.

Ders. Bericht über die Einheit der Kirche: Was werden sie später sagen?, in: Ökumenische Bewegung 1973-1974, 29-38.

Ders. Taufe, Abendmahl und Amt: Wo stehen wir auf dem Wege zum Konsensus?, in: Taufe, Eucharistie und Amt: Auf dem Wege zu einem ökumenischen Konsensus, 24-33.

Ders. Der Auftrag der reformierten Kirchen in der ökumenischen Bewegung, in: ÖR 28 (1979), 410-420.

Ders. Einleitung, in: Eine Taufe, eine Eucharistie, ein Amt. Drei Erklärungen erarbeitet und autorisiert von der Kommission für Glauben und Kirchenverfassung, 3ff.

Vischer, Lukas. Zur Lage der Ökumene: "Was tut sich in den
    Kirchen im Hinblick auf die Einheit der Kirche?". Öku-
    menische Centrale, Materialdienst Nr. 6, Juni 1981.

Ders. Konkordie und Kirchengemeinschaft - Erwartungen für
    die Zukunft, in: Konkordie und Kirchengemeinschaft re-
    formatorischer Kirchen im Europa der Gegenwart, 92-107.

Ders. Einheit im Glauben, in: M. Thurian (Hg.). Ökumenische
    Perspektiven von Taufe, Eucharistie und Amt, 19-29.

*Ders. Rezeption in der ökumenischen Bewegung: Die Texte
    über Taufe, Eucharistie und Amt der Kommission für Glau-
    ben und Kirchenverfassung, in: KuD 29 (1983), 86-99.

Vitalini, Sandro. Bilanz der heutigen Eucharistietheologie,
    in: SKZ 149 (1981), 37-43.

Völker, Alexander, Lehmann, Karl u. Dombois, Hans (Hg.).
    Ordination heute. Kirche zwischen Planen und Hoffen
    Heft 5. Kassel 1972.

Völler, Alfred. Einheit der Kirche und Gemeinschaft des Kul-
    tes. Rom 1961.

Ders. Die theologischen Voraussetzungen der Interkommunion,
    dargestellt am Verhältnis zu den getrennten orientali-
    schen Kirchen, in: Diak. 2 (1971), 89-100.

Volk, Hermann. Einheit der Kirche, in: LThK Bd. III (1959),
    750-756.

Vom Dialog zur Gemeinschaft: Dokumente zum anglikanisch-lu-
    therischen und anglikanisch-katholischen Gespräch. ÖkDok
    Bd. II. Hg. Günther Gaßmann, Marc Lienhard u. Harding
    Meyer. Frankfurt a.M. 1975.

Vor einer lutherisch-reformierten Kirchengemeinschaft, in:
    HerKorr 27 (1973), 220f.

Vorgrimler, Herbert. Interkommunion - Hoffnungen und Bedenken,
    in: Interkommunion - Hoffnungen zu bedenken, 13-26.

Ders. Das Priesterdokument der römischen Bischofssynode 1971,
    in: Amt und Ordination in ökumenischer Sicht, 278-303.

Voss, Gerhard. Das Lima-Dokument "Taufe, Eucharistie und Amt"
    in katholischer Sicht, in: Cath(M) 36 (1982), 181-194.

Vries, Wilhelm de. Communicatio in sacris: Gottesdienstliche
    Gemeinschaft mit den von Rom getrennten Ostchristen im
    Licht der Geschichte, in: Conc(D) 1 (1965), 271-281.

Ders. Glaubenseinheit und Glaubensverschiedenheit zwischen
    römischer und orthodoxer Kirche, in: Orien. 30 (1966),
    170-175.

Wagner, Harald. Einheit der katholischen Kirche in "fragmenta-
    rischer" Gestalt?, in: ÖR 25 (1976), 371-381.

Ders. Kirchliche Einheit und Konfessionen, in: US 31 (1976),
    336-341.

Wainwright, Geoffrey. Versöhnung im Amt, in: M. Thurian (Hg.). Ökumenische Perspektiven von Taufe, Eucharistie und Amt, 147-157.

Wandernde Horizonte auf dem Weg zu kirchlicher Einheit: Vorstellungen von Einheit und Modelle der Einigung. Hg. Reinhard Groscurth. Frankfurt a.M. 1974.

Was hindert uns?: Das gemeinsame Herrenmahl der Christen. Regensburg 1981.

Wege zum Verständnis der "Apostolischen Sukzession": Lutherische und reformierte Gedanken, in: HerKorr 16 (1961/62), 41-45.

Weitgehende Übereinstimmung: Dialog zwischen Alt-Katholiken und Katholiken, in: KNA, Konzil-Kirche-Welt Nr. 15/1969, 9ff.

Die Weltkonferenz für Glauben und Kirchenverfassung. Deutscher amtlicher Bericht über die Weltkirchenkonferenz in Lausanne 3.-21. August 1927. Hg. Hermann Sasse. Berlin 1929.

Weymann, Volker. Einige Fragen zwischen Abendmahl und Eucharistie, in: Ref. 28 (1979), 611-617.

*Wiederkehr, Dietrich. Abendmahlsgemeinschaft als Verheißung und Aufgabe, in: Interkommunion - Hoffnungen zu bedenken, 64-73.

Ders. Das Sakrament der Eucharistie. Feiern des Glaubens. Hg. Alois Müller. 2. Aufl. Freiburg-Wien 1977.

Wilckens, Ulrich. Eucharistie und Einheit der Kirche: Die Begründung der Abendmahlsgemeinschaft im Neuen Testament und das gegenwärtige Problem der Interkommunion, in: KuD 25 (1979), 67-85.

Wilkens, Erwin. Dokumente und Erläuterungen zur gegenwärtigen Praxis der Abendmahlsgemeinschaft in der Evangelischen Kirche in Deutschland und ihren Gliedkirchen, in: Koinonia, 191-238.

Willebrands, Jan. Bericht über die ökumenische Gesamtsituation vom Standpunkt des Einheitssekretariats, in: Cath (M) 22 (1968), 119-131.

Ders. Die Problematik der Interkommunion: Eine Frage der Loyalität und des Realismus, in: KNA, Konzil-Kirche-Welt Nr. 34/1968, 6.

Ders. Ökumenischer Situationsbericht 1969-1970 aus der Sicht des Einheitssekretariates, in: Cath(M) 24 (1970), 224-239.

Ders. Der evangelisch-katholische Dialog: Tatsächliches und Grundsätzliches, in: ÖR 22 (1973), 182-202.

Ders. Ökumenischer Situationsbericht 1972 aus der Sicht des Einheitssekretariates, in: Cath(M) 28 (1974), 57-70.

Willebrands, Jan. Ökumenischer Situationsbericht aus der
    Sicht des Einheitssekretariates 1973, in: Cath(M) 29
    (1975), 61-81.

Willebrands, Johannes u. Hamer, Jerôme. Gemeinsame Eucha-
    ristiefeier konfessionsverschiedener Christen: Eine
    Erklärung des Sekretariats zur Förderung der Einheit
    der Christen, in: KNA, Konzil-Kirche-Welt Nr. 3/1970,
    8-11.

*Winklhofer, Alois. Die dogmatischen Gründe der Haltung
    Roms, in: Gottesdienst 3 (1969), 29-30.

Wislöff, Carl Fr. Gottesdienst und Opfer, in: LR 5 (1955/56),
    373-384.

Witte, Jan L. Thesen über die Kirche im Zusammenhang mit dem
    Interkommunionsproblem, in: Evangelium - Welt - Kirche,
    437-455.

Wolfinger, Franz. Einheit durch Einigung: Gedanken zu den
    Zielvorstellungen von Einheit, in: Auf Wegen der Ver-
    söhnung, 247-260.

*Zizioulas, Johannes D. Abendmahlsgemeinschaft und Katholi-
    zität der Kirche, in: Katholizität und Apostolizität,
    31-50.

Ders. Ist die Ordination ein Sakrament?: Eine orthodoxe Ant-
    wort, in: Conc(D) 8 (1972), 250-254.

Ders. Priesteramt und Priesterweihe im Licht der östlich-
    orthodoxen Theologie, in: Amt und Ordination in ökume-
    nischer Sicht, 72-113.

*Der Zugang zum Heiligen Abendmahl, in: LM 8 (1969), 47f.

Zum Thema Interkommunion, in: Schritte ins Offene Nr. 1/1971,
    13.

Zur Frage gelegentlicher Gastfreundschaft: Die Straßburger
    Weisungen und die römische instructio, in: US 30 (1975),
    95-105.

ABKÜRZUNGSVERZEICHNIS

Die Abkürzungen sind zum großen Teil entnommen: Theologische Realenzyklopädie. Hg. Gerhard Krause u. Gerhard Müller. Abkürzungsverzeichnis. Zusammengestellt von Siegfried Schwertner. Berlin-New York 1976.

AblEKD	Amtsblatt der Evangelischen Kirche Deutschlands.
Accra 1974 I	Die Taufe. Accra 1974.
Accra 1974 II	Die Eucharistie. Accra 1974.
Accra 1974 III	Das Amt. Accra 1974.
Amsterdam 1948	Amsterdam: Erste Vollversammlung des Ökumenischen Rates der Kirchen. 22. August bis 4. September 1948.
BL	Bibel-Lexikon. Hg. Herbert Haag. 2. Aufl. Einsiedeln-Zürich-Köln 1968.
Bristol 1967	Die Heilige Eucharistie. Bristol 1967.
CA	Confessio Augustana.
Canterbury 1973	Amt und Ordination: Eine Erklärung über die Lehre vom Amt. Internationale Anglikanisch/Römisch-katholische Kommission.
Cath(M)	Catholica.
Cath(M).B	Beiheft zu Catholica.
CD	Christus Dominus. Das Dekret über die Hirtenaufgabe der Bischöfe in der Kirche.
CIC	Codex Iuris Canonici.
Conc(D)	Concilium.
CV	Communio viatorum.

Dombes I	Auf dem Wege zu ein und demselben eucharistischen Glauben?: Lehrkonsens über die Eucharistie (Gruppe von Dombes).
Dombes II	Die Bedeutung der Eucharistie: Pastoraler Konsensus (Gruppe von Dombes).
Dombes III	Für eine Versöhnung der Ämter: Elemente eines Konsensus zwischen Katholiken und Protestanten (Gruppe von Dombes).
Dombes IV	Das episkopale Amt: Überlegungen und Vorschläge zum Wächteramt und zum Amt der Einheit in der Teilkirche.
Edinburgh 1937	Edinburgh: Zweite Weltkonferenz für Glauben und Kirchenverfassung. 3. bis 18. August 1937. Schlußbericht.
EKD	Evangelische Kirche Deutschlands.
EKU	Evangelische Kirche der Union.
Das Evangelium und die Kirche	Bericht der evangelisch-lutherisch/römisch-katholischen Studienkommission: "Das Evangelium und die Kirche".
Evanston 1954	Unser Einssein in Christus und unsere Uneinigkeit als Kirchen, in: Einerlei Hoffnung eurer Berufung: Sammelband der Studienhefte zur zweiten Vollversammlung des Ökumenischen Rates der Kirchen, Evanston, Illinois, USA, 1954.
EvDia	Die evangelische Diaspora.
FZPhTh	Freiburger Zeitschrift für Philosophie und Theologie.
Das geistliche Amt in der Kirche	Gemeinsame römisch-katholische/evangelisch-lutherische Kommission. Das geistliche Amt in der Kirche.
GuL	Geist und Leben.
HDG	Handbuch der Dogmengeschichte.
HerKorr	Herder Korrespondenz.
Das Herrenmahl	Gemeinsame römisch-katholische/evangelisch-lutherische Kommission. Das Herrenmahl.
HLK	Heilslehre der Kirche: Dokumente von Pius IX. bis Pius XII. Hg. Anton Rohrbasser. Freiburg (CH) 1953.
HThG	Handbuch theologischer Grundbegriffe.
IKZ	Internationale Kirchliche Zeitschrift.

KNA	Katholische Nachrichten-Agentur.
KuD	Kerygma und Dogma.
KuD.B	Beiheft zu Kerygma und Dogma.
Lausanne 1952	Die Weltkonferenz für Glauben und Kirchenverfassung. Deutscher amtlicher Bericht über die Weltkirchenkonferenz zu Lausanne 3.-21. August 1927.
LebZeug	Lebendiges Zeugnis.
LG	Lumen Gentium. Die dogmatische Konstitution über die Kirche.
Lima 1982 I	Taufe. Taufe, Eucharistie und Amt. Konvergenzerklärungen der Kommission für Glauben und Kirchenverfassung des Ökumenischen Rates der Kirchen ("Lima-Dokument") 1982.
Lima 1982 II	Eucharistie. "Lima-Dokument" 1982.
Lima 1982 III	Amt. "Lima-Dokument" 1982.
LK	Leuenberger Konkordie.
LM	Lutherische Monatshefte.
LR	Lutherische Rundschau.
LR.B.	Beiheft zur Lutherischen Rundschau.
LRb	Lutherischer Rundblick.
LThK	Lexikon für Theologie und Kirche. 2. völlig neu bearbeitete Aufl. Hg. Josef Höfer u. Karl Rahner. 10 Bd. Freiburg-Basel-Wien 1957-1965.
Lund 1952	Lund: Dritte Weltkonferenz für Glauben und Kirchenverfassung. 15. bis 28. August 1952.
LWB	Lutherischer Weltbund.
MdKI	Materialdienst des Konfessionskundlichen Instituts.
Montreal 1963	Montreal: Vierte Weltkonferenz für Glauben und Kirchenverfassung. 12. bis 26. Juli 1963.
MThZ	Münchner Theologische Zeitschrift.
Mysterium fidei	Rundschreiben unseres Heiligen Vaters Paul VI. über die Lehre und den Kult der Hl. Eucharistie: "Mysterium fidei". 3. September 1965.

Neu-Delhi 1961	Neu-Delhi: Dritte Vollversammlung des Ökumenischen Rates der Kirchen. 18. November bis 6. Dezember 1961.
OE	Orientalium Ecclesiarum. Das Dekret über die katholischen Ostkirchen.
ÖAKR	Österreichisches Archiv für Kirchenrecht.
ÖBFZPhTh	Ökumenische Beihefte zur Freiburger Zeitschrift für Philosophie und Theologie.
ÖD	Ökumenische Diskussion.
ÖkDir I	Ökumenisches Direktorium: Richtlinien zur Durchführung der Konzilsbeschlüsse über die ökumenische Aufgabe. Erster Teil.
ÖkDir II	Ökumenisches Direktorium. Zweiter Teil: Ökumenische Aufgaben der Hochschulbildung.
ÖkDok	Ökumenische Dokumentation.
ÖkPer	Ökumenische Perspektiven.
ÖPD	Ökumenischer Pressedienst.
ÖR	Ökumenische Rundschau.
ÖR.B	Beiheft zur Ökumenischen Rundschau.
ÖRK	Ökumenischer Rat der Kirchen.
Orien.	Orientierung.
PO	Presbyterorum ordinis. Das Dekret über Dienst und Leben der Priester.
QD	Quaestiones disputatae.
Ref.	Reformatio.
RWB	Reformierter Weltbund.
SC	Sacrosanctum Concilium. Die Konstitution über die heilige Liturgie.
Schlußbericht	Der Schlußbericht der Arnoldshainer Abendmahlskommission.
Seels./Diak.	Der Seelsorger/Diakonia.
SKZ	Schweizerische Kirchenzeitung.
SÖR	Studien des Ökumenischen Rates.
StZ	Stimmen der Zeit.
TB	Theologische Bücherei.
ThG	Theologie der Gegenwart.

ThGl	Theologie und Glaube.
ThPQ	Theologisch-praktische Quartalschrift.
ThRv	Theologische Revue.
ThZ	Theologische Zeitschrift.
Toronto 1950	Die Kirche, die Kirchen und der Ökumenische Rat der Kirchen: Die ekklesiologische Bedeutung des Ökumenischen Rates der Kirchen. Sitzung des Zentralausschusses des Ökumenischen Rates in Toronto 1950.
TThR	Tübinger theologische Reihe.
TThQ	Tübinger Theologische Quartalschrift.
Uppsala 1968 I	Gottesdienst: Angenommener Bericht der Sektion V. Bericht aus Uppsala 1968.
Uppsala 1968 II	Der Heilige Geist und die Katholizität der Kirche. Bericht aus Uppsala 1968.
UR	Unitatis redintegratio. Das Dekret über den Ökumenismus.
US	Una Sancta.
USA I	Die Eucharistie: Eine lutherisch/römisch-katholische Stellungnahme.
USA II	Eucharistie und Amt: Eine lutherisch/römisch-katholische Stellungnahme.
VELKD	Vereinigte Evangelisch-Lutherische Kirche Deutschlands.
Windsor 1971	Gemeinsame Erklärung über die Lehre von der Eucharistie. Internationale Anglikanisch/Römisch-katholische Kommission.
ZdZ	Zeichen der Zeit.
ZKTh	Zeitschrift für katholische Theologie.